L'ENCYCLOPÉDIE DES CHEVAUX & PONEYS

Réalisation : InTexte Édition, Toulouse
Traduction de l'anglais : Thomas Guidicelli (p. 152-299),
Sophie Léchauguette (p. 1 à 151, 376-379), Élisabeth Rochet (p. 300-373)
Révision : Geneviève Robert-Desclaux

ISBN : 0-40541-440-5

Imprimé en Chine

L'ENCYCLOPÉDIE DES
CHEVAUX & PONEYS

TAMSIN PICKERAL

p

Sommaire

Comment utiliser ce livre

Cet ouvrage propose différentes approches du cheval :

- **Huit chapitres d'informations détaillées** pour acheter et s'occuper d'un cheval, rappeler l'histoire des chevaux et évoquer leur place dans le monde des hommes. Des photographies, des illustrations, des légendes factuelles et des encadrés fournissent une grande variété d'informations à chaque page.
- **La description de près de 200 races équines.** Ce chapitre est subdivisé en trois parties : les poneys, les chevaux lourds et les chevaux légers, présentés par ordre alphabétique.
- **Les encadrés « En bref »** récapitulant la taille, la couleur de la robe et l'origine géographique de chaque race.
- **Une partie « référence »** propose une liste de lectures stimulantes, donne des adresses utiles, fournit un glossaire des termes équestres de base et un index détaillé.

SYMBOLES UTILISÉS DANS CET OUVRAGE

Les symboles utilisés dans la partie consacrée aux races de chevaux permettent au lecteur de découvrir d'un seul regard des informations complémentaires. Ils indiquent les trois types de chevaux et de poneys, leur fonction première, s'ils sont destinés au dressage, au trait, à la randonnée, au trot, au saut ou s'ils sont sauvages. Ils donnent également une indication sur le tempérament de la race, grâce à une notation de un à quatre en fonction de la sociabilité de ces chevaux, le pictogramme comportant un seul cheval désignant les plus obstinés et/ou solitaires.

TYPE		USAGE			TEMPÉRAMENT	
Sang chaud		Dressage		Trot	Animal assez difficile	Généralement bien disposé
Demi-sang		Trait attelage		Obstacle	Peut être capricieux, généralement calme	Race sociable, facile à vivre
Sang froid		Randonnée		Sauvage		

Introduction

« **D**IEU ME GARDE d'aller dans un paradis où il n'y aurait pas de chevaux ! », écrivit Robert Bontine Cunningham-Graham en 1917. Voici un sentiment partagé, j'en suis sûre, par tous les amoureux des chevaux. Depuis l'aube des temps, le cheval a suscité chez les humains des émotions belles et intenses, exprimées au cours des siècles à travers les arts, les mythes et les légendes. Rien n'est plus beau que le spectacle d'un cavalier et de sa monture évoluant en complète harmonie. Mon cœur appartient aux chevaux et je pourrais chanter leurs louanges avec beaucoup de lyrisme. Je me suis pourtant efforcée de rester objective et de faire une présentation des équidés dégagée de toute sentimentalité.

CETTE ENCYCLOPÉDIE des races de chevaux et de poneys couvre tous les aspects du monde équestre. Elle donne également des clés pour comprendre le rôle du cheval dans la société à travers les âges. Elle est divisée en plusieurs parties afin de faciliter la recherche d'informations. Compagnon de voyage ou de travail dans les fermes, ou même nourriture, le cheval a depuis toujours tenu une place considérable auprès de l'homme. J'ai essayé de placer cette relation entre l'homme et l'animal au cœur des parties consacrées à l'histoire et aux légendes et des pages abordant la place du cheval dans l'art.

DANS CE LIVRE, les novices et les cavaliers inexpérimentés trouveront les informations nécessaires pour s'occuper des chevaux. Il comprend donc des rubriques traitant des premiers soins et de la santé du cheval, ainsi que de l'entretien de sa stalle. La partie concernant les rudiments de l'équitation ne saurait en aucun cas se substituer à un manuel complet, mais constitue plutôt une introduction. C'est également dans cet esprit qu'il faut lire le chapitre consacré à l'éducation du jeune cheval car il ne fait qu'indiquer les grandes directions du travail à pied. Cette encyclopédie ne prétend pas être un ouvrage pédagogique. Les cavaliers débutants ne doivent pas envisager de faire l'éducation d'un jeune cheval, mais il leur sera utile d'en connaître la démarche qu'ils pourront découvrir en lisant les pages correspondante. D'avance, je présente mes excuses aux spécialistes pour tout ce qui n'a pas pu être écrit et pour d'éventuelles erreurs dont je ne suis pas à l'abri. Ce livre se veut une introduction au monde de l'équitation et du cheval et ne se veut ni étude détaillée ni essai critique.

Un monde de chevaux

LES CHEVAUX sont certainement les animaux aux aptitudes les plus diverses. Apparus il y a des millions d'années, ils ont fourni à l'homme nourriture, peau et force de travail pour l'agriculture et l'industrie. Ils ont servi d'armes, de moyens de transport et nous ont offert le plaisir des courses, de l'équitation de compétition ou de loisir. Très adaptables, ils sont capables de vivre dans des environnements très variés.

LES PONEYS bhutia et spiti, originaires de la partie indienne de l'Himalaya s'épanouissent en altitude, dans ces régions montagneuses, mais ont du mal à supporter l'humidité et les températures plus élevées des plaines. L'akhal-teké, qui vient du désert de Karakum au Turkménistan, est capable de supporter la chaleur et le froid extrême de ce climat désertique. Une célèbre histoire raconte qu'une caravane d'akhal-teké se rendit de Achkhabad à Moscou en 1935. Les chevaux couvrirent une distance de 4 300 kilomètres en quatre-vingt-quatre jours, traversant un désert de plus de 300 kilomètres sans eau. Cette prouesse témoigne de leur étonnante endurance et de leur énergie.

En haut
Le jumping est une épreuve difficile qui oblige le cheval à donner beaucoup.

Ci-dessus
Le centaure Chiron enseigne le tir à l'arc au jeune Achille, toile de Giuseppe Maria Crespi dit Lo Spagnolo, représentant un cheval mythologique.

À droite
Jument akhal-téké et son poulain au pré.

mi-cheval, est né de la première vision de cavaliers sur leurs montures. De loin, sans doute les témoins ont-ils cru voir des monstres hybrides qui leur causèrent une grande frayeur. Soudain le petit monde de l'homme s'élargit : en domptant le cheval, il accédait à de nouveaux horizons.

LES PREMIERS CAVALIERS CÉLÈBRES

GENGIS KHAN (1162-1227) est peut-être le plus célèbre de tous. Guerrier indomptable, il conquit le Nord de la Chine avant de poursuivre vers l'ouest, toujours à cheval, avec son armée nomade bien entraînée, composée d'excellents cavaliers. Selon Marco Polo (1254-1324), le Grand Khan, petit-fils de Gengis Khan, instaura un incroyable service de poste, qui comprenait dix mille relais distants les uns des autres d'une cinquantaine de kilomètres et répartis sur toutes les grandes routes de son empire. Chaque relais disposait de quatre cents animaux, deux cents étant au repos

ÉVOLUTION DES RACES

DURANT LEUR ÉVOLUTION au cours des siècles, les différentes races de chevaux se sont adaptées à leur environnement, ce qui explique en partie la pérennité de l'espèce. Imaginez l'impact sur l'homme de la domestication des premiers chevaux lorsqu'il put les monter ou les atteler. On a souvent dit que le mythe du centaure, créature mi-homme

le cheval pourra passer. Toutefois, dans les sociétés occidentales privilégiées, son rôle a quelque peu évolué. La technologie l'a remplacé dans l'industrie et l'agriculture, et une grande partie des magnifiques races de chevaux de trait voient leurs effectifs diminuer au point qu'ils sont menacés d'extinction, malgré les efforts des Haras nationaux et des éleveurs.

Nombre de races de trait sont aujourd'hui croisées avec des races plus légères, tel le pur-sang, pour obtenir des chevaux demi-sang de qualité. En Angleterre, certaines brasseries continuent d'entretenir des attelages de chevaux de trait, shires, clydesdales et jutlands, qui tirent les haquets chargés de barriques les jours de comices agricoles et pour les opérations publicitaires.

LES CHEVAUX AUJOURD'HUI

DANS UNE PLUS LARGE MESURE, chevaux et poneys servent aujourd'hui à des activités de loisir. Ils procurent de grandes joies à des cavaliers de tous niveaux et de tous milieux, depuis la randonnée à poney pour les vacances jusqu'aux compétitions internationales. Pour illustrer l'évolution du rôle du cheval dans la société, on remarquera que les hanovriens et les oldenbourgs, autrefois recherchés pour les attelages, sont aujourd'hui très prisés en compétition et pour la monte. Il faut énormément de temps et d'argent pour élever des chevaux de qualité et le rêve de tous les éleveurs est de produire un champion incontesté de course ou de concours.

À gauche
Gengis Khan, fondateur de l'Empire mongol, à cheval lors d'une chasse au faucon.

Au centre
Un hanovrien dans une très belle attitude et sa cavalière travaillent en carrière.

En bas
En Angleterre, les shires tirent encore les haquets de quelques brasseries : ils sont ici en tenue d'apparat.

et les deux cents autres disponibles pour emporter plus loin les messages.

L'HOMME ET SON CHEVAL

L'HOMME ET LE CHEVAL semblent avoir forgé et entretenu, au cours de l'histoire, une amitié éternelle qui se poursuit encore aujourd'hui. Dans quelques cultures, comme chez les Kazakhs d'Eurasie, le cheval forme toujours une part essentielle de la vie quotidienne. Dans nombre de pays, il est encore utilisé pour l'agriculture ou le débardage et le transport. Il y aura toujours des endroits où seul

L'anatomie du cheval

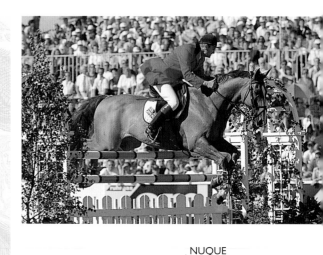

LES PERFORMANCES, le bien-être et l'apparence d'un cheval sont intrinsèquement liés à son squelette. Celui-ci soutient le corps, lui donne sa forme, permet ses mouvements et fournit les points d'attache des muscles et des tendons. C'est la charpente sur laquelle l'animal est construit. Certaines parties du squelette protègent les organes vitaux : le crâne protège le cerveau ; la cage thoracique, le cœur et les poumons.

MORPHOLOGIE

LES DIFFÉRENTES parties du cheval portent des noms qui peuvent parfois surprendre le novice. Le dessin ci-dessous vous les fera découvrir et vous aidera à vous familiariser avec ces termes.

Ci-dessous
Schéma du corps d'un équidé, avec la nomenclature des différentes parties de l'animal.

« **I**l y a un grand précepte à toujours mettre en pratique avec un cheval : ne jamais avoir à faire avec lui quand vous êtes en proie à la passion. »
Xénophon, *De l'équitation*, 400 avant notre ère.

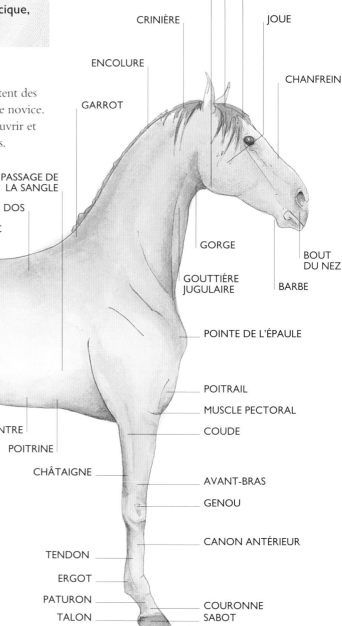

NUQUE
GANACHE
TOUPET
CRINIÈRE
JOUE
ENCOLURE
CHANFREIN
GARROT
PASSAGE DE LA SANGLE
POINTE DE LA HANCHE
REIN
DOS
GORGE
BOUT DU NEZ
ATTACHE DE LA QUEUE
CROUPE
FLANC
GOUTTIÈRE JUGULAIRE
BARBE
POINTE DE L'ÉPAULE
POINTE DE LA FESSE
POITRAIL
MUSCLE PECTORAL
COUDE
VENTRE
POITRINE
PLI DU JARRET
GRASSET
CHÂTAIGNE
AVANT-BRAS
CUISSE
JARRET
GENOU
CANON ANTÉRIEUR
CANON POSTÉRIEUR
TENDON
BOULET
ERGOT
PATURON
COURONNE
TALON
SABOT

La conformation

TAILLE D'UN CHEVAL

LA TAILLE D'UN CHEVAL prend en compte la distance qui sépare le garrot du sol. Par convention, les équidés mesurant jusqu'à 1,44 m sont considérés comme des poneys, au-delà, ce sont des chevaux. Pour obtenir une mesure précise, on utilise une toise spéciale et il faut que le cheval, non ferré, soit sur une surface plate. En Angleterre, la main, qui est égale à quatre pouces, soit dix centimètres, est l'unité utilisée.

mauvaise ou défectueuse aura une ossature qui présente des faiblesses pouvant le conduire à se blesser ou le rendant incapable d'accomplir la tâche prévue. Quand on regarde un cheval pour voir s'il est bien fait, il faut savoir distinguer la structure de son squelette de la condition dans laquelle il se trouve.

Ci-dessus
Ce cheval a une bonne conformation : la structure de son squelette le prédispose à devenir un excellent cheval de selle.

CONFORMATION

ON UTILISE GÉNÉRALEMENT le terme « conformation » pour désigner l'apparence des chevaux. Celle-ci dépend du squelette. On dira qu'un cheval a une bonne conformation si son corps est harmonieusement proportionné et bien équilibré pour le travail auquel il est destiné. Un animal à la conformation dite

CONDITION

LA CONDITION ou état d'un cheval dépend de plusieurs facteurs : le type de travail qu'il fait, sa nourriture, son état de santé et les soins qu'on lui donne. Un cheval prêt à sortir en concours, en bonne santé, qui mange la ration dont il a besoin, aura une musculature bien développée et sera en excellente condition.

Un cheval bien nourri, en bonne santé mais qui travaille peu, est par conséquent démusclé et sera dit en bon état mais manquant de condition. Quand on n'a pas l'habitude, il est facile de croire qu'un cheval démusclé n'a pas une bonne conformation. Inversement, un animal trop lourd, avec un excès de gras sur les cuisses et l'encolure peut donner l'illusion d'une bonne conformation. Il est important de ne pas confondre conformation et condition.

Ci-dessus
Un cheval qui sort en course, en concours ou en jumping, doit être en excellente condition.

Ci-contre
Le squelette du cheval comprend environ 250 os, selon la race.

CRÂNE

VERTÈBRES CERVICALES

VERTÈBRES THORACIQUES

VERTÈBRES LOMBAIRES

SACRUM

VERTÈBRES CAUDALES

SCAPULUM

COXAL

STERNUM

FÉMUR

HUMÉRUS

CÔTES

RADIUS

TIBIA

CARPES

MÉTACARPE

PHALANGES DU MÉTATARSIEN

JUGER D'UNE BONNE CONFORMATION

IL FAUT commencer par établir la race de l'animal puisque chacune a ses propres caractéristiques qu'il vous faudra retrouver. Leur absence signale un défaut. Par exemple, les arabes portent la queue haute parce qu'ils ont une vertèbre de moins que les autres. Si vous êtes face à un arabe dont la queue est plantée trop bas, c'est qu'il n'a pas une bonne conformation.

Deux autres critères sont à prendre en considération avant de porter un jugement sur la conformation d'un équidé. Il faut savoir s'il s'agit d'un mâle ou d'une femelle. Il est bon de se souvenir que les juments ont le dos un peu plus long que les hongres (cheval castré). Il faut aussi connaître son âge. Un cheval âgé a naturellement le dos un peu creusé et a perdu de son tonus musculaire. On ne saurait correctement évaluer les qualités de la conformation sans tenir compte de ces facteurs.

La tête : elle doit être harmonieusement proportionnée par rapport au reste du corps, avec des oreilles dressées et actives. Le front doit être aplati et large avec de grands yeux doux et bien écartés, grâce auxquels l'animal aura une bonne vision périphérique – un front saillant est réputé caractéristique des chevaux imprévisibles ayant mauvais caractère. Des naseaux assez larges permettant au cheval d'inspirer au maximum sont préférables ; sa bouche ne sera ni trop longue ni trop petite. Mettre un mors à un cheval à la bouche trop petite peut être difficile tandis que, si elle est trop longue, le cheval risque de tirer. Les incisives supérieures et inférieures doivent venir se poser les unes sur les autres ; la mâchoire supérieure est légèrement plus large que la mâchoire inférieure. Un espace de la largeur du poing doit séparer les deux os de la mâchoire inférieure, indiquant que le point de départ de l'appareil respiratoire n'est pas obstrué.

La tête, bien attachée, est bien portée. La ganache ne doit pas être trop épaisse, ce qui réduirait les possibilités de flexion, nuisant à l'équilibre du cheval. L'encolure doit être bien dégagée des épaules, c'est-à-dire assez longue. Sa ligne supérieure doit s'incurver doucement du garrot à la nuque. Sa longueur correspond à environ une fois et demie la longueur de la nuque à la lèvre inférieure. L'encolure, dans le prolongement des épaules, ne s'articule ni trop haut, ni trop bas.

Les épaules : elles doivent former une belle inclinaison ; ce sont elles qui permettent à l'animal d'évoluer librement. Dans l'absolu, la ligne allant du garrot à la pointe de l'épaule devrait former un angle de 45° avec le sol. L'omoplate, ou scapulum, doit être plus longue que l'humérus pour permettre au cheval d'avoir des foulées longues, amples et agréables.

Le garrot : il doit ressortir, sans être trop proéminent ou trop plat. À certaines étapes de leur croissance, les jeunes chevaux ont souvent le garrot plus bas que la croupe ; quand ils grandissent le garrot remonte. Les chevaux au garrot empâté, aplati mais musclé,

Ci-dessus
Les oreilles du cheval doivent être dressées et actives, et ses yeux brillants et pleins de santé.

Ci-contre
La tête du cheval doit être bien proportionnée par rapport au reste du corps.

Ci-contre, à droite
Ces poulains pur-sang d'un an ont un garrot bien formé, ni trop arrondi ni trop plat.

ne sont pas les meilleurs pour la monte mais sont plus adaptés au harnais. Ils ont tendance à se déplacer avec un mouvement roulant et il est assez ardu de les seller, à moins de leur mettre un faux garrot ou croupière.

Le poitrail : il doit être large, ample et bien ouvert, le cœur et les poumons ont ainsi la place de se développer. L'animal doit être d'aplomb pour éviter un défaut de locomotion. Toutefois un poitrail trop large est également susceptible de provoquer un mode de déplacement peu souhaitable. Les antérieurs d'un cheval bien conformé sont droits et bien parallèles, avec un avant-bras musclé et un os du canon court et dense. Les coudes, en avant des côtes, laissent le passage de la main, les genoux sont bien parallèles, larges et aplatis, et les paturons ont la même inclinaison que celle des épaules. Trop longs, ils ont tendance à ployer, ce qui constitue une faiblesse potentielle. Trop courts, ils absorbent moins efficacement les chocs à chaque battue. Les pieds sont bien parallèles, tournés vers l'avant et bien formés dans une corne dure.

AUTRES POINTS IMPORTANTS

LE CHEVAL doit avoir une cage thoracique arrondie de sorte que, vu de profil, il semble avoir un volume suffisant pour le développement du cœur et des poumons. La distance entre le sommet du garrot et un point situé derrière et sous le coude devrait être égale à celle séparant le coude du sol, ce qui donne le sentiment que le cheval a les jambes courtes. Dans l'idéal, les huit premières côtes, ou vraies côtes, qui se rattachent aux vertèbres dorsales et au sternum, devraient être allongées et aplaties, permettant ainsi aux jambes du cavalier de se poser élégamment

derrière les triceps. Viennent ensuite dix fausses côtes articulées sur les vertèbres et reliées au sternum par un cartilage, qui doivent être arrondies et élastiques de façon que le corps soit, lui aussi bien arrondi. Il ne devrait jamais y avoir plus de la largeur d'une main entre la dernière côte et l'os de la hanche. Si c'est le cas, il s'agit d'un défaut de conformation important.

La longueur du dos doit être proportionnelle à la taille de l'animal : la distance allant du bout du nez au passage de sangle doit être égale à celle allant du passage de sangle à la pointe de la fesse. Le dos sera de préférence fort, sans être trop large ou trop étroit. Les reins et la croupe doivent être musclés. Vue de derrière, la croupe doit être bien arrondie au niveau du pelvis et avoir une queue bien attachée. Les jarrets doivent être bien descendus et les cuisses longues et musclées. On devrait pouvoir tracer une droite reliant la pointe de la fesse à la pointe du jarret puis à l'arrière du boulet. Le jarret et l'articulation du boulet doivent être bien dessinés, ne pas être enflés ni porteurs de tares. Le paturon postérieur et le pied devraient former un angle d'environ 50° avec le sol.

Ci-contre

Les chevaux comme ce palomino ont une poitrine large et bien développée offrant un volume suffisant au cœur et aux poumons.

Ci-dessous

Le profil de ce cheval montre un passage de sangle bien arrondi.

Le premier jumping fut retransmis à la télévision anglaise en 1948 lors des J. O. de Wembley.

Les robes

LES COULEURS DE LA ROBE d'un cheval sont déterminées par les gènes dominants de ses parents, dans le cas de l'alezan, ce sont des gènes récessifs. De nombreux chercheurs ont étudié la coloration des robes. Leurs travaux sont d'autant plus importants que, selon les époques ou les modes, une robe ou une autre aura les faveurs du public. Pour certaines races, dont l'appaloosa et le palomino, l'animal doit non seulement satisfaire aux exigences en matière de conformation et de tempérament, mais aussi avoir une robe de la couleur prescrite. Curieusement, on pense que les robes tachetées ou pie viennent à l'origine du cheval espagnol, race qui pourtant aujourd'hui ne présente jamais ces caractéristiques.

Bai : les poils sont marron, la crinière et la queue noires avec, parfois, des balzanes ou des marques sur la tête. Les chevaux bais ont souvent des marques noires sur différentes parties du corps : bout du nez, pointe des oreilles, crinière et queue ou partie inférieure des membres. Les robes baies sont plus ou moins foncées : bai clair, bai ordinaire, bai-brun, bai cerise, bai-marron, bai châtain.

Alezan : le corps est entièrement brun-roux sans points noirs. Crinière et queue sont de la même couleur que le corps, mais un peu plus sombre ou plus clair (on dit alors que la robe est alezan à crins lavés). Il peut y avoir des balzanes ou des marques blanches sur la tête. On précisera la nuance plus ou moins fauve à l'aide d'adjectifs : clair, ordinaire, foncé, doré, cuivré ou brûlé.

Noir : il ne doit y avoir aucun poil brun ou gris. Crinière et queue doivent être noires. C'est une robe très rare.

Bai-brun : le corps est couvert de poils marron. La crinière et la queue sont noires de même que les extrémités des membres.

Gris : la pigmentation de la peau est sombre et la robe est un mélange de poils blancs et noirs. Les chevaux gris sont généralement foncés à la naissance et éclaircissent en grandissant. On distingue le gris très clair (presque blanc) du gris moucheté ou étourneau quand la robe présente des taches blanches et noires, ainsi que le gris fer (très foncé) et pommelé (présence de cercles plus sombres sur une robe grise).

Rouan : poils blancs, noirs et marron se mélangent pour donner cette robe ; la crinière et la queue comportent aussi des crins blancs. En fonction des proportions, on parlera de rouan clair (poils blancs dominants), ordinaire, vineux et foncé (dominance des poils bais).

Palomino : c'est une robe dorée assez rare. Associée à une crinière et une queue plus claires dites à crins lavés. Il peut y avoir des marques blanches sur les membres, au niveau du genou ou du jarret et sur la tête.

Pie : c'est une robe de deux couleurs, plus rarement de trois, formant de grandes taches sur le corps de l'animal sans se mélanger. Le pie alezan n'aura pas de poils noirs. La pigmentation de la peau est claire sous les taches blanches et sombre sous les plus foncées. Queue et crinière sont de deux couleurs ; souvent la crinière a les couleurs de l'encolure. Elle sera blanche et alezan si celle-ci l'est.

Pie blanc ou **pie noir** : le second adjectif de couleur utilisé indique la couleur dominante.

Isabelle : la peau est sombre avec des poils café au lait, les crins sont noirs. Ces robes ont souvent une raie de mulet et des marques au niveau du garrot ou des zébrures sur les membres. Il existe des robes isabelle clair, ordinaire ou foncé.

Blanc : la peau a une pigmentation claire et la robe peut être blanc mat, blanc sale, blanc porcelaine ou blanc rosé. On peut parfois distinguer des marques plus claires sur la tête et les membres.

Appaloosa : ce n'est pas à proprement parler une couleur de robe mais une race de chevaux présentant cinq variantes de robe de plusieurs couleurs et tachetée. La peau du bout du nez et des parties génitales est de deux couleurs ; la membrane sclérotique autour de l'œil est blanche. Il y a souvent des stries verticales sur les sabots (*voir* page 281).

Il faut également citer les robes **aubère** (mélange plus ou moins foncé de blanc et d'alezan), **louvet** (très rare, mélange de noir et d'alezan), **souris** (poils gris cendré et crins noirs). Le cheval **zain** n'a aucun poil blanc.

Ci-dessus
Cheval arabe blanc.

En haut, à gauche
Palomino reconnaissable à sa robe dorée et à ses crins plus clairs.

Au centre et en bas, à droite
Les chevaux pie sont de deux couleurs, tandis que les appaloosa peuvent présenter cinq variantes de robes.

En bas, à gauche
La robe isabelle est très ancienne et s'accompagne souvent d'une raie de mulet.

Le plus petit équidé connu était un étalon nommé Little Pumpkin (Petite Citrouille) né le 15 avril 1973. En 1975, il faisait 35,5 cm au garrot pour un poids de 9 kg.
Guinness

Les particularités

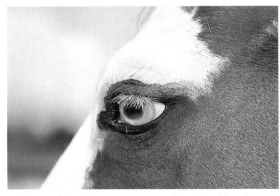

L A PLUPART des chevaux se distinguent les uns des autres par des taches blanches appelées particularités qui sont des signes particuliers consignés dans le livret du cheval. Certaines sociétés d'élevage ont des règles très strictes et refusent d'inscrire les chevaux portant trop de marques.

En haut, à droite
Les chevaux ayant un œil
vairon sont très rares.
Ils voient aussi bien
que les autres.

Ci-contre
Ces chevaux ont
une liste en tête.

À droite
Ces chevaux présentent
des membres plus foncés
ou une raie de mulet.

En bas, à droite
Marques communes
sur un cheval gris.

En bas
Les poneys exmoor ont
un nez de renard.

O ld Billy, un cheval de halage, a battu tous les records de longévité : né en 1760, il est mort le 27 novembre 1822, à l'âge canonique de 62 ans. Guinness

LA TÊTE

En-tête : ce sont les marques situées sur le front. Selon leur forme, on les appelle pelote, étoile, losange, croissant…

Liste : bande blanche étroite ou large sur le chanfrein. Elle peut se situer à différents niveaux et prendre des formes variées, être déviée ou débordante.

Belle face : c'est ainsi qu'on désigne un cheval dont la liste couvre la totalité du chanfrein.

Ladre : c'est une dépigmentation des naseaux, du bout du nez et des lèvres. On dit que le cheval boit dans son blanc.

Nez de renard : c'est une zone brun clair autour du nez. C'est souvent le cas des poneys exmoor.

Cap-de-maure : cheval à la robe foncée et dont la tête est noire.

Moustache : marques blanches sur les lèvres.

Vairon : l'un des yeux a une coloration bleutée plus ou moins pâle. Ce n'est pas une tare.

Membrane sclérotique : membrane extérieure du globe oculaire. Elle est visible chez les appaloosa.

LE CORPS

Extrémités noires : le bas des membres, les crins, le bout du nez et des oreilles sont très souvent sombres chez les chevaux bais.

Crins lavés : les crins sont d'une belle couleur crème assez claire, comme les haflinger. On les trouve chez les chevaux ayant une robe alezane.

Raie de mulet : c'est une ligne noire ou brun foncé qui suit l'épine dorsale, du garrot à la queue. Elle est souvent présente sur les robes isabelle. On appelle **bande cruciale** la rayure en travers des épaules.

Pommelé : les chevaux gris (parfois les chevaux bais) arborent souvent une robe pommelée, c'est-à-dire marquée de cercles plus sombres (charbonnures). Ces marques sont souvent plus visibles quand le cheval perd ses poils d'été ou d'hiver.

Les épis : le poil implanté irrégulièrement crée des épis. Ils se trouvent généralement sur le front, sur le dessus et le dessous de l'encolure mais peuvent être placés en n'importe quel endroit. Ils servent à l'identification du cheval, surtout en l'absence d'autres particularités. Les cultures indienne et arabe attachent une grande importance à la position et à la forme de ces épis. Dans certains cas, l'épi sera interprété comme un mauvais augure, et l'acheteur potentiel se désistera. L'*Asva sastra*, livre indien du XIVe siècle recense la signification des épis et autres particularités.

LES MEMBRES

Balzanes haut chaussées : ce cheval présente deux balzanes antérieures et postérieures haut chaussées puisqu'elles vont respectivement de la couronne au genou et au jarret.

Petites balzanes : les antérieurs ou les postérieurs sont blancs de la couronne jusqu'au boulet.

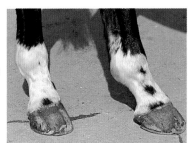

Principe de balzane : la marque blanche fait le tour du boulet mais ne monte pas plus haut.

La balzane présentant des marques noires ou marron au niveau de la couronne ou du paturon est dite **truitée**, **mouchetée** ou **herminée** en fonction de la distribution des poils plus foncés.

Zébrures : anneaux de poils plus sombres apparaissant dans le bas des membres. Ce sont des traits associés aux races primitives.

LES SABOTS

Corne foncée : les sabots sont d'une couleur bleu sombre rappelant l'ardoise. Leur corne est réputée plus dense et de meilleure qualité que celle des sabots blancs mais on ne dispose pas de preuves scientifiques.

Corne blanche : souvent associée à la présence de balzanes.

Corne mixte : les rayures noires et blanches sont verticales. Les appaloosa et les chevaux tachetés ont souvent des sabots rayés.

MARQUAGES ARTIFICIELS

Marquage au fer rouge : très utilisé sur les races à sang chaud comme les hanovriens et les oldenbourg ainsi que sur les poneys. Il symbolise une race (SF : selle français ; AF : anglo-arabe) ou l'identité du propriétaire. On le place en général sur l'épaule ou la cuisse. Il est permanent.

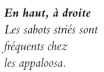

Cryomarquage : cette opération n'est pas douloureuse puisque le fer a été refroidi dans l'azote liquide. Le froid détruit les cellules assurant la pigmentation de la peau, et le poil repousse blanc. Les chiffres et les lettres constituent alors une véritable « plaque minéralogique » du cheval. C'est une pratique très rare en France.

Puce électronique : une micro-capsule contenant une puce électronique associée à une micro-antenne est injectée sous la peau de l'encolure. Elle contient un numéro d'identification national informatisé et se lit facilement avec un appareil de lecture.

Marquage des sabots : le code postal du propriétaire est marqué au fer sur la paroi du sabot. Indolore, cette opération doit être répétée tous les six mois, la marque disparaissant au fur et à mesure que la corne pousse.

Le vétéran des pur-sang fut Tango Duke. Né en 1935, il mourut le 25 janvier 1978 à 42 ans. Guinness

En haut, à droite
Les sabots striés sont fréquents chez les appaloosa.

Ci-dessus
Le marquage à froid est indolore et permanent.

Au centre, à gauche
Les balzanes haut chaussées de cet alezan s'arrêtent aux genoux et aux jarrets.

En bas et ci-contre
Le marquage des sabots est une méthode indolore mais non permanente permettant l'identification des chevaux.

Les dents et l'âge du cheval

IL EST TRÈS IMPORTANT de bien surveiller la dentition d'un cheval. Il faut savoir lui ouvrir la bouche sans se faire mal et sans le blesser. Il vaut mieux apprendre avec quelqu'un d'expérimenté qui vous montrera le bon geste.

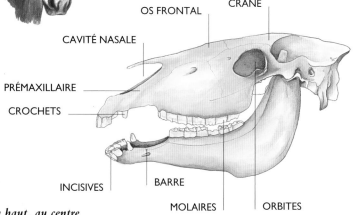

CRÂNE

OS FRONTAL

CAVITÉ NASALE

PRÉMAXILLAIRE

CROCHETS

INCISIVES

BARRE

MOLAIRES

ORBITES

En haut, au centre et en bas, à droite
Le crâne du cheval est allongé pour laisser assez de place à la dentition.

Ci-dessous
On peut déterminer avec une assez grande exactitude l'âge d'un cheval en examinant ses dents.

ÉVALUER L'ÂGE DU CHEVAL

LES DENTS de votre cheval doivent être bien entretenues. Une alimentation saine y contribuera. La forme des dents se modifie de manière spectaculaire au cours du temps, c'est la raison pour laquelle on peut connaître l'âge d'un équidé en regardant sa dentition et l'usure de la table dentaire.

OUVRIR LA BOUCHE DU CHEVAL

OUVRIR LA BOUCHE du cheval pour regarder les dents sans se faire mordre demande un peu d'habileté. Ne vous y essayez pas si vous n'êtes pas avec une personne expérimentée. Il ne faut pas se placer devant l'animal mais sur le côté de sa tête. On pose ensuite la main gauche sur la lèvre supérieure, sous les narines et la main droite sous la mâchoire. Placez les doigts de la main droite dans la barre, derrière les incisives, pour lui ouvrir la bouche. Ne lui attrapez jamais la langue car vous pourriez le blesser gravement.

STRUCTURE DE LA BOUCHE

LE MÂLE ADULTE a quarante dents : vingt-quatre molaires, douze incisives (deux pinces, deux mitoyennes et deux coins) et quatre canines appelées crochets. Il peut aussi avoir jusqu'à quatre dents de loup (sortes de prémolaires atrophiées qui risquent, à terme, de le gêner).

DENTS
DU POULAIN

DENTS D'UN CHEVAL
DE HUIT ANS

DENTS D'UN CHEVAL
DE QUINZE ANS

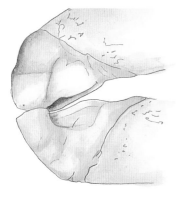

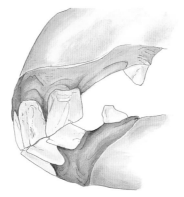

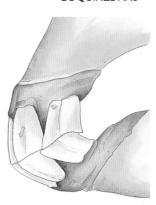

La femelle adulte n'a généralement pas de crochets et aura donc trente-six dents plus, éventuellement, quatre dents de loup. Les chevaux sont des herbivores qui passent leur temps à mâcher l'herbe, usant continuellement leurs dents. À cinq ans, les dents définitives du cheval ont atteint leur longueur normale. Elles vont continuer à pousser de manière à compenser l'usure continuelle de la couronne. Au fur et à mesure que les dents sortent, différentes parties deviennent visibles, ce qui permet d'évaluer l'âge de l'animal.

Il ne faut pas oublier que la mâchoire supérieure est plus large que la mâchoire inférieure. Les dents s'usent donc irrégulièrement. Les bords externes des molaires supérieures et internes des molaires inférieures s'aiguisent (apparition de « surdents »).

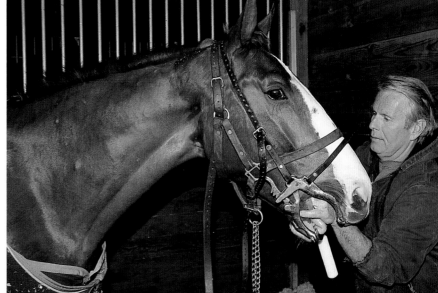

Elles deviennent coupantes et peuvent blesser les joues du cheval, c'est pour cette raison qu'il est important de lui faire limer les dents une fois par an en faisant appel à un vétérinaire, un dentiste équin ou un maréchal-ferrant. Ils émousseront les pointes, causes potentielles de douleurs et de défaut de mastication.

POULAINS

COMME LES HUMAINS, le cheval a des dents de lait avant d'avoir ses dents définitives. Le jeune peut naître avec des prémolaires mais, en général, ce sont les pinces de lait qui sortent en premier, en une dizaine de jours. À neuf mois, le poulain a toutes ses dents de lait : six incisives et six prémolaires de part et d'autre des mâchoires inférieure et supérieure, soit en tout douze incisives et douze prémolaires mais pas de crochets.

En haut
Dents de poulain puis de cheval à huit et quinze ans.

Ci-dessus
On râpe les dents du cheval pour qu'il ne se blesse pas.

Ci-contre
Les poulains ont toutes leurs dents de lait vers neuf mois, ils perdront les dernières à cinq ans.

DE DEUX ANS ET DEMI À TROIS ANS

LES PINCES de lait (incisives centrales) sont remplacées par les dents définitives vers deux ans et demi. On les reconnaît facilement parce qu'elles sont plus longues, plus larges et plus jaunes que les dents de lait.

Ci-contre
Ce poulain est né avec ses prémolaires et ne tardera pas à avoir ses premières dents de lait : les pinces de lait.

TROIS ANS ET DEMI

LES MITOYENNES (incisives latérales) sont remplacées par les dents définitives. Deux molaires permanentes apparaissent de chaque côté des mâchoires supérieure et inférieure.

Ci-dessous
À cinq ans les dernières dents de lait sont tombées et les deux dernières molaires permanentes sont apparues.

DE QUATRE ANS À QUATRE ANS ET DEMI

LES COINS (incisives) sont remplacés par les dents définitives et les deux dernières molaires permanentes apparaissent de chaque côté des mâchoires supérieure et inférieure.

SIX ANS

ON DÉTERMINE l'âge d'un cheval en examinant le degré d'usure de la table dentaire, c'est-à-dire du dessus des incisives de la mâchoire inférieure. À six ans, trois changements importants se produisent :

au centre de la dent on voit apparaître le cornet dentaire, cavité qui se remplit d'une matière noire, le cément ; une tache brune se forme sur les incisives centrales : l'étoile radicale ; la table des mitoyennes présente un cément de plus en plus petit et l'on voit l'ivoire central entre le cément et le bord de la dent.

SEPT ANS

TROIS CHANGEMENTS se produisent : l'ivoire central devient plus visible à la surface des incisives centrales et latérales ; le cément disparaît des pinces et des mitoyennes et devient plus petit sur les coins ; la queue d'aronde, proéminence de la partie postérieure de la dent,

Des microtraumatismes répétés sur le canon favorisent la formation de suros. Il est donc nécessaire de bien protéger les membres des chevaux.

Ci-contre
Au-delà de huit ans,
il est plus difficile
d'évaluer l'âge
d'un cheval en regardant
ses dents.

En bas, à gauche
La forme de la table
dentaire des incisives
commence à se modifier
quand le cheval a dix ans.

commence à se former
au niveau du coin arrière
des incisives supérieures
en raison de l'usure inégale
des dents. Elle se brise et disparaît
généralement vers huit ans.

HUIT ANS

IL N'Y A PLUS ni queue d'aronde
ni cément. La table dentaire, en général
en commençant par les pinces, change
de forme : d'ovale elle devient
triangulaire. Il devient alors plus difficile
d'évaluer l'âge d'un cheval au vu
de ses dents.

DIX ANS

Certains chevaux développent un sillon longitudinal
de tartre, nommé signe de Galvayne, qui se creuse
sur les coins.

DE ONZE ANS À TREIZE ANS

UNE QUEUE D'ARONDE, à ne pas confondre
avec celle qui apparaît à sept ans, apparaît
parfois sur les coins. Plus volumineuse, elle reste
sur la dent sans finir par se briser comme
la précédente.

QUINZE ANS ET PLUS

LE SIGNE DE GALVAYNE arrive à peu près
au milieu de la dent quand le cheval atteint
une quinzaine d'années et rejoint les gencives
quand il a vingt ans. Il commence alors à disparaître
de la table vers les gencives et se résorbe quand
l'animal atteint trente ans. Entre dix et vingt ans,
les incisives s'arrondissent, les dents s'inclinent
de plus en plus vers l'avant et semblent s'allonger.
L'étoile radicale diminue, finissant par devenir
un point au milieu de la table dentaire des incisives.

Le plus grand
cheval répertorié
s'appelait Sampson.
C'était un hongre
de race shire, né
en 1846. Il faisait
2,19 m au garrot
en 1850 et pesait
1 524 kg.
Guinness

Le comportement du cheval

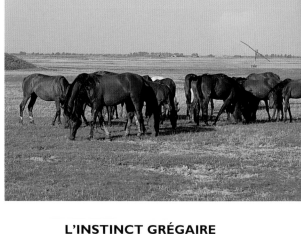

LES INSTINCTS les plus primaires de tout animal, et donc du cheval, sont l'instinct de survie et de reproduction. Les chevaux sauvages vivent en hardes conduites par un étalon dominant et comportant aussi, en général, une jument dominante. On remarquera leur tendance à établir des relations durables et à créer une forme de lien social faisant de la harde ou du harem un environnement sécurisant.

LE HAREM

UNE FOIS qu'un étalon dominant a formé son harem, il est rare qu'il recherche de nouvelles juments.

De récentes études sur les chevaux sauvages en Amérique ont montré qu'un harem se compose de cinq individus : l'étalon dominant, deux ou trois juments et leurs poulains. Il ne se crée pas uniquement des liens entre le mâle et les femelles, on voit souvent deux juments amies se mordiller et se lécher. De même, les jeunes étalons qui n'ont pas encore leur propre harem se lient entre eux, formant des groupes de célibataires. Dans un harem ou une harde, les éléments les plus faibles risquant d'être agressés se rapprochent souvent littéralement d'un dominant en se plaçant près de lui. Ainsi, ils sont sûrs que les plus forts les laisseront en paix et qu'ils auront assez de nourriture.

L'INSTINCT GRÉGAIRE

CE QUI PRÉCÈDE est une présentation très simplifiée de la vie des chevaux sauvages. Toutefois, cet instinct est commun à tous les chevaux. Il faut donc le savoir quand on envisage d'en acquérir un. Ce sont des animaux aimant naturellement la vie en société et, une fois séparé d'une harde, l'individu formera un lien avec un substitut. Pour le cheval domestique, il s'agit souvent de son propriétaire.

Quand on met des chevaux domestiques au pré, il vaut mieux séparer juments et hongres, surtout au printemps quand les juments vont avoir leurs chaleurs car cela peut provoquer des comportements d'étalon chez les hongres. On peut mettre ensemble un hongre et plusieurs juments mais l'inverse est déconseillé.

Les chevaux s'attachent les uns aux autres, formant des liens d'amitié qu'ils expriment de plusieurs façons, entre autres en se mordillant. Ils se placent tête-bêche et se mordillent le dos et l'encolure. Il s'agit presque toujours d'une activité réciproque : quand un cheval arrête l'autre aussi. C'est une bonne manière de se nettoyer et de cimenter les amitiés. L'été, les chevaux qui s'aiment bien se placent tête contre croupe et remuent leur queue pour se chasser mutuellement les mouches.

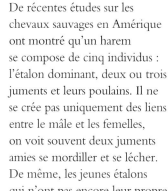

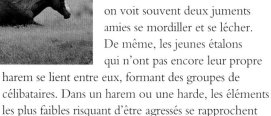

En haut, à droite
Les chevaux sauvages forment des harems ou des hardes, le groupe assurant la sécurité des individus.

Ci-dessus
Un étalon dominant s'entoure en général de deux ou trois femelles qu'il protège et saillit. Il se forme un lien très fort entre eux.

Ci-contre
Les animaux créent des liens dans la harde en se mordillant, en se léchant et par le contact vaso-nasal.

RÉACTIONS FACE AU DANGER

LES CHEVAUX DOMESTIQUES au pré retrouvent leurs instincts primaires. Ils se tiennent proches les uns des autres pour brouter et, quand un individu s'éloigne, c'est souvent signe que quelque chose ne va pas, à nous de comprendre quoi. La structure de la harde assure à l'animal un certain degré de sécurité : l'union fait la force. Si le leader (le sage, qui n'est pas le dominant) perçoit un danger et s'enfuit, les autres vont suivre.

Les chevaux sont bien adaptés à la vie en groupe et communiquent en se servant d'un langage corporel qui s'exprime, entre autres, par des mouvements d'oreilles et des sons. Ils dorment debout, ce qui leur permet de s'enfuir très vite en cas de danger. Quand un cheval s'allonge, il y en a souvent un ou deux debout près de lui pour monter la garde, prêts à donner l'alarme au reste de la harde si c'est nécessaire.

Les chevaux passent le plus clair de leur temps à paître. Ils se nourrissent, ou doivent être nourris, de petites quantités de nourriture, à intervalles rapprochés. Leur estomac est en permanence à moitié rempli. De cette façon, s'ils doivent détaler, ils n'auront pas à le faire le ventre plein. Le salut du cheval étant dans la fuite et non dans le combat, l'évolution lui a donné une vision adaptée à ce mode de vie. Il voit pratiquement sur 360° et la distance séparant les yeux de la bouche lui permet

de voir tout autour de lui lorsqu'il broute. Bien que prédisposé à s'enfuir, le cheval saura se défendre en ruant, en se cabrant ou en mordant s'il est acculé.

Il ne faut pas oublier ces instincts très forts quand on s'occupe d'un cheval domestique. Par exemple, on évitera de le laisser seul au pré après l'avoir séparé de ses compagnons. Il montrerait des signes de nervosité et de stress en courant le long de la barrière, en appelant, et pourrait tenter, dans certains cas, de sauter pour les rejoindre car on lui aura supprimé d'un seul coup la sécurité que constituait le groupe et, seul, il se sent vulnérable.

Ci-dessus
Quand un cheval couche les oreilles, c'est qu'il se sent menacé. Il risque d'avoir un comportement agressif.

En bas, à gauche
Ce cheval cherche ses compagnons ; il n'est pas souhaitable de laisser un cheval seul au pré.

Ci-contre
Ces chevaux manifestent de l'agressivité mutuelle : c'est un comportement fréquent chez les étalons.

Le vétéran vainqueur d'une course s'appelait Revenge et avait 18 ans quand il termina premier à Shrewsbury (Grande-Bretagne) en 1790.
Guinness

Les sens

LES CHEVAUX sont des animaux sociables qui communiquent entre eux en se servant de leurs sens. Ils ont une ouïe extrêmement fine. Leurs oreilles, qui sont perpétuellement en mouvement, à l'écoute du moindre signal de danger, nous donnent aussi une bonne indication de leurs dispositions. Si elles sont couchées, cela peut signifier agressivité, peur ou désarroi ; dressées et en avant, elles indiquent que l'animal est en éveil et s'intéresse à son environnement.

OUÏE ET ODORAT

QUAND ON LONGE un cheval, son oreille intérieure sera souvent tournée vers le longeur tandis que l'oreille extérieure est dressée. Cela indique qu'il est attentif et à l'écoute. Dans la harde, les chevaux regardent les oreilles des autres et agissent en fonction de leurs mouvements. Leur odorat est également très développé. Dans la nature, c'est grâce à lui que l'étalon reconnaîtra une jument en chaleur ou sentira la présence d'un rival en flairant ses crottins, ce qui constitue une forme de communication non négligeable. Toutefois, le sens le plus important du cheval est sans doute sa vue remarquable.

VUE

LA VUE DU CHEVAL et sa perception du monde qui l'entoure ont provoqué bien des débats et font l'objet de recherches de plus en plus nombreuses. La position des yeux, de part et d'autre de la tête, donne au cheval un champ de vision de près de 360°. Il a toutefois deux zones aveugles : la première se situe immédiatement devant le bout du nez, la seconde, quelques mètres derrière la croupe. La distance séparant les yeux de la bouche permet à l'animal de brouter tout en guettant d'éventuels prédateurs. C'est parce qu'il a une vision si étendue que le cheval sursaute souvent en découvrant soudain quelque chose qui se trouvait dans un de ses angles morts. Les scientifiques s'intéressent à la manière dont le cheval voit et perçoit couleurs et profondeur. Leurs yeux étant si différents des nôtres, les chevaux ont une vision du monde qui leur est propre, ce dont il faut se souvenir.

Ci-dessus et en haut
Les chevaux en groupe s'observent, surveillant les oreilles de leurs congénères. Ici, elles sont toutes dressées et les animaux regardent dans la même direction.

Ci-contre
L'évolution a donné au cheval une vision de 360°.

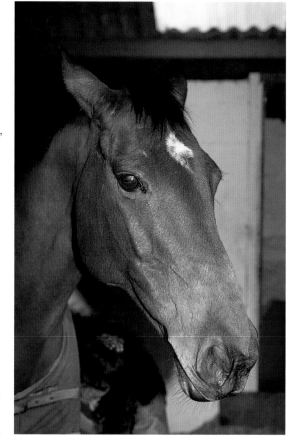

À gauche
Même lorsqu'il broute, le cheval est attentif au moindre signe de danger, les oreilles en alerte et les yeux ouverts.

humains, on teste leur aptitude à résoudre des problèmes. On a tenté de transférer cette technique aux chevaux en leur proposant par exemple de trouver leur chemin dans un labyrinthe pour accéder à de la nourriture. Le cheval « mémorise » et, à chaque nouveau passage, il arrive plus vite au bout. Il apprend par l'habitude. Un cheval à l'écurie dont la journée suit une routine bien définie connaîtra l'heure des repas, du travail et saura quel est son box. Au cours de leur éducation, ils apprennent à répondre aux aides du cavalier. Plus il progressera, plus ces aides et les mouvements qu'on lui demande deviendront complexes. Les chevaux ont une très bonne mémoire : ils se reconnaissent entre eux, reconnaissent les lieux et ont une étonnante propension à retrouver la maison. Il est assez facile de dresser un cheval domestique, comme en témoignent les chevaux que l'on voit au cinéma, dont le dressage très particulier et très poussé les amène toujours à accomplir des actions qui ne leur sont pas naturelles.

Chez l'animal, l'intelligence est liée à l'instinct. Dans une harde de chevaux sauvages, la structure sociale permet à ses membres de veiller les uns sur les autres, de se reproduire, de trouver nourriture et eau et d'échapper aux prédateurs : toutes ces actions sont instinctives mais font appel à l'intelligence.

Comme les hommes, il y a des chevaux plus intelligents que d'autres. Le quarter-horse est réputé très intelligent. Cependant, il vaut mieux avoir conscience qu'ils ont surtout de bonnes aptitudes à l'apprentissage et une excellente mémoire et non une intelligence abstraite.

COMMUNICATION VOCALE

EN DÉPIT des recherches actuelles sur l'importance de la voix chez le cheval, on dispose encore de bien peu d'informations sur la signification des différents sons qu'il produit. Ceux-ci sont relativement peu nombreux puisque, à l'état sauvage, les chevaux vivent près les uns des autres, ce qui réduit leur besoin d'échanges vocaux. On distingue quatre sons : le hennissement doux, l'ébrouement, le cri et le hennissement fort. Ils ont tous des sens différents, le premier est une invitation à l'accouplement, le deuxième un signe de peur ou d'excitation.

LE CHEVAL INTELLIGENT

PAR RAPPORT à sa taille, le cheval a un cerveau relativement gros mais il semblerait que l'essentiel du cerveau soit dévolu à la coordination des mouvements. Il est difficile d'évaluer l'intelligence du cheval. Pour mesurer celle des êtres

Ci-contre et ci-dessus
Dans une harde, les chevaux se protègent, certains guettant pendant que les autres mangent.

Soins et entretien du cheval

AVANT D'ENVISAGER l'achat d'un cheval ou d'un poney, il faut bien comprendre que cela demande du temps, du travail et de l'argent. Le coût initial de l'achat est toujours bien moins élevé que celui de son entretien. Si vous pensez garder votre cheval chez vous, vous devrez prévoir du terrain et quelques aménagements. Il peut être plus pratique, mais aussi plus onéreux, de le mettre dans une écurie.

CHOISIR ET ACHETER UN CHEVAL

QUAND VOUS ACHETEZ un cheval, c'est pour plusieurs années. Il est donc important que ce soit un animal qui vous convienne, que vous ayez les moyens d'entretenir et dont les aptitudes correspondent à votre niveau de cavalier et à vos goûts. Le novice ou celui qui achète son premier cheval ont tout intérêt à se faire accompagner d'un ami qui s'y connaisse et qui sache remarquer des choses qu'il ne verrait pas. Avant de commencer vos démarches, établissez une liste des points que vous estimez importants. Il vous sera alors plus facile de vous concentrer sur les chevaux susceptibles de vous convenir et de ne pas perdre votre temps. Il faut parfois consacrer plusieurs mois à cette recherche et voir différents types de chevaux avant de trouver votre future monture. Ce n'est pas du temps perdu et il ne faut surtout pas se précipiter. En matière de chevaux, c'est souvent ce que le vendeur ne vous dit pas qui est important, posez-lui toutes les questions qui vous viennent à l'esprit pour apprendre le plus de choses possible sur le cheval et son passé.

QUESTIONS PRÉLIMINAIRES À TOUT ACHAT

Caractère : c'est l'un des principaux critères. Il est vital d'avoir un cheval en qui on puisse avoir confiance et avec lequel on se sente en sécurité. Vous devez trouver un cheval calme et facile à vivre.

Âge : il vaut mieux acheter un cheval qui sait faire ce que vous allez lui demander. Ce sera probablement un animal d'au moins huit ou neuf

En haut, à droite
Un cheval tout fou ou inexpérimenté ne convient pas à un cavalier débutant.

Ci-dessus
Le cavalier doit se sentir en confiance avec son cheval, il doit apprécier son caractère.

Ci-contre
Un cheval a besoin d'un pré et d'un abri ou d'un box. Il faut savoir l'envisager avant tout achat.

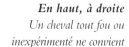

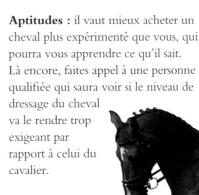

Taille : si vous achetez un cheval pour un enfant, il ne faut pas que, l'enfant grandissant, l'animal devienne vite trop petit pour lui. Il vaut également mieux éviter de prendre un cheval trop grand.

Aptitudes : il vaut mieux acheter un cheval plus expérimenté que vous, qui pourra vous apprendre ce qu'il sait. Là encore, faites appel à une personne qualifiée qui saura voir si le niveau de dressage du cheval va le rendre trop exigeant par rapport à celui du cavalier.

Prix : fixez-vous toujours un prix maximum. Toutes les semaines, des milliers de chevaux sont à vendre et, fatalement, l'annonce la plus attrayante correspondra à un animal juste au-dessus de vos moyens. N'allez pas le voir mais téléphonez quand même au vendeur, qui pourrait consentir un rabais.

Ci-dessous
On n'achète pas le même cheval ou poney si on le destine à la randonnée ou aux compétitions de dressage.

ans. En achetant un cheval apte à guider, vous pourrez aborder un nouvel exercice, par exemple le saut de cross, en étant parfaitement en confiance.

Sexe : n'achetez jamais un étalon. Les juments peuvent devenir capricieuses au printemps et en été, à intervalles réguliers, quand leurs chaleurs reviennent. Toutefois certaines juments restent imperturbables et cela ne pose pas de problème. Généralement les hongres sont moins difficiles que les juments mais le sexe de l'animal ne doit pas être un critère absolu de choix. Le plus important est de trouver un animal avec lequel vous avez des affinités, peu importe qu'il s'agisse d'une jument ou d'un hongre.

En haut à gauche
La taille de l'animal est un facteur important. Il ne faut pas qu'un jeune cavalier grandisse trop vite pour son compagnon.

Ci-contre
Un cheval expérimenté peut aider un novice à apprendre à sauter.

Où s'adresser

APRÈS AVOIR ANALYSÉ vos besoins, il est temps de commencer vos recherches. La meilleure façon de trouver un cheval, c'est par le bouche à oreille ou par relations. Vous pouvez bien sûr appeler le poney-club ou le centre équestre local et leur demander s'ils savent si un cheval est à vendre dans les environs. Parlez-en également à votre moniteur, qui est probablement quotidiennement en contact avec un grand nombre de chevaux. Plus vous en parlerez autour de vous, mieux cela vaudra. Si vous achetez un animal qui vous a été recommandé par une connaissance, vous risquez moins de faire une erreur.

ACHETER PAR ANNONCE

COMME DANS tous les domaines, on risque toujours de tomber sur un vendeur peu scrupuleux qui vend des chevaux loin d'avoir les mérites qu'il leur attribue. Quand vous allez voir un cheval, il faut tenter de vous rendre compte s'il correspond bien à l'annonce mirobolante. Il vaut mieux s'attendre à tout et poser beaucoup de questions. Si on vous dit qu'il a remporté des prix, n'hésitez pas à vérifier en consultant le service Minitel ou Internet des Haras nationaux. Vous pouvez aussi joindre les sociétés

organisatrices des courses pour contrôler les gains d'un animal.

Quand vous allez voir un cheval, demandez s'il a travaillé dans un poney-club ou un centre équestre. Si c'est le cas, vous pouvez appeler le secrétariat ou le moniteur pour leur demander des informations sur le cheval. Plusieurs magazines, dont *Cheval Magazine* et des sites spécialisés sur Internet ont une rubrique achat/vente dans leurs annonces. Souvent, les magasins fournissant l'alimentation ou les articles de sellerie auront aussi un panneau d'affichage où vous trouverez des chevaux ou des poneys à vendre.

PASSER PAR UN ÉLEVEUR

VOUS POUVEZ bien sûr vous adresser à un éleveur professionnel mais il est préférable de vous renseigner auparavant sur sa réputation. La plupart font un excellent travail mais quelques maquignons sévissent encore. L'un des avantages des professionnels est qu'ils acceptent généralement de vous confier le

Ci-dessus
Il faut demander
à quel type de mors
le cheval est habitué.

En haut, à droite
L'acheteur potentiel
doit essayer le cheval
avant de prendre
une décision.

Ci-contre
Cette acheteuse potentielle
observe le comportement
du cheval au paddock.

cheval pour une semaine à l'essai. Certains se spécialisent, proposant plutôt des chevaux d'obstacles ou de complet par exemple.

Les foires aux chevaux se déroulent en octobre à Kérien, en Bretagne, où se retrouvent les amateurs du concours de poulains et pouliches, traits et postiers, et à Gavray, dans la Manche, haut lieu du selle français, où amateurs et professionnels se côtoient.

Il vaut mieux ne pas acheter un cheval lors d'une vente à moins d'être accompagné d'un professionnel. Inutile de se laisser tenter par l'idée de faire une bonne affaire. Si un cheval est vendu à bas prix, c'est souvent qu'il ne vaut pas plus cher. Les chevaux de courses peuvent s'acheter lors des courses dites à réclamer ou à l'occasion de ventes spécialisées. La législation est très stricte et offre des garanties. Assister à une vente permet de voir beaucoup de chevaux en un temps assez court. Toutefois, si vous achetez votre premier cheval, soyez prudent.

QUE REGARDER

UNE FOIS le rendez-vous pris, demandez à une personne expérimentée de venir avec vous. En arrivant, observez le comportement du cheval au box et regardez son propriétaire lui passer le licol. Vous aurez déjà une première idée de l'attitude du cheval. Vous devez le voir sans aucun harnachement ni bandes de protection ou guêtres. Examinez sa conformation, recherchez la présence de défauts majeurs – votre ami vous sera d'une aide précieuse. Touchez les membres du cheval pour vérifier qu'il n'y a pas de grosseurs, bosses ou parties chaudes suspectes. Regardez sous chacun de ses pieds. Soyez toujours prudent et bien à votre place quand vous approchez un cheval que vous ne connaissez pas. Demandez à ce qu'on fasse marcher le cheval en s'éloignant de vous, puis revenir vers vous au trot. Regardez s'il semble en bonne santé et prêtez attention à sa locomotion : est-il sur les épaules, met-il trop de poids sur l'arrière, est-il droit ? Si ce que vous voyez vous convient, demandez à ce que le vendeur le selle et surveillez ses réactions. Semble-t-il mécontent qu'on lui pose la selle sur le dos ? Cela vous donnera une indication supplémentaire sur son tempérament. Il est normal que le vendeur commence par monter son cheval. Regardez comment il se comporte et, s'il vous plaît toujours, demandez à l'essayer. Demandez-lui les trois allures et essayez aussi de sauter une barre. Testez ses réactions en bord de route. Vous devriez alors avoir une assez bonne idée de la personnalité du cheval et savoir s'il vous convient.

ACHAT DU CHEVAL

SI VOUS AIMEZ ce cheval et souhaitez l'acheter, demandez au vendeur de vous le laisser à l'essai une semaine. S'il accepte, vous pourrez ainsi découvrir le comportement du cheval dans votre environnement et vérifier s'il est bien pour vous. Procédez ainsi uniquement si vous voulez vraiment acheter le cheval, sinon ce serait indélicat vis-à-vis du vendeur. Avant de prendre votre décision, demandez à un vétérinaire de l'examiner. Il contrôlera l'état des membres, le souffle, le cœur…

Il faut du temps pour acheter un cheval, et il n'est pas rare de devoir en voir plusieurs avant de rencontrer celui qui deviendra le vôtre. Il ne faut surtout pas prendre de décision hâtive, mieux vaut mûrir longuement sa décision avant de s'engager.

Ci-dessus
Il est important de découvrir le tempérament d'un cheval pour savoir si vous allez vous entendre avec lui.

Ci-dessous
Il faut bien sûr commencer par s'interroger sur la taille et l'âge de l'animal que l'on envisage d'acheter.

Les questions à poser

VOUS AVEZ TROUVÉ UN CHEVAL qui, à en croire l'annonce, semble fait pour vous. Posez tout de même quelques questions avant de vous déplacer pour le voir. De toute évidence, vous auriez des centaines de choses à demander, dont certaines liées aux conditions de vie que vous offrirez à votre cheval.

Pour ne pas se tromper, il faut faire appel à son bon sens et poser des questions pertinentes. N'oubliez pas que le cheval parfait n'existe pas. Ils ont tous des défauts. Vous devez savoir quels sont ceux dont vous pouvez vous accommoder et ceux qui vous poseront un problème insurmontable. La liste qui suit vous aidera à formuler les bonnes questions :

• Essayez de savoir pourquoi il est à vendre.

• L'annonce devrait mentionner âge, sexe et taille. Si ce n'est pas le cas, demandez, ainsi que la race.

• Renseignez-vous sur son caractère. Est-il paisible, difficile, émotif ? A-t-il tendance à botter ou à mordre ? Comment se comporte-t-il au box, au paddock ? Agresse-t-il les autres chevaux ou peut-on le sortir avec d'autres ?

• A-t-il des vices ? Tic de l'ours, tic à l'appui, tic aérophagique, tic ambulatoire ou tic du félin, tic rongeur… Tire-t-il au renard ? Tous ces comportements sont ennuyeux et font descendre le prix.

En haut, à droite
Observez le comportement du cheval que vous envisagez d'acheter.

Ci-contre
Avant d'acheter un cheval, assurez-vous qu'il est habitué à la circulation ou vos balades en extérieur pourraient être périlleuses.

• Demandez comment il se comporte dans la circulation. Si vous envisagez de sortir en extérieur, vous ne pourrez pas toujours éviter de longer une route. Il est important d'avoir un cheval habitué aux voitures qui n'ait pas de réactions dangereuses.

• Le cheval se laisse-t-il facilement attraper, parer, ferrer et mettre au box ?

• Découvrez son histoire : quel travail connaît-il, a-t-il participé à des compétitions, en a-t-il déjà remporté une, a-t-il fait de la randonnée, passe-t-il les gués, saute-t-il les fossés, a-t-il fait des jumpings, comment se comporte-t-il sur le plat ?

• Si c'est une jument, comment se comporte-t-elle pendant ses chaleurs ?

• Fait-t-il de petits sommes ?

• Avec quel type de mors est-il monté ?

• A-t-il eu des maladies ou des blessures graves ? A-t-il des cicatrices très visibles ? Si vous voulez sortir en concours, il ne faut pas un cheval aux genoux couronnés.

• Si vous envisagez de participer à des chasses à courre, demandez si le cheval connaît ce contexte. Si oui, comment se comporte-t-il, est-il puissant, passe-t-il en premier ou en dernier ? Est-il sociable ? Pouvez-vous ouvrir et refermer les barrières en selle ?

• Demandez s'il a déjà eu des coliques. Cela lui est-il arrivé plus d'une fois ? Certains chevaux y sont davantage sujets que d'autres et il vaut mieux être prévenu.

• Quel est son environnement habituel ? Est-il dans une petite écurie ou une écurie très fréquentée ? A-t-il l'habitude d'être seul ? Est-il toujours au paddock, au pré, en box ?

• Renseignez-vous sur ce qu'il mange et en quelle quantité.

• N'oubliez pas que la relation avec l'animal doit être réciproque : vous choisissez votre cheval mais lui aussi choisit son propriétaire. Pour que tout se passe bien, l'homme et l'animal doivent avoir des affinités, ce qui se voit d'emblée.

En bas
On demande à ce cheval de décrire un cercle étroit afin de vérifier qu'il n'est pas boiteux.

Charles Pahud de Mortanges (un Hollandais) détient un record puisqu'il a remporté quatre médailles d'or aux J. O. : en 1924, lors d'une épreuve sur trois jours (par équipes), en 1928 (par équipes et individuel) et en 1932 (individuel). *Guinness*

Nourrir un cheval

NOURRIR UN CHEVAL demande de sérieuses compétences et exige une bonne compréhension des besoins de l'animal et de la valeur nutritive des différents aliments. Donner trop ou trop peu à manger peut avoir des conséquences sérieuses. Le cheval doit avoir une alimentation équilibrée lui assurant l'apport de vitamines et de minéraux qui lui sont nécessaires. Le nouveau propriétaire ou le cavalier novice ne doivent pas décider seuls de l'alimentation de leur cheval mais prendre conseil auprès d'un professionnel. En règle générale on dit que le cheval doit absorber quotidiennement 2,5 % de son poids.

Le pur-sang Janus, petit-fils de Godolphin arabian, importé aux États-Unis en 1752, est considéré comme le père fondateur de la race quarter horse.

POIDS : RATION ALIMENTAIRE

POUR DÉTERMINER avec précision le poids d'un cheval, il faut un pont-bascule. À défaut, on mesurera le périmètre thoracique C en arrière du garrot. On appliquera ensuite la formule suivante : $C^3 \times 80$. Quand vous aurez calculé le poids de votre cheval, il vous restera à le diviser par 100 et à le multiplier par 2,5 pour trouver le poids de sa ration quotidienne. Le résultat de cette règle de trois est purement indicatif ; il vaut mieux lui donner légèrement moins et surveiller sa santé. Ce poids regroupe la quantité de grain et de foin, il faut donc maintenant calculer leurs proportions respectives.

Elles s'expriment en pourcentage. Un cheval au repos se contentera de 100 % de fibres (foin, herbe...). Un cheval travaillant peu doit consommer 75 % de fibres et un complément de 25 % de granulés. Un cheval fournissant une quantité de travail moyenne aura 60 % de fibres et 40 % de granulés. Un cheval qui travaille beaucoup doit recevoir 50 % de fibres et 50 % de granulés. Ce n'est pas aussi difficile qu'il semble à première vue ; entraînez-vous à calculer les rations nécessaires pour des chevaux de poids différents en suivant les pourcentages indiqués et vous n'aurez bientôt plus aucune difficulté.

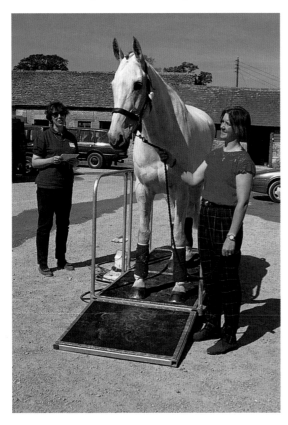

En haut, à droite
Ce cheval mange des granulés qui lui procureront les vitamines et les minéraux nécessaires à une alimentation équilibrée.

En bas, à droite, et ci-contre
Mangeoire montée sur paroi pivotante. Pesée d'un cheval sur un pont-bascule.

RÈGLES POUR BIEN NOURRIR ET ABREUVER

• Nourrissez peu et souvent, c'est ainsi que le cheval mange dans la nature. De ce fait, son estomac, relativement petit, est toujours à moitié plein.

• Adaptez l'alimentation à la quantité, l'intensité et la régularité du travail fourni, la saison, l'âge, la taille et la morphologie du cheval. Les rations dépendront aussi du temps passé au paddock ou au box, de son tempérament et des capacités de son cavalier.

• Choisissez toujours une nourriture de bonne qualité. Mauvaise, elle peut conduire à des problèmes respiratoires, avoir une faible valeur nutritionnelle, donc se révéler coûteuse.

• Nourrissez régulièrement dans la journée. Le cheval prend vite des habitudes et attend sa ration à heures fixes. Si elle n'arrive pas, il est dérouté et sa frustration peut s'exprimer par des vices.

• Ne nourrissez jamais un cheval avant qu'il travaille. L'estomac, quand il est plein, comprime le diaphragme et laisse moins de place aux poumons pour se gonfler d'oxygène. Prévoyez une heure, au moins, entre le repas et l'exercice.

• De même, ne laissez jamais un cheval boire beaucoup avant le travail. S'il a tendance à vouloir s'abreuver, éloignez-le de son point d'eau environ une heure avant de le monter.

• Votre cheval doit avoir en permanence accès à de l'eau propre et fraîche. En cas d'impossibilité, il faudra le faire boire avant de le nourrir et non immédiatement après, les aliments non digérés seraient emportés ce qui peut provoquer des coliques et une mauvaise digestion.

• Une bonne quantité de foin, qui contient des fibres, facilite le transit et assure le bon fonctionnement du système digestif.

• Donner des carottes et des pommes quotidiennement améliore la digestion et fournit minéraux et vitamines.

• Nourrissez toujours dans des récipients (seaux, mangeoires, abreuvoirs) propres.

• Ne changez jamais brutalement le régime d'un cheval : vous risqueriez de détruire l'équilibre bactériologique de son système digestif, ce qui nuit au transit et provoque des coliques. Les changements doivent toujours être progressifs et effectués sur plusieurs jours.

• Après un exercice intense, le cheval ne doit pas boire plus de 2 à 3,5 l d'eau tiède à la fois, séparées par des intervalles d'une vingtaine de minutes. Ainsi, de l'eau froide ne perturbera pas son système alors qu'il se remet de l'effort.

• Ne dépassez pas 1,8 à 2,7 kg par ration, une quantité supérieure remplirait trop l'estomac, provoquant une mauvaise digestion voire des coliques dans certains cas.

• Pesez toujours la nourriture de façon à savoir exactement ce que votre cheval mange.

« *D*uplice corde, deux cœurs battant à l'unisson et un seul cerveau, l'association parfaite du cavalier et de sa monture ».
Alessandro Alvisi

En haut, à gauche
Ne nourrissez pas votre cheval avant de partir faire un cross.

Ci-dessus
Pesée du foin dans un filet pour éviter de trop nourrir.

En bas, à gauche
Mesurez soigneusement les rations afin que votre cheval ait chaque jour ce qu'il lui faut.

Les différents types d'aliments

L e picotin, mot aujourd'hui désuet, est une ancienne unité de mesure qui équivalait à 3 litres. Autrefois, donner son picotin d'avoine à un cheval signifiait lui donner sa ration quotidienne. Un picotin valait le quart du boisseau.

Le foin (herbe séchée) constitue l'essentiel de l'apport en fibres et une bonne part de la ration d'entretien du cheval. Veillez à toujours donner un foin de bonne qualité, sans poussière ni mauvaises herbes. Même un bon foin peut contenir des spores, il suffira alors de le faire tremper une vingtaine de minutes pour les enlever. Le foin généralement destiné aux chevaux est issu de prairies naturelles ou artificielles, il est tendre et, de leur point de vue, délicieux. Le foin pressé mi-séché peut aussi être emballé sous vide à l'abri de la poussière. Il se conserve plus longtemps et sa valeur nutritive est supérieure à celle du foin ordinaire, aussi en donne-t-on moins.

L'avoine doit être écrasée, aplatie ou concassée. Les grains sont alors très nutritifs, énergétiques et riches en fibres. Entiers, le cheval ne les digère pas bien et n'a donc pas sa ration. Cette céréale est à réserver aux chevaux dépensant beaucoup d'énergie. Dans certains cas, l'avoine les rend excitables et c'est pour cette raison que les poneys n'y ont pas droit.

L'orge est généralement aplati ou concassé mais on peut aussi en faire des flocons, le faire macérer ou l'extruder. À chaque fabricant, ses procédés de cuisson. C'est un aliment riche en énergie mais aussi en calories. On remplace parfois l'avoine par l'orge parce qu'il est moins excitant, mais certains chevaux y sont allergiques.

Le maïs s'utilise cuit et en flocons. C'est une nourriture énergétique et riche en calories qui peut exciter certains chevaux.

Les aliments industriels complets se présentent généralement en granulés, ils existent sous plusieurs formes en fonction des fabricants et des chevaux auxquels ils sont destinés. Chaque type d'aliment fournit une ration équilibrée et assure l'apport nécessaire en vitamines et minéraux. Quelle que soit leur valeur nutritive, qui dépend de leur usage, ils n'ont pas l'effet énervant de l'avoine. **D'autres aliments complets** existent également sous différentes formes. Ils fournissent une ration équilibrée et sont généralement appréciés des chevaux.

La betterave à sucre s'achète en cubes ou en fibres. Il faut absolument la faire tremper avant de la donner pour éviter qu'elle gonfle dans l'estomac et provoque de graves coliques. Les cubes devront tremper 12 heures et les fibres 24 heures. C'est une nourriture savoureuse, riche en fibres et en sucre. La plupart des chevaux en sont très gourmands. Il faut la donner dès qu'on la sort de l'eau sinon elle fermente et tourne ; le processus est encore plus rapide si on utilise de l'eau chaude. Jetez l'eau de trempage.

Sur cette page
Le fourrage : en haut à droite : foin biologique ; en haut à gauche : graines ; au milieu : foin sous-vide ; en bas : foin de prairie naturelle.

En bas, à droite
Les chevaux sont friands de betterave à sucre pour sa consistance et son goût.

Les mashes : il s'agit de foin ou de paille coupés ou d'un mélange des deux auquel on peut ajouter de la mélasse. C'est un bon aliment de fond qui encourage le cheval à mâcher correctement et ralentit ceux qui mangent trop vite. Utilisez toujours du foin ou de la paille de bonne qualité pour les préparer.

Le son est riche en fibres et absorbe bien l'eau. En purée, il agit comme un laxatif. Versez de l'eau bouillante dans un seau contenant entre 0,5 et 1 kg de son pour lui donner une consistance granuleuse, couvrez et laissez gonfler. Vous pouvez ajouter une cuillerée de sel et de grains d'orge ou du sulfate de magnésium. Donnez encore tiède. Il ne faut pas inclure le son en grande quantité car cette céréale a un faible rapport calcium/phosphore.

d'en acheter pour votre cheval : l'excès ou le mélange de suppléments est souvent mauvais.

L e poil d'hiver commence généralement à pousser en septembre. La robe s'épaissit, devient plus rêche et plus terne.

Les graines de lin sont très riches en huile, ce qui a un effet bénéfique sur l'état physique du cheval et le lustre de la robe. Il faut les faire cuire car crues, elles sont toxiques. Faites tremper 0,5 kg de graines de lin dans 10 cm d'eau pendant 12 heures. Portez ensuite à ébullition et laissez mijoter plusieurs heures. Vous obtiendrez une sorte de gelée que vous pouvez alors ajouter à la ration habituelle ou à une purée de son. Il ne faut pas utiliser les graines de lin en grande quantité et ne pas en donner plus de 0,5 kg (poids avant trempage) par semaine.

VITAMINES ET MINÉRAUX

IL FAUT DONNER des légumes ou des fruits sucrés aux chevaux. Ils sont très friands de carottes et de pommes. Ce sont des gourmandises savoureuses qui présentent l'avantage d'apporter des vitamines et des minéraux, de varier leur alimentation et de calmer le besoin en herbe quand il n'y en a pas.

Vitamines et minéraux sont nécessaires à une alimentation équilibrée. On les trouve dans les granulés mais ceux-ci manquent souvent de sel. On y remédiera, pour compenser, en installant un bloc de sel dans le box du cheval. Méfiez-vous des nombreux suppléments en vente dans le commerce et demandez conseil à un vétérinaire ou à un diététicien avant

En haut
Les blocs de sel contribuent à une alimentation équilibrée.

Au centre
Le son est un laxatif naturel pour les chevaux et les humains.

Ci-contre
Ce cheval se régale en léchant sa pierre à sel.

Le cheval au pré

AVANT DE DÉCIDER de nourrir un cheval à l'herbe, il faut lui trouver un pré où il sera en sécurité et où pousse ce dont il a besoin. Quelques précautions s'imposent.

SURFACE

IL FAUT PRÉVOIR au moins un demi-hectare (si l'herbe est d'excellente qualité), mais un hectare par cheval est tout de même préférable. Les équidés sont des animaux grégaires, aussi vaut-il mieux ne pas les laisser seuls au pré et il faut bien sûr multiplier la surface par le nombre d'animaux. Il vaut mieux que le pré soit assez grand pour vous permettre de le diviser en deux enclos afin d'organiser une rotation. La végétation repoussera d'un côté pendant que les chevaux seront de l'autre. Essayez de vous organiser pour que la partie la mieux drainée du terrain serve pendant les mois les plus pluvieux et la partie humide pendant l'été, quand elle pourra sécher.

CLÔTURES

LA CLÔTURE IDÉALE est une haie épaisse d'arbustes non toxiques qui offrira une protection naturelle contre les éléments ; vous la doublerez d'un ruban électrifié fixé à des piquets. Ce n'est toutefois pas toujours possible, dans ce cas prévoyez trois rangées de planches horizontales fixées sur des piquets ou des piquets et du fil métallique solide et rigide. Les chevaux respectent les barbelés mais s'y blessent parfois gravement. De plus les piquants risquent de déchirer les couvertures imperméables. Aussi les évitera-t-on.

Le grillage à mouton peut aussi se révéler dangereux : quand le cheval lève et avance le sabot pour frapper le sol, il risque de se prendre dans le quadrillage et de se blesser. Parmi les types de clôtures existants, celles-ci sont les plus fréquentes. Les rubans électriques sont pratiques mais doivent être associés à des clôtures en bois traditionnelles. Ils ne remplacent pas les barrières. Piquets et barrières sont coûteux, aussi assurez-vous que le bois a été traité pour durer longtemps. L'ouverture doit se faire vers l'intérieur et être assez large pour permettre le passage d'un véhicule. Cadenassez l'accès, autant par sécurité que pour éviter les vols, mais prenez soin de vérifier que le cheval ne risque pas de se blesser sur les loquets.

Ci-dessus

Partagez le pré en deux, de sorte que l'herbe repousse d'un côté pendant que les chevaux sont de l'autre.

En haut, à droite

Un pré enclos d'une barrière solide et d'une haie offre une protection naturelle.

En bas

Le ruban électrique en haut de la clôture empêche le cheval de s'échapper, mais le cheval peut se prendre les pieds dans le grillage à mouton. Les fils de fer barbelés peuvent causer des blessures.

L'APPORT EN EAU

LE CHEVAL DOIT, en permanence, disposer
d'un approvisionnement en eau fraîche et propre.
Un ruisseau en bord du pré est idéal pourvu qu'il
vienne d'une source non polluée et qu'il y ait un point
d'accès où le cheval puisse se tenir. Une mare d'eau
stagnante ne convient pas, un cours d'eau au lit sableux
non plus. Les abreuvoirs qui se remplissent
automatiquement sont pratiques, mais il faut
les nettoyer régulièrement et briser la glace en hiver.
Évitez de placer l'abreuvoir près de l'accès, dans
un endroit où les chevaux risquent d'être dérangés ou
sous des arbres. Si votre pré est divisé en deux, placez
l'abreuvoir de sorte qu'il soit accessible de part
et d'autre de la séparation. Veillez à ce que ses arêtes
ne soient pas tranchantes. Si le cheval ne s'amuse pas
à les renverser, vous pouvez utiliser des seaux, pourvu
qu'ils contiennent assez d'eau pour tous les chevaux du
pré. En général, les seaux ne peuvent pas suffire à
abreuver beaucoup de chevaux. En été, il faudra
s'assurer deux fois par jour que seaux ou abreuvoirs
sont bien pleins. Quand il fait très chaud, il faut
remplir les seaux plusieurs fois dans la journée.

ABRIS

DANS SON PRÉ, le cheval doit pouvoir s'abriter.
Arbres et haies fournissent une protection naturelle.
Si vous construisez un abri, il doit être fermé sur trois
côtés afin que les chevaux puissent venir se protéger
des éléments mais aussi entrer et sortir facilement.
Situez-le sur une partie du terrain bien drainée et, de
préférence, abritée des vents dominants. L'abri doit
être spacieux. Il faudra l'entretenir et, notamment,
surveiller sa solidité et l'étanchéité de sa toiture.

PLANTES TOXIQUES

IL EST PRIMORDIAL de surveiller régulièrement la
végétation pour veiller à ce qu'aucune plante toxique
ne pousse dans votre pré. S'il y a des chênes dans un
pré, n'y mettez pas de chevaux car ils mangeraient
les glands, ce qui provoquerait de sérieuses coliques.
S'il y a une haie autour du pré, identifiez les arbustes
dont elle est constituée pour vérifier qu'aucun n'est
nocif pour les chevaux. Regardez également dans les
prés mitoyens car graines et spores se propagent vite.
De même, si vous envisagez de faucher une prairie,
commencez par vérifier ce qui y pousse, les plantes
vénéneuses sont aussi redoutables dans le foin que
consommées sur pied.

HERBE

IL FAUT ENTRETENIR la qualité de l'herbe au pré
en prévoyant une rotation pour qu'elle repousse.
Le mieux est de mettre au point un système de
jachère, de griffer le sol, de ressemer et d'amender la
terre. Il faut aussi régulièrement enlever les crottins,
vérifier qu'il n'y a pas de déchets dangereux
(bouteilles ou verre brisé) ni de plantes toxiques.

Le mot vénerie
vient du latin
venari qui signifie
chasser. Cette tradition
très ancienne a peu
évolué au fil du temps.
Sport et loisir très
prisés des seigneurs
féodaux, c'était aussi
un bon entraînement
pour la guerre et la
chevalerie.
Il fallait exceller dans
cet art pour briller
en société.

En haut, à droite
Cet abreuvoir a été
judicieusement installé
de sorte qu'il est accessible
aux chevaux par les deux
côtés. Il faut le nettoyer,
le remplir régulièrement
et éviter que l'eau stagne.

Ci-contre
Les chevaux peuvent venir
s'abriter de la pluie,
de la grêle et du vent
sous cet abri en bois.

ENTRETIEN DU PRÉ

POUR QUE le pré reste un lieu sûr, capable de nourrir les chevaux, il faut l'entretenir. Dans la mesure du possible, on retirera les crottins tous les jours. Sinon, par temps sec, il faudra griffer le sol toutes les semaines. Il est également préférable de contrôler quotidiennement l'état de la clôture et de rechercher d'éventuels trous creusés le long des haies par les lapins ou les blaireaux. Enfin, il faut être vigilant pour repérer tout détritus dans le pré.

Si vous louez un nouveau pré ou pensez que le vôtre n'a plus les qualités requises, vous pouvez prendre conseil auprès d'un spécialiste, du bailleur, des grainetiers ou des fabricants d'engrais. Ils vous recommanderont quelqu'un capable d'évaluer l'état du champ et de vous dire comment l'amender.

TYPE DE SOL

LA PREMIÈRE CHOSE à faire est d'identifier le type de sol : vous saurez ainsi quelle végétation poussera le mieux et quels seront les effets du drainage et l'influence des saisons. N'hésitez pas à faire analyser le sol pour savoir quel engrais utiliser et comment entretenir le pré. Le meilleur terrain, le plus riche en apport nutritif, est celui qui retient suffisamment d'eau pour favoriser la croissance des végétaux et qui est bien drainé. L'herbe est plus vigoureuse sur un sol dont le pH est de 6,5. Le pH mesure l'acidité, 7 correspondant à un taux neutre, 6,5 étant donc très légèrement acide.

Dans certains cas, quand beaucoup de chevaux cohabitent longtemps dans un pré, le sol se tasse tellement que l'eau ne peut plus s'écouler. Il suffit en général d'aérer le sol à l'aide d'une charrue pour permettre à l'eau de s'écouler normalement sans trop abîmer la surface. Dans les sols de type argileux, on creuse des galeries à environ un mètre de profondeur, comme les taupes, à l'aide d'une charrue spécialement conçue pour ce travail.

DRAINAGE

LE PRÉ doit être bien drainé. Si le terrain est très humide, il faudra creuser des drains. C'est une opération coûteuse, qui prend du temps mais donne de bons résultats. Elle consiste à enfouir des tuyaux percés de fentes de sorte que l'eau qui s'en déverse coule ensuite dans les fossés bordant le terrain. La plupart des prés sont simplement entourés de fossés, ce qui assure généralement un drainage suffisant.

Ci-dessus
La digitale, très toxique pour le cheval, doit être impitoyablement arrachée du pré.

En haut
La fleur et le fruit du troène sont très toxiques pour les chevaux.

En bas
Les baies de l'if sont également nocives pour les chevaux.

L'HERBE

IL Y A PLUSIEURS sortes d'herbes, certaines convenant mieux à l'alimentation du cheval que d'autres. Il est souhaitable de disposer d'un mélange comprenant du seigle annuel, de la fléole des prés, du pâturin, de la crételle des prés, de la fétuque rouge rampante et du trèfle blanc. On peut aussi planter de l'ail sauvage, du camphre, du cerfeuil sauvage, de la chicorée et du plantain que les chevaux mangeront avec enthousiasme et qui ont des vertus médicinales. Dans l'idéal, herbes et graminées fleuriront à des moments différents de manière à ce que le cheval trouve toujours des éléments nutritifs.

DÉSHERBER

IL EST TRÈS IMPORTANT de ne pas laisser les mauvaises herbes envahir un pré. On peut utiliser des désherbants pour en éliminer un grand nombre mais, compte tenu de leur nature toxique, il faut faire appel à un professionnel. En général, il est nécessaire d'attendre plusieurs jours après la pulvérisation pour remettre le cheval au pré. Quand il n'y en a que quelques-unes on se contentera de les arracher et de les brûler.

Prenez toujours conseil auprès d'un agronome avant d'utiliser des engrais. Il en existe différents types et certains conviennent mieux que d'autres à une pâture pour chevaux. Il vaut mieux enrichir au printemps et à l'automne, c'est également le moment d'amender un sol trop acide avec de la chaux. Un apport tous les trois ou quatre ans est suffisant. Les chevaux ne doivent pas être remis dans un pré tant que le sol n'a pas absorbé tous les engrais utilisés.

Au printemps et en été, il faut faucher régulièrement le pré afin que la végétation ne pousse pas trop haut et soit ainsi plus dense. Vous pouvez utiliser une tondeuse autoportée ou une faux.

Il faut aussi griffer le sol régulièrement dans l'année, par temps sec. Cela permet de disperser les crottins et d'arracher les herbes mortes, ce qui facilite la sortie des jeunes pousses.

En haut, à gauche
Les cytises sont toxiques.

Ci-dessus
Lorsqu'un pré vient d'être désherbé pour éliminer la ciguë, par exemple, les chevaux ne doivent pas y être remis.

En bas
Si on ne s'en occupe pas, la jacobée aura vite colonisé un pré.

Il fallut attendre le Moyen Âge en Europe pour que l'on commence à vraiment utiliser le cheval pour les travaux agricoles. Jusque-là, il servait d'abord au transport et à la guerre alors que les bœufs tiraient les charrues.

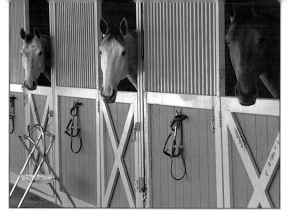

Le cheval à l'écurie

L'ÉCURIE n'est pas l'environnement naturel du cheval mais, une fois habitués, la plupart d'entre eux s'accommodent de ce mode de vie. Pour que votre cheval soit bien dans sa tête, il lui faut un cadre de vie sécurisant et sain.

EMPLACEMENT ET DIMENSIONS

QUE VOUS DÉCIDIEZ de faire construire ou d'utiliser des boxes préexistants, il faut réfléchir à leur implantation. L'écurie se situera de préférence sur un terrain bien drainé et abrité des vents dominants. Elle doit avoir l'eau et l'électricité, et être accessible aux véhicules. La sécurité de l'animal est le premier facteur à prendre en compte. Les boxes doivent être éloignés du lieu de stockage du foin qui présente un danger d'incendie. S'il y a deux rangées de boxes face à face, prévoyez au moins dix-huit mètres entre les deux : en cas d'incendie le feu ne se propagera pas de l'une à l'autre.

Un box doit être assez spacieux pour que le cheval n'y soit pas à l'étroit. Pour un poney de 1,44 m, il mesurera au moins 3 mètres en longueur et en largeur ; pour un cheval de 1,44 m à 1,60 m, le box fera 3,60 x 3,60 m. Si le cheval dépasse 1,60 m il lui faut un box de 3,60 x 4,30 m. Les boxes destinés aux poulinières ou aux très grands chevaux doivent faire au moins 4,80 x 4,80 m. Il faut aussi bien calculer les dimensions des ouvertures et la hauteur du toit. Les portes ne seront jamais d'une largeur inférieure à 1,20 m et la hauteur minimale ne doit pas être inférieure à 2,10 m. La hauteur de la moitié inférieure de la porte variera en fonction de la taille du cheval ou du poney. Les murs feront au minimum 2,40 m à partir du bas des avant-toits afin de laisser un espace suffisant pour la tête.

MATÉRIAUX

LES ÉCURIES sont souvent en bois, ce qui est adapté au cheval, mais c'est un matériau qui ne résiste pas au feu à moins d'être ignifugé. La brique est un matériau excellent mais assez onéreux. L'association des deux, une structure en bois sur une armature en briques, offre un bon compromis. Une autre option également résistante au feu est d'employer des parpaings. Il faut prévoir un trou de drainage dans la base des murs

« Beau vaut ce que vaut la beauté », dit mon maître. « Tu le prends seulement à l'essai et je sais que tu seras juste avec lui, jeune homme, et s'il n'est pas aussi sûr que les autres chevaux que tu as menés, renvoie-le. »
Anna Sewell, *Black Beauty*.

Ci-dessus
Ces chevaux sont bien logés ; les portes des boxes montent jusqu'au toit. Ils peuvent voir loin et ont assez d'espace pour bouger.

Ci-contre
L'écurie doit être assez éloignée des réserves de fourrage exposées aux risques d'incendie.

et, s'ils ne sont pas en bois, les doubler de bois sur environ 1,20 m afin de les protéger d'éventuels coups de pied du cheval.

Les sols sont généralement en béton et striés afin que le cheval ne dérape pas. Il est important que le box soit bien drainé. Pour cela, il existe plusieurs moyens. Une légère pente inclinée vers l'avant ou l'arrière du box permettant à l'eau de se déverser dans une rigole est efficace mais demande de l'entretien. Situées sur le devant, elles sont faciles d'accès et pratiques à nettoyer mais le cheval se tient, par conséquent, souvent

sur la partie la plus humide. Quand les drains sont derrière, c'est un peu moins commode mais le cheval sera probablement plus au sec. Dans certaines écuries, l'évacuation se situe au milieu du box. En général, le sol se prolonge devant le box offrant ainsi une surface dure.

Le toit doit être assez haut et pentu ; il doit faire auvent pour que la pluie ne rentre pas dans le box, comporter une aération et être couvert d'un matériau approprié. Les tuiles conviennent bien mais sont onéreuses. Le shingle est envisageable mais vulnérable en cas d'incendie et peu isolant. La tôle et le plastique ondulés peuvent être utilisés mais sont bruyants et peu isolants.

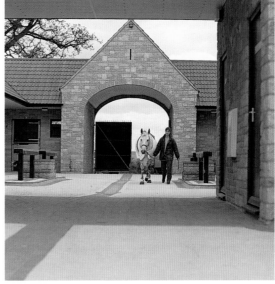

S'il y a des fenêtres, elles seront sur le même mur que la porte et s'ouvriront vers l'extérieur, les charnières étant placées dans le bas de façon à éviter les courants d'air. Les boxes doivent être constamment approvisionnés en eau. On peut utiliser un abreuvoir automatique ou des seaux. Les lumières seront placées hors de portée des chevaux et protégées afin d'éviter qu'une ampoule cassée tombe dans la litière. Tous les fils et interrupteurs seront encastrés et hors de portée des chevaux. Veillez à ce que les aménagements, anneaux d'attache, mangeoires, etc. n'aient pas de parties coupantes et soient positionnés de manière à éviter les risques de blessure.

Si vous mettez votre cheval en pension, allez voir le box et le paddock qui lui seront réservés et assurez-vous qu'ils fournissent toutes les garanties de sécurité et de propreté.

Le quadrige, tiré par quatre chevaux, était le char romain de course le plus courant. Les courses de quadrige étaient très pénibles pour les chevaux et certains en mouraient.

Ci-contre
Cette écurie a été construite en briques, matériau plus coûteux que le bois, mais ininflammable.

Au centre
Haras dans le Kentucky : ces écuries abritent des étalons.

En bas
Dans la cour de cette écurie, on peut attacher ses chevaux ; le sol rainuré n'est pas glissant.

Aux débuts de l'attelage, on plaçait les animaux de part et d'autre d'un timon central. Il semble que l'idée d'atteler un animal entre deux timons ne soit pas apparue avant le IIe siècle en Chine.

LITIÈRE

LA LITIÈRE peut être constituée de paille, de copeaux, de papier, de caoutchouc et de tourbe, chacune de ces matières présentant des avantages et des inconvénients. La paille, parmi les plus utilisées, est aussi l'une des moins chères. Ce peut être de la paille d'avoine, d'orge ou de blé. Cette dernière est préférable car elle est solide, facile à trouver, et elle sèche bien. Les chevaux ont tendance à manger la paille d'avoine qui a très bon goût mais, friable et poreuse, elle se salit très vite. La paille d'orge peut convenir à la litière mais contient souvent des barbes piquantes susceptibles d'irriter la peau. Les chevaux gourmands mangeront n'importe quelle paille.

Les copeaux sont particulièrement indiqués pour les chevaux souffrant de problèmes respiratoires à la condition d'être dépoussiérés. À moins d'aller les chercher à la scierie la plus proche, ils sont coûteux mais très absorbants et faciles à utiliser. Bien entretenue, une litière de copeaux reste épaisse. Les copeaux vendus dans le commerce sont emballés sous plastique, ce qui permet de les ranger à l'extérieur si nécessaire. L'inconvénient est que le fumier de copeaux met longtemps à se décomposer mais il fait toutefois un excellent compost par la suite.

Comme les copeaux, le papier se vend coupé en fines bandelettes conditionnées dans de gros sacs en plastique et dépoussiérées. C'est une excellente litière pour les chevaux souffrant d'allergies et de problèmes respiratoires, elle convient aussi à ceux qui mangent toute leur paille car il y a peu de chance qu'ils s'y attaquent ! Le papier a un fort pouvoir absorbant mais il faut surveiller qu'il ne s'agglutine pas en agrégats très humides et lourds.

Le caoutchouc est un matériau récent pour les litières. Il était à l'origine conçu pour les vans et les fourgons. Il s'agit d'un épais tapis aux dimensions du box. Il se nettoie d'un coup de jet d'eau et offre une surface anti-dérapante. Le matériau a de bonnes propriétés isolantes. Il suffit de le recouvrir d'une mince couche de paille ou de copeaux, le tas de fumier augmente donc moins vite.

La tourbe est rarement utilisée de nos jours. Elle est très absorbante mais il faut la retourner et enlever régulièrement les endroits humides pour qu'elle ne soit pas détrempée. C'est un matériau lourd à manipuler et très long à se décomposer.

NETTOYAGE

LE BOX doit toujours rester propre. Aussi faut-il le nettoyer partiellement tous les jours et le faire à fond régulièrement. On enlève les crottins tous les matins et on rafraîchit la litière en enlevant le plus sale et en en rajoutant. Il faudra recommencer le soir.

Le nettoyage complet se fait quand le cheval est à l'extérieur. Commencez par enlever tous les crottins visibles puis repoussez la litière encore propre dans un coin en enlevant ce qui est sale. Quand toute la litière sèche est rassemblée dans le coin, balayez puis étalez-la à nouveau. Changez de coins tous les matins, au bout de quatre jours, ils auront tous été faits une fois. On peut aussi se contenter de n'étaler qu'une petite partie de la litière en laissant l'essentiel tout autour des murs pour la journée ; dans ce cas, le soir on complète pour qu'elle soit plus épaisse pour la nuit.

Quand on utilise des copeaux, il vaut mieux éliminer les crottins au fur et à mesure dans la journée sans toucher à la litière. On se contente de rajouter des copeaux propres par-dessus.

Le Grand Khan, petit-fils de Gengis Khan, avait un immense troupeau qui comptait pas moins de 10 000 juments blanches et étalons blancs. Ces animaux étaient considérés comme sacrés.

Ci-dessus
Les litières en copeaux sont parfaites pour les chevaux souffrant de problèmes respiratoires.

En haut, à droite
La paille, très économique pour les litières, absorbe bien les urines.

Ci-contre
Ce cheval est sur une litière en papier recommandée pour les animaux sujets aux allergies ou ceux qui mangent leur litière.

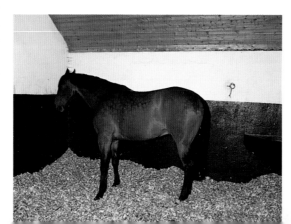

Dans ce cas, le box est fait à fond une fois par mois. Entièrement vidé, le sol est balayé, lavé ou désinfecté et on le laisse sécher avant de remettre des copeaux. Il est préférable de retirer les endroits les plus humides une fois par semaine pour faciliter le nettoyage mensuel. Quand on est bien organisé, ce type de nettoyage partiel donne de bons résultats mais le grand nettoyage reste un gros travail.

ENTRETENIR UN BOX

Sortez les seaux avant de nettoyer et remettez-les en place quand vous avez fini.

Si le cheval reste dans le box pendant que vous nettoyez, attachez-le.

Pas de gestes brusques avec la fourche, éloignez-la toujours du cheval pour ne pas risquer de le blesser.

Box et cours d'écurie doivent rester propres.

La litière doit être épaisse pour protéger le cheval d'un contact avec le sol en béton.

Le tas de fumier doit toujours être compact.

En haut, à gauche
Les sols en caoutchouc sont relativement faciles à nettoyer.

Ci-contre
La jeune cavalière balaye les copeaux dans l'écurie. Une fois par mois la litière sera entièrement renouvelée.

En bas
Ce cheval couché sur une épaisse litière de papier n'aura pas froid au contact du sol en béton.

Koumiss est le nom donné à une boisson faite de lait de jument fermenté, spécialité des peuples nomades du Kazakhstan. Les Kazakhs pensent que cette boisson peut guérir de nombreuses maladies.

Panser un cheval

IL FAUT RÉGULIÈREMENT bien panser votre cheval pour qu'il soit propre et en bonne santé. Le pansage stimule sa circulation, lui confère une belle apparence et offre un moment de contact privilégié entre le cavalier et sa monture. En le brossant, vous pouvez sentir la moindre grosseur, gonflement ou chaleur inhabituelle. C'est la raison pour laquelle il ne faut pas porter de gants, vous repérerez ainsi la moindre anomalie. Attachez toujours votre cheval pour le panser et si vous restez dans son box, enlevez le seau d'eau ou nettoyez l'abreuvoir automatique quand vous avez fini car la poussière soulevée peut contaminer l'eau.

Bouchon : c'est une brosse à poils durs, en chiendent, qui permet de décoller les plaques de boue et la sueur de la robe. On l'utilise pour les chevaux au pré.

Brosse à eau : vous devriez en avoir deux : l'une que vous passerez sur la robe du cheval à la fin du pansage pour éliminer toute poussière en surface et lisser la crinière sur l'encolure et l'autre pour nettoyer les sabots s'ils sont très boueux.

Étrille en caoutchouc ou en plastique : elles sont très utiles pour enlever boue et sueur séchée et permettent de stimuler la sécrétion de graisse de la peau. Il ne faut pas la passer sur la crinière et la queue car elle casse les crins.

Gant de pansage : vous pouvez l'utiliser sur toute la surface du corps de l'animal pour enlever la boue et la sueur séchées. Il s'emploie comme l'étrille et favorise la sécrétion de graisse cutanée.

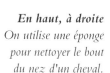

En haut, à droite
On utilise une éponge
pour nettoyer le bout
du nez d'un cheval.

Ci-contre
Nécessaire de pansage
complet : étrilles,
bouchons, brosse douce,
cure-pied, graisse
et peignes.

En bas, à droite
Cette cavalière passe
la brosse douce qu'elle
nettoie sur l'étrille.

NÉCESSAIRE DE PANSAGE

Brosse douce : c'est une brosse en soies qui permet d'enlever la poussière et la graisse sur le corps. On l'emploie rarement si le cheval est au pré. Elle s'utilise avec l'étrille.

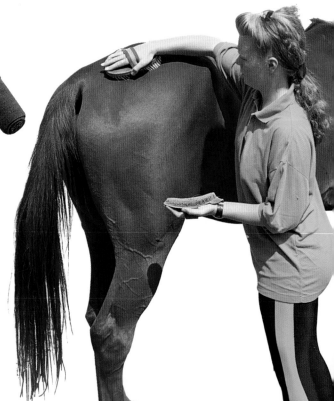

Étrille métallique : elle sert uniquement à nettoyer la brosse douce mais jamais le cheval.

Cure-pied : comme son nom l'indique s'emploie pour nettoyer les pieds en allant toujours du talon vers la pince afin de ne pas blesser accidentellement la fourchette ou le talon.

Peigne à crins : c'est un long peigne denté utilisé pour démêler la queue et la crinière. On utilise un peigne court pour désépaissir la crinière.

Poignée de paille torsadée ou gant de massage : la première est une gerbe de foin tressée et nouée. Il faut légèrement l'humidifier avant de frictionner. Le gant de massage est un morceau de cuir muni d'une

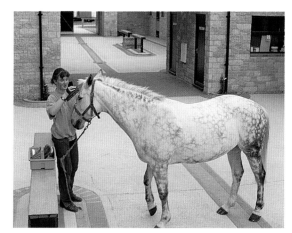

sangle. On s'en sert conjointement avec l'époussette pour améliorer le tonus musculaire et faire briller la robe. Le cheval doit pouvoir vous voir lever le gant, il va bander ses muscles et vous abaissez énergiquement le gant et passerez ensuite l'époussette, ce qui amènera le cheval à détendre ses muscles. Si vous adoptez un rythme régulier cette alternance tension/détente stimulera le tonus musculaire. Il faut uniquement le faire sur les parties musclées, la croupe, les cuisses, l'encolure et éviter les zones osseuses. Le gant ne doit pas frapper le cheval ce qui lui ferait peur et le blesserait, il sert à donner une caresse vigoureuse.

Éponges : il vaut mieux en avoir deux, de couleurs différentes. La première sert à nettoyer les yeux, la bouche et le nez et la seconde pour la peau, sous la queue et les parties génitales.

Époussette : elle ressemble à la serviette et sert à la fin du pansage à lustrer la robe.

Couteau de chaleur : c'est une bande de métal flexible qui peut être doublée d'une bande de caoutchouc sur une face, munie d'une poignée de chaque côté. Il sert à enlever l'excédent d'eau sur la robe après la douche. Utilisez la partie en caoutchouc sur les parties osseuses et le côté métallique sur le reste du corps, en procédant en douceur.

Graisse à sabot : cet onguent fait briller et entretient la corne. Il s'applique avec un pinceau rond.

Shampoing : il faut parfois shampouiner la queue avec un produit pour équidés.

Ciseaux : tout nécessaire de pansage devrait comporter des ciseaux à bouts ronds. Ils servent à raccourcir la crinière.

Brosse-étrille électrique : Il en existe plusieurs modèles que l'on monte sur un aspirateur. Elles sont très utiles quand on doit entretenir une nombreuse cavalerie. Elles fonctionnent exactement comme la buse d'un aspirateur domestique et avalent la poussière. Il faudra y habituer le cheval en douceur car il risque d'en avoir peur au départ.

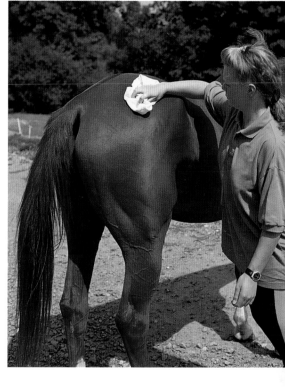

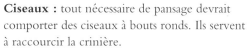

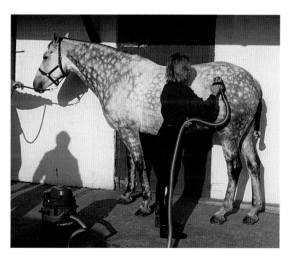

Ci-dessus

La palefrenière passe l'époussette à la fin du pansage pour donner un beau brillant à la robe du cheval.

À gauche

La jeune fille peigne le toupet avec un long peigne à crins.

En bas

La poussière de la robe de ce cheval gris pommelé est aspirée.

Les poils autour de la bouche et sur la tête des vieux chevaux blanchissent souvent.

Ferrer un cheval

« **P**AS DE PIED, pas de cheval. » De toute évidence le bon état des pieds d'un cheval est crucial, pour sa santé et pour ses performances. Quelles que soient les qualités de votre monture, vous aurez des problèmes si ses pieds ne sont pas entretenus.

POURQUOI UN CHEVAL A BESOIN DE FERS

PAR RAPPORT à la taille de ses pieds, le cheval est un animal grand et lourd. Aussi, la partie interne du pied est-elle conçue pour absorber le choc produit à chaque battue. Chaque type de chevaux a des pieds différents. Le pur-sang, par exemple, est connu pour la finesse de sa sole : il est particulièrement sensible aux coups.

Le jomud de Russie, lui, a des sabots particulièrement durs, de même que beaucoup de poneys. Les pieds d'un cheval vous en apprendront long sur l'animal. S'ils sont petits pour sa taille, ils auront plus de mal à absorber les vibrations créées par les battues et le cheval aura tendance à boiter si on le monte trop souvent sur terrain dur. Des pieds larges et aplatis, eux aussi, risquent de mal absorber les ondes de choc.

Si des rebords ou des bourrelets se forment sur la corne, cela peut trahir un problème lié au pied ou à une suralimentation. Il faut s'en inquiéter. Si le cheval est cagneux (pieds rentrés l'un vers l'autre), il y a peu de chance qu'il se déplace droit. S'il est panard (pieds vers l'extérieur) il ne se déplacera pas droit non plus et ses membres risquent de se heurter et de se blesser. Les pieds doivent toujours former deux paires semblables, de même forme, dimension et angle par rapport au sol. Le soin des sabots est primordial.

Ci-contre
Avec de mauvais pieds, un cheval n'aurait jamais autant d'allure que ce superbe animal plein d'allant.

Vaquero ou garçon vacher est le terme espagnol désignant un cow-boy. Les premiers cow-boys étaient espagnols.

STRUCTURE DU PIED

LE PIED peut être divisé en trois zones : le sabot, le quartier et le talon, même s'il n'y a pas de séparation naturelle. La paroi ou muraille est la partie du sabot visible quand le cheval est debout, c'est elle qui soutient l'essentiel de son poids. Formée de corne insensible, elle rentre vers l'intérieur au niveau du talon pour former les barres qui sont visibles à la surface du pied et dessinent un triangle entre la lacune médiane et la sole. Le fait que la paroi ne soit pas fermée permet l'expansion du pied au moment de la battue.

L'extérieur de la paroi semble souvent parcouru de stries horizontales, parallèles au bourrelet périoplique. Ce sont les cernes d'accroissement qui témoignent de l'avalure. La corne, sécrétée par le bourrelet principal, pousse vers le bas ; elle est formée de milliers de tubules cimentés ensemble par une corne intertubulaire. La paroi est recouverte d'une fine membrane kératogène appelée le périople dont la principale fonction est la protection de la zone où le bourrelet périoplique rejoint la paroi du sabot.

Le périople s'use naturellement sur la moitié inférieure du sabot et ne joue donc qu'un rôle mineur pour limiter l'évaporation de l'eau dans cette zone. La partie du pied en contact avec le sol est essentiellement la sole, qui doit être concave, et la ligne « blanche » qui sépare le bord de la sole et la paroi. Elle joue un rôle d'amortisseur et d'agent anti-dérapant. La fourchette est une corne élastique en forme de triangle qui devrait être en contact avec le sol. Il est très important que la lacune soit saine et ne souffre pas d'échauffements.

À l'intérieur du pied les lamelles cornées insensibles de la paroi sont rattachées aux lamelles sensibles qui soutiennent l'os du pied. Il y a trois os dans le pied : la 3ᵉ phalange, l'os naviculaire et l'os de la couronne (2ᵉ phalange). Au-dessus de la sole, il y a la chair feuilletée et sur la fourchette, le coussinet plantaire. Le cheval perçoit la nature du sol sur lequel il marche à l'aide des structures sensibles internes de ses pieds. La fourchette, les barres, le coussinet plantaire et les cartilages latéraux sont des structures élastiques qui jouent un rôle vital dans l'absorption des ondes de choc.

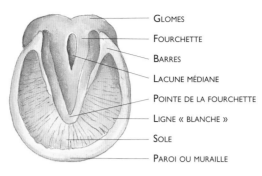

GLOMES
FOURCHETTE
BARRES
LACUNE MÉDIANE
POINTE DE LA FOURCHETTE
LIGNE « BLANCHE »
SOLE
PAROI OU MURAILLE

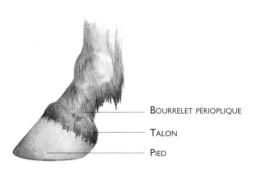

BOURRELET PÉRIOPLIQUE
TALON
PIED

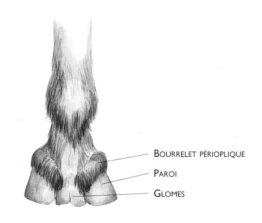

BOURRELET PÉRIOPLIQUE
PAROI
GLOMES

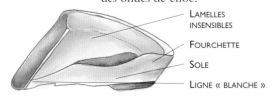

LAMELLES INSENSIBLES
FOURCHETTE
SOLE
LIGNE « BLANCHE »

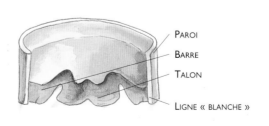

PAROI
BARRE
TALON
LIGNE « BLANCHE »

Les premiers tramways étaient tirés par des chevaux, généralement entre un et quatre. Leur vitesse était de 9 à 11 km/h. À la fin du XIXᵉ siècle, ils roulaient sur rails, et il fallut attendre le début du XXᵉ siècle pour voir apparaître les tramways électriques.

En haut
Face inférieure d'un sabot.

Au centre
Profil du pied et, en dessous, arrière du pied.

En bas
L'antéro-postérieur et coupe verticale du sabot (à gauche) ; coupe transversale du sabot (à droite).

Dans l'épopée persane *Shah Namah*, *Livre des Rois*, le héros Rustam chevauche un cheval appelé Rakush, réputé être le meilleur cheval de guerre au monde.

FERRER LE CHEVAL

IL FAUT QUE le cheval se laisse manipuler par le maréchal-ferrant et qu'il donne ses sabots sans se faire prier. Il est bon d'habituer les jeunes chevaux en leur demandant chaque jour de donner leur pied et en tapant la sole du plat de la main pour que l'action et le bruit ne les surprennent pas. Le cheval doit être ferré toutes les quatre à six semaines, votre maréchal vous dira ce qui convient. Avant son arrivée, amenez le cheval sur une surface plate en dur et nettoyez-lui les pieds qui devront être propres et secs. Prévoyez également un seau d'eau pour le ferrage à chaud. Le maréchal commence par déferrer, et donc par redresser ou couper les rivets des clous de l'ancien fer avec le rogne-pied.

Il prend sa tricoise (tenailles) et place un mors sous l'une des lames du fer qu'il frappera à l'aide de son brochoir (marteau) en faisant levier de manière à décoller le fer et les têtes des clous s'il ne les a pas déjà coupées. Il faut soulever le fer avec soin pour éviter de faire éclater la corne. On commence au niveau du talon et on avance vers la pince toujours en faisant levier.

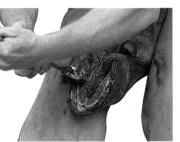

Une fois les anciens fers retirés, il faut préparer le pied, c'est-à-dire parer le sabot. Cette opération consiste à couper avec la tricoise ou le rogne-pied l'excédent de corne en nivelant la sole. Ensuite, on nettoie la fourchette et la sole puis on prépare l'encoche de la pince.

En haut, à gauche
Le maréchal-ferrant itinérant transporte un assortiment de fers de toutes tailles.

À droite et ci-dessus
Le maréchal façonne le nouveau fer (en haut à droite) et enlève l'ancien (ci-contre et à droite).

LES NOUVEAUX FERS

LE MARÉCHAL a choisi des fers de bonnes dimensions et les a mis à chauffer de façon à pouvoir travailler le métal. Il sort un des fers en le prenant avec des pinces et le présente au pied du cheval. Le fer chaud brûle la corne insensible et y laisse une marque qui indiquera au maréchal les ajustements nécessaires. Il ramène alors le fer sur l'enclume pour le façonner en le martelant. Quand le fer est parfaitement ajusté, on le trempe dans l'eau pour le refroidir avant de le fixer au pied.

Le maréchal commence par enfoncer les clous en partant de la pince et en travaillant alternativement d'un côté puis de l'autre. Généralement, on place quatre clous sur la branche externe et trois sur la branche interne. Les fers des antérieurs ont un pinçon tandis que les fers des postérieurs en ont deux qui les maintiennent en place et évitent qu'ils tournent ou glissent. Après avoir broché (enfoncé) chaque clou,

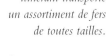

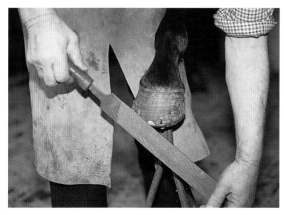

le maréchal donne un coup de râpe sur le bas
de la muraille, puis il plie et rabat les têtes des clous
avec son brochoir et les coupe. Il ne lui reste plus
qu'à finir la pose en resserrant les têtes avec les
pinces à riveter puis à passer un dernier coup de râpe
pour éliminer tout excédent de corne et parfaire
l'alignement.

UN PIED BIEN FERRÉ

LE FER DOIT s'adapter au pied et non
l'inverse. Les pieds doivent être bien
équilibrés deux par deux, en fonction
de la conformation. Le pied doit
présenter un angle correct avec le
paturon. Si ce n'est pas le cas le cheval ne
se déplacera pas naturellement, ce qui
fatiguera le mécanisme interne du pied et
des membres inférieurs. Les pieds
des antérieurs doivent faire un angle
de 45° au niveau de la pince et ceux
des postérieurs un angle compris entre
50 et 55°. La surface du pied au contact
doit être bien plate et sans interstice avec
la surface du fer, la fourchette bien
se poser au sol et ne pas trahir un usage
trop intensif du rogne-pied, la sole non plus.
Rien ne doit indiquer un parage excessif.

Les rivets doivent être parfaitement alignés,
lisses et ne pas présenter de bords coupants.
Les branches du fer ne doivent pas être trop
courtes, car le pied ne serait pas suffisamment
soutenu, ce qui provoquerait un affaissement
du talon, ni trop longues car le cheval risquerait
d'arracher son fer. Il est important de choisir
des clous bien adaptés : trop petits, ils ne rempliraient
pas l'étampure, trop gros, ils s'useraient trop vite.
Dans les deux cas le cheval perd son fer.
On choisit le fer en fonction du type de travail
demandé au cheval. Il existe également des fers
orthopédiques permettant de compenser
des défauts d'aplomb.

En haut, à gauche
Le maréchal passe la râpe
sur la muraille du sabot.

Ci-dessus
et en bas, à gauche
Le maréchal façonne le fer.

Ci-dessous
Des sabots bien ferrés.
Quand les rivets ne sont
pas bien alignés et
semblent danser on dit que
« le cheval a été broché
en musique ».

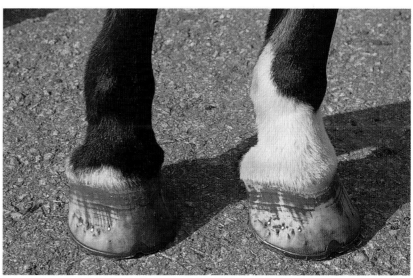

Le pansage

C E PANSAGE QUOTIDIEN est destiné aux chevaux en box et prend environ une demi-heure, la version approfondie demandant un quart d'heure de plus. On panse son cheval avant de le monter mais il est bon de recommencer après l'exercice car, quand la peau est chaude, les cellules mortes partent facilement et les pores se dilatent, ce qui rend le pansage plus efficace.

> L'air du Paradis est celui qui souffle entre les oreilles d'un cheval.
> Proverbe arabe

PANSAGE DE BASE

ATTACHEZ VOTRE CHEVAL et enlevez-lui sa couverture, ou s'il fait très froid rabattez-la sur son arrière-main de manière à découvrir l'avant-main. Décollez la saleté de sa robe en passant l'étrille en caoutchouc ou en plastique, en décrivant de petits cercles. L'étrille s'utilise uniquement sur les parties musclées. Passez ensuite le bouchon en commençant au niveau de la nuque et brossez progressivement tout le corps, sauf le ventre et les membres, en allant dans le sens du poil.

Une fois le plus gros éliminé, prenez la brosse douce et une étrille. Passez la brosse douce

à rebrousse-poil puis dans le sens du poil. Essuyez la brosse sur l'étrille métallique tous les deux ou trois coups. Passez ensuite la brosse douce sur le ventre, en insistant sur le passage de sangle, les membres et la tête, avec beaucoup de délicatesse au niveau des yeux et des oreilles. Démêlez les crins (crinière et queue) avec le bouchon. En commençant par le toupet, prenez une mèche de crins et brossez-la, en aplatissant la crinière contre la nuque puis continuez jusqu'au garrot. Nettoyez les pieds et profitez-en pour vérifier l'état de la sole et l'usure du fer. Il faut curer les sabots matin et soir et à chaque fois que le cheval quitte son box ou y rentre. Il est préférable de ne pas laver les pieds au jet en hiver. Toutefois, s'ils sont trop boueux pour être brossés, dirigez le jet de manière à mouiller les talons le moins possible, et séchez bien les pieds ensuite.

LE PANSAGE APPROFONDI

SI LE CHEVAL a beaucoup transpiré ou si vous le toilettez pour une présentation, procédez comme indiqué ci-dessus pour le corps et les membres, mais apportez plus de soins à la tête et aux crins.

En haut, à droite
Il ne faut pas enlever la couche de sébum des chevaux au pré, elle les protège du froid et de l'eau.

Ci-contre
Cette jeune cavalière nettoie délicatement l'œil de son cheval avec une éponge douce.

Page ci-contre
Pansage à la brosse aspirateur.

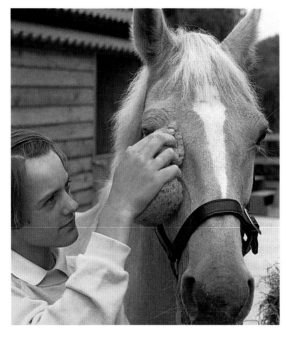

Passez le licol autour de l'encolure en collier de chien. Brossez le toupet avec le bouchon, puis la tête avec la brosse douce, délicatement, en veillant à bien enlever toute trace de sueur autour des oreilles ainsi que les marques laissées par le licol. Rattachez ensuite le cheval normalement.

Prenez maintenant le gant de massage décrit page 45 et procédez comme indiqué. Quand vous avez terminé, lavez les yeux, la bouche et le nez avec une éponge que vous rincerez et essorerez entre chaque passage. Nettoyez autour de l'anus avec la seconde éponge. Utilisez la brosse à eau que vous humidifierez légèrement avant de la poser sur la crinière afin de l'aplatir contre l'encolure, du côté où elle se pose naturellement. Enfin, passez l'époussette sur tout le corps pour faire briller la robe, si vous l'humidifiez vous enlèverez également la poussière restant en surface.

Prenez ensuite le bouchon pour faire la queue. Placez-vous sur le côté du cheval, prenez la queue dans une main et brossez mèche par mèche. Humidifiez alors légèrement le haut de la queue et entourez-la d'une bande de protection. Une fois par semaine il faudra soigneusement graisser les sabots (muraille et sole).

PANSAGE RAPIDE

CETTE TECHNIQUE permet de panser rapidement le cheval au box avec sa couverture que l'on replie partiellement pour nettoyer la partie découverte. Curez les pieds et brossez la partie du corps au-dessus de chaque membre, sans oublier la crinière et la queue. Il faudra peut-être utiliser une brosse humide pour enlever d'éventuelles salissures. Passez l'éponge sur les yeux, la bouche et le nez et sous la queue. N'oubliez pas de bien rattacher la couverture.

PANSAGE DU CHEVAL AU PRÉ

LE CHEVAL au pré doit lui aussi rester propre mais il ne faut pas éliminer toute la graisse, ou sébum, sur la peau car elle le protège du froid et de l'eau. Il suffira de le brosser avec le bouchon pour enlever les traces de boue et de sueur. Utilisez la brosse douce pour la tête, mais très peu sur le corps. Vous pouvez masser pour stimuler la tonicité musculaire, mais, à moins de préparer une présentation, il sera inutile de passer l'étrille en caoutchouc. Crinière et queue doivent être démêlées, les yeux, la bouche, le nez et la zone sous la queue nettoyés et les pieds curés.

Monsieur Ed, le cheval qui parle, vedette de la série télévisée américaine des années 1960 était un palomino doré. Il apprit quantité de trucs pour son rôle : répondre au téléphone, ouvrir les portes, prendre des notes avec un crayon et débrancher une lampe. Parfois il faisait un caprice, restant cloué sur place en hennissant, et il n'y avait plus moyen de le faire bouger.

Tondre, toiletter et natter

EN HIVER, la robe du cheval épaissit, ce qui peut provoquer une sudation excessive lors du travail, risquant de nuire à son état général. La tonte partielle ou totale remédie à cet inconvénient.

POURQUOI TONDRE ?

LE CHEVAL TONDU séchera vite s'il transpire, ce qui limite les risques de refroidissement. Il est d'entretien plus facile, donc plus rapide, et les anomalies, grosseurs, irritations ou blessures se voient bien. D'un point de vue esthétique, beaucoup de chevaux ont plus belle allure tondus qu'avec leur poil d'hiver. La tonte se pratique

Ci-dessous
Tonte de la robe d'hiver.

surtout l'hiver mais on tond parfois en été les chevaux au poil épais, surtout s'ils font de gros efforts ou s'ils participent à des concours. La première tonte de l'année intervient généralement en octobre, quand le poil d'hiver a fini de pousser. Deux ou trois tontes seront ensuite nécessaires, la dernière se faisant au plus tard fin janvier pour ne pas abîmer le poil d'été qui commence à pousser en-dessous.

MATÉRIEL DE TONTE

LORSQU'ON S'OCCUPE DE CHEVAUX, quoi que l'on fasse, il est nécessaire de toujours prendre des mesures de sécurité. Pour tondre un cheval, quelques précautions s'imposent. Le bruit et les vibrations de l'appareil peuvent l'effrayer. Pour votre première tonte, familiarisez-vous avec les gestes avant de commencer. Installez-vous dans un endroit adéquat, c'est-à-dire un lieu fermé, de préférence un box réservé à cet usage. Le sol ne doit pas glisser, un tapis de caoutchouc est idéal. Vous devez être bien éclairé pour voir ce que vous faites et être protégé du vent et de la pluie.

La plupart des tondeuses sont électriques, mais certaines fonctionnent sur batteries. Dans le premier cas, une prise et un interrupteur devront se trouver

Le peintre Rosa Bonheur, qui se consacra à la peinture animalière, offrit à William F. Cody, plus connu sous le nom de Buffalo Bill, un cheval entièrement blanc du nom de Isham. Elle peignit un tableau les représentant tous deux. Isham fut l'un des chevaux préférés de Buffalo Bill et figura souvent dans son spectacle *Wild West Show*. Quand le cirque fit faillite et dut fermer, un ami de Bill racheta Isham aux enchères et le lui rendit.

à proximité. Il est pratique
d'avoir un crochet au
plafond afin d'y faire
passer le fil qui, de cette
façon, ne vous gênera
pas. Il faut toujours
être à deux,
la seconde personne
tenant et rassurant
le cheval. Portez tous
les deux des vêtements qui
vous protégeront : un bleu
de travail par exemple,
des bottes en caoutchouc,
un chapeau et un masque à poussière.

Assurez-vous du bon état de votre
tondeuse avant de l'utiliser. Les lames doivent
être bien affûtées et devront être réaffûtées
après chaque tonte intégrale ou deux
tontes partielles. Faites réviser votre
tondeuse à la fin de chaque hiver. Nettoyez-la
soigneusement après utilisation afin que les poils
n'encrassent pas le mécanisme. Avant de commencer
la tonte, versez une goutte d'huile sur les lames
et vérifiez leur réglage, qui varie en fonction
du modèle. Les lames chauffent pendant la tonte
aussi faut-il s'assurer qu'elles ne deviennent pas trop
chaudes. Il existe des liquides refroidissants pour
pallier ce problème. On peut aussi, si on dispose
de deux tondeuses, les utiliser en alternance de sorte
que la première refroidisse
pendant que l'on se sert
de la seconde.

POUR TONDRE

LE CHEVAL doit être
parfaitement propre et sec
avant que vous ne
commenciez l'opération.
Il vaut mieux protéger la queue
de façon à ce qu'elle ne gêne pas.
Une tonte entière demande du temps.
Même si, avec de l'expérience, trois quarts
d'heure suffisent, assurez-vous d'avoir le temps de
terminer ce travail avant de l'entreprendre.
Commencez au niveau des épaules, posez les lames
à plat sur la robe puis travaillez à rebrousse-poil
en faisant de longues passes nettes. Allez aussi vite
et soyez aussi efficace que possible en étant
particulièrement attentif dans les endroits
difficilement accessibles, entre les deux antérieurs

et derrière les coudes par exemple. Étirez
la peau en la lissant avec une main si nécessaire.
À chaque passage de la tondeuse, reprenez sur la trace
du passage précédent pour éviter de laisser des bandes
de poils plus longs. Veillez à ne pas couper les crins
de la crinière ou de la queue et laissez un petit
triangle au-dessus de la queue pour terminer
élégamment. Préparez un tabouret au cas où le
sommet du dos et la tête seraient un peu hauts pour
vous. Soyez très prudent en tondant près de la tête
car c'est à ce moment-là que le cheval risque d'être
le plus nerveux. Au fur et à mesure que vous tondez,
couvrez le cheval pour qu'il ne prenne pas froid.

Red Rum, fut
l'un des plus
grands chevaux
de courses de tous
les temps.
Il remporta trois fois
le Grand National,
en 1973, 1974 et 1977
et termina second
en 1975 et 1976,
un record inégalé.
Il mourut en 1995,
à trente ans, et fut
enterré près du poteau
d'arrivée à Aintree
en l'honneur de
ses trois victoires.

Ci-dessus
Serrage des lames avant
utilisation de la tondeuse.

Ci-contre
Huilez les lames pour
qu'elles fonctionnent bien.

DIFFÉRENTES TONTES

IL N'EST PAS TOUJOURS judicieux de pratiquer une tonte intégrale. Vous en déciderez en fonction du climat et du travail fourni par le cheval.

En haut et à droite
Tonte en couverture et tonte totale : ces chevaux ont besoin d'une couverture.

À droite, au centre
La tonte de trait conserve les poils de la partie supérieure de l'encolure. Cette tonte s'arrête au niveau des épaules.

Ci-dessous et en bas, à droite
Tonte en chasse et variante de la tonte de trait.

Tonte totale : tous les poils sont tondus, y compris ceux des membres et de la tête. Un cheval ainsi tondu doit avoir une couverture suffisamment chaude pour compenser l'absence de poils. C'est généralement la tonte des trotteurs mais on préserve les poils de la tête et des membres.

Tonte de chasse : on tond les poils du corps mais on les conserve sur les membres et sous la selle. Les poils laissés sur les membres protègent l'animal du froid et des épines quand il est en extérieur. On peut les égaliser pour que le cheval fasse plus soigné.

Tonte en couverture (ou en sac) : comme son nom l'indique, cette tonte laisse au cheval comme une couverture de poils : la tête, l'encolure et le ventre sont tondus, mais pas les membres. La tonte de la tête n'est toutefois pas obligatoire.

Tonte de trait : il existe des variantes mais il s'agit toujours de tondre la partie inférieure de l'encolure et sous une ligne horizontale allant du milieu de l'épaule au milieu de la cuisse. En fonction du climat, on peut décider de couper le poil plus ou moins court, mais en gardant le même dessin.

Tonte de trait (variante) : on se contente ici de tondre la tête et la partie inférieure de l'encolure allant jusqu'au coude. Le dos et les membres ne sont pas tondus.

Tonte du ventre et de l'encolure : on peut aussi uniquement tondre l'encolure et le ventre du cheval mais c'est une pratique assez rare en France.

TOILETTER

IL S'AGIT ESSENTIELLEMENT de s'occuper des crins. Il vous faudra une paire de ciseaux à bout rond et un peigne pour que votre cheval ait fière allure, ce qui est de rigueur si vous envisagez le présenter en concours. Commencez par vous occuper de la tête en découpant avec soin des bandes correspondant au passage de la têtière, sur une largeur maximum de 4 cm. Au préalable, séparez bien le toupet de la crinière avec le peigne. Souvent, les chevaux ont de longs poils qui leur sortent des oreilles. Si les tailler améliore toujours l'apparence de la tête, il ne faut jamais couper à l'intérieur de l'oreille et être très prudent quand on travaille dans cette zone.

Beaucoup de chevaux ont de longs poils sous la mâchoire inférieure que l'on peut également éliminer pour que la tête soit plus nette. De longs poils poussent aussi autour de la bouche et sur le menton et un ou deux autour des yeux. (Attention de ne pas les confondre avec les poils tactiles) Certains propriétaires les coupent tandis que d'autres préfèrent les conserver.

Il vaut mieux que la crinière soit courte, c'est même une nécessité si vous devez la tresser pour présenter le cheval en concours. Pour raccourcir une crinière, on ne coupe pas les crins : on les démêle, puis, en commençant dans le haut, on prend une mèche, on crêpe les poils courts, on entortille les plus longs autour du peigne et on tire pour les arracher. Il vaut mieux le faire après l'exercice quand le cheval a eu chaud car les pores de la peau sont plus dilatés et les crins viennent plus facilement.

N'enlevez que quelques crins à la fois, si la crinière est longue et fournie il vaut mieux répartir le travail sur plusieurs jours. N'employez jamais de ciseaux. Il existe des peignes à désépaissir avec un bord tranchant, mais leur maniement est plus difficile qu'il n'y paraît

et la méthode traditionnelle donne de meilleurs résultats. Pour terminer la crinière, éliminez les crins poussant sur le garrot qui vont se prendre entre le tapis et la selle.

On peut tondre la crinière entièrement à la tondeuse en commençant au niveau du garrot et en remontant vers la nuque. Il vaut mieux demander à une autre personne de maintenir la tête du cheval vers le bas de sorte que l'encolure soit tendue. Il faudra recommencer toutes les deux ou trois semaines pour que la crinière reste propre. Les cobs portent souvent une crinière tondue.

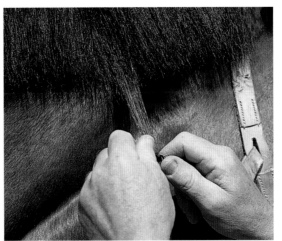

Faire un damier sur la croupe d'un cheval, comme les gardes républicains, est très simple : humidifiez le poil et lissez-le avec une brosse imprégnée de gomina en faisant de petits carrés, en allant alternativement dans le sens du poil et à rebrousse-poil.

En haut, à gauche
La queue doit tomber sur le jarret.

En haut, à droite
Un cheval bien toiletté a fière allure.

À droite, au centre
Pour présenter un cheval à un concours de dressage il faut lui faire une toilette impeccable.

Ci-contre
Faire la crinière signifie démêler et éclaircir les crins.

L'extrémité des crins de la queue doit être coupée avec des ciseaux. Placez-vous sur le côté et tenez la queue à la hauteur où le cheval la porte lorsqu'il est en mouvement. Coupez les crins de sorte que la queue tombe à 10 cm sous la pointe du jarret. Une queue bien soignée est très jolie mais son entretien est un art. Soyez toujours très prudent quand vous éclaircissez la racine de la queue, sous le couard, tous les chevaux n'apprécient pas et un coup de pied part vite. N'utilisez surtout jamais les ciseaux à cet endroit, le résultat serait

Le premier cheval de course américain qui gagna le Grand National fut Battleship, le fils de Man of War. Il remporta la course légendaire en 1938, monté par un jockey de 17 ans.

affreux. Arrachez les crins dépassant sur 18 cm, puis humidifiez la queue et posez une bande de protection.

Pour éliminer les poils trop longs qui font désordre sur les jambes, utilisez un peigne et une paire de ciseaux. Peignez à rebrousse poils et, en tenant le peigne dans une main, coupez les poils au ras des dents, comme les coiffeurs. Commencez au niveau du paturon et des talons pour remonter le long de la jambe. Il est assez

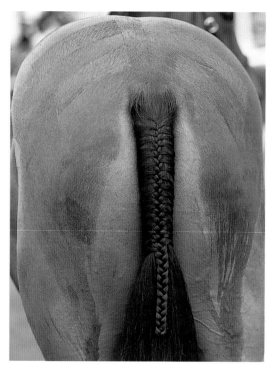

En haut, à droite
Entretien des fanons : démêlez et coupez s'ils sont trop volumineux.

Ci-contre
Une queue tressée est très belle. C'est obligatoire pour présenter un cheval en concours de dressage et autres compétitions.

difficile de s'acquitter de cette tâche avec succès sans laisser de traces de ciseaux.

NATTE

IL EST GÉNÉRALEMENT obligatoire de tresser la crinière d'un cheval pour le présenter en concours ou en courses, avec cependant quelques exceptions. La natte fait ressortir la ligne de l'encolure ce qui met le cheval en valeur. On peut tresser ou éclaircir la queue, dans les deux cas, la musculature de la croupe est mise en valeur.

LA CRINIÈRE

AVANT DE TRESSER une crinière il faut l'éclaircir et la couper. Brossez-la soigneusement et humidifiez-la pour l'aplatir contre l'encolure. Munissez-vous d'un stock de petits élastiques et divisez la crinière en touffes de la largeur du peigne prêtes à être nattées. Il vaut mieux faire un nombre impair de tresses.

Une fois la crinière préparée, commencez à tresser à partir de la nuque, humidifiez les crins, partagez la touffe en trois et tressez en serrant bien. Nouez le bout avec une ficelle

La natte doit être aussi plate que possible et les crins bien humides.

ASTUCES POUR L'ESTHÉTIQUE

LA POUDRE DE CRAIE blanche est un bon moyen de masquer les taches de dernière minute sur une robe présentant des marques blanches. Frotter de l'huile autour du bout du nez et des yeux fait briller la peau et donne un aspect séduisant au cheval. Un peu de graisse sur les sabots avant d'entrer dansla carrière rendra la corne luisante.

Vous pouvez utiliser du gel coiffant pour que crinière et queue restent en place. Une technique pour dessiner des motifs sur la croupe consiste à brosser dans le sens du poil puis à placer

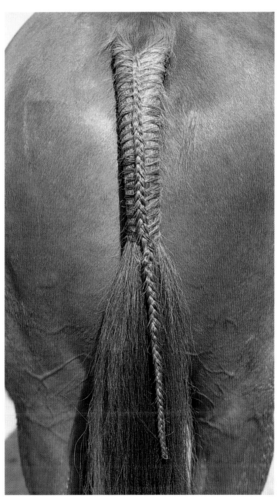

un pochoir (quartermarker) sur le poil et à brosser à rebrousse-poil. Le motif apparaît quand vous enlevez le pochoir. Le pochoir simplifie le travail mais n'est pas indispensable.

ou un élastique puis roulez ou repliez la tresse. Enroulez la ficelle autour de la tresse puis faites-la passer à l'intérieur et ramenez-la du haut vers le bas. Recoupez les bouts de ficelles mais pas les crins. Si vous faites la tresse la veille pour le lendemain, placez un bas à plat sur la crinière et fixez-le autour de chaque tresse au moyen d'un élastique. La coiffure ne s'abîmera pas pendant la nuit.

TRESSER LA QUEUE

BROSSEZ SOIGNEUSEMENT la queue puis humidifiez les crins. Prenez quelques crins de chaque côté, puis au milieu et commencez à tresser. Ajoutez quelques crins supplémentaires à chaque brin au fur et à mesure que vous descendez. Continuez pour dissimuler l'anus et éventuellement la vulve, puis terminez la tresse avec les trois brins que vous avez en main. Attachez le bout et remontez-le jusqu'au point de départ de la tresse fine en formant une boucle.

Ci-contre
Il faut du temps pour égaliser une crinière, mais c'est un préliminaire nécessaire au tressage.

Au centre
Une queue tressée est gage d'élégance équine. Le crin humide est plus facile à natter.

En bas, à droite
Le cheval et son cavalier sont extrêmement soignés pour apparaître dans un concours, et particulièrement pour les concours de dressage.

Voyager avec un cheval

AVANT DE FAIRE VOYAGER un cheval il faut prendre quelques précautions, comme chaque fois que l'on s'occupe de chevaux. Que vous utilisiez un camion ou un van, il faudra vérifier que rien dans le véhicule ne présente un danger potentiel. Le sol est à inspecter soigneusement.

En haut, à droite
Intérieur d'un camion
de transport de chevaux,
on voit les cloisons
les séparant.

Ci-dessous
Cheval montant
dans un camion.

CÔTÉ PRATIQUE

LA PLUPART DES VÉHICULES pour chevaux ont des trous d'évacuation sur les côtés qui devront toujours être propres afin que les liquides puissent s'écouler. Le sol et la rampe d'accès devront être revêtus d'une surface antidérapante comme les tapis en caoutchouc, amovibles mais lourds. La paille est utilisable mais sera renouvelée à chaque voyage. Vérifiez qu'il y a une ficelle attachée à l'anneau, il ne faut jamais nouer la longe directement sur l'anneau lui-même. Vérifiez le bon fonctionnement des cloisons, que charnières et loquets sont bien huilés et faciles à manipuler afin de devoir fournir un minimum d'efforts.

Assurez-vous que les lumières du véhicule fonctionnent bien, en particulier si vous tractez une remorque (les branchements sont souvent défectueux). S'il s'agit d'un camion, veillez à ce qu'il soit en règle et que le conducteur possède bien un permis poids lourds si le véhicule pèse plus de 3,5 t. Faites le plein à vide, surtout si vous transportez des chevaux anxieux ou impatients qui s'accommoderaient mal d'une longue attente. Quand vous faites voyager des chevaux, munissez-vous toujours d'une trousse de premiers soins, autant pour les humains que les équidés et prenez des seaux et des réserves d'eau.

LA CONDUITE

QUAND ON EST AU VOLANT d'un van ou d'un camion, il faut toujours penser aux animaux que l'on transporte et adapter sa conduite. Tournez et prenez les ronds-points lentement pour ne pas les déséquilibrer et prévoyez une grande distance de freinage. Plus votre conduite sera douce et sans à-coup, mieux cela vaudra pour le cheval. Roulez à faible vitesse et, si vous empruntez de petites routes de campagne, méfiez-vous du bruit des branches sur le toit du véhicule, le cheval peut avoir peur. Tenez compte de la météo et ne partez pas si des vents forts sont annoncés. Les chevaux ont souvent très chaud dans le véhicule, parce qu'ils sont nerveux ou inquiets. Quand vous en transportez plusieurs, il faudra donc ouvrir les ventilations et couvrir les chevaux en fonction de la température.

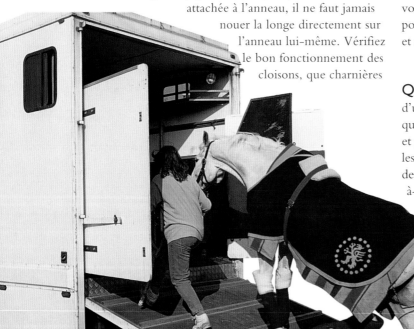

ÉQUIPEMENT

Le cheval doit porter des protections de transport. Les magasins spécialisés proposent un vaste choix de matériel. L'équipement de base prévoit :

Des protections pour les jambes. Les bandes de repos sont très efficaces quand elles sont bien posées, ce qui demande un peu d'expérience et de temps. Il existe aussi des guêtres de transport hautes dont la forme est étudiée pour protéger genoux ou coude, jarret et partie inférieure des membres jusqu'aux pieds. Elles se ferment en général avec des bandes autoagrippantes et offrent une bonne protection. Elles sont faciles et rapides à poser mais l'inconvénient est que les attaches, en particulier si elle ont quelques années, peuvent se défaire.

Par ailleurs, ces guêtres ne soutiennent pas les membres et n'existent qu'en taille standard qui ne vont pas à tous les chevaux.

Si vous avez opté pour les bandes, il faudra prévoir des genouillères et des protège-boulets. Les protections de qualité supérieure sont en cuir doublé de feutrine. Elles sont chères mais, entretenues avec soin, dureront toute la vie. Les grands chevaux ont souvent tendance à s'appuyer contre le pont et on s'aperçoit, en examinant les protège-boulets, qu'ils portent des marques de frottement et d'usure, ce qui prouve leur utilité. On peut aussi leur mettre des cloches.

La queue est une zone vulnérable car les chevaux ont tendance à s'appuyer contre le pont. Il faudra donc la protéger au moyen d'un fourreau de queue ou d'une bande. À nouveau, les modèles en cuir sont les plus efficaces et les plus durables.

Il est prudent de protéger la nuque du cheval mais cette protection n'est pas nécessaire pour les poneys plus petits. Il en existe plusieurs modèles qui mettront cette zone fragile à l'abri d'éventuels chocs.

En fonction de la température et du nombre de chevaux dans le véhicule, vous déciderez s'il faut mettre ou non une couverture. Quel que soit le modèle choisi, veillez à ce qu'elle soit bien attachée et qu'aucun pan de tissu ne batte ou ne traîne, risquant de se prendre dans quelque chose ou d'affoler le cheval.

En haut, à gauche
Ce cheval, avec sa couverture, ses bandes de protection et son protège-queue, est prêt à embarquer.

Ci-dessus
La litière de paille qui tapisse ce van pour deux chevaux sera changée à chaque déplacement.

Ci-dessous
On est arrivé : tout le monde descend !

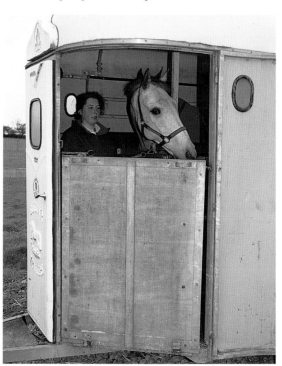

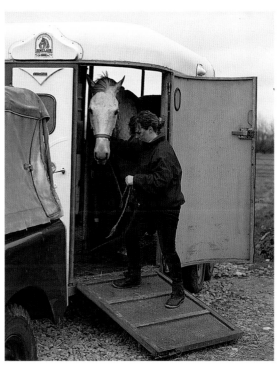

Pour les Celtes, le cheval était un animal sacré. Il figurait souvent sur la monnaie.

Santé et reproduction

LA PÉRIODE DE GESTATION est en moyenne de 340 jours mais il n'est pas rare qu'une poulinière mette bas avant terme ou en retard. Les juments pur-sang sont souvent saillies très tôt de sorte que leurs petits, destinés aux courses, naissent au début de l'année. Il est cependant plus habituel que les juments poulinent à partir de mars. Le temps s'améliore et l'herbe repousse, facteurs importants pour le bien-être de la mère et de son petit.

LE POULAIN DE UN À QUATRE ANS

LES PUR-SANG naissent en début d'année et grandissent vite ; c'est la raison pour laquelle on peut les faire courir sur le plat dès deux ans. Officiellement les pur-sang prennent un an au premier janvier de l'année et les A.Q.P.S. (autre que pur-sang) au premier mai, quelle que soit leur date de naissance réelle. Les yearlings, jeunes chevaux d'un an, sont encore un peu disproportionnés, leurs membres semblant longs par rapport au reste du corps. Ils grandissent par à-coups, et leur apparence peut changer en peu de temps de façon spectaculaire.

Pendant les poussées de croissance, la croupe est plus haute que le garrot, celui-ci remonte par la suite. Les cartilages de croissance (situés sur les épiphyses) des os longs des membres ne sont pas ossifiés et continuent de grandir jusqu'à deux ans et demi. C'est la raison pour laquelle il ne faut pas demander un travail trop intensif au poulain. Il pourrait en résulter des dommages irréversibles pour les os. Les courses de deux ans font d'ailleurs l'objet de controverses pour cette raison. Le cheval doit se développer physiquement mais il faut aussi que son mental mûrisse, ce qui peut aller plus ou moins vite en fonction des individus. Il n'est pas rare qu'un cavalier malheureux attende encore que son cheval de treize ans grandisse dans sa tête !

Chaque entraîneur a sa façon de faire mais en général un cheval est débourré à deux ou trois ans puis mis au pré. Le débourrage consiste à faire accepter la selle, le filet et le cavalier au poulain puis à lui apprendre à marcher, trotter et galoper avec un cavalier ainsi que quelques exercices d'obéissance simple. On le met ensuite au pré pendant quelques mois avant de vraiment commencer son éducation vers trois ou quatre ans, quand il est physiquement et psychologiquement prêt.

En haut, à droite
Ce tout jeune poulain court déjà à côté de sa mère. Contrairement au petit de l'homme, un poulain se lève dès la naissance.

Ci-contre
Fœtus dans l'utérus

Ci-dessous
Les membres du poulain sont déjà assez forts pour lui permettre de se lever et se déplacer dès la naissance.

LA NAISSANCE

À LA DIFFÉRENCE des humains, les poulains savent marcher dès la naissance, même s'ils sont un peu chancelants. Ils naissent sans dent mais, à dix jours, ils ont leurs deux incisives centrales. Ils tètent leur mère et commencent à manger de la nourriture solide à six semaines. En général, ils se mettent à brouter en imitant leur mère et regardent avec curiosité dans le seau où se trouve sa nourriture tentant d'y mettre la tête.

Les membres des poulains paraissent exagérément longs et, pour brouter, ils doivent souvent plier ou écarter les antérieurs pour mâcher l'herbe. Les poulains sont sevrés à six mois, et la castration se pratique ensuite vers l'âge de 18 à 24 mois.

QUINZE ANS ET PLUS

À PARTIR DE quinze ans, la majorité des chevaux commencent à décliner, exactement comme les humains, et à s'enraidir. Certains poursuivent cependant leur carrière d'athlète jusqu'à environ vingt ans, tout dépend de la façon dont on les a traités durant leur vie.

Le physique du cheval change vers l'âge de vingt ans : son dos semble se creuser dans le milieu, les muscles diminuent et la colonne ressort. L'abdomen perd de sa fermeté, les salières se creusent et les dents s'usent en s'allongeant vers l'avant. Le système digestif perd de son efficacité. Il devient plus difficile de maintenir le cheval en bonne santé. Les chevaux vivent entre 20 et 30 ans, les poneys un peu plus longtemps et les mulets sont les champions de la longévité.

La come des sabots poussent continuellement, d'environ 6 mm par mois. Il lui faut un an pour se renouveler entièrement.

DE QUATRE À DIX ANS

LES CHEVAUX évoluent mentalement et physiquement à leur propre rythme ; l'âge de la maturité dépendant aussi de la race. Les pur-sang, par exemple, grandissent vite, de même que les suffolks punch tandis que les lipizzans prennent leur temps mais vivent vieux et restent capables de fournir un travail d'athlète bien au-delà de vingt ans. Normalement, à cinq ans, le cheval a sa taille adulte et ses proportions sont arrêtées. Cela varie selon les individus mais les meilleures années et les plus productives se situent généralement entre cinq et douze ans.

En haut, à gauche
L'éducation de ce cheval de trois ans est commencée, mais il passera quelques mois au repos après le débourrage.

Au centre
Ce poney de vingt-huit ans montre des signes de vieillissement : son dos est ensellé et sa colonne ressort.

Ci-contre
Cet hanovrien de sept ans est dans la fleur de l'âge.

La santé du cheval

IL FAUT RÉGULIÈREMENT observer son cheval, qu'il soit au pré ou en box. La première vérification effectuée au matin est la plus importante puisque l'animal aura passé toute la nuit seul. Il faut l'observer avec attention pour s'assurer qu'il va bien. Il est indispensable d'apprendre à reconnaître les signes d'un problème très rapidement, avec le plus de précision possible. De plus, il faut bien connaître l'animal car ce qui est un comportement normal chez un individu peut être l'indication que quelque chose ne va pas chez un autre.

TEMPÉRATURE, POULS ET RESPIRATION

LA TEMPÉRATURE NORMALE d'un cheval est de 38 °C au repos. Pour prendre la température d'un cheval, il faut être deux, une personne tenant l'animal. On utilise un thermomètre à mercure. Après avoir fait descendre le mercure, on enduit le bout du thermomètre de vaseline et on l'introduit

En Arizona, aux États-Unis, une loi interdit aux cow-boys d'entrer dans les hôtels avec leurs éperons !

SIGNES DE MAUVAISE SANTÉ

• Tête basse, oreilles passives.

• Yeux enfoncés, décharges dans les yeux et les narines ; yeux mi-clos ou troisième paupière visible.

• Peau tendue, lente à reprendre sa place quand on la pince.

• Robe terne et fripée, taches révélant une sudation abondante, sèche ou non.

• Ne mange pas, ne boit pas.

• Crottins anormaux : trop mous ou trop durs, ou constipation.

• Urine colorée – noire, marron ou rouge.

• Membranes des muqueuses jaunes, pâles ou bleues, signe, respectivement, de jaunisse, d'anémie ou de manque d'oxygène.

• Ne s'appuie pas sur un antérieur ou démarche lente et inégale.

• Comportement anormal ou signes d'inconfort, va et vient dans son box, frappe le sol avec l'antérieur, se roule frénétiquement.

• Le sang est lent à revenir dans les capillaires après un test capillaire.

• Respiration peu profonde ou rapide.

• Variation de la température de 0,5°C.

• Pouls anormal.

• Écart excessif par rapport au poids normal .

• Forte odeur de pourriture se dégageant des pieds.

En haut, à droite
Un des signes de colique est que le cheval se roule frénétiquement.

En bas
Ce poulain montre des signes de mauvaise santé : il tient sa tête basse, ses yeux sont enfoncés et mi-clos.

SIGNES DE BONNE SANTÉ

• Animal alerte aux oreilles dressées et mobiles et aux yeux vifs.

• Beau pelage lisse et brillant.

• Membranes muqueuses rose saumon.

• La peau est souple et glisse bien sur le squelette.

• Les crottins sont normalement brunâtres, verdâtres selon l'alimentation de l'animal.

• L'animal fait une quinzaine de crottins en vingt quatre heures.

• Urines incolores ou jaune clair.

• Répartit son poids sur les quatre membres, certains chevaux relèvent légèrement un postérieur, ce qui n'est pas inquiétant, mais s'il s'agit d'un antérieur, c'est anormal.

• Pas d'irritation, d'enflure ou de plaie.

• Mange et boit en quantité normale pour lui.

• Pouls, température et respiration normale.

• La peau est élastique et réagit bien quand on la pince (on prend un peu de peau entre le pouce et l'index et quand on ouvre les doigts elle reprend immédiatement sa place).

• Réponse normale à un test capillaire : on appuie sur la gencive pour limiter l'afflux de sang. Quand on cesse d'appliquer une pression, le sang doit immédiatement revenir dans les capillaires.

• Le cheval doit être à son poids normal ou ni trop au-dessus ni trop en dessous.

• Il ne doit pas y avoir de signes d'agitation dans le box : le matin, la litière ne doit pas être trop dérangée.

Une des plus anciennes descriptions de courses de chars se trouve dans *L'Iliade* d'Homère, écrite au VIIIᵉ siècle avant notre ère, qui nous raconte la guerre de Troie. La course eut lieu lors des funérailles de Patrocle, proche ami d'Achille. Les cinq concurrents devaient s'élancer depuis un poteau et y revenir. C'est à Achille qu'il revint de désigner le gagnant.

dans le rectum en se plaçant sur le côté du cheval. Il faut lui lever la queue et faire pénétrer le thermomètre en le tournant de sorte que le bout repose contre la paroi rectale. Tenez bien le thermomètre pour qu'il ne remonte pas trop dans le rectum. Laissez-le une minute puis ressortez-le, essuyez-le et lisez la température.

Le pouls normal d'un cheval au repos se situe entre 35 et 42 battements à la minute, il est légèrement supérieur chez les poulains. Pour prendre le pouls,

il faut trouver l'artère dans l'avant-bras au-dessus du genou ou celle située sous la mâchoire inférieure et poser doucement les doigts dessus. Comptez le nombre de battements en trente secondes et multiplier ce chiffre par deux.

Un cheval au repos inspire et expire entre 8 et 12 fois en une minute. Regardez ses flancs et comptez un pour une inspiration et une expiration.

En haut
Ce cheval est en excellente santé : il est alerte, son poil est brillant et il s'appuie sur ses quatre membres.

Ci-contre
Cet hanovrien Belucci donne tous les signes d'une bonne santé : ses oreilles sont dressées, ses yeux brillants et sa robe lisse et lustrée.

L'Apocalypse de Jean met en scène quatre figures symboliques montées sur des chevaux. Elles représentent les maux qui s'abattront sur la terre à la fin du monde. La justice divine chevauche un animal blanc, la famine une monture noire, la guerre un destrier rouge, et la peste un cheval clair. On les désigne souvent sous le nom des quatre cavaliers de l'Apocalypse.

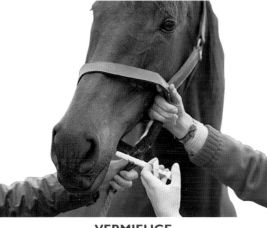

le premier traitement se faisant dès six semaines. Il existe plusieurs sortes de vermifuges qui ciblent différents parasites qu'il faut tous traiter. On choisira un produit à large spectre.

VACCINATIONS

IL FAUT SUIVRE un calendrier de vaccination strict pour protéger les chevaux contre le tétanos et la grippe équine, les deux vaccins pouvant être administrés en une seule piqûre. La vaccination contre la grippe équine, souvent aussi la rage, est obligatoire pour engager des chevaux dans des épreuves.

VERMIFUGE

POUR QU'UN CHEVAL soit en bonne santé, il faut le vermifuger régulièrement. Tous les chevaux ont des vers mais, quand ils en ont trop, les conséquences peuvent être sérieuses, allant jusqu'à provoquer des lésions des organes internes, voire la mort. Les chevaux doivent être vermifugés au moins tous les deux à quatre mois,

DENTS

La mâchoire supérieure est plus large que l'inférieure. Quand le cheval mâche, il use ses dents : du fait de la différence de taille entre les deux mâchoires, le bord externe des molaires supérieures et le bord interne des molaires inférieures deviennent coupants. Il faut les faire limer tous les six mois par un dentiste équin ou un vétérinaire.

En haut
On place une seringue contenant le vermifuge dans la bouche du cheval pour le vermifuger. Le traitement est à renouveler tous les deux à quatre mois.

En bas
Il faut noter les symptômes inquiétants pour en parler au vétérinaire. Ce bai de Cleveland a l'air mal en point.

QUAND APPELER LE VÉTÉRINAIRE

• Le cheval s'est blessé et saigne abondamment. En attendant, exercez une pression sur la blessure pour réduire le saignement mais ne mettez aucun produit avant l'arrivée du vétérinaire.

• Le cheval se roule et semble avoir des coliques.

• Le pied a été perforé par une pointe. En cas d'infection, il faut administrer des antibiotiques.

• Le cheval boîte et vous n'avez pas assez d'expérience pour comprendre pourquoi et savoir le soigner.

• La température du cheval est plus élevée que la normale.

• Le cheval tousse, ses mucus sont épais et jaunes et il semble abattu.

Affichez le numéro du vétérinaire dans la sellerie et à côté du téléphone pour pouvoir l'appeler rapidement en cas d'urgence.

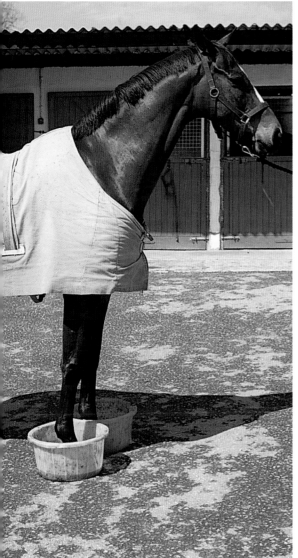

TROUSSE DE PREMIERS SOINS

INUTILE d'appeler le vétérinaire pour les petites égratignures, un minimum d'expérience suffit. La trousse de premiers soins, rangée hors de portée des animaux et des enfants, doit comprendre :

Des bandes stériles, des bandes élastiques cohésives, des sous-bandages et des bandes de repos

Du coton sous gaze prêt à l'emploi (type pansements Gamgee)

Des compresses stériles

Des bandes élastiques adhésives

Des antibiotiques (poudre, spray, crème)

Du coton chirurgical

Des cataplasmes vétérinaires

Du kaolin ou de l'argile

Des sels d'Epsom

Des ciseaux

Un thermomètre

De la vaseline

De l'alcool dénaturé, un antiseptique ou de l'hamamélis pour les écorchures

Du goudron de Norvège

Emportez toujours une trousse de premiers soins quand vous faites voyager des chevaux. L'idéal est de l'avoir toujours dans sa voiture et de remplacer aussitôt tout matériel utilisé. L'essentiel est d'avoir des bandes, des compresses de coton sous gaze, du coton chirurgical, des antibiotiques, des bandes adhésives, des ciseaux, des compresses antiseptiques et des cataplasmes.

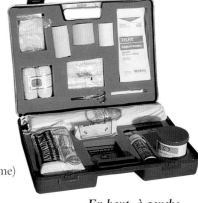

En haut, à gauche
Il faut vérifier si les dents du cheval ont besoin d'être limées.

À gauche
Ce cheval prend un bain de pied pour soulager une douleur à la sole.

Ci-dessus et ci-dessous
Il faut toujours emporter une trousse de premiers soins quand on fait voyager des chevaux. Pour un voyage en camion, couvrez le cheval.

En haut, à gauche
Le massage au jet d'eau fraîche permet d'abaisser la chaleur de la jambe et aide à faire dégonfler la blessure.

En haut, à droite
Un cataplasme de son et de sel d'Epsom est bon pour la corne des sabots.

Ci-dessous
Après le jet d'eau fraîche, un massage à l'eau chaude aura un effet antalgique et drainera la blessure.

En bas, à droite
Matériel pour cataplasme.

LEXIQUE DES TERMES COURANTS

CERTAINES PROCÉDURES sont utilisées dans le traitements des blessures mineures et il est bon de se familiariser avec ces termes.

Massage à l'eau froide : il est courant de masser le bas des membres au jet d'eau fraîche après le travail quand il fait chaud. Cela rafraîchit les tendons et les fait dégonfler. Dans le cas d'une blessure, commencez par graisser les talons de vaseline pour éviter les gerçures. Augmentez progressivement la pression du jet pour que le cheval ne prenne pas peur. Dirigez-le de bas en haut jusqu'à la blessure ; c'est un bon moyen de nettoyer et de limiter les hématomes. N'envoyez pas l'eau directement dans la plaie. Répétez l'opération deux fois par jour pendant environ 20 minutes. Pour terminer, séchez bien les talons et appliquez encore de la graisse pour éviter tout risque de gerçure.

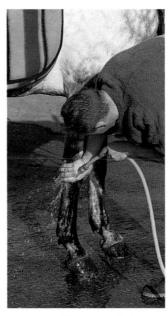

Compresse chaude : peut se faire après le massage à l'eau froide pour calmer la douleur, aider les membres à dégonfler et drainer les blessures. Faites fondre des sels d'Epsom dans un seau d'eau un peu chaude. Trempez une serviette dans l'eau, essorez et appliquez sur la zone à traiter. Renouvelez plusieurs fois l'opération en rajoutant de l'eau chaude dans le seau pour la maintenir à température. Pour que la compresse agisse, il faut la laisser une vingtaine de minutes ; ce traitement est préconisé quand on ne peut pas appliquer de cataplasmes vétérinaires.

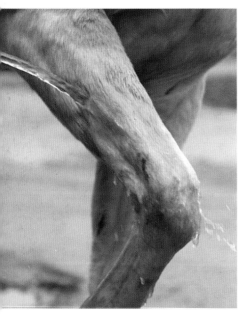

Cataplasmes vétérinaires : c'est un excellent moyen pour nettoyer une plaie, faire sortir le pus et protéger la blessure. Il existe plusieurs types de cataplasmes mais le plus courant est Animalintex, un pansement stérile contenant un gel drainant et un antiseptique doux. Il s'applique humide, chaud ou froid. Moulez le cataplasme autour de la partie blessée, film plastique transparent vers vous et recouvrez-le d'un bandage cohésif qui le maintiendra en place.

On peut aussi utiliser de l'argile pour traiter les hématomes et les plaies gonflées. Chauffez et étalez la pâte sur une compresse propre en veillant à ce qu'elle ne soit pas trop chaude. Placez la compresse ainsi imprégnée sur la blessure. Si vous conservez votre argile au réfrigérateur, vous pouvez aussi l'appliquer froide directement sur le membre blessé et poser une bande stérile par-dessus. Les cataplasme à base de son et de sel d'Epsom (sulfate de magnésium) donnent de bons résultats sur les pieds venant d'être déferrés mais leur inconvénient est que la plupart des chevaux essaient des les manger ! Faites une pâte en mélangeant le son avec un peu de sel.

Placez une bande sur la jambe et graissez le talon pour le protéger. Dans un sac en plastique épais, versez environ 5 cm de mélange. Placez le sabot dans le sac et pressez la sole contre le mélange au niveau de la blessure. Maintenez le cataplasme avec des bandes ou une botte de soin. Cataplasmes et bandes seront refaits toutes les douze heures.

Bain de pied : c'est une méthode efficace pour nettoyer une blessure, réduire les risques d'infection et limiter les hématomes dans la zone du pied. Remplissez une bassine ou un seau d'eau chaude additionnée de sel d'Epsom. Mettez le pied du cheval dans le seau pendant un quart d'heure deux fois par jour. Placez ensuite un cataplasme ou une bande pour que la blessure reste propre.

Avant d'utiliser une bande, placez du coton sous gaze, qui répartira le poids régulièrement. La bande doit être posée juste assez serrée pour que le pansement ne risque pas de glisser. Il faut toujours placer les bandes sur les deux membres afin qu'ils soient soutenus.

LES BLESSURES SUPERFICIELLES

APRÈS AVOIR ÉLIMINÉ tout corps étranger de la blessure, arrêtez le saignement en appliquant fermement un pansement propre directement dessus. Quand le sang ne coule plus, coupez tous les poils venant sur la plaie avec des ciseaux à bout rond afin de pouvoir évaluer sa gravité. Faites bouillir l'eau avec une solution antiseptique ou du sel puis laissez tiédir. Nettoyez la blessure avec le coton chirurgical imprégné de la solution en partant du centre de la plaie et en allant vers l'extérieur. Prenez un coton propre pour chaque passage en veillant à ne pas faire pénétrer de terre ou de saleté dans la plaie. Une fois la blessure nettoyée, séchez tout autour et placez un antibiotique sous forme de poudre, spray ou crème.

Si vous craignez de devoir appeler le vétérinaire, ne mettez rien sur la plaie car vous masqueriez l'étendue des dégâts. Laissez le soin à une personne qualifiée de faire un diagnostic immédiat et de décider du traitement qui s'impose.

AUTRES BLESSURES

VOUS RISQUEZ de rencontrer quatre types de blessures.

Contusions : elles résultent d'un coup (coups de sabot par exemple), provoquent un hématome et enflent. La partie touchée devient chaude et douloureuse. Douchez à l'eau froide, appliquez un cataplasme ou une compresse.

Lacérations : c'est la blessure la plus fréquente. La peau est arrachée et les bords de la blessure sont déchirés. En fonction de la profondeur de la blessure, vous pouvez vous en occuper ou appeler le vétérinaire. Il faut la nettoyer au jet d'eau froide ou avec un cataplasme. Dans les cas les plus graves, il peut être nécessaire de recoudre.

Coupures : elles sont plus rares et sont dues à des objets tranchants ou des morceaux de verre. Elles saignent abondamment et il faut généralement appeler le vétérinaire pour qu'il recouse. Les coupures cicatrisent vite.

Perforations : c'est souvent une blessure de la sole causée par un objet tranchant ou pointu. Cette blessure s'appelle un « clou de rue ». Elle peut être dangereuse : la surface de la blessure est minime mais la pointe peut avoir pénétré profondément. Le risque d'infection est élevé et il faut vérifier que le cheval est à jour de ses vaccinations. Appliquez un cataplasme pour drainer la blessure et maintenez-la ouverte tant que l'intérieur n'est pas cicatrisé.

En France, le stud-book du cheval arabe est tenu par les Haras nationaux.

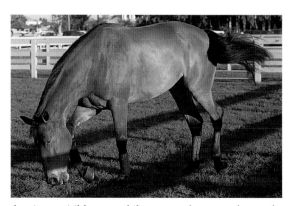

IDENTIFIER UNE BOITERIE

LE CHEVAL atteint d'une boiterie cherche à éviter de se reposer sur le membre douloureux. En cas de boiterie grave, le cheval à l'arrêt soulève un antérieur.

Quand il se déplace, le cheval lève la tête en posant la jambe blessée et l'abaisse en posant le membre en bon état. Cette oscillation de la tête et son amplitude donne une indication de la sévérité de la boiterie. Il est plus difficile de détecter une boiterie aux postérieurs. Placé derrière le cheval, vous le verrez descendre la cuisse plus bas et la remonter plus haut du côté où il n'y a pas de problème.

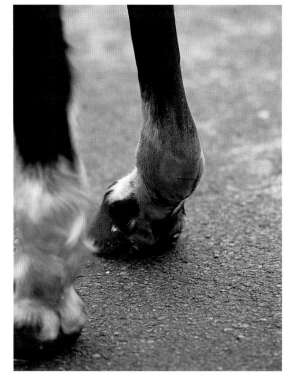

En haut, à droite
Quand un cheval montre ce type de signes d'agitation, il faut immédiatement appeler un vétérinaire.

En haut, à gauche
Les boulets de ce cheval sont engorgés.

Au centre
La blessure du boulet et du talon doit être nettoyée et protégée par un pansement pour éviter toute infection.

RECONNAÎTRE UNE COLIQUE

LE TERME COLIQUE désigne toute douleur abdominale. Ses causes sont diverses : nourriture trop tôt avant ou après le travail, présence de vers dans les intestins, nourriture excessive ou de mauvaise qualité, stress causé par un changement d'environnement (voyage dans un van ou participation à des épreuves).

Les symptômes varient d'un animal à l'autre et en fonction de l'intensité de la douleur. Le cheval donne des signes visibles quand il ne cesse de se coucher et de se relever, quand il se roule frénétiquement, frappe le sol avec son antérieur et se tourne pour regarder son ventre. Il se met à respirer plus vite, à transpirer, cesse de manger et probablement ne fait plus de crottins. Les symptômes sont discontinus mais s'ils persistent plus d'un quart d'heure, appelez le vétérinaire.

Enlevez toute la nourriture présente dans le box ainsi que la mangeoire ou tout objet contre lequel le cheval pourrait se blesser dans son agitation. Surveillez-le en permanence. Si les symptômes sont légers faites-le marcher sur une surface pas trop dure, s'ils sont sévères, laissez-le au box en veillant à ce qu'il dispose d'une litière bien épaisse et soit protégé des courants d'air, et empêchez-le de se coucher. Le vétérinaire prescrira peut-être un antispasmodique musculaire ; il peut faire un lavage d'estomac en faisant passer de la paraffine liquide dans un tube afin d'éliminer le blocage. Une opération peut se révéler nécessaire si l'on craint une torsion intestinale.

Un bon entretien des écuries est la meilleure prévention des coliques.

SOIGNER UN CHEVAL MALADE

SOYEZ TOUJOURS très prudent et appelez le vétérinaire si vous avez des inquiétudes sur la santé de votre cheval. Une blessure ou une maladie traitées sans attendre ont de meilleures chances de guérir complètement. Prenez la température, le pouls et le rythme respiratoire du cheval avant l'arrivée du vétérinaire et préparez-vous à lui expliquer tout ce que vous avez pu observer. Bien sûr, au premier signe de problème, cessez de faire travailler le cheval.

Veillez au confort de l'animal en lui procurant une litière bien épaisse et assurez-vous qu'il n'ait pas froid en le couvrant de couvertures fines (à condition que sa température soit normale), sans toutefois le laisser avoir trop chaud. Dérangez-le le moins possible, ramassez les crottins quand c'est possible, mais préparez une litière très épaisse afin

Ci-contre
Quand le cheval se roule
frénétiquement, comme
pour chasser la douleur,
c'est un signe de coliques.

En bas
Un cheval contagieux doit
être isolé des autres.

de ne pas devoir trop la remuer pour nettoyer. Veillez à ce que le cheval ait de l'air frais sans être dans un courant d'air.

Essayez autant que possible de préserver une zone de calme tout autour du box. Il peut être utile de poser des bandes de maintien mais il ne faut pas oublier de les enlever le matin et le soir pour masser les membres avant de les remettre. Surveillez le cheval de près sans le gêner et s'il semble aller plus mal, appelez immédiatement le vétérinaire. Vérifiez la quantité d'eau bue, et veillez à ce qu'elle soit propre et fraîche. Nourrissez peu, mais plusieurs fois par jour et donnez un aliment que le cheval apprécie et qui ait des propriétés laxatives.

Si le cheval va vraiment mal, il n'a presque pas d'appétit et peut cesser de s'alimenter. Dans ce cas, enlevez ce qu'il a laissé. Donnez-lui du foin à volonté sauf avis contraire du vétérinaire. Si le cheval doit prendre des médicaments, veillez à ce qu'une seule personne en soit responsable pour éviter tout risque d'oubli ou de donner deux fois la dose.

QUARANTAINE

LES GRANDES écuries disposent d'un box pour isoler les chevaux contagieux. Dans l'idéal, ce box est éloigné des autres et dispose d'un matériel de pansage et d'une réserve spécifique. Plus il sera loin des autres, moins les infections portées par le vent auront de chance de se propager. Le cheval en quarantaine sera traité comme tout cheval malade,

mais il faudra, en plus, prendre soin de ne pas utiliser le matériel des autres boxes. La fourche, la brouette, les seaux, le nécessaire de pansage et les couvertures réservés à ce box ne serviront pas aux autres et seront soigneusement désinfectés dès que le cheval aura réintégré son box. Il vaut mieux qu'une seule personne s'en occupe. Elle portera des vêtements de protection (bleu de travail, bottes, gants, chapeau) avant d'approcher le cheval malade et les retirera pour s'occuper des autres. Le fumier du box du cheval malade doit être séparé et de préférence brûlé. Quand le cheval rétabli quitte le box, brûlez la litière et nettoyez et désinfectez le box à fond, y compris les murs.

La Fédération française d'équitation organise différents types d'épreuves sportives en France. Il est nécessaire d'être affilié et d'avoir le niveau requis pour y participer. Les courses sont gérées par les Haras nationaux affiliés au ministère de l'Agriculture.

Soigner une boiterie

L'ÉCHAUFFEMENT de la fourchette est généralement le résultat d'un mauvais entretien des installations. Le pied dégage alors une odeur pestilentielle et une substance noire suinte de la fourchette. Les tissus se désagrègent et, en l'absence de traitement, une infection survient. Au départ, le cheval ne boîte pas mais boitera s'il n'est pas traité, la fourchette risque de s'atrophier et le sabot de s'encasteler dans les cas les plus graves. Pour éviter ces ennuis, le box doit toujours être propre et sec et les pieds du cheval nettoyés régulièrement. Le traitement de la maladie passe par une réévaluation de l'hygiène des écuries. On applique sur la fourchette de la liqueur de Vilatte, un mélange d'extrait de saturne, d'acide acétique et de sulfate de cuivre.

IL N'EST PAS RARE que le cheval se blesse la sole, surtout quand elle est fine. C'est en général parce qu'il a marché sur un clou, une pierre ou un objet tranchant. Dans tous les cas on parle de « clou de rue ». L'animal se met à boiter immédiatement mais peut sembler guéri brièvement, avant de recommencer à claudiquer. Le mieux sera alors de le déferrer pour lui faire un cataplasme de son ou cataplasme vétérinaire pour drainer la blessure et éviter un abcès du pied. Les chevaux ayant tendance à se blesser peuvent être ferrés avec des fers munis de plaques protectrices.

L'apparition de bleimes, contusions de la sole, dans la région du talon, résulte de la pose d'un fer inadapté ou laissé trop longtemps. Elles apparaissent aussi à l'intérieur des antérieurs. Il faut faire venir le maréchal pour qu'il déferre le cheval. Il procédera par sondage pour localiser les poches de sang et amincir la corne au niveau de la blessure. La mise à nu de la blessure soulage la pression et on peut alors appliquer un cataplasme pour la drainer et la désinfecter. Malheureusement, un cheval qui a eu des bleimes une fois risque d'en avoir de nouveau. La meilleure prévention est donc un ferrage régulier.

En haut
Ce cheval est en excellente santé. Il serait dommage qu'un échauffement de la fourchette le fasse boiter.

En bas
Il est préférable de déferrer avant de traiter une inflammation de la sole en posant un cataplasme.

Si le maréchal touche accidentellement la partie sensible du pied avec un clou, le cheval réagit violemment et se met tout de suite à boiter. Il faut immédiatement enlever le clou et remplir le trou laissé par une solution d'eau oxygénée ou de teinture d'iode pour réduire les risques d'infection. En cas d'hématome, appliquez un cataplasme et laissez la plaie cicatriser avant de ferrer.

La fourbure est une inflammation des tissus sensibles de la chair feuilletée. Très douloureuse, dans les cas les plus graves, elle provoque une déchirure des tissus. La troisième phalange tourne et descend ou traverse la sole.

Elle peut être due à une alimentation excessive, au manque d'exercice ou aux vibrations produites à chaque battue. Elle touche souvent les poneys et affecte en général les deux antérieurs. L'animal souffrant de fourbure s'appuie davantage sur ses postérieurs pour alléger les antérieurs douloureux. Il n'a pas envie de bouger, peut avoir

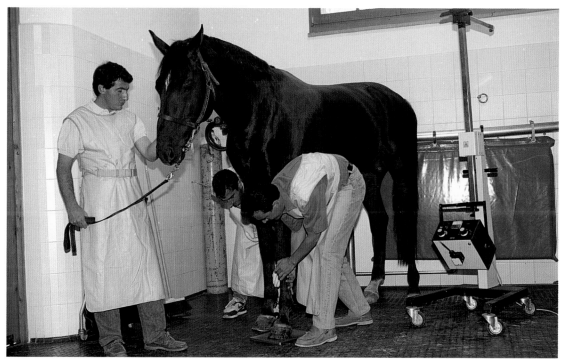

et on lui fera faire un peu d'exercice car cela favorisera la circulation. Un animal ayant souffert de fourbure reste vulnérable et peut développer une maladie naviculaire.

La maladie naviculaire est complexe et mal connue. Des pieds étroits et concaves ainsi que des chocs mal encaissés sont peut-être des facteurs à l'origine de ce mal. Il en résulte une mauvaise irrigation de l'os naviculaire qui se détériore et durcit. Quand un cheval trébuche souvent, refuse de sauter ou raccourcit ses foulées, ce peuvent être des symptômes annonciateurs. C'est une affection chronique mais on peut tenter d'y apporter des améliorations. Suite au diagnostic obtenu en faisant une radio après administration d'un calmant, le traitement peut commencer. Le port d'un fer orthopédique est très bénéfique. Le talon a besoin d'un soutien. Faire légèrement travailler le cheval est bon pour sa circulation. Le vétérinaire prescrira probablement de la phénylbutazone pour la douleur et un vaso-dilatateur ou un anticoagulant pour faciliter la circulation.

L'homme qui murmurait à l'oreille *de chevaux* est un film de Robert Redford adapté du roman de Nicholas Evans. Le réalisateur, qui est aussi la vedette, aurait pris Buck Brannaman, chuchoteur dans le Wyoming, comme modèle pour son personnage.

un rythme cardiaque plus rapide et les pieds chauds. Il faudra réduire l'alimentation, administrer des antalgiques comme la phénylbutazone et avoir recours à une ferrure adaptée qui le soulagera. On coupera les tissus morts en avant du pied pour le rééquilibrer

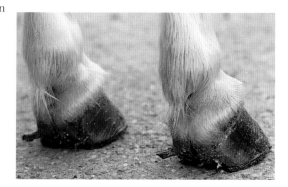

Ci-dessus
Des pieds étroits ou concaves peuvent favoriser le développement de la maladie naviculaire.

En haut
Le maréchal élimine les matières mortes.

Ci-contre
Préparation du cheval pour une radio.

Remise en forme

AVANT DE PRÉVOIR un programme de remise en forme, il faut tenir compte du temps pendant lequel l'animal est resté inactif, savoir s'il s'agissait d'un simple repos ou d'une convalescence et à quelle période de l'année il était au pré. Si vous voulez engager le cheval dans une épreuve, donnez-vous deux semaines de plus que le temps vous semblant nécessaire. Vous n'aurez ainsi pas de difficulté à modifier vos plans en fonction des imprévus.

En haut
Le maréchal râpe la fourchette et la sole pour que le cheval soit en bonne condition.

Au centre
Pour travailler sur un terrain glissant, on visse un crampon dans le fer.

En bas
Ajoutez toujours deux semaines à votre programme de remise en forme pour faire face aux imprévus.

LES PRÉLIMINAIRES

SI LE CHEVAL a passé l'été au pré, il faudra le réadapter à la vie en box en le ramenant à l'écurie pour de courtes périodes de temps. Il faudra progressivement lui donner du foin et des aliments industriels s'il n'a mangé que de l'herbe tout l'été. Si la période de repos se situe pendant l'hiver, le cheval aura certainement été rentré pour la nuit et aura reçu du foin en complément. Il faudra le faire ferrer, et éventuellement faire mettre des fers à mortaises. Vérifiez l'état des dents et faites-les limer si nécessaire. Contrôlez le livret de vaccination et faites faire les rappels le cas échéant. Profitez-en pour le vermifuger,

Han Kan, célèbre peintre de chevaux de la dynastie T'ang (618-906 de notre ère), sous l'empereur Hsuan-Tsung, possédait, croit-on 40 000 chevaux. L'une de ses peintures sur soie est exposée au musée Cernuschi à Paris.

quoique, de toutes façons, ce devrait être fait tous les deux à quatre mois.

Pansez le cheval tous les jours pour éliminer petit à petit le sébum et mettez-lui des couvertures, d'abord légères. Ne le tondez pas tant que vous n'abordez pas le travail au trot. Tant qu'il ne travaille qu'au pas, il risquerait de prendre froid. Vous pouvez toutefois lui toiletter la queue et la crinière et éliminer les fanons s'ils sont trop épais ainsi que les poils autour de la bouche. Frictionnez le passage de sangle, le dos sous la selle et les zones en contact avec la bride à l'alcool dénaturé ou à l'eau vinaigré pour que la peau ne s'irrite pas quand vous sellerez.

TRAVAIL AU PAS

SI LE CHEVAL se remet d'une blessure aux tendons ou aux ligaments, il lui faudra une longue période de travail au pas, entre six et huit semaines. Le vétérinaire vous conseillera. Les chevaux destinés à courir ou aux épreuves d'endurance devront aussi travailler au pas de quatre et six semaines.

Commencez par des séances de trot courtes, d'une minute et faites-en trois ou quatre lors de vos sorties d'une heure et demie. Allongez les périodes de trot de manière très progressive et, dans la mesure du possible, prévoyez de monter une petite colline. Trotter en montant réduit les chocs aux antérieurs et fait travailler les muscles de l'arrière-main (croupe, cuisses).

Les premières fois contentez-vous de monter au pas les deux tiers de la pente et finissez au trot, puis faites de plus en plus de trot. Évitez le travail au trot sur les routes car la dureté du sol augmente l'impact des battues. Les chemins de terre nivelés et durs sont ce qu'il y a de mieux ; évitez cependant les passages très boueux et les ornières profondes. Surveillez soigneusement le rythme cardiaque de votre cheval, s'il ne reprend pas rapidement sa respiration après l'effort, c'est sans doute que vous le sollicitez trop. Après deux ou trois semaines, prolongez les périodes de trot jusqu'à ce que le cheval soit capable de trotter longtemps sans se fatiguer.

Les chevaux n'ayant pas l'expérience des concours ou de la chasse devront travailler deux ou trois semaines au pas, tandis que ceux que l'on prépare pour la petite randonnée auront besoin de une à deux semaines. Cette première étape est fondamentale et on ne saurait l'écourter sous peine d'exposer son cheval à des blessures par la suite.

TRAVAIL AU TROT

LORSQUE VOUS CONSTATEZ que le cheval s'est assez renforcé, vous pouvez commencer le travail au trot, toujours progressivement. Pour le cheval destiné à la chasse ou pour celui qui va faire ses premiers concours, cette étape se situe généralement dans la troisième semaine.

En haut, à gauche
Le travail au pas, au bord de la route, peut durer jusqu'à huit semaines.

Ci-dessus
Il ne faut pas demander le paso fino à un cheval manquant d'entraînement.

Ci-contre
N'écourtez jamais la période de travail au pas, le cheval se blesserait inévitablement par la suite.

TRAVAIL AU GALOP

PROCÉDEZ POUR le galop comme pour le trot, en commençant par des galops très courts. Le cheval de chasse ou le jeune destiné aux compétitions doit en être à sa six ou septième semaine de remise en condition. Trouvez un chemin droit dont le sol est bon et attendez-vous à ce que le cheval lève la croupe une ou deux fois. Tenez votre cheval droit et, quand il est parti, mettez-vous en suspension pour soulager son dos. Assurez-vous toujours qu'il est bien échauffé avant de partir au galop. Vous augmenterez les longueurs et les temps de galop en surveillant la respiration. Il est temps d'introduire quelques exercices de manège et de diviser la séance en deux.

Commencez le travail en manège par des séances d'environ 20 mn en demandant des exercices simples sur un grand cercle. Quand le cheval a compris la notion de travail, vous pouvez introduire quelques sauts et du travail en longe. Si vous avez un cheval un peu nerveux, vous commencerez peut-être à le longer un peu plus tôt, avant de le monter. Mais n'oubliez pas que c'est pour le cheval un travail intensif, veillez à ne pas trop exiger. Votre cheval devrait être capable de fournir entre une heure et demie et deux heures de travail par jour, de préférence en deux séances, en fonction du type d'exercice que vous lui demandez. Au bout de la huitième ou neuvième semaine il devrait sauter et travailler en extérieur.

Ci-dessus
Il ne faut jamais demander le galop avant d'avoir bien échauffé le cheval.

En haut, à droite
Les différentes disciplines équestres exigent des entraînements plus ou moins poussés. Le galop ne sera entrepris qu'avec un cheval en bonne condition.

En bas
Les chevaux destinés au concours complet ou au cross auront besoin d'un entraînement plus soutenu et plus profond.

Autrefois, une tradition japonaise consistait à suspendre une tête de cheval à l'entrée des fermes en guise de porte-bonheur.

TRAVAIL SUR LA VITESSE

LÀ AUSSI, l'effort doit être progressif. Échauffez bien le cheval avant de lui demander le galop puis entretenez un rythme soutenu. Faites-le aller à son maximum sur une petite distance, puis retrouvez le petit galop, le trot et le pas. Ce travail se fait à la fin de la remise en forme, entre les dixième et douzième semaines pour les novices et ne doit pas être demandé plus de deux à trois fois par semaine. Le temps consacré à la mise en condition du cheval et le type de travail effectué seront adaptés à la discipline envisagée. Le cheval de randonnée n'a pas besoin d'autant d'exercices que le jeune cheval de compétition. Celui destiné au concours complet aura besoin d'une approche encore plus rigoureuse.

L'ENTRAÎNEMENT D'UN ATHLÈTE

Il ne s'agit plus d'un travail de remise en forme mais d'un véritable entraînement. Vous ferez galoper le cheval puis lui accorderez un temps de repos au pas. Ces périodes retarderont la formation d'acide lactique, cause de la fatigue musculaire. Le second galop est souvent plus difficile que le premier mais fournit au cheval l'occasion d'apprendre à réagir en situation de stress. C'est à chacun de s'organiser en fonction du cheval et des objectifs à atteindre. La proposition suivante est donnée à titre purement indicatif.

Repérez une distance de 400 m qui vous servira de référence. Échauffez bien le cheval et faites-lui parcourir les 400 m à un galop rapide, ce qui devrait prendre un peu plus d'une minute. Marchez-le trois minutes. Surveillez la respiration et le pouls, quand leur rythme est redevenu normal, recommencez l'exercice. Vérifiez à nouveau le pouls et la respiration et marchez le cheval dix minutes puis prenez à nouveau son pouls et son rythme cardiaque. S'ils ont retrouvé leur niveau normal, c'est que le cheval est prêt à fournir davantage de travail. Petit à petit, amenez-le à cinq galops de trois minutes espacés par du pas. Vous devriez galoper à une bonne vitesse. Prévoyez de quatre à cinq semaines pour y parvenir. Le cheval peut maintenant aborder sa première course. Cette manière de procéder donne d'excellents résultats avec certains chevaux mais d'autres s'ennuient et manquent d'enthousiasme. Ce travail ne doit pas être fait plus de deux fois par semaine.

SOUVENEZ-VOUS

• Observez bien votre cheval afin de détecter les signes de stress ou les blessures. Assurez-vous que les membres ne sont pas chauds et veillez à ne jamais précipiter les choses.

• Augmentez les rations au fur et à mesure que vous demandez plus d'efforts au cheval.

• Continuez à mettre votre cheval au pré, ou au paddock, autant que possible. Il sera relaxé et ne souffrira pas de raideurs.

• Mettez les protections adaptées : des guêtres fermées et des cloches pour aller sur la route et des guêtres ouvertes et des protège-boulets pour l'obstacle.

• Le cheval doit prendre plaisir et s'intéresser à l'entraînement. Veiller à varier le programme pour qu'il ne s'ennuie pas.

• Donnez-lui un jour de repos et assurez-vous qu'il passera du temps au pré ou au paddock. Ne l'abandonnez pas 24 heures au box.

Au centre
Adaptez la nourriture et les rations à l'effort demandé.

En bas
Mettez le cheval au pré les jours où il ne travaille pas.

Les obstacles de cross sont signalés par un fanion rouge placé sur la droite et un drapeau blanc sur la gauche. Il est bien sûr préférable pour tout le monde que le cheval saute entre les deux !

Faire pouliner

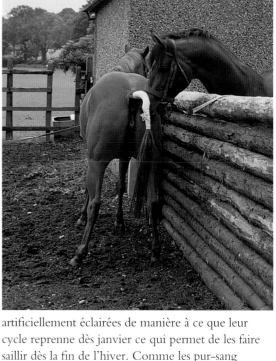

LES JUMENTs et les étalons utilisés pour la repro- duction doivent avoir une conformation impec- cable, un bon caractère et avoir fait leurs preuves. Trop souvent les propriétaires de juments les font saillir simplement parce qu'elles ne sont plus montables. Les produits obtenus sont souvent inex- ploitables. Beaucoup trop de chevaux médiocres naissent parce que des gens incompétents veulent absolument que leur jument fasse un petit, malgré son absence de qualité.

LA REPRODUCTION

LES CHEVAUX atteignent la puberté vers deux ans mais il est déconseillé de les faire se reproduire avant trois ans. Il n'est pas souhaitable d'utiliser de très jeunes géniteurs. Le cheval est fertile très longtemps et les juments peuvent pouliner jusqu'à une vingtaine d'années. Les jeunes animaux n'ont pas eu l'occasion de faire la preuve de leurs aptitudes et il est impossible d'avoir la moindre idée de la valeur de leurs produits.

La saison normale de reproduction se situe entre février et août et atteint son point culminant d'avril à juin. Les journées rallongeant et la température augmentant, le cycle des juments est stimulé. Il dure 21 jours, la jument étant fertile pendant 5 jours. On dit qu'elle est en chaleur et c'est le moment où elle est prête à accepter l'étalon. On installe souvent les juments pur-sang dans des écuries chauffées et artificiellement éclairées de manière à ce que leur cycle reprenne dès janvier ce qui permet de les faire saillir dès la fin de l'hiver. Comme les pur-sang prennent un an au 1er janvier quelle que soit leur date de naissance réelle, les éleveurs ont intérêt à ce qu'ils naissent en début d'année. Il est cependant préférable de ne pas faire pouliner trop tôt quand il fait encore froid et avant que l'herbe commence à repousser.

Quand la jument est en chaleur, on vérifie qu'elle est effectivement fécondable en la présentant à un souffleur (un étalon servant à détecter les chaleurs). On peutaussi la faire passer devant le pré ou l'amener devant la barre de soufflage (destinée à la protéger des coups de pieds) derrière laquelle se trouve le reproducteur. Leurs réactions renseignent sur l'état de la jument. Si elle est fécondable, on la fera saillir tous les deux jours jusqu'à ce qu'elle ne le soit plus. Si les chaleurs ne réapparaissent pas au bout de trois semaines, la saillie a certainement réussi. La gestation dure environ onze mois et dix jours mais les poulains naissent souvent avec de l'avance ou du retard.

En haut
La jument passe à la « barre de soufflage » afin de vérifier si elle est réceptive.

Ci-dessus et en bas
Ces deux étalons, un arabe (ci-dessus) et un hanovrien (ci-dessous), ont atteint un âge où leurs qualités de reproducteur peuvent être évaluées.

LE POULAIN

APRÈS LA NAISSANCE du poulain il faudra
passer beaucoup de temps avec lui et
s'assurer qu'il s'alimente convenablement.
Vérifiez que la jument le laisse téter,
il est parfois nécessaire de la tenir
pour l'habituer à nourrir son petit.
Si vous le pouvez, mettez
au pré plusieurs juments
avec leurs poulains,

les jeunes joueront ensemble et elles pourront
se reposer.

Le pré doit être parfaitement clôturé,
d'une barrière en bois de préférence doublé
de ruban électrique et, s'il y a une haie, on vérifiera
qu'aucune plante n'est toxique. Il faudra aussi
s'assurer que le terrain est bien nivelé, ne présente
pas de trous dans lesquels les jeunes pourraient
trébucher et qu'il n'y a aucun obstacle sur lesquels
ils pourraient se blesser. Habituez le jeune à porter
un licol dès que possible et n'oubliez pas de vérifier
souvent qu'il n'est pas devenu trop petit pour lui.
Au début, utilisez un foulard que vous lui passerez
autour de l'encolure en le tenant d'une main.
Le poulain doit s'accoutumer à ce que l'on s'occupe
de lui, aussi est-il bon de le prendre en main et
de le faire marcher.

Quand il grandit et que le foulard est trop petit,
prenez un licol avec lequel vous ferez un huit qui ira
du milieu du dos à l'encolure et reviendra à son
point de départ en passant sous le ventre. Tenez-le
au niveau du milieu du dos pour guider le poulain.

Jules César
(100-44 av. notre
ère) a laissé
une énorme
documentation
sur l'emploi du cheval
dans l'armée romaine.
Toutefois les combats
se déroulaient
en majorité à pied.
Les cavaliers avaient
pour rôle de porter
les messages et
de soutenir l'infanterie.

Ci-contre
*Il faut habituer le poulain
à la présence amicale
de l'homme en s'occupant
de lui et en le caressant.*

En bas
*Cette jument semble être
une maman attentive
au bien-être de son petit.*

Les Nez-Percés,
une tribu d'Indiens
d'Amérique, étaient
réputés pour leur
connaissance des
chevaux.
Ce sont eux
qui ont créé,
en un temps très court,
la race des appaloosas,
ces célèbres
chevaux tachetés.

Choix des reproducteurs

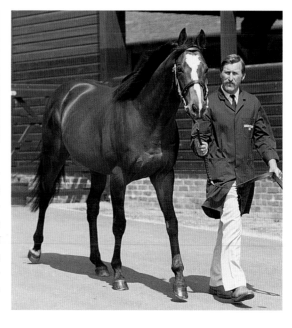

En haut, à droite
Avant de faire saillir une jument, il faut observer l'étalon et s'informer de son passé.

Ci-dessous
Les produits de cet étalon holstein auront ses qualités.

L E CHOIX DE LA JUMENT a autant d'importance que celui de l'étalon. Vos critères dépendront de la carrière à laquelle le produit est destiné : cheval de concours complet, de dressage, d'attelage, poney pour les enfants... Si le produit vous est destiné, cherchez un étalon qui a de grandes qualités là où votre jument à des faiblesses (et inversement), afin qu'ils soient complémentaires.

COMPLÉMENTARITÉ DES PARENTS

SI LE MOUVEMENT des épaules de la jument manque d'amplitude, recherchez un étalon qui aura, au contraire, une grande aisance dans le déplacement des épaules. La conformation de l'étalon doit être excellente et adaptée au travail auquel son produit est destiné. Il faut avoir une idée de son caractère, sans oublier qu'il s'agit d'un étalon. Observez-le à l'écurie et voyez comment il se comporte avec les humains qui s'occupent de lui. Si son box est isolé dans un coin sombre, grillagé et que l'on y entre le balai à la main, il y a gros à parier qu'il n'est pas d'un tempérament affable ! Choisissez un étalon qui a obtenu des résultats vérifiables dans la discipline à laquelle vous destinez le poulain.

Toutefois si vous cherchez un cheval de complet et avez une jument ayant eu d'excellents résultats, vous pouvez prendre un étalon ayant fait ses preuves en courses. Ils seront complémentaires. Documentez-vous sur la descendance de l'étalon pour savoir si ses produits se classent. Si vous en avez la possibilité, essayez d'aller les voir en action. L'étalon doit venir d'une bonne lignée et avoir été approuvé par les Haras nationaux. Avant de faire saillir une jument, assurez-vous du taux de fertilité du mâle et si vous recherchez une couleur de robe particulière, assurez-vous qu'elle se retrouve chez un bon pourcentage de ses produits.

Si vous voulez des chevaux de concours (complet, endurance...), suivez les résultats des épreuves se tenant sur deux ou trois jours. Vous y verrez revenir le nom des entiers en compétition et saurez lesquels sont régulièrement à l'arrivée, ce qui est une preuve de leur valeur. Vous pouvez vous renseigner auprès des fédérations, des Haras nationaux et lire la presse spécialisée.

L'AMÉLIORATION DES RACES

LES HARAS NATIONAUX, qui dépendent du ministère de l'Agriculture, ont, entre autres, pour mission le maintien et l'amélioration des races. Ils possèdent vingt-trois dépôts répartis dans toute la France et sept cent stations de remonte où éleveurs professionnels et particuliers peuvent faire saillir leur jument à des prix intéressants dans des conditions d'hygiène vétérinaire strictes. Par ailleurs, les Haras nationaux contrôlent les étalons privés qui doivent être approuvés. Le Label Plus Dressage est accordé sur test ou sur performance aux étalons de dressage pour une durée de six ans. Les Haras Nationaux gèrent également le S.I.R.E., fichier informatique de tous les chevaux naissant en France qui, outre le signalement des chevaux et leurs origines, indique leurs résultats en compétition. Ces informations sont accessibles par Minitel et Internet et c'est le meilleur endroit où commencer vos recherches.

CHOIX DE LA JUMENT

LES MÊMES CRITÈRES s'appliquent au choix de la jument : tempérament, aptitudes et conformation. Avant d'envisager de faire pouliner une jument, il est bon de se renseigner sur son passé. Si elle a déjà fait un poulain, était-ce une bonne mère, comment s'est passée la mise bas ? Un poulain revient cher et il ne faut guère espérer de retour sur investissement. Pensez-y et analysez bien les raisons qui vous donnent envie de tenter l'aventure. La saillie n'est pas ce qu'il y a de plus onéreux ; il faut compter le coût du transport, le suivi vétérinaire, le poulinage (que la jument reste chez vous ou retourne au haras) et les soins du poulain. Les très jeunes poulains ne se vendent pas et les yearlings ne rapportent guère. Si vous envisagez vendre le produit, prévoyez de le garder au moins deux ans, plutôt trois, avant d'espérer pouvoir en tirer un bon prix.

Les Haras nationaux sont à l'origine de la création du PMU qui remonte à la fin de la Seconde Guerre mondiale. Le tiercé fut mis en place en 1954. Les courses, outre le chiffre d'affaire qu'elles représentent, sont un bon moyen de conserver des races de chevaux lourds qui, sans elles, n'auraient d'autres débouchés que la boucherie. Les percherons, particulièrement appréciés du public japonais, font des concours de traction.

En haut et en bas
Tous les étalons, quelle que soit leur race, doivent avoir l'agrément des Haras nationaux. Selon leurs qualités, ils sont approuvés (qualités d'amélioration de la race) ou simplement autorisés (maintien de la race).

En Angleterre, Olivier Cromwell, au pouvoir entre 1649 et 1658, interdit les courses de chevaux.

Faire saillir une jument

E N FONCTION de l'éloignement de la station de remonte ou de l'éleveur, vous aurez le choix entre leur confier la jument pendant toute la période des chaleurs ou l'y amener tous les jours, ce qui permet d'économiser le prix de la pension. Dans le premier cas, elle sera surveillée et saillie au moment le plus propice.

En haut, à droite
L'étalon a souvent besoin d'incitation pour s'intéresser à la jument qu'il doit couvrir.

Au centre, à droite
Saillie en main, la jument est tenue par des employés du haras.

Ci-dessous
La jument est vermifugée à son arrivée au haras.

En bas, à droite
On utilise aujourd'hui l'échographie pour surveiller les progrès de la gestation.

LE CHOIX DE L'ÉLEVEUR

SI VOUS ENVISAGEZ de confier votre jument à un éleveur, visitez l'exploitation et vérifiez le bon état des écuries, des clôtures, de l'herbe et des chevaux. Si vous avez le moindre doute sur la qualité des soins dont bénéficiera la jument, allez ailleurs.

AVANT D'ALLER CHEZ L'ÉLEVEUR

LA JUMENT doit être en bonne condition, ni trop maigre ni trop grasse, afin que les chances de conception soit maximales. Elle sera déférée et parée des postérieurs. Il est conseillé de demander à votre vétérinaire, au préalable, de faire un frottis vaginal pour vérifier l'absence de métrite équine contagieuse. Certains éleveurs vous demanderont un certificat.

Au moment des chaleurs, le vétérinaire fera un frottis cervical pour vérifier l'absence d'infections utérines. La jument aura bien sûr été régulièrement vermifugée, mais elle le sera à nouveau à son arrivée. On vous demandera également de présenter son certificat de vaccination pour vérifier qu'elle est à jour des rappels pour le tétanos et la grippe équine. La plupart des gens choisissent de mettre leur jument au pré pendant leur séjour chez l'éleveur ce qui réduit le coût de la pension. Vous signerez un contrat précisant, le cas échéant, les conditions de la garde, le prix de la saillie et les clauses en cas d'échec.

CHEZ L'ÉLEVEUR

LA RÉCEPTIVITÉ de la jument sera régulièrement testée. Avant la saillie, on lui mettra des chaussons de feutrine sur les postérieurs pour protéger l'étalon d'éventuels coups de pied. Une bande est posée autour de la queue pour qu'elle ne gêne pas. La zone autour de la vulve est lavée. Les haras doivent disposer d'une zone réservée à la saillie avec un sol anti-dérapant. Les palefreniers portent une tenue qui les protège (bombe, bottes et gants).

Si les chaleurs ne se manifestent pas trois semaines plus tard, c'est que la jument est pleine. Les échographies, qui se font quinze jours après

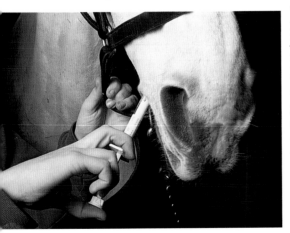

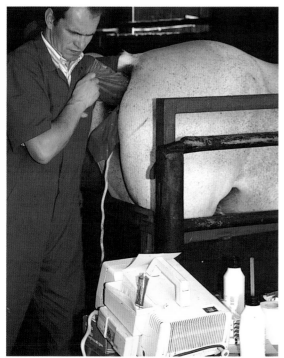

commencer à apporter un supplément alimentaire, mais elles ne doivent pas devenir trop grosses. Les contrats avec les étalonniers prévoient parfois un remboursement ou une nouvelle saillie gratuite en cas d'échec avéré avant le 1er octobre. Il est donc prudent de vérifier qu'il n'y a pas eu d'avortement spontané avant cette date. Si tel était le cas, vous devriez présenter le certificat du vétérinaire pour obtenir votre remboursement ou une nouvelle saillie.

Les trois derniers mois de la gestation sont très importants, ce sont ceux durant lesquels le poulain grossit le plus. La jument doit avoir une alimentation spéciale qui lui apporte les quantités de protéines et d'éléments nutritifs dont elle a besoin. Le colostrum ou premier lait commence à se fabriquer dans le dernier mois. Il contient tous les anticorps dont le poulain a besoin les premières semaines de son existence. Il est donc judicieux de vacciner la jument contre le tétanos et la grippe à ce moment là afin que le poulain en profite. La jument doit être régulièrement vermifugée, mais avec des produits non dangereux pour la gestation.

la dernière saillie, permettent de savoir si une jument est pleine ou non. Le vétérinaire procède à une vérification manuelle généralement six semaines après la dernière saillie. Les analyses du sang témoignent de la gestation entre 50 et 90 jours après la dernière saillie. La présence de gonadotrophine dans le sang indique la gestation. Après 100 jours, les analyses d'urines révèlent des taux élevés d'œstrogène chez les juments pleines.

LA GESTATION

UNE FOIS ÉTABLI que la jument est pleine, elle rentre à l'écurie où elle pourra faire un travail léger jusqu'au septième mois. En général, on met les juments gestantes au pré, l'herbe leur apportant la nourriture dont elles ont besoin jusqu'à l'hiver. Il faut alors

Ci-dessus
La jument doit être suivie après la saillie pour vérifier si elle est pleine.

En haut, à gauche
Le vétérinaire fait une échographie à la jument pour contrôler le fœtus.

Ci-contre
Les juments pleines passent généralement l'été au pré où l'herbe leur apporte ce dont elles ont besoin. Elles rentrent à l'écurie et sont nourries à partir de la fin de l'automne.

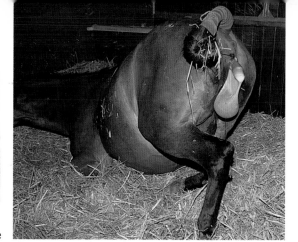

Le poulinage

BIEN QUE cela soit onéreux, si on manque d'expérience il vaut mieux faire pouliner la jument chez l'éleveur naisseur. Elle devra alors y retourner au minimum une semaine avant la date prévue pour avoir le temps de prendre ses marques. Si vous envisagez la faire de nouveau saillir, il faudra la renvoyer au haras où se trouve l'étalon.

PRÉPARATION DE LA NAISSANCE

SI VOUS SOUHAITEZ que le poulinage se passe chez vous, il faudra disposer des installations nécessaires, c'est un dire d'un box très vaste avec une litière en paille très épaisse. Les juments se réfugiant toujours dans un coin pour mettre bas, dans l'idéal un box rond éliminerait cet inconvénient, mais ils sont plutôt rares. Avec un système de surveillance vidéo en circuit fermé vous pourrez observer la jument sans la déranger. À défaut, il existe un système de détection de la température de la jument qui vous préviendra quand elle est prête à mettre bas. Le capteur se place sur la jument et l'alarme se déclenche quand la température de la jument augmente. Sinon, il vous faudra aller la voir toutes les vingt minutes, en la gênant le moins possible, aux premiers signes annonciateurs. Ayez le numéro du vétérinaire sous la main pour l'appeler à la moindre difficulté. Préparez des ficelles, des serviettes, de la teinture d'iode, des couvertures, une bande pour la queue et du colostrum congelé ou du lait de substitution.

Un des premiers signes est l'apparition d'une substance cireuse sur les mamelles de la jument, toutefois, chez certaines, elle est déjà présente deux à trois semaines avant le poulinage. Les mamelles sont devenues volumineuses car elles sont pleines de lait et la jument s'est arrondie et alourdie. La vulve semble se détendre, les muscles du bassin semblent se ramollir et s'affaissent. Au tout début de la mise bas, la jument regarde son ventre, est agitée et en sueur comme en cas de colique. Le pelvis effectue une

Ci-dessus
Préparation d'une épaisse litière pour la mise bas.

À droite,
de haut en bas
Les étapes de la mise bas.

rotation pour livrer passage au poulain et la poche des eaux se rompt. Une fois le liquide amniotique écoulé, le poulain devrait naître dans la demi-heure. L'enveloppe blanchâtre apparaît à l'ouverture de la vulve, suivie d'un antérieur puis de l'autre et de la tête.

Le poulain commence à respirer quand l'enveloppe se déchire, si cela ne se produit pas

Il est très important de s'assurer que le poulain évacue le méconium dans les 12 heures. C'est une substance noire, gluante, formée des déchets accumulés dans l'intestin avant la naissance. En cas de gros problème, du décès de la jument par exemple, le site des Haras nationaux propose un service gratuit de petites annonces pour rechercher une jument nourrice.

APRÈS LA NAISSANCE

LA JUMENt aura ses chaleurs entre une semaine et dix jours après la naissance et peut être à nouveau saillie mais il est généralement préférable d'attendre un cycle pour lui donner le temps de se remettre complètement.
Il est important de beaucoup s'occuper de la jument et de son petit et de les surveiller de près pendant les semaines suivant la naissance. Le sevrage intervient généralement vers six mois. Il faut alors réduire les rations de la jument pour que le lait tarisse plus vite.

naturellement il faut l'ouvrir. Pendant ce temps la jument est active, elle marche, se couche et se relève ce qui contribue au bon positionnement du poulain pour la naissance.

NAISSANCE

PARFOIS LA JUMENT se repose un peu quand la tête et les épaules sont sorties, avant que le petit ne soit complètement expulsé. Quand le poulain est expulsé de la jument, les postérieurs sortent et le cordon ombilical se tend et se déchire naturellement. Il faut alors désinfecter à la teinture d'iode pour éviter tout risque d'infection. Si la jument n'expulse pas le placenta immédiatement, il faudra nouer la partie visible et s'assurer, quand il sort, qu'il est bien entier. L'évacuation devrait se produire dans les cinq ou six heures qui suivent. En cas de rétention totale ou partielle du placenta, appelez le vétérinaire. Après vous être assuré que la mère a établi le premier lien avec son petit en le flairant naseau contre naseau et en le léchant, essuyez le nouveau-né avec des serviettes. Vérifiez que le petit a appris à téter quelques heures après sa naissance et aidez-le à trouver la mamelle si nécessaire.

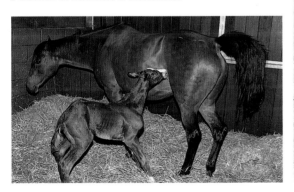

L'École vétérinaire de Maison-Alfort propose plusieurs spécialités dont la médecine vétérinaire équestre. La formation générale, difficile, dure quatre ans et englobe l'anatomie, la pharmacie, la physiologie, la zootechnie, l'éthologie, la médecine et la chirurgie.

À gauche, en haut et au centre
Le premier contact entre la jument et son poulain est très important pour établir un lien et pour une bonne alimentation du petit.

En bas, à gauche
Il faut parfois aider le poulain à trouver la mamelle.

À droite et ci-contre
Il faut souvent s'occuper de la jument comme de son petit pour les habituer au contact avec l'homme.

Le harnachement

LE HARNACHEMENT est vital à l'équitation, autant pour la sécurité que le confort du cavalier et de sa monture. Il est conçu pour ne pas blesser l'animal. C'est, entre autres, par son intermédiaire que le cavalier va diriger le cheval. La bombe traditionnelle ou le casque sont une protection indispensable. Le choix des enrênements et de l'équipement dépend des préférences du cavalier, des caractéristiques du cheval et du travail qu'on lui demande.

munis, à l'avant, de bananes ou bourrelets antérieurs assez fins. Les porte-étrivières, où passent les étrivières, sont reculés sur les quartiers. Le siège, assez large, permet de bien répartir le poids du cavalier sur une zone plus grande et de réduire les points de pression.
La plupart des selles sont en cuir mais il en existe aujourd'hui de plus légères en matériaux synthétiques.

En haut, à droite
Les bourrelets antérieurs de cette selle polyvalente sont plus petits que ceux d'une selle d'obstacle.

Au centre, à droite
Cette selle d'obstacle moderne, avec ses larges bourrelets antérieurs, s'inspire des idées de Federico Caprilli, prestigieux chef d'école italien qui révolutionna la technique du saut à la fin du XIXᵉ siècle.

LES SELLES

AU DÉBUT, on montait à cru ou sur une couverture attachée par ce qui allait devenir la sangle, puis par une sangle ventrale avec, parfois, une croupière pour la maintenir en place. Durant les cinq premiers siècles de notre ère, ce sont les Scythes et les Samaritains qui firent le plus évoluer la selle.

LES PREMIÈRES SELLES

LES SCYTHES utilisaient une épaisse selle en feutrine, ressemblant aux amortisseurs de dos utilisés aujourd'hui, sur laquelle ils plaçaient, de part et d'autre de la colonne vertébrale, un coussin de cuir et de feutrine rembourré de poils de cerf. Des sangles en cuir maintenaient le tout. Le poids du cavalier ne portait pas sur la zone sensible qu'est la colonne. La conception des selles contemporaines suit encore ce principe. Les Samaritains fabriquaient leurs selles sur une structure en bois qui prit le nom d'arçon. Ils ne connaissaient pas encore les étriers mais le trousséquin, partie arrière de la selle, remontait sur l'arrière pour aider les cavaliers à se maintenir en selle. On pense que l'étrier a fait son apparition vers le Vᵉ siècle en Mongolie. Ce fut un grand progrès pour la cavalerie quand elle livrait bataille et son usage permit d'augmenter les distances qu'elle pouvait couvrir.

LA SELLE MIXTE

C'EST LA PLUS utilisée car elle convient au saut, à la randonnée, à la chasse et à l'instruction. Les quartiers, qui descendent sur les flancs du cheval, sont droits et

LA SELLE D'OBSTACLE

FIN DU XIXᴱ, début du XXᶜ siècle, Federico Caprilli, un écuyer italien, mit en œuvre ses théories sur l'équitation, alors révolutionnaires. Il eut l'idée de faire avancer l'assise, faisant valoir que si le cavalier devait être en équilibre avec son cheval à allure lente, cela devait être également vrai au galop et pour sauter.

Il enseigna à ses élèves à sauter en raccourcissant leurs étriers et à se placer en équilibre en avant de la selle de manière à placer leur poids au niveau du centre de gravité du cheval, et donc de l'aider le plus possible.

Une cinquantaine d'années après la mort de Caprilli (1907), un noble espagnol, le comte Illias Toptani, imagina la selle d'obstacle moderne. Il conçut une selle dont les porte-étrivières se trouvaient en avant pour aider le cavalier à s'avancer. Il fit ajouter de gros bourrelets en avant des quartiers et faux-quartiers et rétrécit le siège.

LA SELLE DE DRESSAGE

ELLE EST CONÇUE pour permettre au cavalier de s'asseoir le plus au centre possible pour effectuer les figures de dressage. Les quartiers sont droits et descendent davantage que ceux de la selle mixte. Ils se terminent par des bourrelets assez fins destinés à faciliter la descente de la jambe. Les contre-sanglons sont longs et maintiennent une sangle de dressage, plus courte que les autres. Les porte-étrivières sont reculés et allongés pour que l'étrivière, qui porte les étriers, se pose au milieu du quartier. Le siège est un peu creusé, certains fabricants le faisant plus profond que celle de la selle mixte. Cette selle épouse la forme du dos du cheval pour ne pas déséquilibrer le cavalier.

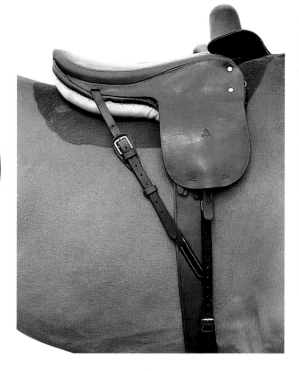

Après avoir démissionné, Philip Astley, sous-officier des dragons, fonda le premier cirque en 1770. Il vint se produire en France et ouvrit l'Amphithéâtre anglais rue du Faubourg-du-Temple à Paris en 1783. Durant tout le XIXe siècle, le cirque fut essentiellement un spectacle équestre.

LA SELLE D'AMAZONE

ELLE A VU LE JOUR en Europe au XIVe siècle mais a beaucoup évolué depuis. Elle est plate et les cornes sont placées sur la gauche. La jambe droite de la cavalière se place sur la corne supérieure fixe et la jambe gauche se place sous la corne inférieure mobile. La selle d'amazone doit être à la mesure du cheval auquel elle est destinée : elle doit être parfaitement plate et en aucun cas tordue car cela abîmerait la colonne de l'animal. La selle d'amazone possède une sangle à balancier qui va du devant du côté gauche à l'arrière droit du cheval, et dont la fonction est d'éviter que la selle tourne ou glisse.

En haut, à gauche

La selle de dressage est différente de la selle mixte : ses quartiers, plus longs, aident le cavalier à s'équilibrer avec le cheval pour exécuter les figures de dressage.

En haut, à droite

La selle d'amazone est très particulière : on voit bien ici la sangle à balancier ou balancine.

Ci-dessous

Cette cavalière nous montre la position de l'amazone.

LA SELLE DE COURSE

LA PRIORITÉ de la selle de course est la légèreté : certaines selles utilisées sur le plat ne dépassent pas 200 g. N'étant pas conçues pour qu'on s'assoie, elles sont pratiquement plates. Les quartiers sont très obliques pour laisser la place aux étrivières en cuir très courtes dont se servent les jockeys. L'arçon était autrefois en bois mais on préfère aujourd'hui la fibre de verre, beaucoup plus légère. Les selles conçues pour le steeple-chase sont un peu plus solides et plus lourdes.

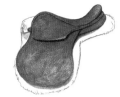

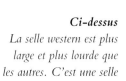

LA SELLE WESTERN

LA SELLE WESTERN est une selle américaine, issue de la selle espagnole importée au Nouveau Monde par les conquistadors espagnols au XVIᵉ siècle. C'était au départ une selle de combat. Le cavalier était bien maintenu entre le pommeau et le troussequin hauts ; les longs étriers en cuir l'aidaient également à rester en selle. Les premiers propriétaires de ranch mexicains la transformèrent en une selle de travail adaptée aux nécessités des gardiens de troupeaux. Son siège, très large, est confortable et permet de chevaucher des heures durant.

Elle est très lourde mais le poids est réparti sur une zone importante. Les étrivières en cuir sont très larges ce qui protège la jambe du cavalier de la sueur sur les flancs du cheval. Les étriers, généralement en bois habillé de cuir, sont eux aussi larges. La corne sur le pommeau est destinée à attacher le lasso et le renflement sur le devant à aider le cow-boy à attraper les vaches au lasso. Il attache ensuite la corde en l'enroulant autour du pommeau. La selle western a une seconde sangle à l'arrière. La première passe derrière le coude du cheval, la seconde doit être derrière la jambe du cavalier. Elle maintient la selle fixe quand un animal pris au lasso est attaché au pommeau.

Les deux sangles sont reliées par une autre sangle qui passe sous le ventre. La plupart des selles westerns s'adaptent à plusieurs chevaux, ce qui permet au cow-boy de changer de monture. On protège le dos du cheval en plaçant une ou deux couvertures épaisses repliées ou des tapis de selle en feutrine sous la selle. Les selles western sont souvent richement décorées de motifs incrustés dans le cuir et celles qui sont utilisées en concours sont encore rehaussées d'incrustations en argent.

LES SANGLES

IL EXISTE DES SANGLES : en cuir, en coton et en nylon, mais aussi en P.V.C. Parmi les premières, sans aucun doute les meilleures, on distingue : les sangles tout cuir, les sangles combinées élastiques, les sangles anatomiques et, pour l'obstacle, les sangles bavettes.

Les sangles portefeuilles en cuir consistent en une bande de cuir souple pliée en trois et cousue dans le milieu. Il est important de les graisser souvent pour qu'elles conservent leur souplesse et ne blessent pas le cheval. Vérifiez avant tout achat que les bords sont bien arrondis, dans le cas contraire ils pourraient provoquer des irritations et blesser.

Ci-dessus
La selle western est plus large et plus lourde que les autres. C'est une selle de travail confortable.

En haut, à droite
Selle mixte vue de dessous.

Ci-contre
Différents modèles de sangles.

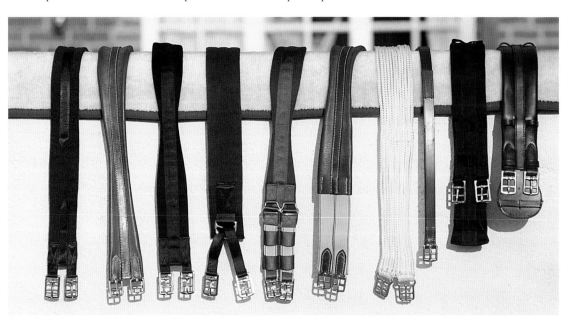

Les sangles combinées élastiques se terminent par une bande élastique, côté montoir, et sont conçues pour éviter de devoir ressangler.

Les sangles anatomiques sont profilées de manière à épouser les formes du corps du cheval. Elles sont plus étroites derrière les coudes, ce qui réduit le frottement.

Les sangles bavettes sont conçues pour que le cheval ne risque pas de se donner de coups de sabot dans le ventre au passage d'obstacles hauts.

Les sangles en coton, économiques, sont moins résistantes et il faut les laver très souvent pour éviter les irritations. Ce sont souvent celles que l'on utilise en course. On place conjointement une sursangle qui passe sur la selle pour l'empêcher de tourner.

Les sangles en nylon sont faites de quatorze brins solidarisés en plusieurs endroits. Il faut veiller à ne pas pincer la peau entre les brins en sanglant et les laver souvent pour limiter les risques d'irritation dus au frottement.

Les sangles en matériaux modernes absorbent les chocs, répartissent la pression et réduisent les risques d'irritations.

LES ÉTRIERS

PRENEZ DES ÉTRIERS en acier. Soumis à un choc, le nickel et le fer risquent de casser et ne présentent pas les garanties de sécurité requises. Le plancher des étriers modernes peut

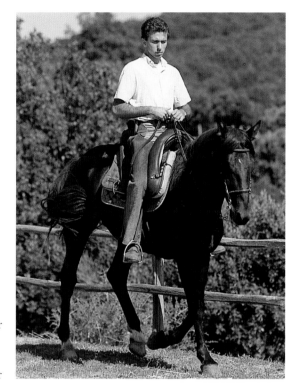

être recouvert d'une semelle en caoutchouc antidérapante. L'étrier doit être assez large pour laisser 12 mm de chaque côté du pied. Il en existe plusieurs modèles. La branche externe des étriers de sécurité peut être une bande de caoutchouc épaisse dont on vérifiera régulièrement le bon état. D'autres types d'étriers de sécurité ont une branche externe en acier, mais forment un arrondi vers l'avant permettant au pied de se dégager plus facilement si nécessaire.

En réponse au Mount Rushmore, Henry Standing Bear a voulu un mémorial pour dire au reste du monde que « L'homme blanc doit savoir que l'homme rouge a lui aussi ses héros ». Il en a confié la réalisation au sculpteur Korczak Ziolkowski, qui entreprit en 1948 d'ériger un monument taillé dans la roche à la mémoire du chef indien Crazy Horse. Il projetait de le représenter jaillissant du mont Thunderhead (Dakota du Sud) sur son cheval au galop. Il mourut en 1974 laissant son œuvre inachevée. Ses dix enfants ont repris le flambeau.

En haut
Ce randonneur insouciant ne porte ni bombe ni casque : il n'est donc pas couvert par son assurance.

En bas
Ces promeneurs prudents portent tous une bombe.

Si vous suivez une route, portez des vêtements bien visibles avec des bandes réfléchissantes.

Brides et mors

À droite
Le mors de filet à deux anneaux est le plus utilisé.

En bas
On voit un mors « fulmer » sur ce filet avec muserolle combinée.

LE BRIDON ou filet le plus utilisé se compose d'un mors de filet, d'une têtière, d'une sous-gorge, des montants du filet rejoignant les montants de la têtière et le mors de filet. Le frontal se place sur la têtière pour éviter que le bridon glisse sur l'encolure.

Il existe toutes sortes de muserolles mais la plus répandue est la muserolle française. Elle passe sous les montants du filet.

LES DIFFÉRENTS TYPES DE BRIDON

LES BRIDONS sont différents en fonction du type d'activité pratiquée : pour la monte western, le frontal est parfois remplacé par les passages d'oreilles, dans ce cas, la têtière est fendue de manière à permettre le passage d'une ou

La campagne anglaise est célèbre pour ses immenses et mystérieux dessins de chevaux blancs se détachant sur les flancs des coteaux crayeux. Celui d'Uffingham, dans le comté de Berkshire, mesure 114 m de long. Son origine est inconnue mais pourrait être liée à un tumulus funéraire celte présent à l'ouest du cheval, sur la colline dite du Dragon.

des deux oreilles. Ils n'ont souvent pas de muserolle et parfois pas de sous-gorge.

LE RÉGLAGE DU BRIDON

IL EST TRÈS IMPORTANT que le bridon soit adapté à la tête du cheval, il en existe plusieurs tailles : shetland, poney, pur-sang, cheval, trait, etc. En général les cuirs sont plus larges pour les grands chevaux et plus fins pour les pur-sang. Le frontal empêche la têtière de glisser vers l'arrière et maintient la muserolle en place. Il faut l'ajuster avec soin car, s'il est trop juste, il va tirer la têtière vers les oreilles et provoquer un frottement inconfortable pour le cheval.

La sous-gorge, qui est une sécurité, ne doit pas non plus être serrée sinon elle risquerait de gêner les mouvements de l'encolure. Vous devez avoir environ la largeur de trois doigts entre la gorge et la sous-gorge. Les montants du bridon se règlent de sorte que le mors soit à sa place : un léger pli doit se former à la commissure des lèvres. Le mors ne doit pas dépasser de plus d'un demi-centimètre de chaque côté de la bouche. Un mors trop large ballote et perd donc de son efficacité, et un mors trop étroit repousse les lèvres dans la bouche.

Pour que le filet soit complet, on peut également ajouter une muserolle française. Elle se place à environ deux doigts sous l'apophyse zygomatique, située à l'avant de la joue, et on doit pouvoir passer un doigt entre le chanfrein et la lanière. Elle peut servir à fournir un point d'attache à la martingale fixe, destinée à empêcher le cheval de trop lever la tête. Les rênes ne seront pas trop courtes, de façon que le cheval ne vous les arrache pas s'il baisse brusquement la tête, ni trop longues pour que le flot des rênes ne soit pas trop long.

Le landau était
la voiture préférée
des élégants et des
élégantes du XIXᵉ siècle
pour se promener
par beau temps.

En haut, à gauche
*Monter en bride est réservé
aux cavaliers
expérimentés.*

Ci-contre
*Ce cheval a une muserolle
croisée bien adaptée aux
chevaux puissants utilisés
en course puisqu'elle ne
limite pas la respiration.*

Ci-dessous
*La muserolle allemande
de ce poney l'aide à bien
tenir sa tête.*

LA BRIDE

MONTER EN BRIDE, c'est-à-dire avec une double embouchure, est réservé aux cavaliers expérimentés. Le mors de bride ressemble au mors de filet et offre deux anneaux supplémentaires pour passer la seconde paire de rênes et il est pourvu de branches. La bride est fixée directement sur la têtière et les montants ; les rênes, plus fines que celles de filet, dans les anneaux du mors de bride. Le filet est porté par une lanière semblable à celle de la muserolle mais dont la boucle est à droite et les rênes sont fixées dans les anneaux du filet. La gourmette est maintenue en place par une fausse-gourmette.

LES MUSEROLLES

IL EXISTE PLUSIEURS types de muserolle qui ont des fonctions et des effets différents. Ce sont :

La muserolle allemande qui maintient le mors bien centré et empêche le cheval d'ouvrir la bouche, de croiser les mâchoires et d'éviter le mors. Elle se place une dizaine de centimètres au-dessus du bout du nez et se ferme sous le menton. Sans empêcher le cheval de respirer, elles le gênent un peu puisqu'elle exerce une pression sur son nez pour l'inciter à baisser la tête.

La muserolle croisée (ou à croisillon) agit selon le même principe que la précédente. La lanière supérieure se place au-dessus du mors et l'inférieure en dessous. Elles doivent être bien ajustées pour que le cheval n'ouvre pas la bouche et ne fasse pas de mouvements latéraux des mâchoires. La pression s'exerce sur le chanfrein au niveau où les deux lanières se croisent. Cette muserolle gêne moins la respiration qu'une muserolle allemande et, pour cette raison, sera plus adaptée à des chevaux vigoureux entraînés pour la vitesse.

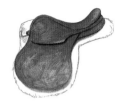

La muserolle combinée

ressemble à la muserolle française à laquelle s'ajoute une lanière qui se ferme sous le mors. La lanière supérieure se place deux doigts sous l'apophyse zygomatique et doit être bien ajustée. La lanière inférieure doit aussi être bien ajustée puisqu'elle sert à empêcher le cheval d'ouvrir la bouche pour échapper à l'action du mors. Ce type de muserolle permet l'utilisation d'une martingale fixe.

La muserolle australienne est en caoutchouc et se fixe au centre de la têtière. La lanière se place donc sur le milieu du chanfrein avant de se diviser en deux lanières terminées par une rondelle qui se fixent au mors. Elle est très employée dans le monde des courses et empêche le cheval de passer sa langue par-dessus le mors. Elle exerce également une pression sur le chanfrein.

Dans d'autres pays, on utilise des muserolles plus contraignantes, exerçant un effet démultiplicateur de la pression exercée sur les rênes.

Le cow-boy est responsable du bétail et des troupeaux de chevaux qui appartiennent au propriétaire du ranch dans lequel il travaille.

En haut
Ce cheval est harnaché d'un mors américain et d'une muserolle croisée, ce qui restreint les mouvements de sa tête.

Au centre, à droite
Mors de filet.

En bas
Ce cheval a une muserolle combinée et un filet à aiguilles.

Les relais des postes du XVIe siècle sont une des premières formes de transport en commun. Les voitures étaient généralement tirées par quatre chevaux et suivaient des itinéraires définis selon un horaire établi.

LES DIFFÉRENTS TYPES DE MORS

Il EN EXISTE plusieurs sortes mais on peut les regrouper en cinq grandes catégories : mors de filet, pelham, mors courbe, mors américain et hackamore. Les mors agissent en faisant pression sur différentes zones de la bouche et de la tête : langue, barres, commissures des lèvres, nuque, menton et, pour les modèles anciens, palais.

Les mors de filet agissent essentiellement sur les lèvres, la bouche et les barres et peuvent avoir un léger effet releveur ou abaisseur. Il en existe une grande variété, le mors droit est plus sévère qu'un mors à canon brisé et un mors à canon fin plus dur qu'un mors à canon épais, le canon étant la barre de métal du mors.

Le pelham, pour être efficace, s'utilise avec deux paires de rênes mais il est possible de l'associer à des alliances et dans ce cas de n'avoir qu'une paire de rênes. Quand on en a deux, la première, placée au-dessus, sert à guider le cheval et la seconde, fixée à l'anneau inférieur des branches, s'emploie uniquement pour obtenir un effet abaisseur quand c'est nécessaire. Le pelham réunit en une embouchure les effets du mors de filet et du mors de bride. C'est la raison pour laquelle on le considère parfois comme un peu compliqué, toutefois beaucoup

de chevaux se comportent extrêmement bien avec. Le pelham exerce une pression sur les barres, la langue et la nuque. Il s'utilise toujours avec une gourmette et une fausse-gourmette et se positionne plus bas qu'un mors de filet mais plus haut qu'un mors de bride. En général, plus la partie inférieure des branches est longue, plus la pression sur les barres est forte ; plus la partie supérieure des branches est longue, plus la pression est forte sur la nuque.

Le mors courbe est l'un des deux mors utilisés pour monter en bride, le second étant un mors de filet à canon fin et petits anneaux. Il existe plusieurs types de mors courbes mais le plus employé est le Weymouth. Ces mors s'utilisent avec des gourmettes qui entrent en action quand les branches sont à 45-50°. Ils appuient sur la langue, les barres et la nuque.

Le mors américain
ressemble au mors de filet mais ses branches sont ajourées et ont un anneau dans le haut et le bas. Le premier se fixe à la têtière par des montants en cuir rond ou des cordes et le second aux rênes. Ce mors permet l'utilisation de deux paires de rênes, fixées respectivement à l'anneau de montant et à l'anneau de rêne. Le cavalier se sert principalement des rênes de filet et n'agit sur les rênes de bride qu'en cas de nécessité. Il a un double effet releveur et abaisseur puisqu'il appuie sur la langue, les barres, les lèvres et la nuque.

Le hackamore n'a pas de canon et n'agit donc pas sur la bouche mais sur le chanfrein et la nuque. Il en existe des variantes plus ou moins sévères. Leur utilisation exige un bon niveau d'équitation. Ils sont très utiles pour un cheval ayant une bouche douloureuse ou des difficultés pour mordre.

En haut, à gauche
Le pelham exerce une pression en plusieurs endroits et s'utilise avec une gourmette et une fausse gourmette.

Ci-dessus
Mors de brides L'hotte avec passage de langue (effet abaisseur) et mors de filet (effet releveur). Ils s'utilisent avec deux paires de rênes.

Ci-contre
Le mors américain restreint les mouvements de la tête du cheval.

« On ne fait pas boire un âne qui n'a pas soif. »

Martingales

LES MARTINGALES font partie des enrênements et sont destinées à empêcher le cheval de relever la tête au-delà d'un certain point. La plus courante est le modèle à anneaux qui consiste en une lanière fixée à la sangle, passant entre les antérieurs, et se divisant en deux. On enfile les rênes dans l'anneau placé au bout, en intercalant un stop de martingale pour éviter que l'anneau vienne se prendre dans le mors. Un collier autour de l'encolure la maintient en place.

Saint Georges, célèbre pour avoir terrassé le dragon, au cours d'un combat à cheval, est le patron des cavaliers.

En haut, à droite
La martingale fixe tire sur le chanfrein et empêche le cheval de lever la tête.

Ci-contre
La martingale à anneaux est la plus utilisée pour éviter les mouvements intempestifs de la tête.

Rubens (1577-1640), peintre flamand, fut le premier à offrir des représentations du cheval anatomiquement plus rigoureuses que ses prédécesseurs. Il bénéficia certainement des études très précises de Léonard de Vinci (1452-1519).

MARTINGALE À ANNEAUX

QUAND LE CHEVAL lève la tête, la martingale tire sur les rênes, exerçant une pression qui se transmet par l'intermédiaire du canon sur les barres de la mâchoire inférieure.

La martingale-bib forme un espace triangulaire entre les deux anneaux et la sangle. Elle agit de la même façon mais réduit les risques de voir un cheval nerveux s'emmêler dans les lanières. Il doit y avoir une largeur de main entre l'encolure et le collier ; les anneaux de la martingale viennent se placer à la hauteur des épaules, et environ 15 à 20 cm sous le garrot pour que l'enrênement soit efficace.

MARTINGALE FIXE

SON ACTION s'exerce sur le chanfrein quand le cheval tente de trop relever la tête. Elle consiste en une lanière unique qui se fixe sous la sangle, passe entre les antérieurs et s'attache sous la muserolle française. Comme les martingales à anneaux, elle est maintenue en place par un collier autour de l'encolure. Elle se place de la même façon et ne doit pas être plus serrée.

MARTINGALE IRLANDAISE

AUSSI APPELÉE ALLIANCE, c'est plutôt une lanière de cuir munie d'un anneau à chaque extrémité qu'une véritable martingale. On enfile les rênes dedans pour éviter qu'elles passent par-dessus la tête du cheval en cas de chute. Elles empêchent aussi qu'il relève brusquement la tête et renforcent l'action des rênes. Pour toutes ces raisons, on les utilise beaucoup en course.

Enrênements

PLUSIEURS TYPES d'enrênements sont proposés aux cavaliers afin de les aider à améliorer la locomotion de leur cheval. Placés dans des mains inexpérimentées, ils peuvent faire plus de mal que de bien. Utilisez-les si vous avez le niveau d'équitation requis ou sous la supervision d'un moniteur.

RÊNES ALLEMANDES

LES RÊNES allemandes s'utilisent pour la monte. Elles s'attachent à la sangle, passent entre les antérieurs et s'enfilent dans les anneaux du mors. Elles sont prises en main par le cavalier qui tient donc deux paires de rênes.

Les rênes allemandes sont utiles pour obliger le cheval à baisser la tête et à prendre une bonne attitude mais les cavaliers manquant de savoir-faire risquent d'obtenir un cheval encapuchonné au port de tête rigide et manquant d'impulsion. C'est la raison pour laquelle il faut déjà un bon niveau d'équitation pour s'en servir.

ENRÊNEMENTS ÉLASTIQUES

L'ENRÊNEMENT ÉLASTIQUE ou à anneaux est l'un des plus simples à utiliser. Il se compose de deux grosses lanières élastiques rondes qui s'attachent soit à la sangle soit à un surfaix de travail et aux anneaux du mors. Les lanières peuvent être en cuir ou en tissu ; le plus souvent, elles incorporent un épais anneau en caoutchouc ou un gros élastique et sont réglables. L'anneau ou l'élastique ont pour fonction d'encourager un port de tête souple. Souvent, pourtant, ils déséquilibrent le cheval qui va avoir tendance à remuer la tête ou venir s'appuyer sur l'élastique. Les lanières simples, toujours en contact avec le corps du cheval, l'encadrent bien.

Cet enrênement sert exclusivement au travail en longe et uniquement quand le cheval est échauffé.

Le pouls d'un cheval adulte en bonne santé est de 36 à 40 battements à la minute au repos.

Ci-dessus
Ce cheval va être longé avec des élastiques.

Le cheval a inspiré de multiples poètes et chanteurs. Qui ne se souvient du gentil courageux petit cheval blanc de Georges Brassens, de Stewball de Hughes Auffray ou de Bucéphale de Thomas Fersen ?

Chambons et gogues

LE CHAMBON ET LE GOGUE ont tous deux pour fonction d'empêcher le cheval de trop relever la tête mais ne s'utilisent pas dans le mêmes conditions. Quand la nuque est basse, le cheval peut détendre son dos et se muscler correctement.

Dans la mythologie nordique, Nott, déesse de la nuit placée dans le Ciel par les dieux, parcourait l'immensité dans un char obscur tiré par Hrimfaxi, magnifique cheval sable dont le nom signifie crinière givrée. Crins au vent, il arrosait la terre de rosée et de gel durant ses voyages nocturnes.

LE CHAMBON

LE CHAMBON est un enrênement qui agit sur tout le corps du cheval et non exclusivement sur son avant-main. Il s'utilise exclusivement lors du travail en longe. Il s'agit de deux cordelettes qui passent dans les anneaux du filet puis viennent coulisser dans deux petites poulies de part et d'autre des oreilles, au niveau de la nuque. Les cordelettes sont réunies au niveau de l'inter-ars et s'attachent à la sangle ou au surfaix. Il empêche le cheval de relever la tête, l'encourageant à détendre son dos et à se placer dans une bonne attitude. Cet enrênement est particulièrement utile pour muscler l'arrière-main et améliorer la locomotion du cheval.

En haut
Ce cheval a un gogue : un enrênement destiné à obtenir des extensions d'encolure et à muscler et fortifier les reins.

À droite
Ce cheval a un chambon dont la fonction est proche de celle du gogue mais qui s'utilise exclusivement pour longer.

LE GOGUE

LE GOGUE ressemble beaucoup au chambon mais il offre un double réglage, ce qui permet de l'employer pour le travail en longe ou la monte. La lanière de cuir se fixe à la sangle et passe par l'inter-ars.

On y accroche alors les cordelettes qui vont coulisser sur les poulies de part et d'autre de la têtière, passent dans les anneaux du filet et se rattachent au cuir, formant un triangle qui limite les mouvements de l'encolure et la fixe.

Pour le travail en longe, on entortille les rênes et on les attache sous l'encolure avec la sous-gorge. Pour la monte, le cavalier tient ses rênes normalement. Il existe un autre gogue (le gogue commandé) un peu différent puisqu'il aboutit dans les mains du cavalier.

LE MARKET HARBOROUGH

IL S'AGIT d'une martingale particulièrement complexe. Elle ressemble à la martingale à anneaux mais les lanières vont passer dans l'anneau du filet avant d'être attachées aux rênes au moyen d'un anneau, ce qui offre plusieurs possibilités de réglage. Cet enrênement n'intervient que si le cheval lève la tête ou tire, dans ce cas il exerce une pression vers le bas et en arrière sur le mors.

Protection des membres

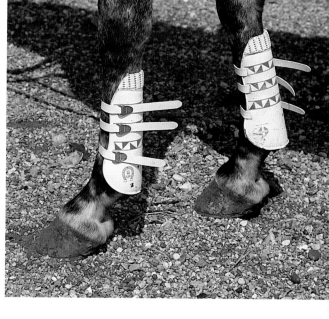

IL EXISTE de multiples protections qui apportent également un soutien aux membres. Elles peuvent être en cuir, en synthétique, néoprène ou P.V.C. Le choix du modèle sera fonction du travail demandé au cheval. Les plus employées sont :

Guêtres fermées : leur fonction est d'éviter que le cheval se fasse des atteintes ou se blesse en se heurtant. Ce sont les plus employées. Elles protègent la partie inférieure des antérieurs.

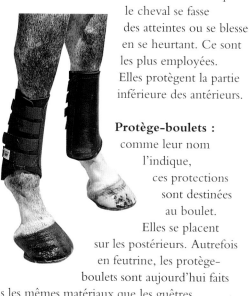

Protège-boulets : comme leur nom l'indique, ces protections sont destinées au boulet. Elles se placent sur les postérieurs. Autrefois en feutrine, les protège-boulets sont aujourd'hui faits dans les mêmes matériaux que les guêtres, plus durables et plus faciles d'entretien.

Guêtres ouvertes, guêtres allemandes ou encore protège-tendons puisque qu'elles protègent essentiellement les tendons et le boulet. On les utilise en C.S.O.

Guêtres de polo : souvent en feutrine épaisse et en cuir, ces guêtres offrent un soutien et une protection maximum aux poneys de polo dont les membres sont très sollicités.

Cloches : en caoutchouc, les cloches protègent la couronne et les glomes des antérieurs quand le cheval atteint l'arrière de l'antérieur avec la pince du postérieur.

Anneau de protection du paturon : ils sont destinés aux chevaux qui se marchent sur la couronne lors du travail. On les met parfois quand le cheval est au box pour prévenir les éponges au coude (tare molle) quand le cheval se couche.

La plupart des protections, à l'exception des protège-jarrets, se ferment de l'avant vers l'arrière. Les fermetures se placent vers l'extérieur de manière à ne pas frotter contre le membre opposé. Comme pour tous les éléments du harnachement, il est très important que les protections soient à la taille du cheval et ferment bien. Un matériel en mauvais état, quel qu'il soit, constitue un risque d'accident.

Ci-dessus
Les guêtres ouvertes utilisées à l'obstacle protègent le tendon.

À gauche
Les guêtres fermées protègent la partie inférieure des membres.

Ci-contre
Ce cheval porte des cloches destinées à protéger les antérieurs d'atteintes des postérieurs, pendant les allures rapides.

En bas, à gauche
Ancien modèle de protège-boulet en feutrine.

Les diligences, tirées par quatre chevaux, furent l'une des premières formes de transport en commun. Les cochers s'arrêtaient aux relais pour échanger leurs chevaux fatigués contre des chevaux en bon état.

Couvertures

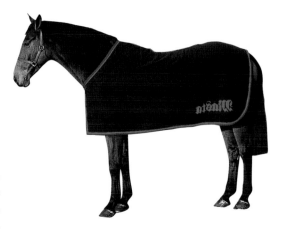

LES MAGASINS SPÉCIALISÉS proposent plusieurs gammes de couvertures, couvre-reins et chemises dans divers matériaux de plus en plus perfectionnés, adaptés à des utilisations spécifiques. On peut les répartir en plusieurs groupes :

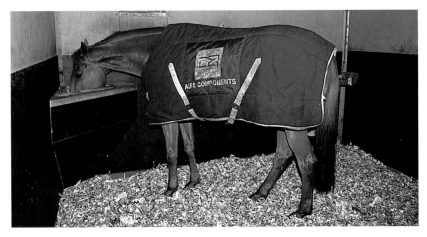

Ci-dessus
Cette couverture moderne en synthétique protège le cheval du froid pendant la nuit.

En haut, à droite
Ce cheval porte une chemise.

« Il est trop tard pour fermer l'écurie quand le cheval s'est sauvé. »
Voilà un proverbe qui se passe de commentaires.

COUVERTURES D'ÉCURIE
ELLES SONT CONÇUES pour que le cheval n'ait pas froid la nuit. Autrefois en jute ou en chanvre doublé de laine grise, elles se bouclaient sur le devant et on plaçait un surfaix dessus pour les maintenir en place sur l'arrière.

Aujourd'hui, on utilise des couvertures synthétiques matelassées. Elles sont munies de sangles croisées se fermant sur les côtés, évitant ainsi le poids du surfaix sur le dos. Les courroies de cuisses et de queue assurent leur mise en place. Quand il fait vraiment froid, on mettra en complément une sous-couverture ou une chemise.

COUVERTURES DE JOUR
COMME LEUR NOM L'INDIQUE, on les utilise dans la journée, quand il fait moins froid. Votre choix dépendra de la température du box ou de l'écurie et de la longueur du poil du cheval.

Plus fines que les couvertures utilisées la nuit, elles sont en laine, en polaire ou en fibres mélangées.

CHEMISES SÉCHANTES
CES CHEMISES sont destinées à éviter qu'un cheval ayant transpiré pendant l'exercice se refroidisse ensuite.

Avec le développement de nouvelles matières, on est loin des chemises d'antan qui se mettaient obligatoirement sous une couverture. Les trous d'aération de la chemise aidaient à emprisonner et faire circuler l'air chaud entre les deux couches de tissus. Aujourd'hui les chemises séchantes sont plus épaisses et s'utilisent seules. Elles absorbent la sueur et favorisent son évaporation, séchant le cheval et évitant qu'il ne se refroidisse.

COUVERTURES IMPERMÉABLES
CE SONT DES COUVERTURES d'extérieur pour les chevaux au paddock ou au pré qui ont besoin d'une protection en hiver quand la température baisse. Autrefois en toile épaisse, elles sont aujourd'hui en fibres synthétiques avec des garnitures isolantes dans des matériaux de plus en plus élaborés régulant la température. Les fabricants proposent des accessoires complémentaires pour les chevaux passant l'hiver dans des climats rigoureux, doublures ou couvertures d'encolure qui s'attachent sur le devant.

La plupart s'attachent par deux fermetures de poitrail réglables, des sursangles croisées basses, une courroie de queue et des courroies de cuisses. Comme le cheval au pré saute, gambade, galope, rue et se roule, sa couverture doit être particulièrement bien fixée.

CHEMISES

LES CHEMISES en coton protègent le cheval de la poussière et des mouches. La plupart du temps, elles sont imperméables et peuvent doubler les couvertures l'hiver. Elles ont des fermetures de poitrail, parfois des sangles

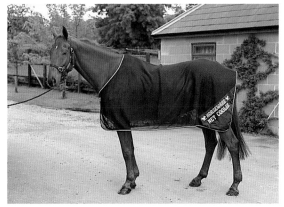

et une courroie de queue. Elles s'utilisent avec un surfaix.

COUVRE-REINS

Destinés à protéger l'arrière-main du cheval lorsqu'il est sellé, ils peuvent s'attacher au garrot ou à la sangle et possèdent une sous-queue. Ils sont en laine ou en polyester imperméable.

ENTRETIEN DU MATÉRIEL

LE MATÉRIEL doit toujours être propre, qu'il s'agisse du harnachement ou des couvertures. Les cuirs doivent être régulièrement graissés pour éviter le frottement contre la peau du cheval et pour ne pas risquer de casser, ce qui peut être dangereux. Vérifiez les coutures et l'état des boucles, ainsi que l'attache des sanglons sous le quartier.

Quand vous lavez ou confiez vos couvertures au teinturier, lisez bien les instructions et protégez les fermetures.

TOUTES LES SEMAINES

• Démontez le filet entièrement.

• Faites tremper le mors, les étriers et leurs caoutchoucs.

• Lavez tous les cuirs à l'eau tiède.

• Passez une couche de savon glycériné à l'éponge.

• Enduisez d'une couche de graisse.

• Enlevez la graisse dans les trous avec un cure-dent.

• Nettoyez toutes les boucles en inox avec un produit approprié.

• Rincez le mors avant de remonter le filet.

• Lavez les tapis de selle et les guêtres.

TOUS LES JOURS

• Rincez le mors après chaque utilisation.

• Lavez les cuirs au savon glycériné sans tout démonter.

• Brossez les tapis et faites-les sécher.

• Rincez et faites sécher les guêtres.

Une longe mesurait autrefois 6,50 m, aussi la piste des cirques a-t-elle un diamètre de 13 m adapté à la présentation des numéros équestres.

En haut, à gauche
Avec ces couvertures, ces chevaux passeront l'hiver au chaud.

Au centre
Cette chemise légère protège le cheval de la poussière et des mouches.

En bas, à gauche
Les couvertures de jour en laine sont aussi utilisées pour le transport.

En 1995, l'anthropologue Michel Peissel découvrit une race de chevaux non répertoriée lors d'un voyage au Tibet. Il lui donna le nom de Riwoche qui était celui de la vallée où il vit ce petit cheval pour la première fois. Celui-ci présente les caractéristiques traditionnelles propres aux races anciennes : crinière épaisse, corps sombre, membres rayés et conformation primitive.

Les allures

IL FAUT DES ANNÉES de pratique, d'entraînement et de passion pour faire un cavalier digne des meilleurs écuyers. Cette partie s'adresse aux grands débutants qui y découvriront les principes de base permettant de monter efficacement en toute sécurité et se faire plaisir quel que soit son niveau.

En haut, à droite
Ce cheval gravit la côte au trot.

En bas, à droite
Au pas, le cheval a toujours au moins deux pieds au sol.

Le record de vitesse est détenu jusqu'à aujourd'hui par un cheval de course extraordinaire nommé Big Racket. Lors d'une épreuve en 1945, il parcourut 409 mètres en 21 secondes, soit environ 70 km/h.

LES ALLURES

LA MAJORITÉ des chevaux ont trois allures naturelles : le pas, le trot et le galop à trois ou quatre temps ; certaines races adoptent aussi naturellement l'amble. Le cheval doit se déplacer dans un bon équilibre, en rythme et avec de l'impulsion. Le cheval doit faire preuve d'allant. Pour décrire les allures, on se référera au côté gauche du cheval, le côté du montoir, et à son côté droit. On parlera donc de l'antérieur et du postérieur droits ou gauches et des diagonaux droits ou gauches, par référence à l'antérieur.

LE PAS

LE PAS est une allure régulière à quatre temps. Le cheval avance l'antérieur gauche, l'antérieur droit puis le postérieur gauche et le postérieur droit. Il a toujours deux membres posés au sol. On distingue le pas moyen, rassemblé, allongé et rênes longues. Au pas moyen, le cheval pose ses postérieurs dans l'empreinte des antérieurs : on dit qu'il se juge. Au pas rassemblé, les foulées sont plus courtes, les postérieurs se posant derrière l'empreinte des antérieurs : le cheval se déjuge, mais monte son dos et abaisse les hanches. Quand le cheval allonge le pas, ses postérieurs se posent devant l'empreinte des antérieurs : le cheval se méjuge. Le pas libre encourage le cheval à se détendre et à étirer son dos. La vitesse d'un cheval au pas est d'environ 7 km/h.

LE TROT

LE TROT est une allure sautée à deux temps, séparés par un temps de suspension intermédiaire,

le cheval se déplaçant sur les bipèdes diagonaux. L'antérieur gauche et le postérieur droit se posent simultanément, suivis, après le temps de suspension, de l'antérieur droit et du postérieur gauche. Comme pour le pas, on distingue quatre variantes du trot : le trot de travail, le trot moyen, le trot rassemblé et le trop allongé. Le déplacement est identique mais la longueur des foulées varie en fonction du trot choisi. Le cheval au trot couvre environ 14 km à l'heure.

LE GALOP

C'EST UNE ALLURE dissymétrique à trois temps suivis d'une phase de projection. Selon que le cheval galope à droite ou à gauche, il pose les membres dans un ordre différent. Au galop à gauche, le cheval engage d'abord son postérieur droit, puis le bipède latéral droit (postérieur gauche, antérieur droit) et enfin l'antérieur gauche. À droite, le cheval engage le postérieur gauche en premier, puis pose le bipède latéral gauche (postérieur droit, antérieur gauche) suivi de l'antérieur droit. Quand le cheval est à main droite dans la carrière mais galope

à gauche, on dit qu'il est à faux. Il sera déséquilibré dans les courbes. Le galop à faux peut être demandé volontairement : il se nomme alors contre-galop et c'est un exercice de dressage réservé aux chevaux expérimentés. On retrouve au galop les quatre variantes existant au pas et au trot, à savoir : galop moyen, galop de travail, galop rassemblé et galop allongé. Là encore, la longueur des foulées varie. La vitesse d'un cheval au galop est d'environ 21 km/h.

En dehors du galop à trois temps utilisé en équitation, il existe un galop à quatre temps réservé au monde des courses que l'on appelle galop de course. Au galop à droite, le cheval engage d'abord le postérieur gauche, puis le droit, suivis de l'antérieur gauche puis du droit. Ce déplacement est suivi d'un temps de projection où aucun des membres n'est au sol. Au galop à gauche, le cheval engage le postérieur droit, puis le gauche, suivis de l'antérieur droit puis du gauche. Au galop à quatre temps, le cheval s'allonge au maximum, baissant la tête et l'encolure, et son corps entier paraît plus près du sol, littéralement « ventre à terre ». C'est l'allure la plus rapide de toutes : un pur-sang peut atteindre près de 50 km/h au galop sur le plat.

L'AMBLE

CERTAINS CHEVAUX, dont les trotteurs américains, se mettent spontanément à l'amble. C'est une allure marchée ou trottée à deux temps dans laquelle le cheval se déplace sur les bipèdes latéraux. Il va donc avancer simultanément l'antérieur et le postérieur droits, puis l'antérieur et le postérieur gauches. C'est une allure plus rapide et plus confortable que le trot sur les diagonaux, aussi était-ce celle des amazones. Aujourd'hui, on ne l'utilise presque plus, la considérant comme un défaut. D'autres allures sont propres à certaines races, présentes essentiellement en Amérique, du Nord et du Sud, et en Asie. Les poneys d'Islande ont plusieurs allures naturelles dont le tölt qui est une forme d'amble très rapide à quatre temps. On pense que les races ayant hérité des allures latérales les tiennent des anciennes races espagnoles, en particulier le genêt espagnol, aujourd'hui disparu.

En haut, à gauche
Le galop est une allure à trois temps.

Ci-dessus
Le poney d'Islande a plusieurs allures dont un déplacement rapide appelé le tölt.

Ci-contre
Au galop, il y a un temps où les quatre membres sont en l'air. C'est le temps de projection.

Les bases

UN BON CAVALIER doit toujours anticiper et faire preuve de tact avec sa monture. Avant de se mettre en selle, il faut toujours vérifier que filet et selle sont correctement mis, et que la sangle est assez serrée pour empêcher cette dernière de tourner. Lorsque le cheval a déjà été sellé, il faut tout de même vérifier une dernière fois que tout est en ordre et ne faire confiance qu'à soi-même.

À droite, en haut et au centre

Pour monter, il faut prendre les rênes avec une poignée de crins dans la main gauche et placer le pied gauche dans l'étrier. Il faut alors s'élever et tourner pour venir doucement s'asseoir dans la selle.

Ci-contre

En vous appuyant sur l'étrier avec votre jambe gauche, faites passer votre jambe droite par-dessus le dos du cheval pour vous mettre en selle.

SE METTRE EN SELLE

ASSUREZ-VOUS que la selle est bien placée, ni trop en avant, ni trop en arrière. Vérifiez que tapis de selle et amortisseur de dos ne font pas de plis et dégarrotez, c'est-à-dire vérifiez qu'il existe bien, entre le pommeau et le garrot, un espace suffisant pour pouvoir y glisser la main. Assurez-vous que muserolle et sous-gorge sont bien bouclées, que la sangle n'est ni trop, ni pas assez serrée, et qu'elle ne pince pas la peau. Ces vérifications sont très rapides avec un minimum d'habitude. Après vous être assuré que tout est en ordre, descendez les étriers. Pour régler la longueur, tenez l'étrier dans une main et tendez l'étrivière sous votre bras. Réglez alors de sorte que votre autre main se pose sur le couteau

En bas, à droite

L'aide d'une tierce personne est parfois appréciable.

La World Master Cup qui se déroule à Dubaï est la course la mieux dotée au monde. Le vainqueur y remporte un prix de 2,4 millions de dollars.

et que l'étrier soit juste au niveau de l'aisselle. Avec l'expérience, en les regardant, vous devez savoir si le réglage des étriers vous convient.

Placez-vous maintenant côté montoir, c'est-à-dire sur la gauche du cheval, prenez votre cravache et les deux rênes dans la main gauche en les tenant en appui au bas de l'encolure. Les rênes doivent être assez courtes pour que le cheval n'avance pas, mais assez longues pour ne pas tirer, sinon il pourrait reculer. La main gauche est posée, la droite présente l'étrier au pied gauche et vous êtes tourné vers l'arrière du cheval. Avec votre main droite, attrapez le troussequin ou, s'il est un peu haut, un quartier de la selle. Levez la jambe droite en appuyant la gauche dans l'étrier pour vous

soulever, passez la jambe droite par-dessus la croupe du cheval et asseyez-vous en douceur dans la selle. Chaussez alors l'étrier de droite.

Il y a deux autres manières de se mettre en selle. La première est de se faire aider par quelqu'un qui soulèvera votre jambe, ce qui évite de mettre du poids sur le côté gauche du cheval, voire d'étirer l'étrivière. Placez-vous comme précédemment, face au cheval, côté montoir, prenez les rênes dans la main gauche et placez la droite sur le trousséquin. Pliez la jambe gauche que votre partenaire tiendra pendant que vous prendrez votre élan pour vous soulever. Cette technique demande une bonne coordination.

L'autre possibilité est d'utiliser un montoir, sorte de petit banc spécialement conçu pour être placé à côté du cheval sur lequel vous monterez. Si votre cheval est grand, cela peut être très pratique.

L'ÉQUIPEMENT

AVANT DE MONTER sur un cheval, il est important d'avoir une tenue appropriée. La bombe en est l'élément le plus important. Choisissez la vôtre bien à votre taille et assurez-vous régulièrement qu'elle correspond toujours aux normes de sécurité en vigueur, celles-ci changeant fréquemment. Il vous faudra une paire de bottes ou des chaps et des boots dont la semelle vous évitera de glisser dans l'étrier. Vous pouvez prendre vos premières leçons en jean's mais vous vous apercevrez vite que les pantalons d'équitation sont des vêtements techniques, spécialement conçus pour vous aider à être bien en selle. Ne portez pas de vêtements volumineux ou bouffants qui pourraient effrayer le cheval, ni de bijoux, enlevez vos boucles d'oreilles si vous en avez.

DESCENDRE DE CHEVAL

DÉCHAUSSEZ les deux étriers, prenez les deux rênes et la cravache dans la main gauche que vous pouvez appuyer sur le bas de l'encolure pour vous aider. Penchez-vous un peu en avant, prenez le pommeau dans la main droite et faites passer votre jambe droite par-dessus la selle de manière à poser les deux pieds à terre en même temps. Évitez de donner un coup de pied sur la croupe

Savoir monter et descendre des deux côtés peut avoir son utilité, mais il faudra y préparer le cheval qui n'y est normalement pas habitué.

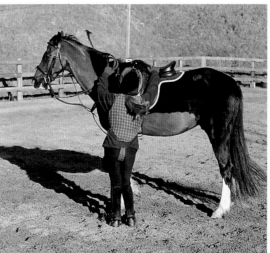

Ci-dessus
Cavalière et monture sont bien équipées pour une balade en extérieur : la première porte une bombe et la seconde des guêtres.

En haut, à gauche
Déchaussez les deux étriers avant de sauter à terre.

Ci-contre
Laissez-vous glisser le long du cheval en vous tenant au pommeau.

En terminologie équestre, la fourchette ne sert bien sûr pas à manger : c'est la partie triangulaire en corne élastique au centre de la sole, dont la fonction est d'absorber les chocs et d'améliorer l'adhérence.

Ci-contre
Il faut s'asseoir dans le fond de la selle, bassin basculé vers l'avant et le dos droit.

Les chevaux ont 18 paires de côtes, dont huit vraies côtes et dix fausses côtes. Les premières se rattachent directement aux vertèbres et au sternum, les secondes se rattachent directement aux vertèbres, mais sont reliées au sternum par l'intermédiaire de cartilages.

BIEN S'ASSEOIR

L'ART ÉQUESTRE est un mélange d'équilibre, de légèreté et de souplesse, qualités impossibles à réunir si l'on n'est pas bien en place dans la selle. Une fois en selle, revérifiez votre sangle et ajustez la longueur des étriers. Déchaussez et laissez descendre vos jambes, l'étrier doit arriver au niveau de la malléole (os de la cheville). Cette longueur est adaptée au travail sur le plat pour le novice. Les deux étriers doivent être égaux et si vous faites une reprise, votre moniteur vérifiera que c'est le cas afin que vous ne soyez pas en déséquilibre avant même de commencer.

AVOIR UNE BONNE POSITION ASSISE

UNE FOIS LES ÉTRIERS réglés, assurez-vous d'être correctement assis. Vous devez être dans la partie la plus profonde du siège, votre poids régulièrement distribué sur les deux ischions, vos hanches parallèles à celles du cheval. Il est important que vous ne soyez pas tordu dans la selle.

Votre corps doit être droit, sans tension ni rigidité, et vos jambes doivent entourer le cheval avec efficacité mais d'une manière détendue. Les coudes doivent être demi-pliés, bras près du corps, les poignets souples et les pouces dirigés vers le haut, en direction des oreilles du cheval. Vous devez pouvoir imaginer une ligne droite allant de vos coudes à la bouche du cheval passant par vos mains et les rênes.

Votre mollet, détendu, doit être appuyé au niveau de la sangle ou légèrement en arrière, contre le corps du cheval. Les débutants commettent souvent l'erreur de serrer les genoux. Vous devriez pouvoir tirer une ligne verticale partant des oreilles du cavalier, passant par les épaules, les hanches et l'arrière du talon. Vos coudes doivent être souples et détendus pour permettre à vos mains d'accompagner les mouvements du cheval. Les débutants ont malheureusement tendance à se contracter et à être tendus. Il est important d'apprendre à se relaxer et à avoir des gestes fluides.

Ci-contre
Cette tenue classique des rênes évite qu'elles glissent.

Ci-dessous
Le travail sur le cercle en carrière apprend à bien utiliser ses rênes pour tourner.

TENUE DES RÊNES

IL Y A PLUSIEURS FAÇONS de tenir les rênes, comme ci-dessus, entre l'auriculaire et l'annulaire puis au-dessus de l'index, ou en les tenant avec le petit doigt. Dans tous les cas, le pouce est posé par-dessus. Les doigts doivent tenir fermement les rênes pour éviter qu'elles ne glissent mais sans se crisper.

Quand on travaille en bride, on a deux paires de rênes : la rêne de filet, qui a un effet releveur, se tient au-dessus, entre l'auriculaire et l'annulaire, et la rêne de bride, qui a un effet abaisseur, passe sous l'annulaire.

LE CONTACT

QUAND VOUS PRENEZ vos rênes, vous devez les tendre de manière à avoir un contact à la fois ferme et doux avec la bouche du cheval. Le contact doit être constant a toutes les allures et le cheval doit l'accepter sans résistance. Il ne faut ni le laisser dans le vide en ayant des rênes flottantes, ni tirer sur les rênes.

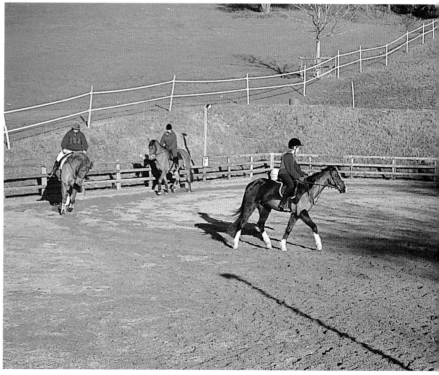

Ci-contre
*Cette cavalière trotte
activement au rythme
du cheval.*

En bas, à droite
*Cette cavalière se sert
de ses mains, de
ses mollets et de l'assiette
pour communiquer
avec son cheval.*

COMMUNIQUER AVEC LE CHEVAL

LES AIDES sont les moyens de communication entre le cavalier et sa monture. Elles doivent être utilisées avec discernement de façon à ce que le cheval réponde bien à la plus légère demande. Il est important de formuler une demande claire pour que le cheval n'ait pas d'hésitation. On voit trop souvent des gens peu expérimentés tirer sur la bouche du cheval tout en utilisant leur cravache ce qui revient à lui demander de ralentir avec la main alors qu'on lui demande d'accélérer avec la cravache. Il existe deux types d'aides, les aides naturelles et les aides artificielles.

LES AIDES NATURELLES

IL S'AGIT DES JAMBES, de l'assiette, du poids du corps, des mains, de la voix et de la pensée. Cette dernière peut être considérée comme une aide, puisque quand vous commencez à penser à votre prochaine action, sans même en avoir conscience, votre corps amorce déjà les gestes nécessaires et se met en position. Quand on travaille toujours avec le même cheval, on s'aperçoit qu'il semble anticiper les demandes du cavalier et y répondre presque avant que celui-ci les ait formulées, ce qui confirme l'idée que les chevaux ont un sixième sens.

Les jambes ont une importance

primordiale : ce sont elles qui impriment l'impulsion. Elles transforment la force motrice de l'arrière-main en mouvement en avant. Il faut savoir dissocier les actions de jambe pour demander au cheval des déplacements dans différentes directions, lui demander le galop et l'incurver correctement.

Le cheval a tendance à fuir l'action des jambes. Mais si vous exercez une pression ferme avec la jambe droite, le cheval va se déplacer vers la gauche et une action de la jambe gauche le déplacera vers la droite. Il faut s'en souvenir quand on fait des cessions à la jambe. L'assiette et le poids du corps sont des aides très efficaces, mais parfois un peu difficiles à appréhender pour le débutant. L'assiette, ajoutée à la pression des jambes, encourage le cheval à avancer. Pour tourner ou travailler sur le cercle, on mettra plus de poids à l'extérieur qu'à l'intérieur.

Le cavalier doit s'équilibrer sur le cheval de façon à ce que son centre de gravité se déplace en fonction de l'allure demandée ou des différentes phases du saut. Il utilisera le redressement du buste comme aide pour les transitions descendantes, les passages à une allure inférieure ou à l'arrêt.

Les mains, toujours souples et flexibles, doivent être utilisées avec le plus grand tact et sans aucune brutalité. Leur action doit être coordonnée avec celle des jambes et des autres aides. Elles interviennent après l'action de jambe et permettent de réguler le mouvement en avant et de diriger le cheval. Il faut apprendre à les utiliser indépendamment l'une de l'autre.

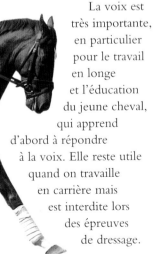

La voix est très importante, en particulier pour le travail en longe et l'éducation du jeune cheval, qui apprend d'abord à répondre à la voix. Elle reste utile quand on travaille en carrière mais est interdite lors des épreuves de dressage.

LES AIDES ARTIFICIELLES

IL S'AGIT DE LA CRAVACHE, de la badine, des éperons et de la chambrière. La badine, utilisée en dressage, sorte de cravache plus longue, peut venir renforcer l'action des jambes, notamment pour apprendre les cessions à la jambe aux jeunes chevaux. Elle permet d'atteindre la croupe sans déplacer les mains. La cravache, qui s'utilise également en conjonction avec les jambes, se place au niveau de l'épaule. Les éperons, réservés aux cavaliers expérimentés, peuvent être très utiles en dressage pour préciser une demande. Il faut les utiliser sans brutalité et ne jamais les planter dans les flancs du cheval.

Ci-contre
Les mains dirigent le cheval conjointement à l'action des jambes.

En haut, à gauche
Le cavalier de ce cheval arabe le met sur la main et se sert d'une badine.

En bas, à gauche
Il est bon de s'initier à l'équitation en reprise pour apprendre les mécanismes de base.

LA CARRIÈRE

QU'IL S'AGISSE d'une carrière en plein air ou d'un manège (par définition couvert) c'est le lieu où se déroulent les reprises (cours d'équitation en groupe). Ses dimensions sont de 40 x 20 m ou, pour un travail de niveau plus élevé, de 60 x 20 m. Des lettres placées sur le pourtour, toujours à la même place par convention, permettent aux cavaliers de se repérer et d'évaluer les distances. Il est préférable de les retenir pour bien suivre les consignes du moniteur. Elles seront donc utilisées dans la suite de cet ouvrage.

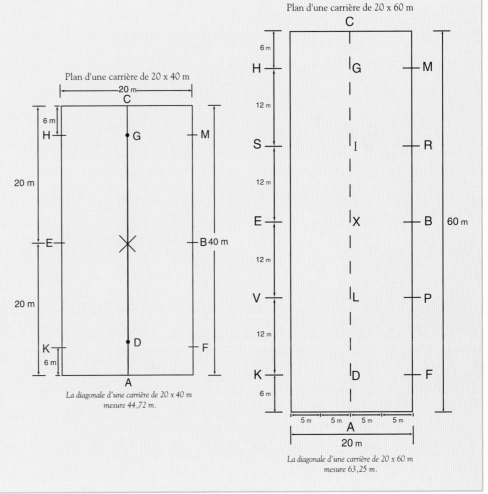

Plan d'une carrière de 20 x 60 m

Plan d'une carrière de 20 x 40 m

La diagonale d'une carrière de 20 x 40 m mesure 44,72 m.

La diagonale d'une carrière de 20 x 60 m mesure 63,25 m.

Déplacement aux trois allures

UNE FOIS que vous êtes bien en place à l'arrêt, décontractez-vous. Repensez à vos aides et faites avancer le cheval au pas. L'important est d'être relaxé et d'accompagner le mouvement en souplesse. Vous devez conserver votre équilibre sans être assis avec rigidité.

En haut, à droite
Position enlevée du trot enlevé.

Ci-contre
Bien assis dans sa selle, le cavalier accompagne les mouvements de son cheval avec l'assiette.

En bas
Position assise du trot enlevé.

LE PAS

ÉPAULES, COUDES et mains doivent toujours être souples pour ne pas gêner le déplacement du cheval. Vous devez rester aussi fixe que possible, mais sans raideur. Si vous êtes en reprise, ne partez pas du principe que votre cheval va suivre la piste de lui-même. C'est à vous d'être aux commandes, de le guider et non l'inverse.

LE TROT

LES DÉBUTANTS ont parfois un peu de mal à trouver le rythme du trot enlevé qui est pourtant une allure agréable pour le cheval et le cavalier. Le trot est une allure à deux temps avec déplacement par diagonaux et un temps de suspension entre les deux. Le cavalier est sur le diagonal droit quand il s'assied au moment où postérieur gauche et antérieur droit se posent, et sur le diagonal gauche quand il s'assied au moment où postérieur droit et antérieur gauche se posent.

Pour changer de pied, le cavalier reste assis dans la selle un temps de plus. Le rythme naturel du trot aide le cavalier à se lever et se rasseoir dans sa selle. Il faut changer de diagonale à chaque fois que l'on change de main, si l'on travaille en carrière, et régulièrement si l'on est en extérieur pour ne pas fatiguer davantage le cheval d'un côté que de l'autre. Quand on mélange la droite et la gauche, on peut essayer de se rappeler qu'il faut s'asseoir quand le cheval pose l'antérieur de l'extérieur (celui qui n'est pas vers le milieu de la piste).

Il faut trotter en harmonie avec le cheval en conservant son équilibre. Il ne s'agit pas de se lever exagérément pour retomber lourdement dans la selle. Il faut simplement décoller un peu pour soulager le dos du cheval et se reposer en douceur. Le corps reste souple pour accompagner le mouvement. Les mains doivent être fixes sans monter ni descendre pour maintenir un bon contact, la tête droite, le regard vers votre destination, les épaules dans l'axe des genoux et le dos droit.

Lorsqu'un cheval atteint l'âge de 15 ans, on dit que c'est un cheval d'âge. Certains chevaux peuvent travailler jusqu'à 20 ans. Le meilleur cheval d'âge mondial est, chaque année, consacré sur l'hippodrome de Vincennes.

Le trot assis est un excellent exercice de mise en selle pour le cavalier ayant déjà de l'expérience. Il aide le cheval à travailler dans son dos. Comme à toutes les allures, le cavalier doit toujours maintenir son équilibre. Il doit rester bien assis au fond de la selle, avoir le dos droit et tonique, les épaules en arrière et les jambes bien descendues. Il ne faut pas durcir l'assiette (fonctionnement du bassin) mais bien accompagner le cheval. Si le cheval repasse au pas ou s'arrête, c'est probablement parce que le cavalier n'est pas à sa place. On peut aussi trotter en équilibre, sans se rasseoir dans la selle, ou aller au trot arabe, en restant debout dans les étriers.

LE GALOP

IL FAUT ACCOMPAGNER le mouvement du cheval et veiller à ne pas passer en avant ou en arrière, c'est-à-dire ne pas mettre son poids sur les épaules ni sur l'arrière-main. Vous devez rester assis dans la selle, sans creuser les épaules. Rien n'est pire pour un cheval qu'un cavalier qui saute sans arrêt dans sa selle, lui faisant mal au dos à chaque choc. Certains réagissent parfois en levant la croupe, ce qui désarçonne les débutants. Le corps doit être souple, en particulier les hanches, les épaules et les coudes, et les mains doivent

garder un bon contact. Quand on a acquis une bonne aisance au galop assis, on peut aussi galoper en équilibre, c'est-à-dire en se levant légèrement au-dessus de la selle, sans pour autant se pencher en avant.

LE GALOP DE COURSE

C'EST L'ALLURE la plus rapide, une fois le cheval à pleine vitesse, le jockey reste en équilibre pour soulager le dos du cheval. S'avancer déplace le centre de gravité, ce qui aide le cheval à s'employer et à allonger ses foulées. Le jockey doit regarder vers son objectif. Les étriers seront raccourcis de manière à se mettre plus facilement en équilibre, légèrement en avant. Ce galop est réservé aux professionnels de la course et ne s'utilise pas en équitation.

Ci-dessus et ci-contre
La position en équilibre
encourage le cheval
à accélérer.

Le piaffer est un trot relevé consistant en un passage exécuté sur place. Le cheval saute d'un diagonal sur l'autre sans avancer ni reculer, restant une fraction de seconde en l'air. Un piaffer réussi ne peut résulter que d'un travail de dressage de haut niveau.

Les transitions

POUR MARCHER au pas à partir de l'arrêt ou au trot à partir du pas, il suffit d'appliquer une légère pression sur le flanc du cheval en serrant les jambes. Si l'animal ne répond pas, mettez plus de pression mais n'écartez pas les jambes pour taper. Cela ne fait que rendre le cheval insensible à la jambe, c'est-à-dire qu'il cesse de répondre. Mieux vaut un (léger) coup de cravache derrière la jambe.

« O*oooh la* » prononcé avec une intonation descendante est une commande pour ralentir ou arrêter un cheval.

LES AIDES DU DÉPART AU GALOP

POUR DEMANDER le galop à gauche, reculez la jambe droite (extérieure) derrière la sangle et appuyez votre jambe intérieure à la sangle. Inversez vos aides pour demander le galop à droite.

Veillez à conserver un bon équilibre dans vos transitions montantes ou descendantes. La transition descendante sert à passer d'une allure supérieure à une allure inférieure. Elle exige une bonne utilisation de l'assiette, qui doit se durcir, des jambes et des mains. Avant toute demande de transition il faut s'y préparer, prévoir où on va la demander et mettre le cheval en condition. La demande doit alors être nette, sans être brutale.

En haut, à droite
Ce cheval n'est pas bien arrêté puisque ses membres ne forment pas un rectangle parfait. Le cavalier a dû trop tirer sur les rênes.

Le but recherché est la régularité dans les allures et des transitions harmonieuses. Les débutants, cavaliers ou jeunes chevaux, ont tendance à perdre l'équilibre dans les transitions. Dans les transitions montantes, si la demande est excessive, le cheval se précipite dans l'allure supérieure. Dans les transitions descendantes, pour ralentir sans perdre l'impulsion, il ne faut pas relâcher les jambes. Avec un cheval bien dressé, pour demander l'arrêt, il suffit au cavalier de se redresser pour l'obtenir, avec une fermeture légère des doigts.

DEMI-ARRÊT

ON FAIT UN DEMI-ARRÊT quand on reprend son cheval pour le ralentir. C'est un bon moyen de l'amener à engager ses postérieurs et à relever son avant-main, ce qui va le rassembler et préparer à faire une transition. Reprendre consiste à fermer les doigts alternativement sur une rêne puis sur l'autre, sans jamais tirer. C'est souvent ce que l'on fait avant de demander une cession à la jambe. Il ne faut pas oublier de continuer à agir avec les jambes pour rester dans l'allure, sinon le cheval passera dans l'allure inférieure ou s'arrêtera.

L'ARRÊT

ON NÉGLIGE SOUVENT d'accorder à l'arrêt toute l'importance qu'il mérite. Obtenir un bel arrêt demande de la pratique. On commence par apprendre l'arrêt depuis le pas, puis, avec un peu plus d'expérience, on peut le demander depuis le trot et le galop. Il suffit de fermer les doigts sur les rênes en se redressant franchement, sans oublier de mettre les jambes pour que le cheval s'arrête en équilibre, en ayant les quatre membres formant un rectangle sous son corps.

Avec de la pratique et un cheval bien dressé, l'action des mains est symbolique. Le cheval à l'arrêt doit rester immobile, il ne doit ni remuer la tête ni tenter de se gratter ou de brouter, ni faire un pas de côté.

RECULER

Ce pas à deux temps n'est pas un mouvement pour les débutants. Il amène le cheval à reculer dans le calme. Il doit pour cela avoir autant d'impulsion que dans le mouvement en avant. Les membres se déplacent par diagonaux, postérieur gauche, antérieur droit et postérieur droit, antérieur gauche. Pour demander de reculer, mettez les jambes comme pour partir en avant, mais en fermant alternativement les doigts sur une rêne puis l'autre tout en pressant la jambe plus fort du côté où vos doigts sont ouverts sur la rêne. Quand le cheval a fait le nombre de pas souhaités, relancez-le en avant immédiatement.

Edward Muybridge, photographe établi à San Francisco, fut le premier à décomposer le déplacement du cheval au galop, grâce à des appareils photographiques disposés en batterie. Il publia ses travaux en 1881.

En haut, à gauche et à droite
Pour reculer, le cheval doit avoir autant d'impulsion que pour le mouvement en avant.

En bas
Bon arrêt, les membres du cheval sont alignés et la cavalière est bien assise dans sa selle.

L'azteca est une race relativement récente développée au Mexique en 1972. Cheval d'une grande noblesse et très admiré lors des rodéos mexicains, il est l'emblème de ce pays.

Le tourner

En haut
La jambe intérieure droite du cavalier incurve le cheval pour le faire tourner.

En bas
Ce cheval est sur le cercle.

LE CAVALIER expérimenté travaille en carrière (*voir* page 105) pour faire progresser ou entretenir le niveau de dressage de son cheval. Pour le débutant, la carrière est le lieu où, avec un cheval qui connaît son métier, il va apprendre les figures de base.

LE CERCLE

LE CERCLE est l'une des premières figures de manège. On commence généralement par un cercle de vingt mètres en partant de A, C, B ou E. Faire un vrai cercle et non une forme indéterminée n'est pas si simple. Souvent, le cercle prend des allures carrées quand le cheval revient sur la piste. Pour un cercle de 20 mètres, le cheval ne doit pas être sur la piste entre K et A et A et F, ou C et M et C et H.

Quand le tracé d'un cercle de vingt mètres est bon, si on part de A ou de C, on croise la ligne du milieu en X sur une carrière de 40 mètres. Un cercle effectué au milieu de la carrière doit rester rond et non devenir ovale comme c'est souvent le cas. On peut demander des cercles de quinze et de dix mètres. Dans tous les cas, il est important que le cheval s'incurve suivant le cercle et ne reste pas droit. L'incurvation du cheval, de la nuque à la queue, doit suivre la courbe du cercle. Plus celui-ci est petit, plus l'incurvation est marquée. Le cercle est un excellent exercice d'assouplissement pendant lequel cavalier et cheval doivent conserver leur équilibre et garder la même cadence. Les hanches du cavalier sont parallèles aux hanches du cheval, de même pour les épaules. Pour demander le cercle, il faut agir avec la jambe intérieure en tendant la rêne extérieure. La jambe intérieure à la sangle pousse le cheval et la jambe extérieure, derrière la sangle, maintient les hanches.

LE CHANGEMENT DE MAIN

LE CHANGEMENT DE MAIN consiste à changer de sens pour reprendre la piste en sens inverse. Cela peut être un mouvement aussi complexe qu'on le souhaite. Le plus simple est de changer de main sur la diagonale en partant de K pour aller en M en passant par X ou inversement, ou en partant de F pour aller en H, toujours en passant par X ou inversement. Après avoir rejoint la piste, il est important de bien incurver le cheval dans le coin. C'est d'ailleurs une habitude à prendre dès la détente au pas, au trot et au galop.

On peut aussi changer de main en traversant la carrière de A en C (ou sur le petit côté de B en E) ; dans tous les cas on passera bien dans les coins. Quand on change de main au trot enlevé, il faut penser à changer de diagonal en X. On reste deux temps dans la selle et on fait passer la cravache dans la main de l'intérieur ; ces figures sont des « doublers ». Le huit de chiffre est une figure élémentaire permettant d'effectuer un changement de main. On commence par faire un cercle de vingt

Ci-contre
Ce cheval est dans une bonne attitude : il est sur la main et s'emploie bien. Son dos et sa nuque sont souples et il agite sa queue.

mètres d'un côté de la carrière et on inverse les aides du cercle en passant en X pour faire le second cercle sur l'autre côté et dans l'autre sens. Le cheval doit toujours rester incurvé et ne pas marcher en ligne droite entre les deux cercles.

MISE SUR LA MAIN ET BON DÉPLACEMENT

QUAND LE CAVALIER a acquis la maîtrise des figures de base et assez d'aisance pour accompagner son cheval et obtenir un déplacement bien cadencé aux trois allures, il est prêt à passer à l'étape suivante qui consiste à agir sur la façon dont le cheval se tient. Quand le cheval avance en mettant trop de poids sur l'avant et sans engager suffisamment ses postérieurs, il n'est pas dans une bonne attitude. Pour y remédier, il va falloir le « mettre sur la main ». La « mise sur la main » s'obtient en faisant passer l'impulsion de l'arrière-main par la ligne du dessus, jusqu'à la nuque du cheval qui vient « poser » sa bouche au contact de la main du cavalier

Un cheval sur la main se déplace avec souplesse et légèreté, son arrière-main est active et il engage bien ses postérieurs. Il se porte et vient sur le mors sans résistance. Pour un spectateur placé sur le côté, la nuque du cheval est le point le plus élevé, le chanfrein est à la verticale (la tête n'est pas trop ramenée vers le poitrail – cheval encapuchonné – ni en l'air), la mâchoire est décontractée et le cheval est légèrement courbé du garrot à la nuque. Le dos est souple, la queue mobile, la croupe est active et les épaules vont

de l'avant. Quelle que soit l'allure et lors des transitions, le cheval doit garder la même attitude.

Il faut, pour cela, que le cavalier ait un bon contact avec la bouche du cheval et entretienne l'impulsion – à ne pas confondre avec la vitesse – en agissant avec les jambes. Il doit lui aussi avoir un bon équilibre, être souple et accompagner les mouvements de sa monture. Pour conserver le cheval sur la main, il faut le garder actif, bien cadencé, attentif et calme. Le cavalier capable de mettre son cheval sur la main est prêt à aborder des exercices plus difficiles, à allonger et à raccourcir la foulée ou à s'initier aux cessions à la jambe.

Apprendre à sauter

LE SAUT est un exercice stimulant et très gratifiant mais il ne faut pas l'aborder avant d'avoir une bonne assiette et d'être à l'aise aux trois allures sur le plat. Le saut demande un bon équilibre et la maîtrise de la direction.

RÈGLE DE BASE

APPRENDRE À SAUTER peut être assez difficile parce qu'on a tendance à perdre l'équilibre quand le cheval s'élève au-dessus de la barre. L'erreur à ne pas commettre est de se pencher sur l'encolure. Si au moment où le cheval saute, le cavalier appuie la main ou les pouces sur la base de l'encolure, il risque que le cheval lui casse les pouces en relevant la tête. De plus, ce geste gêne le cheval, en particulier sur les obstacles plus hauts.

LES CINQ PHASES DU SAUT

UN SAUT RÉUSSI demande une bonne maîtrise des cinq phases qui sont : la foulée d'abord, la battue d'appel, le planer, la réception et la reprise du galop.

LA FOULÉE D'ABORD

L'APPROCHE COMPREND la trajectoire choisie pour aborder l'obstacle. Le débutant commence par franchir des barres en ligne droite et son objectif doit être d'amener le cheval à sauter au milieu. Avec de l'expérience, on apprend à sauter en sortant d'une courbe ou d'un angle mais, au départ, mieux vaut rester en ligne. Il faut toujours regarder dans la direction où l'on va et tourner bien avant l'obstacle, de sorte que le cheval ait le temps de s'équilibrer. Il faut se tenir droit, en équilibre et utiliser les jambes et les mains pour guider le cheval. L'approche doit être cadencée et le cheval ne doit pas accélérer à la dernière minute en découvrant l'obstacle. On obtient les sauts les plus réussis quand le cheval semble à peine modifier sa foulée lors

En bas
La foulée d'abord est la première phase du saut. Les débutants commencent par aborder les obstacles en ligne droite.

En haut, à droite
Le cheval relève l'encolure lors de la battue d'appel

En bas, à droite
Ce cavalier a quelques difficultés de stabilité.

des cinq phases. Il faut calculer sa trajectoire de façon à ce que le cheval puisse prendre sa battue d'appel à la bonne distance de la barre. Il est d'usage de placer une barre d'appel pour les débutants. Le cheval va avancer la tête pour prendre la mesure de l'obstacle. Vous devez être en équilibre pour soulager l'arrière-main de votre poids, sans toutefois vous pencher sur les épaules. Vos talons doivent être bien descendus dans les étriers. L'approche est cruciale, si elle est mauvaise, le saut sera raté.

LA BATTUE D'APPEL

LA QUALITÉ DE L'APPROCHE détermine celle de la foulée d'abord et de la battue d'appel. Le cheval va avancer la tête, aussi faut-il avancer les mains tout en gardant un contact pour ne pas le gêner sur son avant-main. L'engagement des postérieurs va l'aider à faire monter son avant-main et ses jarrets vont le propulser

LA RÉCEPTION

LES ANTÉRIEURS s'étendent vers l'avant et se posent l'un après l'autre. Le cheval relève la tête et redresse son encolure pour se rééquilibrer puis pose les postérieurs. Le cavalier doit progressivement se redresser sans toutefois faire porter son poids sur l'arrière. Une faute fréquente, si le cavalier est déséquilibré, consiste à piquer du nez ou à tomber d'un côté, ce qui a pour effet de déséquilibrer le cheval dans les deux cas.

LA REPRISE DU GALOP

C'EST UN MOMENT important qui, en compétition, se confond avec l'approche

Quelle que soit l'allure à laquelle vous allez, pensez à toujours bien descendre les talons. Cela vous aidera à trouver votre équilibre.

En haut, à gauche
Pendant le planer, le cavalier doit regarder l'obstacle suivant.

Au centre, à gauche
Le cheval redresse la tête au moment de la réception pour retrouver son équilibre.

Ci-contre
La reprise du galop est l'ultime phase du saut.

Ci-dessous
Mauvais abord de l'obstacle. Le cheval risque de refuser de sauter et de s'arrêter.

en avant. Meilleure sera votre position, plus vous l'aiderez dans son effort.

Deux fautes sont fréquentes : la première étant de précéder le saut. Le cavalier avance trop son buste, plaçant son poids sur les épaules du cheval, ce qui va le déséquilibrer et lui imposer un effort supplémentaire qu'il refusera éventuellement de fournir. La seconde faute consiste à être en retard sur le saut : quand le cheval s'élève, le cavalier est encore sur l'arrière. De plus, le cavalier dans cette position a tendance à s'accrocher aux rênes et à tirer sur la bouche du cheval. La synchronisation est primordiale pour la réussite des sauts.

LE PLANER

C'EST LE MOMENT où le cheval est en l'air, au-dessus de l'obstacle. Il arrondit son dos, étend sa tête et son encolure et ramène ses antérieurs et ses postérieurs sous lui. Quand le saut est bon, on dit que le cheval s'arrondit bien. Il est très important que le cavalier soit bien à sa place, jambes serrées, et qu'il regarde loin devant lui sans baisser la tête quand le cheval saute.

de l'obstacle suivant. Au moment de la réception les jarrets du cheval viennent sous lui et il faut reprendre un galop cadencé aussi rapidement que possible. Le cavalier doit s'être redressé et être prêt à aborder l'obstacle suivant.

LA POSITION DANS LE SAUT

POUR SAUTER, on raccourcit les étriers afin de légèrement plier les genoux pour se mettre en équilibre. Il est important de rester bien en place et d'accompagner le mouvement, exactement comme sur le plat. Le centre de gravité du cavalier doit rester aligné avec celui du cheval. Il faut conserver le dos droit et donc se pencher à partir des hanches et non de la taille.

Le cavalier doit regarder droit devant lui l'obstacle à franchir. Les mollets doivent fermement encadrer le cheval et les talons être bien descendus. Les rênes sont un peu plus courtes que pour le travail sur le plat. Le cavalier doit avancer les mains au moment où le cheval étend son encolure tout en conservant le contact. Avant de sauter, les débutants ont intérêt à se familiariser avec la position en équilibre aux trois allures.

Ci-dessous
Ce jeune cavalier montre la position à adopter au moment du franchissement de l'obstacle. Il déplace son centre de gravité pour ne pas gêner le cheval.

En haut, à droite
Le passage de barres au sol est un excellent travail préparatoire au franchissement d'obstacles.

APPRENDRE À COMPTER LES FOULÉES

SAVOIR COMPTER les foulées est extrêmement difficile et n'est pas à la portée des débutants. Il faut de l'expérience et donc du temps pour y arriver. Cela permet de voir s'il faut raccourcir ou allonger les foulées pour que la battue d'appel intervienne au meilleur endroit possible. C'est très utile pour aborder différents types d'obstacles : verticaux, obstacles larges ou oxers, et rivières – chacun demandant une approche légèrement différente. Le plus sage pour le débutant est de faire confiance

au cheval, de s'en remettre à lui pour calculer son approche, et de ne pas le gêner.

PASSER DES BARRES AU SOL

PASSER DES BARRES au sol est un excellent exercice pour apprendre à compter les foulées. Tous les débutants devraient s'y entraîner avant de sauter. Quand on découvre ce travail, il faut placer trois ou quatre barres parallèles sur le sol, espacées de la largeur d'une foulée de pas. On réglera par la suite l'écartement des barres en fonction de la longueur de la foulée au trot. Élargissez encore l'écart entre les barres et franchissez-les au trot en équilibre. Quand vous êtes à l'aise sur cet exercice, espacez encore davantage les barres en plaçant la dernière, qui devient une barre d'appel, à environ un mètre devant une croix. Les distances exactes varient d'un cheval à l'autre et se calculent en fonction de leurs foulées, la barre d'appel se place une foulée devant l'obstacle.

L'usage de barres facilite non seulement l'approche mais aussi le saut. Quand la démarche du saut vous sera plus familière, conservez uniquement la barre d'appel. Soyez vigilant et contrôlez votre trajectoire d'approche. Il est bon d'apprendre à sauter au trot, ce qui permet de décomposer le mouvement. Quand vous n'aurez plus de problème d'équilibre lors du franchissement

En haut, à gauche
*Franchir des barres
surélevées apprend au
cheval à lever les membres.*

Ci-contre
*Franchir ce type d'obstacle
en compétition demande
des années de travail
et d'entraînement, du
cavalier comme du cheval.*

Ci-dessous
*Franchissement
d'une barre verticale.*

En bas, à gauche
*Franchissement d'une
croix, suivie d'une barre
verticale.*

de l'obstacle ou à la réception, il sera temps de sauter au galop. Continuez à utiliser une barre d'appel, mais en la plaçant à environ 5,50 m de l'obstacle. Au départ, sautez des croix, c'est un obstacle facile pour le cheval qui vous aidera à passer bien au milieu. Placez par la suite une barre verticale derrière la croix pour élargir l'obstacle ; c'est plus facile que d'aborder directement un vertical.

Une fois à l'aise sur le franchissement d'un obstacle au galop, l'étape suivante consiste à apprendre à enchaîner les obstacles. On commence par passer un double au trot, c'est-à-dire deux obstacles identiques en ligne droite, distants d'une foulée (environ 5,50 m à 6 m selon la hauteur).

Il est important d'aller sur le premier obstacle sans hésiter et de passer bien au milieu pour que le cheval passe le second. Il faut déjà penser au second saut alors qu'on franchit la première barre.

Tout l'art est de conserver un excellent équilibre afin de se remettre en place dès la réception du premier saut pour préparer le second. Pour franchir le double au galop, il faudra espacer les deux obstacles d'environ 7,30 m et régler les barres d'appel en fonction.

Pour commencer à sauter deux obstacles indépendants, placez le premier d'un côté de la piste et le second de l'autre. Continuez à placer des barres d'appel si vous pensez toujours en avoir besoin. Franchissez le premier obstacle normalement, comme vous avez appris à le faire, mais en pensant déjà au second. Reprenez votre position dès la réception et regardez votre deuxième

obstacle pour y amener le cheval en suivant la meilleure trajectoire possible. Vous augmenterez progressivement le nombre d'obstacles, leur hauteur et leur difficulté.

Comme le dressage, le saut demande une grande précision, des réactions rapides et un bon jugement. Il est inutile de vouloir progresser trop vite, il faut prendre son temps pour acquérir des bases solides qui vous permettront d'aller plus loin. Ne cherchez pas à sauter haut tant que vous n'êtes pas parfaitement à l'aise sur de petits obstacles. Vous ferez davantage de progrès en soignant la qualité de votre position en franchissant des cavaletti (obstacles espacés d'une foulée).

P rotégez les membres de votre cheval avec des guêtres pour qu'il ne se fasse pas mal s'il fait tomber une barre.

L'éducation du jeune cheval

IL EST GÉNÉRALEMENT souhaitable de procéder en deux temps et faire suivre le débourrage d'une période de repos. On pourra ensuite entreprendre l'éducation proprement dite. En général, le débourrage se fait quand le cheval a deux ou trois ans, en été, afin de pouvoir le mettre au pré ensuite et de le ramener à l'écurie au printemps suivant. Cette période de repos est essentielle quand le débourrage se fait à deux ans, pour donner le temps au jeune cheval de grandir et de mûrir, tant sur le plan physique que mental.

fait inévitablement quelques crises, comme un enfant. Il faut savoir réagir avec fermeté et sans brutalité, ce qui est vrai avec des individus de tous âges. L'animal doit apprendre la différence entre ce qui est acceptable et ce qui ne l'est pas, dans tous les domaines de son existence.

LES PREMIERS PAS

L'ÉDUCATION COMMENCE dès la naissance : le cheval doit apprendre l'obéissance et à se laisser approcher et soigner par l'homme. Il faut le toucher et le marcher en main dès que possible. Passez les mains sur tout son corps, sous le ventre, entre les membres que vous palperez, touchez sa queue, caressez-lui la tête. Apprenez-lui à donner ses pieds et tapotez la sole du plat de la main afin de le préparer au travail du maréchal ou simplement à avoir les pieds curés. N'essayez pas d'être discret en sa présence pour ne pas l'effrayer, comportez-vous normalement pour qu'il s'habitue à l'univers bruyant des hommes.

Habituez-le autant que possible à tout ce qui est terrifiant pour un poulain : les voitures sur la route, le bruit de portes qui claquent, une radio allumée, du linge qui vole au vent, les chiens et les enfants.

En haut, à droite
Un jeune cheval se fatigue vite et risque de donner des signes de mauvaise humeur. Il faut le traiter avec douceur et fermeté.

Ci-dessus
Le poulain doit passer du temps avec sa mère, mais aussi s'habituer aux humains.

En bas, à droite
Plus le poulain est habitué tôt à de nouvelles expériences, plus son éducation sera aisée.

SELON LES RACES et les individus, un cheval débourré à trois ans est parfois prêt à entamer son éducation sans période de repos. De toute évidence, le monde des courses, où les chevaux commencent leur carrière à deux ans, fait exception à cette règle. Comme toujours avec les chevaux, il faut prendre le temps de les observer individuellement pour évaluer ce qui conviendra. Les règles générales ne sont que des guides. Le rythme de développement n'est pas le même d'une race à l'autre. Il est parfois préférable d'attendre qu'un cheval ait trois ou même quatre ans pour commencer à lui apprendre son métier.

Il ne faut jamais oublier qu'un jeune cheval est un gros bébé et qu'il a toute sa vie devant lui. Ses réactions sont toutes différentes de celles d'un cheval adulte. Il se fatigue vite,

S'il ne s'effarouche déjà plus de tout cela quand vous commencez son éducation, votre tâche sera plus facile. Il vaut mieux accoutumer le jeune cheval à la vie dans une écurie, peut-être en le rentrant le soir pour le repas afin qu'il s'habitue aux espaces clos. Quand il est au box, apprenez-lui les bonnes manières : à reculer quand vous le lui demandez, ou à se pousser. Guidez-le au licol autant que possible, et si vous envisagez de le présenter à des concours, apprenez-lui à marcher et à trotter en main, et à rester à l'arrêt.

ÉVEILLER UN JEUNE CHEVAL

PRÉSENTER UN JEUNE CHEVAL à un concours peut être une expérience des plus mouvementées pour ceux qui l'entreprennent mais ce sera pour lui un excellent apprentissage. Il apprendra à se conduire avec les autres chevaux, premières rencontres très excitantes avec ses congénères, et découvrira toutes sortes de choses étonnantes que vous ne pouvez lui montrer dans une écurie. Ne voyagez jamais seul avec un cheval. Habituez-le au préalable aux protections afin que cela ne l'inquiète pas inutilement. L'usage de couverture pour les jeunes chevaux et les poulains présente des avantages et des inconvénients. Il est bon de les y habituer pour qu'ils ne soient ni gênés ni effrayés par la présence de tout ce tissu sur le dos et les flancs. Toutefois, à moins que le climat ne soit vraiment rigoureux, ne les habituez pas trop tôt aux couvertures d'extérieur.

Il vaut mieux qu'il passe l'hiver dehors. Du moment qu'il est bien nourri et dispose d'un abri, il n'y a aucune raison de le couvrir. Il est d'ailleurs inutile de mettre des couvertures aux chevaux qui ont leur robe d'hiver. Il ne faut pas les surprotéger. Il faut par contre être prudent si pluie et vent fort se prolongent. Dans ces conditions, un cheval, jeune ou adulte, risque de prendre froid. Le mieux est de le rentrer et de le sécher.

Un cheval dont les testicules ne sont pas descendus dans les bourses est ce qu'on appelle familièrement un cheval pif. En bon français c'est un cheval cryptorchide ; ou monorchide quand un seul testicule est descendu.

En haut, à gauche
Pour habituer le poulain à se laisser guider au licol, commencez par lui faire suivre sa mère.

Ci-contre
L'herbe est verte et riche, ces poulinières et leurs petits sont heureux au pré.

Ci-dessous
Les jeunes apprendront les bonnes manières en regardant leurs aînés, c'est pourquoi on les fait marcher ensemble.

PRÉPARATION DU JEUNE CHEVAL

RIEN NE REMPLACE un bon travail préparatoire pour entamer, dans de bonnes conditions, le dressage d'un jeune cheval. S'ils ont déjà appris l'obéissance et sont habitués à vivre avec les hommes, le travail est facilité. Il vaut mieux que les premières leçons se passent dans un lieu clos, rond de longe ou partie du manège séparée par une barrière. Conduisez-le au milieu de l'espace prévu et rassurez-le. Laissez-le aller au bout de la longe et marcher sur le cercle.

Mettez-lui des guêtres fermées ou des bandes de travail.

Au départ votre objectif est de lui apprendre à répondre à la voix. L'usage de la chambrière n'est pas nécessaire pour les premières leçons. Utilisez votre voix et le langage corporel pour le faire avancer. Regardez-le bien et dite : « trotte », en insistant sur la première syllabe et avec beaucoup d'entrain. Répétez le mot s'il ne répond pas. Si la deuxième sollicitation est sans effet, faites des appels de langue et dirigez-vous l'air déterminé vers son arrière-main tout en continuant à le regarder dans les yeux.

Faites-le trotter en rond jusqu'à ce qu'il semble se détendre, sa queue devrait balancer, son trot va devenir plus régulier, il va abaisser la tête et l'encolure, commencer à mâchouiller et rétrécir les cercles. Demandez-lui le pas en disant « au pas »

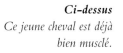

Ci-dessus
Ce jeune cheval est déjà bien musclé.

Ci-contre
Le travail en longe peut être effectué avec des longues rênes.

que vous prononcerez en allongeant le « au » et avec une intonation descendante. Vos yeux, jusque-là dirigés sur l'arrière-main, reviennent vers les épaules.

Recommencez en donnant les mêmes instructions : « trotte », « au pas » et « oh la » pour l'arrêt. N'oubliez pas de changer de main (c'est-à-dire de tourner dans les deux sens). Quand il répond bien à la voix, vous pouvez passer à l'étape suivante.

C'est le moment de lui mettre une bricole et le surfaix de travail, que vous poserez sur une couverture type western. En se déplaçant, il sentira la couverture contre lui, ce qui prépare la découverte de la selle. Une fois qu'il est habitué à ce harnachement, c'est le moment de lui faire découvrir le caveçon et le mors. Avant de lui mettre le filet, vérifiez qu'il est à sa taille et chauffez le mors dans votre main. Réglez le filet sans inquiéter le cheval.

LONGER

LE TRAVAIL EN LONGE s'effectue normalement avec un enrênement élastique mais, au début, mieux vaut continuer à travailler avec seulement la longe. Le cheval peut ainsi s'habituer au filet et au mors sans être distrait par autre chose. Il est préférable d'attacher la longe au caveçon au départ. Quand vous en serez à utiliser l'enrênement, veillez à ce qu'il ne restreigne pas les mouvements du cheval. Il est important qu'il apprenne à être en avant et qu'il en ait envie.

L'enrênement a pour fonction d'encourager le cheval à s'étendre et à utiliser son dos tout en

La selle doit être essayée sans tapis afin que l'on puisse vérifier si elle convient au cheval. Il faut ensuite vérifier que le poids du cavalier ne la fait pas frotter contre le garrot et la colonne vertébrale et s'assurer qu'il n'y a pas de point de frottement douloureux pour le cheval.

Ci-contre
Le travail aux longues rênes habitue le cheval à l'action du mors et des rênes.

Ci-dessous
Quand le cheval s'est habitué aux longues rênes et prend confiance en lui, faites-lui découvrir les petites routes calmes.

restant détendu et souple. Quand vous commencerez à longer, il vous faudra une chambrière. Laissez le cheval sentir et regarder la longe que vous allez fixer au caveçon ou au filet. C'est un excellent exercice pour le cheval si le longeur est compétent, ce qui ne s'acquiert qu'avec le temps. Il est souhaitable d'apprendre au jeune cheval à bien avancer avant de lui mettre un cavalier sur le dos. Surveillez que le cheval s'emploie ; il ne doit tomber ni sur l'arrière, ni sur l'avant. C'est un travail difficile et intensif, aussi ne faut-il pas trop le prolonger au départ.

LES LONGUES RÊNES

LES LONGUES RÊNES sont un excellent moyen d'habituer le cheval à l'action du mors avant de le monter. Il est plus facile de s'y mettre à deux, une personne avançant en se tenant au niveau de la tête du cheval durant son initiation pour aider à le diriger et le rassurer s'il donne des signes d'inquiétudes. Avant d'entreprendre ce travail, il faudra habituer le cheval à sentir des rênes sur son dos pour qu'il ne soit pas effrayé par le frottement. Il vous suffira ensuite de passer vos rênes dans l'anneau du mors et du surfaix, et en route.

Les rênes doivent être assez longues pour qu'il y ait une distance de sécurité entre vous et le cheval. Faites-le marcher en gardant toujours vos distances de manière à être hors de portée s'il s'énerve ou prend peur et décroche un coup de sabot ou veut mordre. Commencez dans un terrain clos puis prenez les petits chemins. Vous pouvez aussi longer le cheval avec les deux rênes longues mais il faudra veiller à ce que la rêne extérieure ne vienne pas se prendre sous la queue. Cela pourrait provoquer une réaction des plus explosives.

Le langage quasi verbal est le moyen le plus simple de communiquer avec le cheval. Quant à lui, il utilise tout son corps et sait se faire entendre à qui souhaite l'écouter. Soyez attentif aux oreilles, notamment, elles sont chez lui un extraordinaire moyen de communication avec vous.

En haut
Il faut y aller doucement pour débourrer un cheval : se coucher sur son dos l'habitue au poids et évite de lui faire peur.

En bas, à droite
Une deuxième personne tient le cheval pendant que la cavalière lui apprend à être monté.

DÉBOURRAGE

QUAND LE CHEVAL s'est habitué au travail en longe et aux longues rênes, il est prêt à accepter un cavalier. Le travail préparatoire est crucial et il serait dommage de ne pas lui consacrer le temps nécessaire. Si le dressage à pied a été poussé, le travail en selle sera facilité. Sellez-le en douceur et trottez-le en longe, étriers pendants, pour qu'il s'habitue à les sentir battre contre ses flancs. Une fois tranquillisé, mettez-lui le filet et demandez à quelqu'un de vous donner la jambe pour vous aider à vous coucher sur la selle. Quand tout se passe bien, montez pour de bon, en douceur, sans utiliser les étriers. Souvent, les gens aiment mieux que le cheval soit tenu en longe. Quant à moi, je préfère que le cavalier soit aux commandes.

En selle, soyez calme et prenez votre temps. Pour débourrer un cheval, il faut être assez expérimenté pour anticiper ses réactions et réagir en conséquence. Marchez-le jusqu'à ce qu'il s'installe dans l'allure. Le cheval n'a en principe pas de réactions violentes lors de la première séance, c'est plutôt lors de la troisième, quand il n'est plus désorienté par cette nouvelle expérience, qu'il tente de faire des bêtises. Dès la troisième séance vous devez pouvoir aller au pas et au trot, obtenir l'arrêt et commencer à « conduire », démarche préparée par le travail avec les longues rênes.

Faites preuve de tact et ayez la main légère. Doublez toute action de main d'une action de jambe. Quand le cheval va aux trois allures et s'arrête, vous pouvez vous aventurer en extérieur. Le meilleur moyen est de partir avec un cheval expérimenté dont la présence rassurera le plus jeune.

Au départ, restez sur les petits chemins ou dans la campagne. Le cheval doit apprendre à avancer, à rencontrer des obstacles et à réagir calmement. Il est important qu'il ne s'ennuie pas et ne devienne pas vite blasé.

Quand ce travail est acquis, que le cheval réagit bien, c'est le moment de le mettre au pré pendant quelques mois pour qu'il finisse de grandir. Cette période de repos fait partie intégrante de son éducation. S'il a trois ou quatre ans, qu'il est déjà assez mûr dans sa tête et que sa croissance est achevée, vous pouvez aborder la suite de son éducation. Variez les exercices et les figures et faites-lui découvrir autant de choses que possible.

DES EXERCICES SIMPLES

LES QUELQUES EXERCICES qui suivent vous permettront tous de faire progresser votre cheval. Travaillez sur le cercle ou la serpentine. La cession à la jambe est un excellent déplacement latéral qui améliorera sa souplesse. N'en demandez pas trop au départ, le jeune se fatigue et se lasse vite.

Cession à la jambe : quittez la piste au milieu du petit côté et demandez-lui de rejoindre la piste en utilisant une jambe isolée. C'est un excellent moyen de lui apprendre à répondre à la jambe. La jambe extérieure doit être en place pour apporter un soutien afin qu'il ne tombe pas sur l'épaule.

Quart de tour : cet exercice également apprend au cheval à répondre à la jambe. Commencez par des quarts de tour avant d'aborder le demi-tour.

Barres au sol, barres surélevées : passer sur des barres au sol ou légèrement surélevées apprend au cheval à bien lever les jambes et constitue un bon exercice d'assouplissement du dos.

Le reculer : c'est assez difficile pour la plupart des chevaux. Les premières fois, demandez à quelqu'un de le pousser en arrière quand vous utilisez les aides. Cela l'aidera à comprendre ce qu'on attend de lui.

PRUDENCE ET SÉCURITÉ

CETTE BRÈVE présentation du débourrage et de l'initiation du jeune cheval a pour but de donner une idée du travail à accomplir. Il y a beaucoup d'autres exercices très utiles, à pied ou en selle, qui ne sont pas évoqués ici. Le cavalier débutant ou peu expérimenté ne doit en aucun cas entreprendre seul le débourrage ou l'éducation d'un jeune cheval.

En haut
Sauter en longe apprend au cheval à bien lever les pieds.

Ci-dessous
Les petits sauts sont un bon exercice apprenant au cheval à soutenir son dos et lever les pieds.

Les compétitions

IL EXISTE TOUTES SORTES de compétitions destinées à des cavaliers s'intéressant à différents aspects de l'équitation. Cette partie constitue une présentation rapide des principales disciplines sans prétendre à l'exhaustivité. À coté du dressage, du saut d'obstacle et du concours complet, il ne faut pas oublier la monte en amazone, l'équitation Camargue, le TREC, la voltige et l'attelage. Quelle que soit la discipline qui vous intéresse, la première chose à faire est d'étudier les règlements diffusés par la Fédération Française d'Équitation. Ces compétitions ne s'adressent pas uniquement aux professionnels : en fonction de la catégorie, elles donnent l'occasion aux jeunes cavaliers de se tester tout en faisant leurs premières sorties.

et sont accessibles aux titulaires du galop 5 de cavalier. La réussite de deux parcours officiels de 5ᵉ catégorie permet de valider la partie saut d'obstacles du galop 6. Il y a beaucoup de chemin à parcourir pour passer de la 5ᵉ catégorie à la 1ʳᵉ catégorie, épreuves de niveau national et international.

Les centres équestres peuvent organiser des concours d'entraînement dans le respect du règlement de la F. F. E. Ces événements locaux donnent l'occasion aux jeunes chevaux et aux cavaliers manquant encore d'expérience de débuter. Il suffit d'avoir une licence de pratiquant. Leur niveau d'exigence demande moins de connaissances que les concours officiels de 5ᵉ catégorie. Pour apprendre dans des conditions respectant toutes les règles de sécurité, il faut s'inscrire dans un établissement qui vous garantit la supervision d'un moniteur diplômé d'État, personne habilitée à donner des cours d'équitation.

LES PARCOURS

LES PARCOURS offrent un spectacle coloré. Les obstacles, au nombre de huit à quatorze, sont généralement des barres en bois peintes de couleurs vives et agrémentées de haies amovibles. Selon leur configuration, on distingue les obstacles droits, simples ou doubles, faits de barres, de planches ou

En haut, au centre, et en bas, à droite
Du dressage à l'obstacle en passant par le rodéo, chacun peut trouver un type de compétition correspondant à ses goûts.

Ci-dessous
En C.S.O., cheval et cavalier sont jugés sur des critères objectifs : la vitesse et le franchissement des obstacles.

LE SAUT D'OBSTACLES

L'HISTOIRE de cette discipline sera abordée plus en détail dans la partie intitulée « Des chevaux et des hommes ». L'objet est ici de donner une idée des enjeux du saut d'obstacles.

En France, le règlement des concours, quelle que soit leur catégorie, est établi par la Fédération française d'équitation et il faut être titulaire d'une licence de compétition pour y participer. Les concours de 5ᵉ catégorie proposent des parcours d'initiation aux débutants

de murs, mais aussi les oxers, les obstacles de volée : fossés ou rivières.

L'aménagement du parcours est un art exigeant des talents de paysagiste puisque les obstacles sont généralement agrémentés de plantes et de haies, mais aussi la compétence technique d'un chef de piste.

En 5ᵉ catégorie, on se contentera d'une combinaison double, généralement deux verticaux distants d'une foulée. Plus l'on progresse, plus les difficultés augmentent. Les combinaisons triples remplacent les doubles et comprennent souvent une difficulté au milieu. L'élaboration du parcours est un travail de spécialiste. Si, aux yeux du profane, les obstacles semblent disposés au hasard, il n'en est rien. Le chef de piste aura soigneusement mesuré

les distances les séparant et réfléchi aux difficultés présentées par les trajectoires à suivre entre les obstacles.

L'ÉPREUVE

CERTAINS pensent que le saut est la discipline jugée avec la plus grande équité puisque seuls la réussite du parcours et le temps comptent. La manière dont cheval et homme s'acquittent des difficultés n'est pas notée. Quelques épreuves de hunters tiennent compte du style mais elles sont rares en France. Quel que soit le niveau de l'épreuve, son déroulement est identique. Les cavaliers font une reconnaissance à pied du parcours qui leur permet de calculer exactement le nombre de foulées nécessaires à leur

cheval et l'angle auquel ils pourront prendre les tournants pour venir aborder les obstacles.

Après la reconnaissance, les épreuves commencent. Le premier parcours est généralement en temps libre alors que le second sera chronométré. Il faut avoir effectué un sans faute, c'est-à-dire avoir subi ni refus ni fait tomber de barres sur le premier pour se qualifier pour le second. Quand il y a un deuxième parcours, ou épreuve de barrage, il est moins long que le premier mais les barres sont plus hautes. Le gagnant est celui qui le réussit dans le meilleur temps. Ceci n'est qu'une brève présentation des épreuves de saut et si vous envisagez découvrir la compétition, il vous faudra soigneusement lire les règlements de la catégorie vous intéressant.

Ci-dessus
Les parcours testent autant les qualités athlétiques du cheval que les capacités et l'intelligence de son cavalier.

Au centre
Passage d'un oxer, les barres sont plus hautes pour l'épreuve de barrage.

Ci-dessous
Oreilles en avant, ce cheval fait confiance à son cavalier et n'a pas peur de l'obstacle.

Concours complet

CETTE DISCIPLINE des plus exigeantes associe le dressage, le saut d'obstacles et le cross. Les chevaux doivent avoir un haut niveau d'entraînement, une grande énergie et être rapides et soumis. Les épreuves peuvent être officielles ou à l'initiative d'un club.

et de sa monture ; elle demande à l'un comme à l'autre un gros travail de fond et d'entraînement, la mise en condition du cheval n'étant pas une mince affaire. Malheureusement, il faut savoir que le concours complet est un sport onéreux dès les premiers niveaux en compétition officielle.

En haut
Le cheval de complet est un athlète polyvalent.

Ci-dessous
Le concours complet n'est pas une discipline pour les débutants mais il existe des épreuves de différents niveaux.

CHOISIR UNE ÉPREUVE

IL VAUT MIEUX s'initier à ce type de compétition sur de petites épreuves non officielles. La différence entre le plus gros des obstacles d'une épreuve d'entraînement et le plus petit d'une épreuve officielle est assez considérable. Les derniers étant plus gros et de construction plus massive.

Cette discipline est un excellent sport qui met à l'épreuve les compétences du cavalier

LES NIVEAUX DE COMPÉTITION

IL EXISTE des compétitions à différents niveaux, autant pour les cavaliers (minime, cadet, junior, senior) que pour les chevaux. Au plus haut niveau, national et international, il ne faut pas avoir froid aux yeux ! Les épreuves se déroulent sur trois jours mais des épreuves d'entraînement peuvent être organisées sur un ou deux jours. La première est une reprise de dressage, suivi d'une épreuve de fond et enfin du saut d'obstacles, dans cet ordre. Lorsque le concours se déroule sur trois jours, au plus haut niveau, l'épreuve de fond du deuxième jour se divise en quatre phases : le cross-country est précédé d'un premier parcours routier sur chemin en herbe, en terre ou goudronné, d'un steeple-chase et d'un second routier. Pour les quatre premières séries, l'épreuve de fond se réduit au cross-country.

LE DRESSAGE

L'ÉPREUVE DE DRESSAGE est difficile, sans toutefois être aussi exigeante que les reprises académiques. Elle est conçue pour montrer que le cheval a non seulement le courage, l'énergie et la vitesse requis pour aborder les obstacles du cross-country, mais aussi le calme et la soumission nécessaire pour bien se tenir dans la carrière.

Le barème de notation appliqué au concours complet permet seulement de cumuler des points négatifs. Les différentes épreuves engendrent donc tour à tour un système de pénalité. En ce qui concerne le dressage, les figures sont notées de un à dix et le total obtenu par le cavalier est ensuite déduit du maximum de points qu'il est possible d'obtenir au cours de la reprise.

L'équitation est un sport qui a pour particularité de faire courir ensemble, depuis 1975, les femmes et les hommes. En 1984, Darie Boutboul fut la première femme jockey a remporter le tiercé.

LE CROSS-COUNTRY

L'ÉPREUVE DE FOND est l'épreuve la plus dure. La hauteur des obstacles, la longueur du parcours et la vitesse requise augmentent avec le niveau des compétitions.

Les obstacles de cross sont fixes et en dur puisqu'ils s'inspirent des difficultés naturelles : troncs, fossé ou gué, haies, contre-haut et contre-bas, buttes, pianos et combinaison de plusieurs difficultés. Les obstacles sont construits et conçus pour paraître aussi impressionnants que possible aux yeux du cavalier mais, souvent, le cheval n'a aucune inquiétude et les saute sans difficulté. Il y a en général des options moins difficiles sur certains obstacles, mais leur choix allonge le parcours. La vitesse n'est pas suffisante pour réussir un parcours. Comme à l'obstacle,

il faut le reconnaître en le faisant plusieurs fois à pied afin de réfléchir à la technique convenant le mieux à l'abord de chaque difficulté et de calculer la meilleure approche possible.

Le parcours exige de la vitesse mais les cavaliers trop rapides sont pénalisés pour leur manque de prudence. Inversement, ceux qui dépassent le temps alloué perdent aussi des points. En cross, le premier refus coûte vingt points de pénalité, le second, quarante et le troisième est éliminatoire. Une chute fait prendre soixante points et la seconde est éliminatoire, de même qu'une erreur de parcours.

L'ÉPREUVE D'OBSTACLES

LE SYSTÈME de pénalités est simple : chaque barre tombée fait perdre quatre points, le premier refus en fait perdre trois, le second six et le troisième est éliminatoire. Poser un membre dans l'eau (rivière, fossé ou autre) vaut quatre points. Une chute du cavalier ou du cheval entraîne l'élimination. D'autres erreurs : partir avant la cloche, se tromper de parcours, ne pas franchir la ligne d'arrivée et recouper sa trajectoire – entraînent également des pénalités.

Les obstacles se répartissent en deux catégories, comme précédemment, les droits et les larges. Les premiers sont les plus difficiles parce que la ligne d'appel ne facilite pas le calcul de la distance où prendre la foulée d'appel ; ce qui est plus facile avec les obstacles larges. Un des obstacles les plus difficiles est l'oxer, deux verticaux parallèles, qui associent la hauteur et la largeur. Les verticaux peuvent être des murs, des droits en planches ou des barres ; les obstacles de volée seront les doubles, les rivières, les fossés...

Ci-dessus
Les obstacles de cross sont en dur et sont fixes.

En haut, à gauche
La première épreuve du concours complet est le dressage.

En bas, à gauche
Un excellent cheval de jumping n'a pas toujours l'énergie requise pour le complet qui se déroule sur trois jours et comprend plusieurs épreuves.

Cross et autres compétitions

L ES CROSS correspondent à l'épreuve de cross-country du concours complet. Ils sont souvent organisés par les centres équestres ou les poneys-club afin d'initier leurs cavaliers à la compétition. Les parcours sont moins difficiles et plus courts que ceux des concours complets. Il en existe de différents niveaux et sont plutôt organisés en automne et en hiver.

En haut
Les obstacles des parcours d'entraînement sont moins hauts que ceux des épreuves officielles.

Ci-contre
Les épreuves peuvent être chronométrées. Parfois il suffit de faire le parcours en un temps donné.

En bas
Ces deux concurrents participent à une course de cross par équipes.

La police montée canadienne offrit à la reine d'Angleterre Burmese, une jument noire. Pendant les années 1970, celle-ci fut la monture favorite d'Élisabeth II toujours présente lors des cérémonies officielles.

LES CROSS

LA PLUPART DES ÉPREUVES sont jugées en fonction d'un temps de parcours optimum calculé de sorte

que le cavalier et sa monture soient obligés d'aller bon train, mais sans commettre d'imprudences. Le vainqueur est celui dont le temps se rapproche le plus du temps optimum et qui n'a pas commis de faute. Certaines épreuves sont jugées contre la montre, ce qui, à ce niveau, n'est pas une bonne démarche pour les débutants. Souvent, les jeunes cavaliers vont trop vite, et, même si cela passe sur les plus petits obstacles, il leur arrive des malheurs dès que ceux-ci deviennent plus importants.

Une autre manière de juger est d'introduire dans le parcours le passage d'un portail qu'il faudra ouvrir et refermer aussi vite que possible. Le gagnant est celui qui termine le parcours le plus vite.

LES CROSS PAR ÉQUIPES

LES CROSS PAR ÉQUIPES se courent par groupes de quatre cavaliers accomplissant le parcours ensemble. Ceux-ci sont souvent assez longs, en particulier dans les épreuves contre la montre. La plupart du temps, l'un des obstacles doit être franchi par au moins trois des concurrents en même temps. Les parcours font généralement entre 3,2 et 4,8 km et sont gérés par les clubs qui ont leur propre règlement.

George Washington, qui sera élu premier président des États-Unis en 1789, avait un cheval appelé Nelson qu'il monta durant la révolution. américaine. Le cheval l'accompagna lorsqu'il se retira au Mont Vernon.

Ci-contre
Les obstacles de showing, peu élevés, ne présentent pas de véritables difficultés.

Ci-dessous
Les showing pour les juniors préparent les enfants à entrer dans le monde de la compétition : cette petite cavalière trotte son poney devant les juges.

LE CONCOURS DE MODÈLES ET ALLURES

LE CONCOURS de modèles et allures n'est pas, à proprement parler, une épreuve sportive mais plutôt une présentation visant à faire admirer la conformation et la beauté des chevaux jugés. En France, ces événements sont organisés par les Haras nationaux et concernent tous les types de chevaux, quels que soient leur race et leur âge.

Dans les pays anglo-saxons, il existe des variantes à ces concours réservées aux enfants. Ces épreuves mettent davantage en valeur le couple formé par le cavalier et sa monture et préparent ainsi les enfants à aborder les compétitions de niveau confirmé. Dans les épreuves de hunter, par exemple, il s'agit d'effectuer un petit parcours d'obstacles comprenant un portail, une haie vive et diverses barres. Les poneys sont jugés sur l'élégance de leur saut. Après avoir terminé, tous les participants reviennent sur la piste pour faire un tour de présentation, marchant, trottant et galopant ensemble. Ensuite, ils forment une ligne et chaque enfant donne une courte représentation pour faire admirer son poney. On leur demande parfois de desseller et de trotter leur poney devant les juges.

Les poneys de poney-club forment une catégorie à part. On leur demande de sauter et de faire une petite reprise. Quelles que soient les catégories de poneys, le spectacle est toujours des plus réjouissants. Les organisateurs imaginant toujours des obstacles inattendus et colorés, linge séchant sur une corde, parapluies, cônes de chantier... et le pauvre animal doit négocier toutes ces difficultés le plus rapidement possible. Les poneys doivent être impeccablement toilettés, évoluer avec grâce et avoir des manières parfaites.

Dressage

LE DRESSAGE est bien plus qu'un simple entraînement à l'obéissance. Il a pour but, selon les termes du règlement de la F. E. I., le développement harmonieux de l'organisme et des moyens du cheval, qui apprend à exécuter des figures complexes dites de Haute École, comprenant les airs bas comme la pirouette et les airs relevés comme la courbette, la levade, la pesade et la cabriole pour lesquels l'École Espagnole de Vienne est réputée.

LES ÉPREUVES

En haut, à droite
et ci-dessous
Les compétitions
de dressage demandant
l'exécution de figures
précises qui mettent
en valeur la parfaite
entente entre le cavalier
et sa monture.

LES ÉPREUVES sont codifiées D, C, B, A, du plus petit niveau au niveau olympique. L'organisation du monde du dressage est relativement complexe mais les reprises de compétition, quel que soit leur niveau, demandent aux cavaliers d'enchaîner une série de figures dont ils auront au préalable mémorisé l'ordre. Dans les kurs, reprises en musique, les cavaliers doivent exécuter des mouvements imposés dans un enchaînement qu'ils choisissent et composent avec la musique. Il revient au cavalier de s'informer avant l'épreuve et d'apprendre la reprise choisie. Jusqu'à un certain niveau, une tierce personne est autorisée à la dicter à haute voix mais cela peut nuire à la concentration.

LES REPRISES

LE JOUR DE LA COMPÉTITION, vous saurez votre reprise par cœur. Vous commencerez par échauffer votre cheval dans la carrière d'entraînement. Le juge assis en C vous donnera le signal d'entrer dans la carrière de présentation en faisant retentir une cloche. Vous avez une minute de délai pour entrer dans la carrière en A et commencer à dérouler votre reprise. Le juge vous attribue des points pour l'exécution de chaque mouvement et note également votre style, votre technique, votre position, les attitudes et la souplesse du cheval. Pour les compétitions officielles, la présence de plusieurs juges assure l'équité des scores. La précision des figures et la soumission du cheval sont les qualités les plus appréciées.

LA NOTATION

LES LETTRES placées tout autour de la carrière de dressage servent de points de repère pour l'exécution des figures. Si vous devez partir au trot en A, plus votre départ sera précis, plus vous gagnerez de points. Chaque mouvement est noté de 0 à 10, note rarement octroyée. Votre cheval doit se déplacer harmonieusement et en souplesse avec de l'impulsion, être parfaitement soumis, avoir des allures franches et régulières, soutenir son avant-main et engager ses postérieurs. Vous devriez faire preuve d'une

bonne maîtrise du dressage avant d'envisager le saut. Il faut d'abord savoir obtenir l'obéissance et l'attention d'un cheval sur le plat avant de lui demander de sauter.

Depuis 1912, la France a remporté 1 fois la médaille d'or de dressage en individuel, la Suède 5 fois, l'Allemagne 7 fois, la Suisse 4 fois, la Hollande 1 fois et l'ex-URSS 2 fois. En 1948, à Los Angeles, la France remporta la médaille d'or en individuel et par équipe

En haut
Le juge note les figures mais aussi l'élégance du cavalier et de sa monture.

Ci-contre
Pour réaliser une figure avec précision, le cheval doit être soumis.

La reprise Grand Prix de dressage est une épreuve olympique qui comprend le piaffer, le passage et se termine par une série de quinze changements de pied au temps. Les chevaux concourant à cette épreuve doivent être âgés d'au moins 7 ans.

129

Jeux équestres

POLO

LE POLO est un jeu très ancien puisque l'on y jouait déjà en Perse, il y a 2 500 ans. Il se décline aujourd'hui sous plusieurs formes, avec des équipes de trois ou quatre joueurs, selon qu'il s'agit d'un match en carrière ou sur terrain. Il faut marquer le plus grand nombre de buts possible en frappant la balle avec un maillet.

La partie se divise le plus souvent en six chukkas, d'une durée comprise entre 7,5 et 10 mn, séparées par un temps de repos allant de 3 à 5 mn. Les joueurs ont un rôle bien défini : le premier est un attaquant, le deuxième, au centre, est aussi un attaquant ; le troisième est à la fois défenseur et attaquant et le quatrième est le principal défenseur et vient donc renforcer le troisième.

Les buts, formés de deux poteaux verticaux hauts de 3,10 m et distants de 7,45 m, se situent de part et d'autre du terrain.

Lorsqu'une équipe marque, les deux équipes changent de côté. C'est un jeu rapide qui exige des poneys très bien dressés et très entraînés.

IL EXISTE TOUTES SORTES de chevaux. On distingue les poneys des chevaux, les chevaux de chasse, les chevaux de course et d'obstacle et les chevaux de club, plus polyvalents. Les disciplines auxquelles les hommes les destinent tiennent compte de cette diversité et présentent des catégories adaptées à chaque type de conformation. Chaque cheval trouve ainsi son utilisation et peut œuvrer en pleine possession de ses moyens.

GYMKHANAS

LES GYMKHANAS sont organisés par des clubs hippiques ou lors des spectacles équestres.

Au centre
Ce jeune cavalier très fier vient de remporter l'épreuve avec son magnifique poney blanc.

En haut et ci-contre
Les jeux équestres développent l'équilibre et sont un excellent travail de mise en selle pour les enfants.

Au centre, à droite
Le polo n'est pas un sport accessible à toutes les bourses car les concurrents ont besoin de plusieurs chevaux très bien dressés.

En bas, à droite
Le polo est né en Perse mais aujourd'hui on y joue surtout en Grande-Bretagne, aux États-Unis et en Argentine.

Ces épreuves destinées aux enfants sont l'occasion de bien s'amuser tout en exerçant leur assiette et leur technique. Les jeux proposés exigent une grande adresse : vitesse, athlétisme et esprit d'équipe sont de rigueur. Il s'agit, par exemple, de ramasser un objet à terre, de déplacer un fanion, de faire la course en sac ou avec un oeuf posé sur une cuillère que l'on tient dans la bouche... Les poneys doivent être très bien dressés pour répondre vite et bien aux sollicitations de leurs cavaliers. Toute l'année, les poneys-clubs organisent leurs concours d'entraînement et, début juillet, c'est le championnat de France, prélude, pour les gagnants, au championnat du monde.

RODÉO

C'EST LE SPORT ÉQUESTRE de l'Ouest des États-Unis où son public est nombreux. Un rodéo comprend plusieurs types d'épreuves :

de toucher le cheval de sa main libre ou de faire passer la corde d'une main dans l'autre. S'il tombe avant que le temps imparti se soit écoulé, il ne marque aucun point. Deux cavaliers sont présents dans l'arène pour aider le cow-boy à descendre à l'issue du temps réglementaire et faire sortir le cheval.

Xénophon, riche général athénien (327-355 av. notre ère), est le premier auteur classique à avoir écrit sur l'équitation et la chasse. Ses ouvrages *L'Hipparque* et *De l'Équitation*, témoignent d'un immense amour du cheval.

En haut, à gauche, et ci-contre
Les rodéos comportent cinq épreuves inspirées par le travail du cow-boy.

Ci-dessous
La monte de broncos sellés symbolise l'univers du cow-boy.

monte de broncos sellés, immobilisation d'un bouvillon, capture d'un veau au lasso, monte de broncos à cru, monte de taureaux et course autour de bidons. Toutes ces épreuves sont nées du travail du cow-boy. Elles exigent des chevaux très entraînés qui sont de véritables athlètes et peuvent valoir des sommes énormes.

MONTE DE BRONCOS SELLÉS

L'OBJECTIF DU CONCURRENT est de se maintenir en selle pendant 8 ou 10 secondes. La selle est dépourvue de pommeau ; le cavalier peut s'agripper à une corde tenant lieu de collier. Après s'être mis en selle dans une stalle étroite en bois ou en métal, le cavalier fait un signe de tête dès qu'il est prêt pour qu'on lui ouvre la porte et le cheval jaillit dans l'arène en ruant. Le cavalier sera jugé sur son style. Il lui est interdit

Sur cette page
Les épreuves de capture
du veau au lasso
et d'immobilisation
du bouvillon demandent
force et rapidité de pensée.

IMMOBILISATION D'UN BOUVILLON

QUAND L'ANIMAL s'élance dans l'arène, le concurrent monté sur son cheval au galop doit l'attraper pour le plaquer au sol. Un second cavalier a pour mission de faire courir le bouvillon en ligne droite. Une fois l'animal attrapé, le cow-boy doit lui faire lever les quatre pieds une fraction de seconde. C'est une épreuve de vitesse. Le chronomètre tourne dès que l'animal est lâché et sera arrêté quand il aura les pieds en l'air.

PRISE AU LASSO

AUTRE ÉPREUVE chronométrée, elle se dispute par équipe de deux. Quand le bouvillon est lâché, le premier joueur doit l'attraper par les cornes, le second devra ensuite lui enserrer les deux postérieurs dans son lasso. S'il n'en attrape qu'un, il recevra une pénalité de 5 secondes. Les chevaux doivent être parfaitement dressés pour ne pas s'affoler en entendant et en voyant la corde tournoyer autour d'eux.

CAPTURE D'UN VEAU AU LASSO

LE CONCURRENT à cheval doit attraper le veau. Quand celui-ci est pris, le cheval s'immobilise permettant à son cavalier de descendre pour aller coucher le veau sur le dos et lui attacher trois pieds. Pendant ce temps, le cheval tient le lasso tendu ; une fois le veau entravé, le cavalier remonte et donne du mou à la corde. Le veau doit rester attaché pendant encore six secondes. Le concurrent est jugé sur sa rapidité à attraper et attacher le veau, mais si l'animal se libère avant que six secondes se soient écoulées, il ne marque aucun point.

MONTE DE BRONCOS À CRU

CETTE ÉPREUVE ressemble à la monte avec selle mais, cette fois-ci, le cavalier ne dispose que d'un surfaix muni d'une sorte

de poignée en cuir pour s'accrocher. Quand il est prêt, le cheval est lâché et, comme précédemment, l'homme devra tenir huit secondes et sera jugé sur son style. Deux autres cavaliers sont présents dans l'arène.

MONTE DE TAUREAU

C'EST UNE ÉPREUVE très dangereuse puisqu'il s'agit de se maintenir sur le dos du taureau pendant huit secondes. À nouveau, les juges tiendront compte du style. Le corps du taureau est ceint d'une corde à laquelle l'homme s'agrippe. Si le taureau décroche une ruade et le fait tomber, son réflexe est de se retourner pour attaquer. C'est la raison pour laquelle deux hommes très costauds, à pied, ont pour rôle de faire diversion dans l'arène.

COURSE AUTOUR DE BIDONS

C'EST UNE ÉPREUVE chronométrée. Les bidons, autrefois des tonneaux, sont disposés en triangle et la concurrente, puisqu'il s'agit d'une épreuve pour les cavalières, doit courir autour en dessinant un trèfle sans les renverser. Le cheval, véritable athlète, doit être rapide.

CUTTING

CE SPORT TYPIQUE de l'Ouest
exige des chevaux très bien
dressés. Au départ, seuls
les quarter horses,
naturellement
doués
pour cette
discipline,
étaient utilisés.
Il s'agit
de séparer
une vache
du troupeau
et de l'empêcher
de le rejoindre, ce qui implique
que le cheval anticipe ses mouvements, réagisse
et tourne très vite. Son arrière-main
particulièrement puissante lui permettant
des réactions fulgurantes, cette race est prédisposée
au travail de tri du bétail. En France, l'équitation
camarguaise, avec ses chevaux de « triage », utilisés
pour le tri des taureaux, exige les mêmes qualités,
de l'homme comme de l'animal.

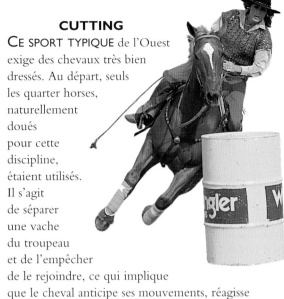

ENDURANCE

L'ENDURANCE EST UNE DISCIPLINE qui exige
une grande énergie, autant de la part du cheval
que du cavalier. Elle a connu des débuts difficiles
en France dans les années 1970, pour vraiment
démarrer vingt ans plus tard. Elle compte
aujourd'hui plus de 7 000 adhérents.
Placée sous l'autorité de la F. F. E., l'endurance
consiste à effectuer des raids sur un itinéraire
imposé et sur une distance comprise entre
20 et 160 km. Les concurrents doivent disposer
d'un soutien logistique, notamment pour donner
à boire aux chevaux en cours de route.
Des contrôles vétérinaires, régulièrement espacés
sur le parcours, sont prévus pour veiller à ce que
le cheval ne fournisse pas un trop grand effort.
Si le rythme cardiaque est trop rapide et que le
cheval ne récupère pas assez vite, ou en cas de
déshydratation, il est immédiatement disqualifié.
En fonction de la longueur du parcours, 20, 30,
60 ou 90 km, les épreuves sont qualificatives,
régionales, pré-nationales ou nationales. Dans les
deux premières catégories, la vitesse est imposée,
dans les deux dernières, elle est libre. En fonction
de la difficulté des épreuves, les chevaux devront
avoir au minimum quatre, cinq ou six ans.

L'engagement se fait auprès de l'organisateur
ou par le système GICE du CFE
(Club France Équitation). Le site
du magazine du cheval donne tous
les détails du règlement.
Les chevaux sont classés
non seulement en fonction
du respect du temps alloué
pour l'épreuve,
mais aussi
en fonction
de leur bonne
faculté de
récupération, qui
sera constatée
lors du contrôle
vétérinaire
à l'arrivée.
Si vous envisagez de vous inscrire à un
raid, il ne faudra pas oublier d'apporter le livret
d'identification du cheval, car celui-ci vous sera
réclamé. Le championnat de France Senior
se dispute sur une distance de 160 km.
C'est la grande épreuve, équivalente de la Golden
Horseshoe en Angleterre, réputée pour
sa difficulté.

En haut, à gauche
*La course aux bidons est
une épreuve féminine.*

Ci-dessus et ci-contre
*L'endurance est jugée
sur la vitesse et sur
la condition physique
du cheval.*

Des chevaux et des hommes

L'HISTOIRE DE L'UTILISATION du cheval par l'homme est très ancienne. Compagnon de travail, de guerre ou de voyage, le cheval est aujourd'hui surtout un partenaire dans de multiples disciplines équestres ou les loisirs.

LA GUERRE

LE CHEVAL ÉTAIT tout pour les guerriers et les grands conquérants de l'Antiquité. Alexandre le Grand aimait tant Bucéphale, son courageux destrier, qu'il le fit enterrer lorsqu'il mourut en 326 avant notre ère et nomma la ville voisine de la tombe Bucéphala. Les premières batailles furent certainement livrées par des hommes montés dans des chariots tirés par des chevaux. Dès 500 avant notre ère, les Grecs avaient des archers montés. Il n'y avait, à l'époque, ni selle ni étriers, aussi on imagine les prouesses de ces cavaliers. À l'époque romaine, les chevaux servaient au transport des armées, mais les combattants s'affrontaient surtout à pied.

Jusqu'au XVᵉ siècle, les chevaux utilisés en Angleterre étaient petits par rapport à ceux que nous connaissons aujourd'hui. Ils correspondaient plutôt à nos poneys. Henry VIII entreprit de développer la taille du cheval anglais en promulguant un décret stipulant que seuls les étalons de plus de 1,50 m auraient accès aux terres communales et que les propriétaires terriens devaient posséder au moins deux juments de plus de 1,30 m. Sur le continent, les races étaient plus grandes, aussi commença-t-il à en importer pour améliorer les races locales. Un grand cheval offrait un avantage décisif lors des combats.

Ci-dessus
Bucéphale était le cheval préféré d'Alexandre le Grand. Il donna son nom à une ville.

En haut, à droite
Spectacle de joute médiévale durant laquelle les chevaliers s'affrontaient au javelot.

En bas, à droite
Les chevaliers normands livraient bataille à cheval, ce qui leur conférait un grand avantage sur leurs ennemis.

LES UTILISATIONS

AU MOYEN ÂGE, le cheval de trait mi-lourd était la monture préférée des chevaliers. Avec une armure pouvant peser jusqu'à 20 kg, il fallait des animaux solides et robustes. Ils étaient toutefois bien plus petits que les chevaux de trait actuels. En 1651, Oliver Cromwell entreprit de d'écarter de la cavalerie les chevaux les plus lourds et d'importer des chevaux arabes pour produire des bêtes de guerre plus légères, plus rapides et plus agiles. Toutefois, on peut en partie attribuer la défaite

des armées napoléoniennes à Waterloo en 1815 au fait que la cavalerie française était plus légère et moins robuste que la cavalerie anglaise.

Les chevaux jouèrent, pour la dernière fois, un rôle militaire important lors de la première guerre mondiale. L'armée britannique disposait encore d'environ un million de chevaux et de mules, mais la mécanisation les remplaça peu à peu. Aujourd'hui, en Angleterre, les touristes admirent encore les régiments royaux montés et les gardes de Buckingham Palace pour la célèbre relève de la garde et lors des parades, spectacles et défilés.

TRANSPORT

LE CHEVAL s'avéra un moyen de transport inestimable dès sa domestication. Quand l'homme commença-t-il à monter le cheval et à le mettre sous le harnais ? On n'a pas encore de réponse certaine à cette question. Des traces d'usure de dents, retrouvées à Malyan en Iran, dues à l'utilisation d'un mors, peuvent être approximativement datées d'entre 2000 et 1900 avant notre ère tandis que d'autres mises au jour à Dereivka en Ukraine remontent à entre 4200 et 3750 avant notre ère. Si l'homme connaissait déjà la bride et le mors, la selle et les étriers n'apparurent que plus tard.

Il est probable qu'avant que l'on imagine un harnais pour le cheval, les bœufs et les ânes servaient de bêtes de trait. Les premiers chariots étaient en bois, y compris les roues. Ils avaient un brancard central et un cheval était attelé de chaque côté. Les routes avaient peu de choses en commun avec celles que nous connaissons et tracter les véhicules représentait une tache dure et épuisante. La première forme de harnachement fut le joug qui se fixait aux cornes d'un bœuf ou sur son garrot. Cette technique ne convenait pas aux chevaux parce que le joug fixé au garrot appuyait sur la gorge. Dès le haut Moyen Âge, on avait imaginé une sorte de collier, l'ancêtre de la bricole moderne.

I l existe quantité de véhicules hippomobiles : coches, fiacres... L'âge d'or de la diligence se situe entre 1750 et 1850. Au XIXe, c'est l'époque des voitures légères à quatre roues : phaétons, landaus, mylords, et à deux roues : cabriolets et tilburys.

Ci-contre

Les murs de la porte d'Ishtar de Babylone sont ornés de bas-reliefs représentant des chevaux. On peut en admirer une superbe reconstitution au Musée Pergamon de Berlin.

Ci-dessous

Cette statuette en bronze représentant un attelage fut retrouvée en Géorgie, près de Ziteli Zkaro. Elle date du VIIIe siècle de notre ère.

VOYAGES EN DILIGENCE

LES PREMIÈRES DILIGENCES étaient de lourds véhicules sans suspensions ni ressorts. Il fallait des chevaux lourds et puissants pour les tracter sur les voies défoncées et souvent boueuses. Les diligences firent leur apparition au XVIᵉ siècle. Tirées par un équipage de quatre chevaux, elles suivaient un itinéraire fixe et avaient un horaire à respecter. Les chaussées devenant moins mauvaises, les voitures s'améliorèrent et s'allégèrent, ce qui permit d'utiliser des chevaux plus légers et plus rapides. La Hollande fut l'un des premiers pays à moderniser ses routes, qui bordaient généralement les canaux. L'invention des ressorts au XVIIᵉ siècle marque une avancée considérable qui permit un plus grand confort. Les nobles et les plus riches commencèrent à s'acheter leurs équipages personnels pour leurs excursions à la campagne.

À la fin du XIXᵉ siècle, tramways et omnibus hippomobiles étaient devenus des transports publics fiables. Les premiers, tirés par un à quatre chevaux, faisaient entre 10 et 12 km/h.

Les races les plus appréciées pour la traction étaient le oldenbourg, le hanovrien et le holstein et, en Angleterre, le bai de Cleveland et les pur-sang. On remarquera que nombre de ces races autrefois vouées à la traction connaissent aujourd'hui le succès dans le monde des courses.

INDUSTRIE ET COMMERCE

LE CHEVAL joua un grand rôle dans l'industrie et son utilisation pour la traction contribua sans doute grandement au développement du commerce puisqu'elle permit aux peuples de se déplacer en transportant leurs biens, d'abord jusqu'aux villages voisins, puis plus loin. Le Grand Khan, fils de Gengis Khan, eut l'idée de créer un corps de messagers qui couvrait toute la surface de l'empire à cheval. C'était une forme primitive du service des postes mis en place des siècles plus tard. Les relais des postes se développèrent avec l'amélioration du réseau routier au XIXᵉ siècle.

L'horaire était scrupuleusement respecté et imposait un rythme éreintant aux chevaux qui ne résistaient pas plus de quatre ans à un tel traitement. Des marchandises de toutes sortes étaient livrées à cheval. Le haquet des brasseries fait encore quelques apparitions dans certaines villes anglaises, mais c'est surtout lors de festivités folkloriques.

Les compagnies de chemins de fer continuèrent à employer des chevaux bien après l'avènement du train pour la manutention dans les hangars et pour tracter le matériel roulant.

Au bord des canaux, on voyait les chevaux de halage remorquer des péniches transportant entre 60 et 70 tonnes de marchandises.

L'industrie minière engloutit des milliers de poneys qui, une fois descendus au fond, ne remontaient plus de leur vivant. Des chevaux étaient aussi utilisés sur le carreau pour tirer les wagonnets de charbon et faire tourner le treuil actionnant l'ascenseur.

ANIMAUX DE BÂT

LES ANIMAUX DE BÂT transportent le ravitaillement sur des bâts ou grâce à des selles spécialement conçues comportant des sacoches de chaque côté.

Poneys et chevaux servent encore aujourd'hui là où les voitures ne passent pas. Dans de nombreux pays montagneux comme le Tibet et la Mongolie le poney reste le moyen de transport le plus utilisé dans les régions

Quand le cheval n'est pas ferré, son poids porte surtout sur la fourchette et la muraille du sabot.

Ci-dessus
Ces deux chevaux belges mi-lourds promènent les touristes au Kentucky Horse Park.

Au centre
Autrefois utilisés pour livrer les fûts de bière, les shires entretiennent la tradition lors de festivités folkloriques.

En bas
Les chevaux de bât sont des compagnons indispensables dans les zones montagneuses escarpées et inaccessibles.

escarpées. Ils sont encore indispensables aux trappeurs américains. Quand les chasseurs ont acculé et tué le cerf, l'animal est débité puis chargé sur des chevaux de bât qui le ramèneront vers les zones civilisées. En Angleterre il n'y a pas si longtemps que les poneys de bât ont cessé de transporter le plomb extrait des Pennines vers la côte est, quant aux shetlands, ils amenaient la tourbe dans leurs paniers. Poneys et ânes de bât sont encore très utilisés dans les pays en voie de développement où les gens ne peuvent s'offrir d'autres moyens de transport.

AGRICULTURE

LES CHEVAUX PARTICIPENT aux travaux agricoles depuis des milliers d'années, mais c'est aux XVIIIe et XIXe siècles qu'ils ont pris une place plus importante lorsqu'ils ont remplacé les bœufs, plus lents. Plusieurs races furent développées en fonction de la géographie, du type de terrain et du climat. Si l'on pense immédiatement au percheron, au trait breton, ou au shire et au clydesdale de l'autre côté de la Manche, dans les zones plus accidentées, on avait plutôt recours à des poneys de race locale, tel le mérens dans les Pyrénées. Le cheval reste de nos jours le compagnon des gardiens de troupeaux en Amérique, au nord comme au sud, en Argentine ou en Australie. Il se trouve encore des fermiers en zone montagneuse qui entretiennent

deux chevaux pour labourer les zones inaccessibles aux tracteurs. Le cheval est également toujours utilisé au débardage dans les Vosges et le Jura.

Quels que soient les progrès de la technologie, il y aura toujours des lieux reculés où chevaux et poneys conserveront toute leur utilité.

POLICE

LA PREMIÈRE POLICE montée fut créée à Londres en 1758. Presque un siècle plus tard, le Canada avait lui aussi sa police montée. Les chevaux sont encore utilisés lors des manifestations et pour la surveillance des rues et des parcs. En France, la gendarmerie recrute une cinquantaine de gardes à cheval par an et entretient le prestigieux corps de la Garde Républicaine. Les chevaux reçoivent un dressage très poussé pour apprendre à rester calmes en toutes circonstances et à ne pas réagir au bruit de la circulation.

En haut, à gauche
Les shetlands transportaient la tourbe dans les îles du même nom.

Ci-dessus
Pendant des siècles, les chevaux ont aidé les paysans à labourer leurs champs.

En bas
En Grande-Bretagne, les chevaux sont utilisés dans la police pour la surveillance urbaine et le contrôle des foules les soirs de matchs de football.

Les Égyptiens représentaient souvent de grands chevaux stylisés à l'extérieur de leurs tombeaux.

Courses et steeple-chases

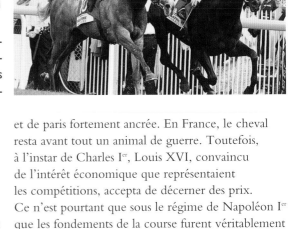

LES COURSES DE CHEVAUX ont donné naissance à une véritable industrie. L'été est la saison des courses de plat et l'hiver celle des steeple-chases. Les courses d'obstacles font le bonheur des spectateurs et des parieurs.

LE PLAT

LE PREMIER HIPPODROME à avoir été construit se trouve dans le Yorkshire, en Grande-Bretagne, et fut construit à la demande de l'empereur Lucius Septimus Severus entre 208 et 211. Les Romains avaient déjà une longue expérience de l'organisation de courses de plat, montées ou attelées.

Jusqu'au XVI⁰ siècle, la course était le sport des rois et des nobles. La couronne anglaise s'est toujours intéressée de près aux courses et aux pur-sang. Sous le règne de James I (1603-1625), trois champs de courses officiels furent créés : Richmond, Croydon et Enfield Chase. Le roi se fit construire un rendez-vous de chasse à Newmarket qui devint un haut lieu des courses internationales. Charles Iᵉʳ finança la première Gold Cup, à Newmarket en 1634. Depuis 1667, il s'y tient des rencontres annuelles.

LA COURSE, UN SPORT

LES FONDEMENTS de la course plate se développèrent bien plus lentement au sein de la noblesse française, qui ne possédait pas, à l'inverse de ses voisins d'Outre-Manche, une tradition de jeu et de paris fortement ancrée. En France, le cheval resta avant tout un animal de guerre. Toutefois, à l'instar de Charles Iᵉʳ, Louis XVI, convaincu de l'intérêt économique que représentaient les compétitions, accepta de décerner des prix. Ce n'est pourtant que sous le régime de Napoléon Iᵉʳ que les fondements de la course furent véritablement établis, encourageant ainsi la pratique de l'élevage sélectif. Louis XVIII consolida enfin les bases de cette discipline en encourageant la production de chevaux de courses.

LE JOCKEY CLUB ET FRANCE GALOP

LE JOCKEY-CLUb, instance supérieure régissant l'organisation des courses en Grande-Bretagne fut créée en 1750. Au départ, il contrôlait les courses à Newmarket et ne tarda pas à élargir son activité aux autres hippodromes. En France, son équivalent, le Comité de la société d'encouragement pour l'amélioration des races vit le jour en 1833. C'est un des ancêtres de l'association France Galop fondée en 1995 par la réunion de trois sociétés distinctes.

C'est au XIX⁰ siècle que s'organisa le monde des courses que nous connaissons aujourd'hui. Le premier prix

En haut
Willye Tyan remporte le Derby d'Epsom en 1997. Cet hippodrome de légende fut inauguré sous le règne de Charles II.

Ci-dessus
Franchissement d'une haie vive.

En bas
Ascott, l'un des champs de courses les plus populaires et les plus prestigieux d'Angleterre, accueille tous les ans le Royal Ascot, rencontre qui dure trois jours.

du Jockey-Club se tint en 1836. L'hippodrome de Longchamp fut inauguré en 1857. Le premier grand steeple-chase de Paris se courut en 1874, quelques années après l'apparition du pari mutuel.

Aujourd'hui France Galop gère les six hippodromes de Longchamp, Auteuil, Chantilly, Deauville, Maisons-Laffitte et Saint-Cloud et organise des courses d'obstacles à Enghien. L'association organise aussi chaque année les grandes rencontres internationales que sont le Prix de l'Arc de Triomphe (créé en 1920), le Prix de Diane, le Prix du Jockey Club et le Grand Steeple-Chase de Paris.

Ses autres missions sont l'encouragement de l'élevage et l'amélioration des races de chevaux de galop; elle fixe le montant des allocations et primes, favorise l'entraînement et assure le bon fonctionnement de la prise des paris sur les hippodromes.

COURSES DE CLOCHER À CLOCHER

ÉPREUVE très appréciée en Grande-Bretagne, elle est issue de la pratique de la chasse à courre et consiste en une course allant de village en village, littéralement, de la pointe d'un clocher à l'autre. L'itinéraire est libre et le cavalier décidera en fonction des difficultés du terrain et de l'aptitude de son cheval à les négocier.

LES PREMIERS STEEPLE-CHASES

LE STEEPLE-CHASE, ou saut de haies, est ancien puisqu'il en est fait mention dès 1752 dans les archives du Comté de Cork, en Irlande. Deux concurrents, Cornelius O'Callaghan et Edmund Blake s'affrontèrent sur une distance de 6,5 km entre l'église de Buttevant et celle de St-Léger. Le vainqueur, Blake

Ci-contre
Bien qu'il ne soit âgé que de deux ans, ce pur-sang noir pourrait avoir déjà participé à une course.

Ci-dessous
Ces chevaux se disputent la victoire sur l'hippodrome de Cheltenham.

remporta des quantités de rhum de la Jamaïque, de porto et de claret.

Les steeple-chases sont aujourd'hui des courses réservées aux professionnels.

Ci-dessous
Le jockey Darryl Holland s'échappe et va remporter le Lincoln Handicap à Doncaster, en 1994.

Ci-contre
Le Grand National est
le steeple-chase anglais
le plus célèbre.

Ci-dessous
Red Rum concourut
le nombre record
de cinq fois pour
le Grand National
et remporta trois courses.

LE GRAND NATIONAL

VERS 1850, les steeple-chases se professionnalisèrent et devinrent réservés aux jockeys. L'un des plus célèbres et des plus difficiles est le Grand National qui se court sur l'hippodrome de Liverpool. Le premier eut lieu en 1839. Le parcours comptait vingt neuf obstacles et se disputait sur 6 400 m. Aujourd'hui encore, un fossé porte le nom de Becher, en hommage au capitaine Becher qui, monté sur Conrad, fit une chute sur cet obstacle. L'épreuve fut remportée par Lottery en 14 minutes et 53 secondes. Aujourd'hui, le parcours fait 7 200 m et compte trente obstacles. Les chevaux mettent en moyenne 5 minutes de moins que Lottery.

Citons parmi les chevaux qui se sont distingués sur ce parcours : Red Rhum, trois fois vainqueurs et deux fois second ; Golden Miller vainqueur en 1934 et vainqueur de la Cheltenham Gold Cup cinq fois consécutives, et Arkle, avec vingt-sept victoires à son palmarès dont trois Cheltenham Gold Cups.

LE GRAND STEEPLE-CHASE DE PARIS

UN AN APRÈS L'OUVERTURE de l'hippodrome d'Auteuil en 1873, naissait le Grand Steeple-chase de Paris qui se courait sur 6 500 m et était réservé aux chevaux d'au moins cinq ans. En 1962, Fred Winter cassa sa bride devant le quatrième obstacle mais continua et remporta l'épreuve sur Mandarin.

LE GRAND PARDUBICE

IL SE COURT en République tchèque. C'est peut-être le plus dangereux des steeple-chases et il n'est pas rare de voir des concurrents tomber, certains remontant en selle pour finir le parcours.

LE TREC

EN FRANCE, la Technique de Randonnée Équestre de Compétition est une nouvelle discipline ouverte aux amateurs détenteurs d'une licence de la FFE, un peu équivalente aux courses de clochers à clochers en Angleterre. Les chevaux engagés doivent avoir plus de cinq ans et la présentation d'une pièce d'identification est obligatoire. Les épreuves,

Ci-contre
Chaque année,
l'Angleterre gagne
des millions grâce
aux courses de plat.

au nombre de quatre, sont : un parcours d'orientation et de régularité de 40 à 60 km (P.O.R.), un parcours chronométré du cheval et du cavalier de randonnée (P.C.C.R.) de 5 km, jalonné d'obstacles naturels, tronc, fossé, gué, un test de maîtrise des allures et une présentation. Chaque épreuve est respectivement notée sur 240, 190, 60 et 10 points mais le total de 500 est rarement atteint ! Le TREC a déjà un championnat de France et d'Europe mais pas encore d'épreuve mondiale.

LE SAUT D'OBSTACLES

CETTE DISCIPLINE est issue de la chasse à courre. Le plus ancien parcours ayant laissé des traces dans l'histoire date de 1865 et eut lieu au Royal Horse Show de Dublin. Au départ, c'était essentiellement un sport militaire. On doit à l'Italien Federico Caprilli la position en avant qui est encore la nôtre, mais c'est grâce au colonel Danloux à Saumur que son enseignement se diffusa en France.

En 1900, les Jeux olympiques de Paris proposaient trois épreuves d'obstacles : une épreuve de hauteur, une épreuve de largeur et une épreuve de maniabilité. En 1912, à Stockholm, le concours hippique devint une épreuve officielle. Le capitaine Jean Cariou, cavalier de la vieille école, remporta la médaille d'or en individuel, la médaille d'argent par équipes en concours hippique et la médaille de bronze en concours complet.

La Fédération équestre internationale, fondée en 1921, est aujourd'hui responsable du règlement de toutes les épreuves internationales. Les jeux de Mexico en 1968 et de Munich en 1972 ont marqué l'histoire par la hauteur des obstacles, mais depuis on privilégie davantage les difficultés du parcours, qui exigent une maîtrise parfaite du nombre des foulées à l'abord de chaque obstacle. Les femmes sont admises dans la compétition (saut) depuis 1956, Pat Smythe fut la première femme dans l'équipe olympique anglaise. La française Alexandra Ledermann remporta la médaille de bronze à Atlanta en 1996.

Le saut d'obstacles, créé pour utiliser des chevaux trop peu rapides pour le plat, passa longtemps pour une discipline de second ordre. De plus en plus professionnel, il met aujourd'hui davantage l'accent sur la technicité, autant pour le cavalier que pour le cheval, plutôt que sur la hauteur des obstacles. Le succès n'est possible qu'avec un couple formé par un cavalier et un cheval parfaitement complices.

LES COURSES DE TROT

DISTRACTION pour la noblesse anglaise depuis le milieu du XVIIIᵉ siècle, les courses de trot font leur apparition en Normandie un siècle plus tard, avec l'ouverture de l'hippodrome de Cherbourg en 1836, sous l'impulsion d'Ephrem Houel, inspecteur général des Haras nationaux. Les premiers trotteurs étaient donc des chevaux de cette région que l'élevage s'employa à améliorer par des croisements et une sélection rigoureuse, donnant naissance à la race des trotteurs français. Les courses de trot, monté ou attelé, ont lieu à Vincennes, Enghien et, en été, à Cagnes-sur-Mer. En dehors de la France, les courses de trot sont aussi populaires aux États-Unis, mais uniquement attelé et souvent à l'amble, le trot monté étant une spécificité française.

En haut et en bas, à gauche
Autrefois sport exclusivement militaire, le saut d'obstacles est aujourd'hui une discipline olympique ouverte à tous.

Ci-dessous
Pat Smythe sur Flanagan aux Jeux olympiques de 1956.

En bas, à droite
Au fil des ans les obstacles sont devenus de plus en plus hauts, exigeant courage et habileté du cheval et de son cavalier.

Le cheval et les loisirs

En haut, à droite
Le paysage accidenté de l'Arizona est un haut lieu de l'équitation western.

AUJOURD'HUI, dans les pays développés, la majorité des chevaux sert pour le loisir. Que l'on soit propriétaire ou non, les occasions de se mettre en selle ne manquent pas. De la simple balade accessible aux profanes aux randonnées sur plusieurs jours traversant de magnifiques paysages, les centres équestres offrent une variété d'activités à poney ou à cheval, sans oublier l'attelage. Les voyagistes proposent des séjours en roulotte.

HORSE HOLIDAYS

PRESQUE PARTOUT dans le monde, il est possible de découvrir de splendides contrées au rythme du pas d'un cheval. Des roulottes gitanes aux irlandaises, les possibilités sont multiples. Les cavaliers préféreront peut-être des vacances en selle, en France ou en Afrique ou encore sur la trace des cow-boys, en séjournant dans un ranch américain. De nombreux pays ont maintenant des gîtes équestres où les propriétaires de chevaux trouvent chambres et box pour leur compagnon.

Les chasseurs seront peut-être tentés par l'Irlande où l'Angleterre qui proposent des chevaux de chasse particulièrement bien dressés, bien que ces dernières années la chasse à courre ait fait l'objet de débats virulents au Royaume-Uni. Contrairement à ce que l'on croit, toutes les chasses ne se terminent pas par le meurtre d'un animal. À côté de la chasse au renard ou au cerf, on lance aujourd'hui les chiens sur des pistes artificielles, souvent anisées, ou encore sur les traces d'un coureur qui aura fait la piste avant le départ des chiens. Toutes ces activités revigorantes vous laisseront des souvenirs inoubliables.

CENTRES ÉQUESTRES

DE NOMBREUX établissements proposent des balades. Leur responsabilité n'est pas engagée en cas d'accident, aussi, à moins d'être un cavalier compétent, vaut-il mieux envisager des promenades ou randonnées accompagnées. Les ranchs, souvent saisonniers, proposent des baptêmes et des promenades, accompagnés par des guides équestres. Tous les établissements d'enseignement, qu'ils soient ou non Écoles françaises d'équitation, sont tenus d'employer des moniteurs diplômés d'état.

Ci-dessus
Les randonnées permettent aux cavaliers de découvrir des paysages inaccessibles autrement qu'à cheval.

En bas
Si la perspective de passer plusieurs jours à cheval vous effraie, pourquoi ne pas passer des vacances « bohèmes » sur les traces des peuples nomades d'Europe centrale ?

atteint par les amateurs. En dehors des cours, il est possible de trouver des stages à thème sur un ou deux jours permettant à chacun de travailler à son niveau dans sa discipline favorite. C'est l'occasion de rencontrer de grands cavaliers, mais il faut en général s'y inscrire avec son propre cheval. Les magazines spécialisés et le site cheval.com ont des pages d'annonces qui vous aideront à trouver ce qui vous convient.

Le premier pur-sang anglais exporté en Amérique en 1730 s'appelait Bulle Rock.

AUTRES ÉVÉNEMENTS

EN DEHORS DES VACANCES à cheval ou des leçons d'équitation, on peut se distraire en assistant aux multiples compétitions et courses de tous niveaux

En haut, à gauche
Les stages intensifs sur un week-end font le bonheur des cavaliers confirmés.

Parallèlement aux diplômes de moniteurs et d'instructeurs qui sanctionnent la formation des enseignants, il existe en France des diplômes d'accompagnateurs de tourisme équestre, de guide de randonnée et de maître randonneur qui donnent droit à la fonction d'accompagnateur et de guide pour le tourisme équestre. La Fédération internationale du tourisme équestre gère cet aspect de l'équitation. Seuls les titulaires de ces titres ont le droit d'accompagner des randonnées à cheval payantes.

Les écoles françaises d'équitation proposent des reprises, cours à plusieurs, dont les contenus sont définis en fonction du programme des neuf galops fédéraux. Si les quatre premiers galops sont à la portée de tous, aller au-delà demande davantage de motivation. Les enfants passent en général un galop par an ce qui leur permet, en fonction de l'âge auquel ils ont commencé, d'atteindre les plus hauts niveaux à l'adolescence et de découvrir le monde des compétitions. Sans aller jusque-là, être titulaire d'un galop quatre signifie que l'on est devenu un cavalier autonome, même si la marge de progression est encore très grande.

Au-delà du galop sept, les galops huit et neuf correspondent à un niveau d'excellence rarement

organisées régulièrement. En France, les courses de trot offrent un beau spectacle aux amateurs, en particulier les nocturnes à Vincennes. Les concours complets et les jumpings font le bonheur des foules, même si les entrées sont souvent assez onéreuses. Ces manifestations sont le prétexte de marchés à thème où commerçants et artisans spécialisés proposent des produits et gadgets à l'effigie du cheval. Elles donnent aussi souvent lieu à des animations et des démonstrations de dressage ou de monte hongroise durant la journée.

Ci-dessus
Le Salon du cheval est une manifestation réunissant les professionnels du cheval, fournisseurs de matériel, selliers... où l'on peut assister à de multiples présentations de chevaux et poneys. Ici, la foule parcourt les stands à Badminton en Angleterre.

En bas
Le polo reste un sport onéreux mais tout le monde peut assister aux matchs.

Une longue histoire

IL Y A ENVIRON 12 000 ANS, la population de l'Europe occidentale connaissait une croissance régulière et les chevaux sauvages représentaient une source de nourriture et de peaux. À quand remonte la domestication du cheval par l'homme ? Des excavations archéologiques remontant aux années 1960 et 1980, effectuées sur le site du campement néolithique de Dereivka sur le Dniepr en Scythe, apportent des éléments de réponse à cette question. On y retrouva les ossements d'une cinquantaine de chevaux et le crâne et les os longs d'un étalon apparemment enterré rituellement avec deux chiens.

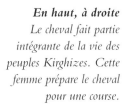

Le cheval est un animal de naturel craintif. C'est la peur qui peut le rendre dangereux.

LE KAZAKHSTAN

LES ARCHÉOLOGUES ont également mis au jour de nombreux ossements à l'est du nord du Kazakhstan, sur le site de Botai. On y a retrouvé des vestiges d'habitations et plus de 300 000 os d'animaux dont la majorité d'équidés. Datant d'entre 3500 et 2500 ans avant notre ère, ils permettent de penser qu'il s'agissait d'une culture organisée autour du cheval. Aujourd'hui encore, certaines zones de ce pays sont toujours peuplées de populations kazakhs semi-nomades vivant en communion avec leurs chevaux. Toute leur culture tourne autour de cet animal mais, même dans les zones les plus reculées, le « progrès » finit par avoir raison des modes de vie traditionnels.

En haut, à droite
Le cheval fait partie intégrante de la vie des peuples Kirghizes. Cette femme prépare le cheval pour une course.

Ci-contre
Le cheval est associé à l'homme depuis des siècles, comme en témoigne la porte d'Ishtar de la ville de Babylone, aujourd'hui en Irak.

En bas, à droite
L'homme à cheval est sans doute à l'origine du mythe du centaure représenté sur les urnes grecques, ici une poterie du VIᵉ siècle avant notre ère.

L'ÉTUDE DU CRÂNE retrouvé à Dereivka montre une usure anormale des prémolaires indiquant l'usage d'une forme de mors primitif. On a également retrouvé des fourchons de bois de cerfs perforés pouvant avoir servi à la fabrication d'alliance de brides. Ceci suggère que le cheval était déjà monté il y a environ 6 000 ans, soit 500 ans avant l'invention de la roue. Toutefois, les origines de l'équitation sont floues et il vaut mieux attendre d'autres découvertes avant de formuler des conclusions définitives.

LE CHEVAL DOMESTIQUE

IL Y A 4 000 ANS, le cheval domestique était déjà partout présent dans l'ancien monde comme en témoignent les résultats de fouilles sur des sites néolithiques couvrant l'Ouest de l'Asie et toute l'Europe. La domestication

encore mais ces cavaliers chasseurs avaient inventé une bride astucieuse qui leur permettait d'agir avec leurs pieds sur les rênes, maintenues sur le dos du cheval par un surfaix, conservant ainsi les mains libres pour manier arcs et flèches. Ces sculptures indiquent que le cheval était déjà un animal de loisirs et pas uniquement un auxiliaire militaire.

LES GRECS ET LES ROMAINS

GRECS et Romains furent les premiers à organiser des courses de chars et divers jeux à cheval. La première course de chars tirés par quatre chevaux eut lieu lors des Olympiades de 684 avant notre ère. Dès 648, les jeux comprenaient des épreuves pour cavaliers. L'un des plus célèbres fut l'officier de cavalerie Xénophon qui écrivit les premiers textes qui nous soient parvenus sur l'équitation et l'éducation des chevaux. Certaines de ses méthodes sont toujours d'actualité. On remarquera cependant que les Hittites d'Asie mineure sont les pionniers de

l'organisation des écuries puisqu'on a retrouvé des textes datant de 1360 avant notre ère sur le sujet. Ils savaient qu'il fallait nourrir les chevaux de grain et de luzerne et, surtout, ils avaient compris la nécessité de varier les rations en fonction du travail demandé.

du cheval eut un retentissement considérable sur le développement, le progrès et la civilisation.

L'homme disposait maintenant d'un moyen de transport qui lui permettait de couvrir de grandes distances rendant possibles les échanges et le commerce. Le cheval devint un animal de trait capable de transporter un grand nombre de personnes ou de travailler aux champs. C'était aussi une arme de guerre redoutable. Imaginez l'effet produit par un guerrier à cheval sur des peuples ne connaissant pas encore cet animal. Il est possible que cette vision sans doute terrifiante soit à l'origine du mythe du centaure, cette créature mi-homme mi-cheval.

LES CAVALIERS ASSYRIENS

LES PREMIÈRES représentations d'hommes à cheval montrent le cavalier assis très en arrière sur les reins de sa monture, dans une position qui nous semble aujourd'hui curieuse. C'est également de cette façon que l'on montait les premières mules. Des représentations du VIIIe siècle avant notre ère montrent des cavaliers assyriens assis derrière le garrot, comme nous le sommes encore de nos jours. Cette position remonte probablement à cette époque. On dispose de bas-reliefs merveilleusement détaillés ayant survécu aux palais assyriens de Ninive et Nimrode qui nous montrent la noblesse assyrienne chassant à cheval. La selle n'existait pas

En haut, à gauche
Bas-relief du VIIe siècle avant notre ère provenant du palais d'Assurbanipal à Ninive. Il représente un char de guerre tiré par des chevaux.

Ci-dessus
Cette fresque antique montre des archers menant leurs chevaux au combat.

Ci-contre
Comme l'atteste cette amphore grecque, les chevaux tiraient des chars il y a plus de deux mille ans.

SYMBOLE DE PRESTIGE

LE CHEVAL JOUA un rôle très important en tant que symbole de prestige dans les cultures anciennes et le conserve encore de nos jours dans de nombreux pays. Des chars et des chariots tirés par des chevaux impeccablement toilettés figurent toujours sur les représentations de processions. Le cheval en vint à représenter la noblesse et fut perçu comme un signe extérieur de richesse. Même dans les tribus nomades pauvres, chez les Scythes, le cheval avait une valeur symbolique. Plusieurs sites de fouilles archéologiques nous ont permis de mieux connaître cette culture. On a retrouvé des trésors, sous forme d'objets en or et en matériaux précieux ornés de dessins de chevaux. Des traces de sacrifices d'équidés dans des chambres funéraires laissent entrevoir le rôle emblématique de cet animal chez ce peuple indo-européen dont toute la culture tournait autour du cheval. Les Scythes furent sans conteste les meilleurs cavaliers du premier millénaire avant notre ère jusqu'au Moyen Âge.

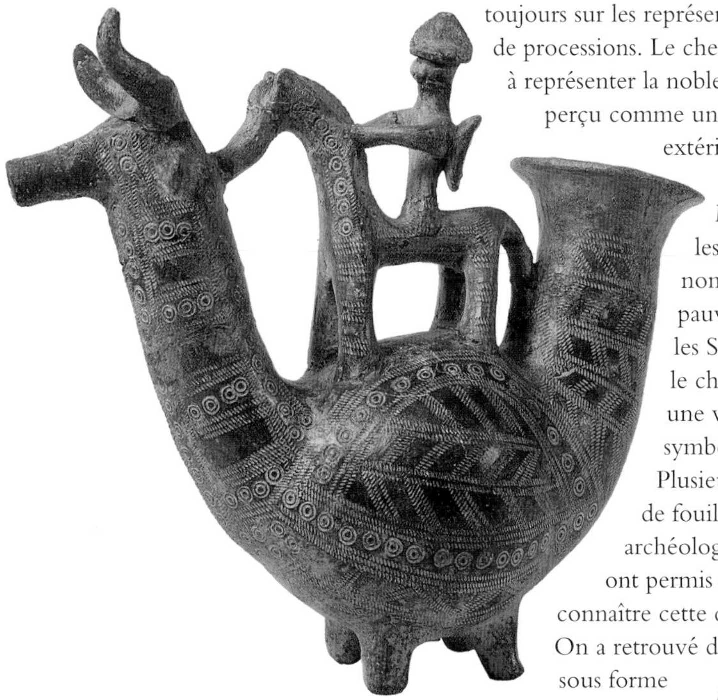

LES TOMBES DE PAZYRYK

LA DÉCOUVERTE des tombes de la culture des Saka de l'Altaï ou Pazyryk apporta un nouvel éclairage sur le rôle du cheval dans les sociétés anciennes. Il s'agit d'un ensemble de cinq sépultures, fouillées entre 1929 et 1949, retrouvées non loin de l'Ob, fleuve sibérien, qui date de la fin du IVe et du début du IIIe millénaire avant notre ère. Elles renfermaient chacune les restes d'une quinzaine de chevaux parfaitement conservés grâce à un étonnant caprice de la nature qui fit pénétrer l'eau dans les fosses où elle gela. De multiples objets : brides, tapis, harnais et cornes de bouquetins postiches ou bois nous sont ainsi parvenus. L'étude des vestiges révéla comment les crinières étaient taillées, les queues tressées, les oreilles coupées et les détails du harnachement et indiqua quels types de chevaux étaient utilisés, leurs tailles, comment on s'en occupait et ce qu'ils mangeaient.

LE CHEVAL DANS LA CHINE IMPÉRIALE

LES EMPEREURS CHINOIS ont laissé un témoignage extraordinaire sur la place du cheval dans leur culture. Des sites sacrificiels de la dynastie Shang, datant d'environ 1400 avant notre ère, ont permis de retrouver les restes de chars et des chevaux d'alors. Une centaine de squelettes d'équidés, probablement très proches du cheval de Prejwalski, furent mis au jour. Toutefois c'est la tombe de l'empereur Qin Shi Huang, premier représentant de la dynastie Qin, mort en 210 av. notre ère, qui a livré le plus impressionnant témoignage archéologique.

Il fut enterré dans un impressionnant mausolée, sans aucun doute ultime hommage à son pouvoir et sa fortune immense. On découvrit, enterrées avec lui dans ce mausolée, des statues grandeur nature d'environ 500 chevaux attelés à des chariots, de 116 chevaux de cavalerie, de 130 chars de combats et de 7 000 soldats.

Ci-dessus
Statue étrusque en bucchero, *vieille de plus de 2 000 ans, représentant un cheval et son cavalier.*

En bas, à droite
Des milliers d'années durant le cheval fut essentiel à la culture chinoise. Cette statuette émaillée en terre cuite date de la dynastie T'ang.

Ci-contre
Les archéologues découvrirent les statues de 500 chevaux dans la tombe de l'empereur Qin Shi Huang.

Ci-dessous
Cette scène de la bataille de Hastings fait comprendre la supériorité des chevaliers normands sur les soldats anglais.

Cette découverte permit de se représenter les chevaux de l'époque et l'on s'aperçut qu'ils étaient étonnement grands puisque les statues, de 1,70 m en moyenne au garrot, évoquent la conformation du pur-sang actuel. Les crinières étaient soigneusement taillées et les queues étaient tressées ou nouées.

LE CHEVAL ANGLAIS

PROBABLEMENT du fait de son insularité, le cheval anglais était plus petit que les autres et le resta jusqu'à la fin du Moyen Âge. Henry VIII (1491-1547) prit des mesures pour limiter les saillies d'étalons de moins de 1,50 m au garrot afin de faire grandir la race. De nombreux chevaux furent importés d'Espagne, de France, du Danemark et de Hongrie au cours des XVe et XVIe siècles. Les chevaliers, avec leurs lourdes armures, avaient besoin d'animaux grands et forts pour aller guerroyer, aussi utilisa-t-on des étalons de trait pour améliorer leurs destriers.

Les Anglais découvrirent brutalement l'importance du cheval lors de la cuisante défaite consécutive à la bataille de Hastings (1066). La tapisserie de Bayeux nous montre comment les chevaliers normands firent passer leurs chevaux en Angleterre puis allèrent au combat en chevauchant. Les Anglais à l'époque allaient au combat à cheval, mais descendaient pour se battre à pied. Leur roi, Harold II (1020-1066) laissa la vie sur le champ de bataille et ses troupes furent obligées de revoir leur stratégie.

Partout où le cheval était présent, on a retrouvé des témoignages du rôle prépondérant qui fut le sien dans toutes les cultures anciennes, autant d'un point de vue pratique, commerce, transport, guerre et agriculture que, souvent, spirituel. L'avènement du couple homme cheval ouvrit littéralement la porte de mondes nouveaux.

Mythes et légendes

LE CHEVAL EST PRÉSENT dans nombre de mythes et contes, certains plus connus que d'autres. Nous retrouverons ici essentiellement les légendes d'origines grecque et romaine.

Minerve, déesse de la sagesse et Neptune, dieu des mers, prirent part à une joute pour gagner la ville d'Athènes. Il fut décidé que celui qui créerait le cadeau le plus utile aux mortels verrait la ville lui revenir. Athéna produisit l'olive et Poséidon, le cheval. La première fut jugée plus utile et la ville revint à la déesse.

En haut, à droite
La licorne est un animal blanc muni d'une corne en or. La Dame à la licorne, tapisserie flamande du XVᵉ siècle, est conservée au musée national du Moyen Âge, à Paris.

Au centre et ci-contre
Le thème de la licorne, animal merveilleux, s'est diversement incarné dans les mythologies du monde.

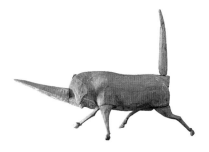

LA LICORNE

L'IMAGE DE LA LICORNE telle qu'elle s'est imposée dans les sociétés occidentales contemporaines est celle d'une élégante jument blanche dont la corne torse, souvent en or, part du milieu du front. Dans d'autres sociétés ou à d'autres époques, elle revêt des formes différentes. En Orient, c'est une créature hybride entre cheval et chèvre avec des sabots fendus et une barbe sous le menton. Le terme japonais est *kirin*, en Chine on dit *ki-lin*, ces deux mots venant de l'hébreu *'re'em'* qui se traduit littéralement par « une corne ».

En 398 avant notre ère, l'historien grec Ctesias donna une description des plus saisissante de la licorne qu'il croyait vivre en Inde. Il l'imaginait proche d'un âne sauvage, mais de la taille d'un cheval avec un corps blanc, une tête rouge sombre, des yeux bleus et, bien sûr, une seule corne. Les récits de voyageurs mystifiés sont probablement à l'origine de cette représentation qui tient de l'âne sauvage, de l'antilope de l'Himalaya et du rhinocéros indien.

LA CORNE DE LA LICORNE

TOUTES SORTES de propriétés étaient attribuées à cette corne dont le pouvoir de guérir ou de ressusciter les morts. Certaines descriptions les disent blanches dans le bas, noires dans le milieu et se terminant par une pointe acérée rouge. Une légende médiévale raconte comment une licorne trempa sa corne dans les eaux empoisonnées d'une mare afin de la purifier et de fournir un point où s'abreuver aux animaux. Cette histoire est peut-être à l'origine de la légende selon laquelle les rois et les nobles buvaient dans un gobelet fabriqué dans une corne de licorne afin de se protéger des tentatives d'empoisonnement. Les cultures occidentales l'imaginaient sauvage et impossible à approcher tandis que les cultures orientales la voyaient soumise et domestique. Un autre conte du Moyen Âge livre l'histoire tragique de sa capture. Nul homme ne pouvait s'approcher de la licorne ; seule une jeune vierge avait ce pouvoir. Selon ce récit, une jeune fille solitaire s'en fut s'asseoir sous un arbre dans les bois et une licorne s'approcha d'elle, attirée par son odeur de pureté. L'animal vint s'endormir la tête posée sur les genoux de la belle. Celle-ci coupa alors sa corne, laissant le malheureux animal à la merci des chasseurs et de leurs chiens. Cette histoire suggère que la licorne n'avait peut-être pas un très bon odorat. Le folklore russe évoque une créature mythique, l'indrik, proche de la licorne mais à deux cornes. C'était le roi des animaux et le roi des eaux. Il vivait sur une montagne sainte et, selon la légende, faisait trembler la terre quand il bougeait.

PÉGASE

L'UN DES CHEVAUX MYTHIQUES les plus connus est Pégase. Il est né, selon une version, de Méduse,

connue pour sa laideur repoussante, et de Poséidon, notoirement indiscipliné. Dans une autre version, lorsque Persée trancha la tête de Méduse, Pégase serait venu au monde jaillissant de son sang au moment où il arrosait le sol, ou encore de son ventre.

Qu'elles que soient ses origines, Pégase eut une longue vie pleine de rebondissements. On racontait qu'il créa d'un coup de sabot le puits d'Hippocrène sur le mont Hélicon. Ce mont appartenait aux muses et Athéna (Minerve) leur offrit Pégase après l'avoir capturé et apprivoisé. Cheval des muses, Pégase a souvent inspiré les poètes et il est devenu le héros de nombreuses histoires au sujet d'écrivains faméliques dans le besoin.

PÉGASE ET BELLÉROPHON

UNE AUTRE HISTOIRE raconte comment Bellérophon captura Pégase, alors qu'il s'abreuvait à un puits, à l'aide d'une bride d'or que lui avait donnée Athéna. Il le chevaucha à la poursuite de la Chimère, monstre sanglant qui terrorisait la population de Lycie, la captura et la tua. Toujours sur Pégase, il entreprit bien d'autres travaux tout aussi terribles. Encouragé par ses succès, Bellérophon décida de gravir le mont Olympe pour solliciter le concours des Dieux pour une affaire amoureuse. Ceux-ci, courroucés par tant de présomption, envoyèrent un taon piquer Pégase qui, sous la douleur, jeta Bellérophon à terre et s'enfuit.

Des variantes racontent qu'il resta boiteux et aveugle après sa chute, errant seul et malheureux tout le restant de sa vie dans l'espoir que Pégase lui revienne. Selon d'autres, il ne put plus jamais monter Pégase, qui ruait à chaque tentative et finit par s'enfuir dans les cieux pour devenir une constellation. Le cheval ailé servit également le puissant Zeus dont il portait les foudres.

D'autres chevaux ailés existent dans la mythologie grecque. Ainsi, Hélios, le dieu du soleil, gravissait la voûte du ciel chaque jour, dans un char d'or, tiré par quatre chevaux ailés, d'une blancheur éclatante, crachant des flammes par leurs naseaux.

Le *buzkashi*, mot turc signifiant « s'emparer de la chèvre »' est le sport national de l'Afghanistan. C'est le nom d'un jeu rapide et dangereux probablement originaire de Scythie et populaire dans toute l'Asie centrale. Il en existe deux variantes : Tudabarai, où il suffit de s'emparer de la chèvre, et Qaradjai où un cavalier doit non seulement s'emparer d'une carcasse décapitée mais aussi l'arracher au « cercle de justice » et effectuer le tour d'un poteau puis l'y ramener avant d'être rattrapé par un autre joueur. Seuls les meilleurs, ou chapandaz, y parviennent. Le nombre de joueurs est illimité. Les chevaux de buzkashi sont des animaux de prix.

En haut, à droite
Pégase, le cheval ailé, monté par Bellérophon selon la vision de Rubens.

En bas
Sujet de prédilection de Rubens, Pégase symbolise l'inspiration poétique.

Un des centaures les plus remarquables était Chiron, sage, savant, médecin, musicien et chasseur. On le considéra souvent comme le précepteur des dieux. Il était très estimé et, à sa mort, Zeus l'envoya parmi les étoiles, faisant de lui la constellation du sagittaire.

POSÉIDON, DIEU DES CHEVAUX

POSÉIDON, Neptune chez les romains, était l'un des dieux grecs les plus puissants puisqu'il était le dieu des océans, des tremblements de terre et des chevaux. On racontait que ses chevaux aux sabots cuivrés et à la crinière dorée tiraient

Au centre
Peinture du XIXᵉ siècle représentant les chevaux de Neptune. Le dieu de la mer est souvent entouré de chevaux dans la mythologie.

En bas
Cette fresque représente Achille avec Chiron, qui créa la constellation du Sagittaire.

LE CENTAURE

LE CENTAURE est une créature mythique célèbre qui était homme de la tête aux reins, le reste de son corps étant celui d'un cheval. Les anciens le considéraient comme l'un des monstres les plus fréquentables de son temps et le représentaient souvent sous un jour favorable. Toutefois, la bataille des Lapithes et des centaures fait exception à cette règle. Invités aux noces de Pirithoos, roi des Lapithes, et d'Eurytion où le vin coulait à flot, plusieurs centaures s'enivrèrent et se mirent à insulter la jeune femme. S'ensuivit une épouvantable bataille durant laquelle de nombreux centaures furent tués.

son char sur les flots qui s'apaisaient devant lui. Comme beaucoup d'autres dieux du panthéon grec, ses mœurs étaient légères et il se rendit coupable du viol de sa sœur Déméter. Pour échapper à son frère, elle se métamorphosa en jument, mais malheureusement Poséidon prit la forme d'un étalon et eut raison de sa résistance. De cet accouplement naquit un cheval nommé Arion.

Poséidon joue aussi un rôle dans l'histoire de la ville. Athéna (Minerve), déesse de la sagesse, et Poséidon revendiquaient tous deux la ville d'Athènes. Il fut décidé qu'elle reviendrait à celui qui ferait le cadeau le plus utile aux mortels. Athéna produisit l'olive et Poséidon le cheval. La déesse l'emporta et s'adjugea la ville. Selon des variantes, le don du dieu fut la source de l'Acropole.

Xanthos et Balios étaient deux chevaux immortels dont le nom signifie « bai » et « pie ». Poséidon les offrit à Pélée, le père d'Achille, en cadeau de noces. Pendant la guerre de Troie,

Pline, naturaliste romain, décrivit la licorne comme un animal redoutable au corps de cheval, à la tête de cerf, aux pieds d'éléphant, avec la queue d'un sanglier, une voix énorme et une unique corne noire au milieu du front. Il dit aussi qu'elle ne pourrait jamais être capturée vivante.

LE CHEVAL DE TROIE

C'ÉTAIT UN IMMENSE cheval creux en bois qui joua un rôle décisif dans la mise à sac de la ville de Troie. Pâris, prince troyen, éperdument amoureux de la belle Hélène, l'avait enlevée à Ménélas son époux et amenée à Troie. Dix ans durant, les soldats grecs assiégèrent la ville pour ramener Hélène à son mari. Finalement, ils eurent l'idée de construire un grand cheval creux en bois et de se cacher dedans. Les Troyens pensant qu'il s'agissait d'un cadeau le firent entrer dans la ville. Au milieu de la nuit, les soldats en sortirent pour aller ouvrir les portes de la cité. La ville fut brûlée et Hélène retrouva la liberté.

LES WALKYRIES

TOUS LES MYTHES ne sont pas grecs. L'histoire des walkyries, issue de la mythologie scandinave, nous le rappelle. Leur nom signifie « celles qui choisissaient les massacrés ». Messagères du tout puissant Odin, elles étaient représentées tantôt comme de fières guerrières, tantôt comme de charmantes vierges blondes pouvant prendre l'apparence d'amazones ou de femmes-cygnes. Sur les champs de bataille, ces anges de la mort, protégés par leur boucliers, désignaient les guerriers promis à la mort. La guerre terminée, elles servaient l'hydromel et la viande aux héros réunis.

Odin, l'un des principaux dieux de la cosmogonie nordique, alla accrocher la lune et le soleil dans le ciel. C'était aussi le dieu de la guerre, de la poésie, de la sagesse et de la mort. L'un de ses biens les plus précieux était Sleipnir, son cheval à huit jambes, capable de traverser les cieux et l'au-delà.

Achille confia les chevaux à Patrocle qui se fit tuer. Achille leur reprocha sa mort mais Xanthus lui répondit qu'un dieu en avait ainsi décidé et que lui-même mourrait bientôt de la main d'un dieu. Peu après cette prophétie, le malheureux cheval périt frappé par les Erinyes (Furies).

En haut, à gauche
Cette enluminure tirée d'un manuscrit du XVᵉ siècle illustre l'histoire du cheval de Troie.

Ci-dessus
Odin, dieu des mythologies scandinaves, plaça la lune et le soleil dans le ciel monté sur son cheval à huit jambes.

En bas, à gauche
Ce bas-relief sur terre cuite vers 670 avant notre ère représente un cheval de Troie plein de soldats.

Chevaux et royauté

LES LIENS entre chevaux et royauté existent depuis de nombreux siècles. La plus belle démonstration de cette relation privilégiée est donnée par la famille royale britannique, très attachée aux traditions équestres. La reine Élisabeth II commença à monter à cheval à l'âge de quatre ans, lorsqu'elle reçut en présent un poney shetland nommé Peggy. Elle a pratiqué l'équitation tout au long de sa vie et s'est toujours promenée à cheval sur les domaines de Windsor et de Balmoral. C'est aussi à cheval qu'elle fit visiter le domaine de Windsor à Ronald Reagan, lui aussi cavalier émérite, lors d'une visite officielle du président américain, en 1982.

C'est également la reine Anne qui présida à l'importation, depuis la ville d'Alep (actuelle Syrie), du fameux étalon Darley Arabian, source de l'élevage de chevaux de très grande classe.

PATRONAGE ROYAL

À L'IMAGE de feu la reine mère, Élisabeth II est une ardente supportrice de l'industrie des courses. Environ vingt-cinq de ses chevaux sont entraînés chaque année pour la compétition, et ses connaissances en la matière sont largement reconnues. En Angleterre, le patronage des courses par la famille royale est une tradition séculaire, qui a notamment permis le développement et la structuration des courses de plat.

Le roi Charles II (1630-1685) créa nombre des courses hippiques de l'hippodrome de Newmarket, augmenta les prix réservés aux vainqueurs et établit des règles officielles. C'est durant son règne que fut établi l'hippodrome d'Epsom, site du fameux Derby. En 1711, la reine Anne Stuart (1665-1714), autre passionnée de ce sport, inaugura l'hippodrome d'Ascot, qui accueille chaque année le fameux Royal Meeting.

HARAS ROYAUX

LES CHEVAUX de course de la reine Élisabeth II sont soignés aux haras de Sandringham et de Wolferton, établis en 1886, et au haras de Polhampton, acheté par la reine en 1972. Les premiers haras royaux furent fondés au XVIᵉ siècle à Hampton Court, aux abords de Londres. La reine possède deux étalons pur-sang, Bustino et Ezzoud, et dispose de ses propres poulinières. Elle suit de très près l'élevage et l'entraînement de ses chevaux, de même que la compétition. Ses montures font valoir un superbe palmarès, puisqu'elles ont remporté quatre des cinq « classiques » anglaises – seul le derby d'Epsom leur a pour l'instant échappé – et ont accumulé plus de six cent victoires depuis 1949.

Ci-dessus
La reine Élisabeth II et le prince Édouard lors d'une promenade à cheval au domaine de Windsor en 1983.

En bas
Devon Loch, qui appartenait à la reine mère, est ici vu en pleine action lors du Grand National de 1956.

édifiées en 1820 par l'architecte John Nash à la demande du roi George IV (1762-1830). Aujourd'hui ouvertes au public, elles abritent les chevaux d'attelage royaux, les calèches et carrosses royaux ainsi qu'une collection d'automobiles appartenant à la reine. Le cheval crème (cream horse), cheval royal traditionnel, fut introduit en 1714 par le roi George Ier (1660-1727). Aujourd'hui, les chevaux royaux sont majoritairement des bai de Cleveland, accompagnés de quelques chevaux bais hollandais tels que oldenbourg et holstein. Les seuls chevaux habilités à tracter les calèches et carrosses royaux sont les fameux windsor grey, qui tirent leur nom du domaine de Windsor, au sein duquel ils étaient élevés durant l'ère victorienne. Le windsor grey n'est pas une race,

Pégase, fameux cheval ailé de la mythologie grecque, portait le tonnerre de Zeus. Il a donné son nom à une constellation.

PASSION FAMILIALE

L'INTÉRÊT DE LA REINE Élisabeth II pour les chevaux, qui ne se limite pas au monde des courses, s'est largement transmis à sa descendance. La princesse Anne est une cavalière accomplie qui a participé à de nombreuses épreuves d'endurance et a concouru au plus haut niveau en compétition. Elle fut membre de l'équipe britannique de concours complet au jeux Olympiques de Montréal en 1976, puis fut élue à la présidence de la F.E.I. (Fédération équestre internationale) en 1986.

Le duc d'Édimbourg a remporté de nombreux succès en courses attelées, et certains de ses poneys d'attelage sont élevés au domaine de Balmoral, en compagnie de poneys haflinger, fell et highland. Les élevages royaux ont pour cadre principal les haras de Hampton Court, notamment pour la production de chevaux d'attelage pour les Écuries Royales. Les Écuries Royales, sur Buckingham Palace Road, furent

mais les chevaux regroupés sous cette appellation sont de types très similaires.

En haut
Dans la cérémonie du Salut aux couleurs, les chevaux ont une place privilégiée.

Ci-contre
Plusieurs milliers de personnes se massent aux abords de Buckingham Palace et le long du Mall pour regarder défiler les Life Guards.

En bas
La reine avait coutume de participer à la cérémonie à cheval. Aujourd'hui, elle y prend part en calèche.

LE SALUT AUX COULEURS

L'ANGLETERRE est l'un des derniers pays où chevaux et calèches continuent à être largement utilisés lors des cérémonies officielles. À l'occasion du fameux Trooping the colour (Salut aux couleurs), la reine avait pour coutume de défiler à cheval. De 1969 à 1986, elle y monta une jument noire appelée Burmese, don de la Royal Canadian Mounted Police (police montée canadienne). En 1986, Burmese prit une retraite bien méritée, et depuis lors, la reine participe à la cérémonie en calèche.

Selon un vieux mythe chinois, les châtaignes que portent les chevaux sur la face interne du genou sont des yeux qui leur permettent de percer l'obscurité.

Chevaux et littérature

A TRAVERS LES ÂGES, le cheval a joué un rôle primordial dans la vie des hommes, et cette relation est maintes fois reflétée dans la littérature. Depuis ses premières associations avec l'espèce humaine, le cheval a toujours été considéré comme une figure majestueuse et romantique, inspirant poésie et nobles sentiments chez de grands écrivains.

L'hippogriffe, moitié cheval, moitié griffon, est un animal légendaire de la littérature grecque ancienne.

MANUELS D'ÉQUITATION

LE CHEVAL est le sujet d'un grand nombre d'ouvrages de genres divers et, notamment, de manuels d'équitation. Nombre de ces manuels sont vieux de plusieurs siècles et offrent une vision fascinante des premières méthodes d'équitation. L'un des premiers fut écrit en 1360 av. J.-C. par un certain Kikkuli, maître écuyer du roi hittite Souppiliouliouma. De façon étonnante, cet ouvrage se rapproche beaucoup, par ses idées, des manuels modernes. L'auteur conseille par exemple l'alimentation au grain et souligne l'intérêt de la luzerne et de la paille de blé.

Le général grec Xénophon (427-354 av. J.-C.) est un autre des premiers auteurs connus sur l'équitation. Ses écrits couvrent l'entraînement, l'alimentation et le choix de la monture. Ils traitent également de l'équipement du cheval et du cavalier, et témoignent d'un réel souci pour le bien-être du cheval. Aujourd'hui encore, les théories

En haut, à droite
Le cheval est présent dans divers mythes et légendes de la Grèce antique, et il existe un texte grec sur l'équitation datant du IVᵉ siècle av. J.-C.

Au centre
Nombre de chevaux sont les protagonistes d'ouvrages pour enfants. Le plus célèbre d'entre eux est Black Beauty.

En bas, à droite
L'auteur anglais Dick Francis fut un jockey de haut niveau.

LE CHEVAL : CE HÉROS

LE CHEVAL tient souvent le rôle de héros dans les ouvrages pour enfants, notamment dans *Black Beauty*, de Anna Sewell, qui évoque la cruauté envers les animaux au XIXᵉ siècle. Les livres de la série *L'Étalon Noir*, de Walter Farley, retracent les aventures d'Alec Ramsey et de son étalon noir. Dans les ouvrages de Mary O'Hara mettant en scène un cheval nommé Flicka, un jeune garçon parvient à mieux comprendre son père grâce à la dévotion qu'il porte à l'animal.

National Velvet, écrit par Enid Bagnold, est l'un des grands classiques de la littérature pour enfants. Le livre, qui fut adapté à l'écran avec Élisabeth Taylor dans le rôle principal, raconte l'histoire d'une fillette qui gagne un cheval lors d'une loterie et le conduit à la victoire au Grand National. Ancien jockey, Dick Francis écrit aujourd'hui des romans policiers peuplés de personnages hauts en couleur et ayant le monde des courses pour décor.

de Xénophon sur les soins à apporter aux chevaux demeurent valables et elles montrent une réelle compréhension de la spécificité équine. Les théories exposées dans son ouvrage *Peri Hippikes* sont aujourd'hui considérées comme les règles de base de l'équitation classique de la Renaissance.

LA MÉTHODE ITALIENNE

BEAUCOUP PLUS TARD, les théories de Xénophon furent reprises et élargies par l'Italien Frederico Grisone. En 1550, cet aristocrate publia l'ouvrage *Gli Ordini di Cavalcare* (*Les Règles de l'Équitation*), qui rencontra, à son époque, un grand succès. Hélas, le livre promulguait l'usage de la force et de la contrainte dans l'apprentissage, s'éloignant en cela des méthodes plus douces employées par Xénophon. Malgré tout, Grisone avait bien compris les principes d'équilibre, de rythme et de fluidité et il obtint des résultats significatifs.

L'ÉCOLE FRANÇAISE

EN 1593, Salomon de La Broue publia *Le Cavalier Français*, premier manuel d'équitation français, qui contribua à faire de l'École française d'équitation l'une des organisations les plus influentes pour le style classique en Europe. Autre théoricien célèbre, Antoine de Pluvinel, premier maître de l'École de Versailles, fut à l'origine de l'un des ouvrages les plus consultés de l'époque : *L'Instruction du Roy en l'Exercice de Monter à Cheval* fut publié cinq ans après la mort de son auteur. De Pluvinel, qui recommandait une approche plus humaine du dressage, fut l'un des premiers à utiliser des poteaux de bois pour faciliter l'exécution du rassembler et des levades, premières étapes vers les airs relevés.

En 1733, François Robichon de la Guérinière publia L'École de cavalerie, considéré comme l'ouvrage équestre le plus important de cette époque. Prônant lui aussi des méthodes plus humaines, il diminua l'action des mains au profit de l'action des jambes et établit la position du cavalier, cuisses collées au flancs du cheval à la manière moderne. Il est clairement à l'origine des principes du dressage moderne, fut le créateur de l'épaule en dedans, et ses méthodes servirent de base pour l'établissement de l'École espagnole de Vienne.

LES MANUELS ANGLAIS

À CETTE MÊME ÉPOQUE, les aristocrates anglais étaient bien trop passionnés par les courses ou par la chasse à courre pour songer à l'écriture de manuels. William Cavendish (1592-1676), duc de Newcastle, est une exception. Contraint de s'exiler à Anvers en 1658, il y publia ses théories en français, puis enrichit celles-ci pour une publication à son retour en Angleterre en 1660. Ses méthodes prônaient l'usage de la méthode forte et la répétition d'exercices peu naturels pour le cheval.

Tous ces exemples illustrent l'immense richesse de la littérature équestre, tant en ouvrages de fiction qu'en manuels éducatifs.

Les bronzes équestres les plus célèbres sont les *Chevaux de Saint-Marc*, à Venise.

Ci-dessus
L'École espagnole de Vienne s'est inspirée des méthodes développées au XVIIIe siècle par le Français François Robichon de la Guérinière.

Ci-contre
François Robichon de la Guérinière établit le premier les principes du dressage moderne.

Les chevaux dans l'art

L'HISTOIRE DES REPRÉSENTATIONS équestres dans l'art s'étend sur plusieurs millénaires et commence bien avant la domestication du cheval. Les peintures et gravures rupestres des grottes Chauvet et de Lascaux nous ont permis de découvrir non seulement les premières œuvres d'art mais également les traits physiques du cheval primitif. Ces œuvres sont remarquablement bien conservées, ce qui est stupéfiant si l'on songe qu'elles ont été réalisées environ 20 000 ans avant l'ère chrétienne.

En haut et en bas
Réalisés au VIIe siècle av. J.-C., les bas-reliefs du palais de Ninive décrivent une bataille contre le roi d'Élam.

Ci-contre
Le cheval est représenté depuis les temps préhistoriques. Cette peinture rupestre habille la grotte de Niaux, dans les Pyrénées ariégeoises.

PEINTURES RUPESTRES

LES REPRÉSENTATIONS RUPESTRES des grottes Chauvet et de Lascaux sont enfouies au sein de profonds réseaux souterrains, ce qui a sans nul doute contribué à leur parfaite conservation. On peut se demander pour quelles raisons ces œuvres furent réalisées en des sites presque inaccessibles, et si les animaux représentés avaient une valeur spirituelle pour leurs auteurs. Peut-être s'agissait-il seulement d'évoquer avec admiration le tempérament fier et sauvage des premiers chevaux. À Niaux, dans les Pyrénées ariégeoises, un cheval représenté au trait noir épais offre une ressemblance frappante avec le cheval de Przewalski. Dans la grotte Chauvet, près de Vallon-Pont-d'Arc (Ardèche), d'autres chevaux sont représentés en traits libres et en vives couleurs avec un tel souci du détail qu'il est possible de distinguer sur leur robe des taches similaires à celles

de l'appaloosa. Ces chevaux présentent une tête plus fine que celle des chevaux de Niaux et rappellent par leur silhouette le cheval arabe.

BAS-RELIEFS

LES REPRÉSENTATIONS du cheval à travers les siècles nous procurent une somme immense d'informations, allant du rôle du cheval dans la société à l'évolution physique de cet animal. Une autre source importante d'illustrations nous a été fournie par les Assyriens, plus précisément par les bas-reliefs des palais de Ninive et de Nimrud. Les bas-reliefs de Ninive, réalisés vers 645 av. J.-C., offrent des vues saisissantes sur la société d'alors. Ils incluent une scène de chasse au lion montrant le roi monté sur son char. À ses côtés, se dressent des chevaux superbes, tendus par l'excitation de la poursuite. On distingue sans peine les harnachements utilisés à l'époque, et les chevaux puissants et en bonne condition sont visiblement bien soignés. Ils apparaissent membres allongés en une représentation typique de cette période : les figurations plus naturelles n'apparurent que beaucoup plus tard.

Réalisés vers 860 av. J.-C., les bas-reliefs de Nimrud sont aussi spectaculaires que ceux

en magnificence. Ils conservent encore aujourd'hui un peu de leur feuillure à l'or, sans doute parce que de nombreuses couches avaient été appliquées par l'auteur. Le Grec Phidias possédait lui aussi une parfaite compréhension de la morphologie équine, et les sculptures qu'il a réalisées pour la frise dorique du Parthénon, à Athènes, témoignent de son talent. Datées approximativement de l'an 450 av. J.-C., ces sculptures représentent des éphèbes montant à cru de superbes chevaux admirablement proportionnés et vus à divers stades de leur mouvement.

Ci-contre
Statuaire classique de chevaux de guerre.

Ci-dessous
Ce bronze imposant est à l'effigie de l'empereur romain Marcus Aurelius Antoninus. Le cheval ajoute majesté et puissance à la représentation.

En bas, à gauche
Statuette mongole en terre cuite datée du V⁰ siècle.

de Ninive. Ils montrent des archers en position de tir montant à cru des étalons à l'allure puissante. Ici encore, on peut distinguer les brides élaborées en usage à l'époque ainsi que les colliers d'encolure à vocation décorative.

SCULPTURES ÉQUESTRES

AU NOMBRE DES STATUES équestres antiques, les plus saisissantes figurent les quatre chevaux en cuivre doré de la basilique Saint-Marc, à Venise. Façonnés aux alentours du IVᵉ siècle av. J.-C. par le sculpteur grec Lysippe, ces chevaux fiers et puissants sont plus grands que nature. Leur représentation est parfaitement fidèle quant à l'anatomie, et ils semblent prêts à se mettre en mouvement à tout moment. Ils étaient à l'origine d'un superbe or brillant et devaient encore gagner

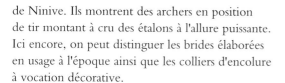

GUERRIERS DE TERRE CUITE

LE CHEVAL tenait également une place importante dans les premières sociétés chinoises, où il était signe de puissance et de richesse. Le meilleur exemple en est donné par la tombe de l'empereur Qin Shi Huangdi, datée du IIIᵉ siècle av. J.-C. La partie mise au jour de cette sépulture a révélé une incroyable accumulation de figures en terre cuite grandeur nature – environ 7 000 soldats et 600 chevaux – et de divers chars et armements. Les chevaux remarquablement restitués portent pour certains des marques distinctives, mais ils apparaissent moins réalistes que les statues équestres de la basilique Saint-Marc ou que l'imposant bronze représentant Marcus Aurelius à cheval, réalisé vers 180 av. J.-C. Il est intéressant de noter qu'il existe des différences raciales marquées entre les chevaux représentés en Chine et ceux figurés durant les Antiquités grecque et romaine.

CHEVAL ET PEINTURE

LE CHEVAL fut ignoré ou bien relégué à une place secondaire par la plupart des peintres et sculpteurs du Moyen Âge. Les sujets à caractère religieux avaient la faveur d'un grand nombre d'artistes et il fallut attendre le XVIIIe siècle pour que le cheval regagne ses lettres de noblesse dans les représentations artistiques. Les exemples suivants constituent des exceptions à cette règle.

DE LIMBOURG ET GOZZOLI

PARMI LES PLUS belles iconographies équestres du XVe siècle figurent *Les Très Riches Heures du Duc de Berry : Mai* (1412-1416) par les frères de Limbourg et *Le Cortège des Rois Mages* (1459) par l'Italien Benozzo Gozzoli. Mai est l'une des douze enluminures ornant un livre d'heures commandé à l'atelier des frères de Limbourg par le duc de Berry. La représentation offre une incroyable richesse de détails et fut probablement réalisée à l'aide d'un outil grossissant. Elle décrit les fastes princiers lors de la fête annuelle du 1er Mai, alors vouée à l'amour. Emmenés par des joueurs de trompe et de flûte, les participants arborent des couronnes et des colliers de feuillage. Les dames sont habillées d'une longue robe verte, de rigueur ce jour là. Les chevaux ont été représentés en privilégiant l'esthétique plutôt que la justesse anatomique. Leurs postures apparaissent raides et peu naturelles, mais cela n'enlève rien à la beauté de l'œuvre.

Bien que peint près d'un demi-siècle plus tard, le tableau de Gozzoli présente un style similaire au précédent. Ici encore, la science du détail est consommée, notamment dans la représentation des pièces de harnachement. Les chevaux sont figurés en étalons puissants et héroïques dans une facture proche de celle des frères de Limbourg. Il est intéressant de noter la manière dont Gozzoli a traité le cheval figurant sur la droite du tableau, représenté en appui sur l'antérieur et le postérieur droits, ce qui démontre une connaissance approximative des caractéristiques équines. Sur la gauche du tableau, le cheval gris semble prêt à s'élancer, et cette sensation de mouvement est accentuée par la figuration des postérieurs de l'animal.

UCCELLO

La Bataille de San Romano (vers 1450), de l'Italien Paolo Uccello, est une autre réalisation intéressante de cette époque. L'œuvre tripartite est extraordinaire à plus d'un titre, même si au premier abord, elle semble n'être qu'une description un peu figée. Uccello s'efforçait alors de maîtriser les principes de la perspective, et la disposition des éléments picturaux était vouée à la démonstration de ses théories. Dans le troisième épisode, chaque personnage se tient dans un espace qui lui est propre, et malgré l'usage des lances qui créent des plans de visions, l'artiste s'est efforcé de faire pénétrer l'œil de l'observateur dans la profondeur du tableau.

En haut
Le Cortège des rois mages, *œuvre du peintre italien Benozzo Gozzoli.*

Ci-dessus
Détail d'un manuscrit du XVe siècle montrant des nobles de cour à cheval.

En bas
La Bataille de San Romano, *troisième épisode, du peintre italien Paolo Uccello.*

Le procédé n'est que partiellement efficace, mais on perçoit néanmoins une distinction marquée entre premier plan et arrière-plan ainsi qu'un mouvement diagonal depuis l'angle avant droit vers l'angle arrière gauche. De façon curieuse, le paysage situé à droite semble peu lié au reste du tableau. Les chevaux sont représentés de façon peu réaliste, mais la richesse des couleurs et des motifs compense les erreurs anatomiques. De fait, l'œuvre dégage une certaine modernité dans sa recherche formelle et chromatique.

VAN DYCK ET VÉLAZQUEZ

VAN DICK ET VÉLASQUEZ furent deux des plus grands portraitistes du XVIIᵉ siècle. Élève de Rubens, Van Dick fut nommé peintre du roi Charles Iᵉʳ d'Angleterre en 1632. Ces peintures nous offrent une vision précise de la société aristocratique d'alors et de ses codes vestimentaires. Deux des œuvres les plus célèbres

Ci-contre
Dans ce tableau de Vélasquez, la tête baissée du cheval renforce la puissance du roi Charles Iᵉʳ.

En bas
Van Dick dépeint Charles Iᵉʳ à cheval, ce qui confère au souverain grandeur et magnificence.

du peintre sont *Portrait équestre de Charles Iᵉʳ, roi d'Angleterre* (vers 1638) et *Charles Iᵉʳ, roi d'Angleterre* (vers 1635). Dans *Portrait équestre de Charles Iᵉʳ*, le cheval occupe une place centrale et capture davantage l'œil que le roi lui-même, dont le regard semble perdu dans le vague. Malgré tout, la représentation pleine de puissance et de magnificence de la monture permet à Van Dick de faire passer ces qualités pour celles du souverain. De fait, le cheval est totalement hors de proportion : la tête minuscule est posée sur un corps éléphantesque, mais l'ensemble demeure élégant.

Le second portrait représente le roi à la chasse, dans un style flamboyant, alors qu'il vient de descendre de son cheval gris. Seule l'avant-main de la monture est visible, mais il s'agit clairement d'un animal superbe et puissant. Il est représenté tête baissée et regard tourné vers le roi, marque de respect envers le puissant Charles Iᵉʳ.

L'hippologie est l'étude du cheval, notamment des différentes races et de leur distribution géographique. La thérapeutique hippologique s'appelle l'hippiatrie.

Vélasquez (1590-1660) fut employé à la cour du roi Philippe IV d'Espagne. Très intéressé par le naturalisme, il avait dans l'idée de représenter la nature telle qu'elle lui apparaissait et dans ses moindres détails. Sa mission principale était de peindre le roi et les membres de la famille royale, toujours de la façon la plus flatteuse possible.

De même que Charles Ier, Philippe IV n'était ni très beau ni très charismatique, de sorte que le travail de l'artiste s'avérait souvent difficile. Dans *Portrait équestre de Philippe IV* (vers 1636), une des œuvres majeures du peintre espagnol, le roi est figuré sur un puissant cheval à demi dressé sur ses postérieurs. Bien que plaisant à l'œil, l'arrière-plan du tableau est dépourvu de détails pour mieux mettre en valeur le souverain et sa monture. De même que Van Dick, Vélasquez place Philippe IV sur un fringant coursier afin de lui conférer grandeur et majesté.

Les détails du costume du roi et du harnachement, très finement réalisés, font oublier les petites erreurs anatomiques dans la représentation du cheval.

DELACROIX ET GÉRICAULT

GÉRICAULT (1791-1824) consacra beaucoup de temps à l'étude des œuvres de Rubens et Van Dick, et il évolua vers davantage de réalisme et d'exactitude dans sa description des chevaux. Lui-même passionné d'équitation, il périt de façon tragique à la suite d'une chute de cheval. Il est intéressant de comparer Le Derby d'Epsom avec d'autres tableaux similaires réalisés après la publication des études photographiques du cheval en mouvement réalisées dans les années 1880 par l'Anglais Edward Muybridge.

En haut, à droite
Fantasia arabe, *tableau peint par Delacroix en 1834.*

Ci-dessus
Philippe IV, Roi d'Espagne, *œuvre de Vélasquez.*

À droite
Whistlejacket *fut peint par Georges Stubbs en 1762.*

Ci-dessous
Dans Le derby d'Epsom, *tableau de Géricault, les attitudes des chevaux sont peu réalistes.*

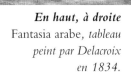

Un hippiatre est un vétérinaire spécialiste des maladies du cheval.

Delacroix (1798-1863) était également féru d'équitation, et il fut l'un des membres fondateurs du Jockey-Club français. Delacroix peignait avec force et opulence pour décrire des scènes hautes en couleur mêlant sang et passion. Il fut grandement influencé par un voyage au Maroc, après lequel son penchant pour les thèmes et couleurs exotiques s'amplifia. En examinant son tableau *Fantasia arabe* (1834), on comprend comment il parvenait à suggérer une ambiance par l'utilisation judicieuse de la couleur et du mouvement. Cette œuvre annonce l'impressionnisme, courant qui finit par dominer la création artistique de cette époque.

GEORGE STUBBS

GEORGES STUBBS (1724-1806) est aujourd'hui reconnu comme l'un des plus grands peintres équestres de tous les temps, et son talent est parfaitement démontré par *Whistlejacket* (1762). Réalisé à la suite d'une commande, ce tableau de près de trois mètres de hauteur est tout entier centré sur la figure chevaline et ne comporte pas d'arrière-plan susceptible de distraire l'œil de l'observateur. Durant les années 1760, Stubbs

consacra deux ans à la réalisation de dessins anatomiques équestres, qu'il publia sous forme de gravures en 1766. La richesse du détail et le soin infini apporté à la réalisation témoignent de sa passion pour cette entreprise. Les chevaux représentés par Stubbs allient mouvement, exactitude anatomique et élégance, et ce peintre anglais est clairement l'un des maîtres de l'art équestre.

DEGAS

DEGAS (1834-1917) excella dans la représentation de scènes de courses et de cérémonies liées aux réunions hippiques. Ses œuvres sont à la fois variées et intéressantes, en vertu de points de vue originaux et d'une organisation particulière de l'espace. Dans *Le Défilé*, Degas observe les chevaux par leur arrière, ce qui est très inhabituel. La scène, qui représente les chevaux déambulant au pas avant le départ de la course, dégage une impression de sérénité. Degas fut grandement influencé par les études photographiques de Muybridge et il s'en inspira directement pour la réalisation de plusieurs dessins. Après la publication de ces études, les œuvres de Degas témoignèrent d'une meilleure compréhension de la locomotion équine.

MUNNINGS

AUTRE PEINTRE ANGLAIS réputé pour ses représentations équestres, Alfred Munnings (1878-1959) était passionné de chasse à courre, comme en témoigne son tableau *Chasseur avec Chiens* (1914). Cette œuvre superbe réussit à marier immobilisme et mouvement. Au premier plan, le cavalier et sa monture apparaissent comme figés, regards perdus dans le lointain, tandis qu'un deuxième cavalier et des chiens de meute s'activent autour dans un état d'excitation visible.

Plus tard, Alfred Munnings travailla en France comme peintre de guerre au service de la cavalerie canadienne, décrivant le quotidien d'un régiment de cavalerie en campagne. Les peintures réalisées par Munnings à cette époque sont rassemblées au Canadian War Museum d'Ottawa. Elles sont très informatives et témoignent du talent de l'artiste, qui a parfaitement sa place parmi les plus grands peintres équestres du XXe siècle.

En haut
Le Défilé, *œuvre de Degas.*

Ci-dessus
Alfred Munnings est réputé pour ces peintures de chasse.

À gauche
Les études photographiques de Muybridge ont influencé de nombreux artistes, dont Degas.

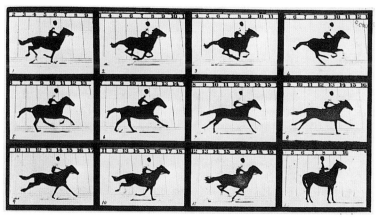

Classification des équidés

DURANT LONGTEMPS, on a pensé que le cheval était le fruit d'une évolution linéaire, faite d'un seul saut depuis les premiers fossiles équins mis au jour jusqu'aux sujets d'aujourd'hui. À la lumière de découvertes récentes, il est maintenant attesté que ce processus évolutif fut d'une grande complexité. Diverses espèces équines de genres distincts ont habité notre planète aux mêmes périodes. Ces espèces ont évolué à des rythmes différents, montrant pour certaines des mutations très rapides et pour d'autres des changements plus graduels.

au broyage de plantes et feuilles plus résistantes. Durant une période couvrant la fin de l'éocène (entre 23 et 33 millions d'années environ), une importante mutation climatique causa le recul des immenses forêts d'Amérique du Nord et l'émergence de vastes prairies. Dès lors, les équidés développèrent une dentition mieux adaptée à la mastication de l'herbe et des membres à la fois plus longs et plus puissants leur permettant de se déplacer plus rapidement en terrain découvert.

L'ÉVOLUTION ÉQUINE

LES PREMIERS FOSSILES d'équidés mis au jour datent du début de l'éocène (55 millions d'années), époque durant laquelle *Hyracotherium* habitait les régions boisées de l'Amérique du Nord. Ce petit mammifère très différent du cheval moderne avait la taille d'un renard et portait quatre doigts aux pattes antérieures et trois aux pattes postérieures. Les vestiges du premier doigt (pattes antérieures) et des premier et deuxième doigts (pattes postérieures) étaient présents. *Hyracotherium* était herbivore et se nourrissait probablement de fruits et de jeunes pousses.

Au fil des siècles, *Hyracotherium* se répandit dans toute l'Amérique du Nord et atteignit le nord de l'Europe, alors rattaché au continent américain par une langue de terre. Au début de l'éocène, après la séparation des deux continents, *Hyracotherium* évolua de façon différente dans ces régions du monde. En Europe et en Asie, il donna naissance à plusieurs genres divergents qui disparurent au début de l'oligocène (33 millions d'années). En Amérique du Nord, *Hyracotherium* se mua en *Orohippus* puis en *Epihippus*. Les changements les plus notables concernèrent la dentition, avec le développement de molaires mieux adaptées

HAPLOHIPPUS, MESOHIPPUS ET MIOHIPPUS

À LA FIN DE L'ÉOCÈNE (33 millions d'années), apparurent les genres *Haplohippus*, *Mesohippus* et *Miohippus*. Les équidés des deux derniers genres étaient les plus avancés et les plus proches du cheval moderne. *Mesohippus* était un peu plus gros que *Epihippus*, avec des membres et un cou plus longs. Il présentait trois doigts aux pattes antérieures et postérieures et possédait une dentition mieux adaptée à la pâture. Un peu plus gros que *Mesohippus* mais proche de celui-ci en apparence, *Miohippus* présentait un crâne allongé et se déplaçait d'une façon proche de celle des équidés modernes.

Au début du miocène (24 millions d'années), la famille des équidés se scinda en deux lignées principales et une branche de moindre importance.

En haut, à droite
Les plaines du Colorado étaient habitées par Hyracotherium *il y 60 millions d'années.*

En haut, à gauche
Squelette fossile de Hyracotherium, *de la taille d'un renard.*

En bas, à droite
Mesohippus *avait des membres et un cou longs. Sa dentition était adaptée à la pâture.*

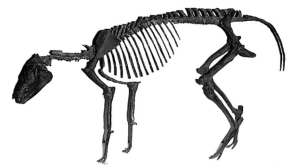

La première lignée était représentée par *Anchitherium*, proche de *Miohippus* mais de taille légèrement plus élevée. Herbivore doté de trois doigts aux pattes antérieures et postérieures, il évolua en *Hypohippus* puis en *Megahippus*, genre qui se répandit largement en Eurasie et en Amérique du Nord, et dont on pense qu'il disparut il y a environ dix millions d'années à la suite de mutations climatiques.

La branche secondaire était formée par *Archeohippus*, genre d'équidés nains qui disparut assez rapidement.

La seconde des deux lignées principales, et la plus importante, montra rapidement des mutations significatives. La dentition devint mieux adaptée à la mastication, les dents s'allongèrent et leur poussée

devint continue pour compenser l'usure liée au broyage des végétaux. Augmentation de la taille et allongement des membres permirent bientôt à ces équidés prémodernes d'acquérir un déplacement plus rapide, également favorisé par la disparition des coussinets plantaires et par un appui au sol effectué uniquement, pour chaque membre, sur le doigt central (troisième doigt). Dans le même temps, le museau se rapprocha en apparence de celui des équidés modernes et la distance entre les yeux et la bouche s'allongea, ce qui permit aux animaux de surveiller les alentours tout en broutant. Ces mutations furent toutes constatées chez *Parahippus*, genre du début du miocène (23 millions d'années) qui évolua rapidement vers le genre *Merychippus*.

MERYCHIPPUS

APPARU VOICI environ 17 millions d'années, *Merychippus* était proche du cheval tel que nous

le connaissons. Sa taille était d'environ 1 m au garrot, et il présentait une cervelle plus volumineuse, un museau plus long et une dentition plus développée que le cheval moderne. Les pieds présentaient encore trois doigts, avec un doigt central prédominant. Rapidement, le doigt central fut doté d'un sabot convexe, et le mouvement des pattes fut restreint au plan avant/arrière pour favoriser le déplacement rapide.

À la fin du miocène (15 millions d'années), *Merychippus* donna naissance à dix-neuf espèces d'équidés, réparties dans trois groupes. Les hipparions (4 genres, 16 espèces), qui constituent le premier groupe, se répandirent en Europe, en Asie et en Afrique avant de disparaître il y a environ 400 000 ans. Le second groupe est représenté par les protoéquins, équidés de taille inférieure formant notamment les genres *Protohippus* et *Callipus*. Dans le troisième groupe, Merychippus évolua graduellement jusqu'à donner naissance au véritable ancêtre du cheval moderne.

Voici dix millions d'années, les équidés formaient une vaste famille riche de nombreuses espèces au sein de laquelle se côtoyaient hipparions, protoéquins et premiers vrais équins. Dans la lignée des vrais équins, *Merychippus* évolua en *Astrohippus* puis en *Dinohippus*. Le premier des *Dinohippus* présente des caractéristiques très proches de celles du genre *Equus*, notamment dans la dentition et dans la structure du pied, et l'on pense que *Dinohippus* a donné directement naissance au genre *Equus*.

Ci-dessus
Cette reconstitution du préhistorique Merychippus *illustre les ressemblances avec le cheval moderne.*

Au centre
Les poneys dartmoor sont toujours sauvages dans les landes locales.

Ci-dessous
Pliohippus *est un parent du cheval moderne.*

En haut
Ce cheval bai est un descendant de l'espèce équine apparue en Europe, en Asie et au Moyen-Orient voilà environ deux millions d'années.

En bas
L'arabe est l'un des chevaux les plus beaux.

EQUUS

EQUUS APPARUT il y environ quatre millions d'années. Sa taille au garrot était approximativement de 1,35 m et il possédait l'apparence et la physiologie des équidés modernes. À la fin du pliocène (environ deux millions d'années), plusieurs espèces de genre *Equus* gagnèrent l'Ancien Monde. Celles parvenues jusqu'en Afrique centrale donnèrent naissance au zèbre, tandis celles entrées en Afrique du Nord et en Asie produisirent l'hémione et l'âne. En Europe, en Asie et au Moyen-Orient, le genre *Equus* donna naissance à Equus caballus, le cheval tel que nous le connaissons aujourd'hui. Le genre *Equus* disparut du continent américain voici environ 10 000 ans, sans doute victime de mutations climatiques ou d'une chasse excessive, et il n'y fit sa réapparition qu'au XVIᵉ siècle, sous l'impulsion des conquistadors espagnols.

Le processus d'évolution depuis *Hyracotherium* jusqu'au cheval moderne est extrêmement complexe, et il a été grandement simplifié dans ce texte. Pour ceux que ce sujet passionne, il existe de nombreux ouvrages décrivant cette évolution de façon plus pertinente et plus détaillée.

LE CHEVAL MODERNE

LE GENRE *EQUUS* disparut du continent américain il y a environ 10 000 ans, mais il poursuivit son évolution en Europe, en Asie et en Afrique. Il est possible d'établir quatre races chevalines primitives, chacune adaptée à son environnement.

LE CHEVAL DE PRZEWALSKI

(Equus przewalski przewalski poliakov)

ORIGINAIRE DES STEPPES de l'Asie centrale, ce cheval n'existe plus à l'état sauvage. Il est élevé en captivité et une tentative de réintroduction dans son milieu naturel a été récemment effectuée. Cette race très primitive fut redécouverte en Mongolie en 1879 par le colonel de l'armée impériale russe Nikolaï Przewalski. Le cheval de Przewalski présente un tête massive et allongée, des yeux petits et placés hauts sur la face et un profil droit ou convexe. La robe est café au lait avec une raie dorsale foncée et des zébrures fréquentes sur les pattes. La crinière est épaisse et hérissée. De façon étrange, le cheval de Przewalski possède 66 chromosomes contre 64 chez les autres races chevalines.

LE TARPAN

(Equus przewalski gmelini)

LE TARPAN est plus rapide et de constitution plus légère que le cheval de Przewalski. Originaire de l'actuelle Pologne, il arbore une robe louvet qui tourne au gris pâle en hiver, une raie de mulet et, pour nombre de sujets, des zébrures aux pattes.

Cette race est techniquement éteinte, mais une version moderne a été reconstituée en élevage près de la ville polonaise de Popielno. On pense que le tarpan a joué un rôle significatif dans le développement de nombreuses races de chevaux légers connues aujourd'hui.

LE CHEVAL DES FORÊTS

(Equus przewalski silvaticus)

CE CHEVAL originaire d'Europe du Nord était lourd, largement charpenté et peu rapide. On pense qu'il est à l'origine des races lourdes européennes. Bien qu'aujourd'hui éteint, le cheval des forêts était bien adapté à son environnement : ses larges sabots lui permettaient de se déplacer sans difficulté dans les plaines marécageuses et son pelage dru et épais constituait une protection appropriée contre le froid.

LE CHEVAL DE LA TOUNDRA

ORIGINAIRE DU NORD-EST de la Sibérie et aujourd'hui éteint, le cheval de la toundra est probablement l'ancêtre du Yakut, poney de même origine et caractérisé par un épais pelage gris pâle. Il est cependant peu probable que ce cheval ait joué un rôle significatif dans le développement d'autres races équines domestiques. Une étude détaillée des squelettes de ces quatre chevaux primitifs a permis d'établir qu'ils ont à leur tour donné naissance à quatre « types » équins directement liés au cheval moderne.

« Un bon cavalier ne se contente pas de faire corps avec son cheval, il en épouse également les mouvements. » Alessandro Alvisi, 1939.

Ci-dessus
Le tarpan est une des plus anciennes races et a influencé le développement de nombreuses races.

En bas
Le cheval de Przewalski est élevé en captivité pour garantir sa survie.

PONEY TYPE I

Équivalent moderne : poney exmoor

CE PONEY originaire d'Europe de l'Ouest était de petite taille (environ 1,25 m) mais extrêmement résistant. Capable de supporter des conditions climatiques extrêmes, il était insensible au froid et à l'humidité, qualités retrouvées aujourd'hui chez le poney Exmoor et chez les autres races de poney natives de Grande-Bretagne. De façon typique, la tête est petite avec un profil rectiligne, un front large et des oreilles de petite taille. La disposition des mâchoires évoque de façon frappante celle du poney exmoor moderne.

Ci-contre
Le poney exmoor a conservé la rusticité du poney type 1.

Ci-dessous
Le poney highland est similaire au poney type 2, un des types équins primitifs.

À droite, en haut et en bas
Très résistants aux conditions extrêmes du désert, l'akhal-téké descend du cheval type 3. Le cheval type 4, petit et finement charpenté, est originaire d'Asie Occidentale.

PONEY TYPE 2

Équivalent moderne : poney highland

ORIGINAIRE du nord de l'Eurasie et également très résistant au froid, ce poney était légèrement plus gros que le précédent et affichait probablement une taille voisine de 1,45 m. Il était robuste et fortement charpenté, et présentait des traits primitifs similaires à ceux du cheval du Przewalski. Les caractéristiques physiques du poney type 2 sont retrouvées aujourd'hui chez le poney highland.

CHEVAL TYPE 3

Équivalent moderne : akhal-téké

CE CHEVAL ORIGINAIRE d'Asie centrale supportait bien les chaleurs et froids extrêmes des climats désertiques. Bien que de taille supérieure à celle des deux types précédents – environ 1,50 m –, il affichait une constitution beaucoup plus légère, soulignée par une ossature fine et un pelage ras sur un corps étroit et allongé. Ces caractéristiques sont retrouvées chez l'akhal-téké d'aujourd'hui.

CHEVAL TYPE 4

Équivalent moderne : caspien

ORIGINAIRE D'ASIE OCCIDENTALE, ce petit cheval bien proportionné et très résistant à la chaleur affichait une hauteur au garrot voisine de 1,20 m. L'ossature était fine, la tête petite avec un profil concave et la queue placée très haut. Il est probable que ce cheval fut pour beaucoup dans le développement de la race arabe, et ses caractéristiques sont aujourd'hui retrouvées chez l'élégant caspien.

LE CHEVAL MODERNE

Lᴇ ᴘʀᴏᴄᴇssᴜs ᴇ́ᴠᴏʟᴜᴛɪғ liant le premier Hyracotherium au cheval moderne s'est étendu sur des millions et des millions d'années. Aujourd'hui, l'évolution équine se poursuit, mais davantage sous l'effet d'élevages sélectifs effectués par l'homme que par sélection naturelle. Les influences de l'arabe, du barbe et de l'andalou ont été déterminantes dans le développement du cheval moderne.

RACES INFLUENTES

Lᴀʀᴀʙᴇ ᴇᴛ ʟᴇ ʙᴀʀʙᴇ ont joué des rôles déterminants dans l'émergence d'un grand nombre de races modernes, et notamment dans celle du pur-sang anglais. De fait, tous les pur-sang modernes sont les descendants de deux étalons arabes et d'un étalon barbe. De façon similaire, l'andalou fut dominateur en Europe du XVIᵉ au XVIIIᵉ siècles, et il fut également responsable de l'émergence des races américaines modernes après son introduction sur le continent américain par les conquistadors au début du XVIᵉ siècle. Certaines caractéristiques de l'andalou sont décelables chez nombre de races modernes.

ADAPTATION À L'ENVIRONNEMENT

Iʟ ᴇsᴛ ɪɴᴛᴇ́ʀᴇssᴀɴᴛ d'observer l'impact du climat et de l'environnement dans le développement primaire des races équines. Ainsi qu'il est expliqué précédemment, les quatre races équines primitives arboraient des caractéristiques physiques qui leur permettaient de supporter leur environnement. Aujourd'hui, l'akhal-téké, capable de résister aux froids et aux chaleurs extrêmes, est parfaitement adapté au climat des déserts du Turkménistan.

En hiver, le poney pottok espagnol porte d'épaisses touffes de crin sur la lèvre supérieure afin de protéger celle-ci contre les épines des plantes qu'il consomme en cette saison. Lorsque l'herbe recommence à pousser, ces touffes disparaissent jusqu'à l'hiver suivant.

TECHNIQUES D'ÉLEVAGE

Uɴ ɢʀᴀɴᴅ ɴᴏᴍʙʀᴇ de chevaux et poneys se sont adaptés de manière spécifique à leur habitat, et l'on peut se demander quel impact les techniques d'élevage modernes auront sur les races concernées. De fait, l'élevage équin est une véritable science, et plus encore dans le milieu des courses. À noter, cependant, qu'il n'y pas eu d'augmentation de la vitesse des chevaux de course au cours des cinquante dernières années, ce qui renvoie aux interrogations de Darwin sur les performances des pur-sang. En 1988, les généticiens Gaffney et Cunnigham ont émis la théorie qu'il était possible d'augmenter la vitesse des pur-sang par élevage sélectif. Si c'était le cas, les rêves des propriétaires de chevaux pourraient être comblés.

Ci-dessus
Les chevaux arabes tels que celui-ci ont beaucoup influencé les races modernes.

Ci-dessous
Les pur-sang anglais descendent tous de deux étalons, dont l'un de race barbe.

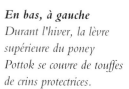

En bas, à gauche
Durant l'hiver, la lèvre supérieure du poney Pottok se couvre de touffes de crins protectrices.

Chevaux ensauvagés

LE TERME ENSAUVAGÉ s'applique aux animaux retournés à la vie sauvage après une période de domestication, parce qu'ils se sont évadés ou ont été relâchés. Le mustang, aux États-Unis, le poney de l'île du Sable, au Canada, le brumby, en Australie, et le poney sorraia, au Portugal, en sont des exemples. Certains chevaux ensauvagés peuvent être dressés avec succès pour la selle ou le bât, mais avec l'expansion toujours croissante des activités humaines, les habitats de ces chevaux sont de plus en plus menacés.

LE MUSTANG

LE MUSTANG AMÉRICAIN est l'un des chevaux ensauvagés les plus menacés. Les hardes de mustang se sont formées lorsque les nombreux descendants des premières montures introduites par les conquistadors espagnols commencèrent à recouvrer la liberté. Au début du XXe siècle, près de deux millions de mustangs vivaient en liberté dans les États de l'Ouest américain, mais on ne comptait plus que quelques milliers de ces chevaux dans les années 1970, après qu'ils eurent été décimés par les éleveurs de bétail. Les mustangs sont aujourd'hui protégés par les autorités américaines par le biais du Bureau of Land Management (BLM).

Cette organisation a mis en place un programme d'adoption qui suscite quelques controverses : périodiquement, certains de ces chevaux sont capturés puis loués pour une période d'un an à un prix peu élevé. Après cette première année, le loueur peut faire l'acquisition définitive du mustang moyennant l'approbation par le BLM d'un certificat médical prouvant que le cheval est bien traité. Certains estiment que les candidats à la possession d'un mustang ne sont pas suffisamment préparés, et qu'il en résulte de nombreux accidents à la fois pour les chevaux et les acquéreurs. Malgré tout, le BLM est reconnu pour son importante contribution à la sauvegarde du mustang.

En haut
Ces mustang sauvages du Nevada sont rassemblés pour être vendus.

Ci-dessus
Le brumby est un cheval ensauvagé d'Australie.

Ci-contre
Les chevaux sauvages se déplacent toujours en hardes.

DÉCLIN INEXORABLE

LE DÉCLIN des chevaux sauvages a sans doute commencé voici 15 000 ans. Avec l'augmentation de la population humaine, le cheval sauvage fut chassé de façon intensive pour sa viande et son cuir. Cette décrue en nombre fut aggravée encore par d'importantes mutations climatiques. Le réchauffement qui survint à cette époque provoqua le recul des prairies sur lesquelles les chevaux avaient l'habitude de paître et leur remplacement par des forêts. Voici 10 000 ans, le cheval avait complètement disparu du continent américain. En Europe, la mise en culture croissante des terres repoussa les chevaux sauvages vers les steppes d'Asie centrale, et dès l'an 7 000 av. J.-C., le cheval sauvage était devenu rare en Europe occidentale.

Deux sous-espèces de cheval sauvage réussirent cependant à survivre en Eurasie jusqu'à la fin du XIXe siècle : le tarpan (*Equus przewalski gmelini*), en Europe orientale et dans les steppes russes, et le cheval de Przewalski (*Equus przewalski przewalski poliakov*), en Mongolie.

LE TARPAN

IL EST AUJOURD'HUI certain que le tarpan existait encore en liberté au début du XIXe siècle, mais on ignore encore si ces derniers sujets étaient sauvages ou ensauvagés. De plus, il est probable que tous les poneys sauvages ou ensauvagés vivant dans cette région au XIXe siècle recevaient l'appellation de tarpan, quelles que soient leurs caractéristiques propres. Les traces du tarpan d'origine sont rares, et il n'existe que deux squelettes de cet animal, tous deux de poneys morts en captivité. Le konik est le poney moderne qui se rapproche le plus du tarpan historique.

Au Moyen Âge, les tarpans étaient chassés pour leur viande, considérée comme un mets raffiné par les nobles. Les forêts polonaises les abritèrent jusque dans les années 1820, époque à laquelle les derniers sujets furent capturés et donnés à des fermiers locaux. Le dernier tarpan mourut en captivité en 1887. Depuis, des efforts ont été réalisés pour faire revivre cette race, et une nouvelle souche a été établie par croisements sélectifs entre konik et poneys d'autres races.

LE CHEVAL PRZEWALSKI

LA DERNIÈRE observation d'un cheval de Przewalski en liberté eut lieu en 1968. Cette race fut cependant perpétuée dans plusieurs zoos et parcs animaliers, et elle a été récemment réintroduite à la vie sauvage au sein d'une vaste réserve naturelle située en Mongolie. Le cheval décrit en 1876 par Nikolaï Przewalski, colonel de l'armée impériale russe, fut découvert à la fois dans le désert de Gobi et dans les steppes de Mongolie. Il présente des caractéristiques primitives et possède un nombre de chromosomes différent de celui du cheval moderne (66 contre 64).

Le cheval de Przewalski moderne descend d'un groupe de onze chevaux élevés en captivité. Avec une source aussi restreinte, il est probable que le cheval que nous connaissons aujourd'hui diffère quelque peu du cheval de Przewalski antique. Une étude de type sanguin indique que les premiers chevaux domestiqués étaient similaires au cheval de Przewalski, mais des recherches touchant l'ADN mitochondrial suggèrent que le cheval moderne et le cheval de Przewalski n'ont pas d'ancêtres proches communs.

Il existe la preuve d'une course hippique à Newmarket dès 1622. L'hippodrome abrite deux pistes de course séparées : le Rowley Mile et le July Course, toutes deux propriétés du Jockey-Club britannique.

En haut
Le tarpan est aujourd'hui techniquement éteint, mais une race très proche a été développée avec succès à partir de poneys konik.

En bas
Le cheval de Przewalski était en voie d'extinction. L'intervention humaine a permis sa réintroduction dans son milieu naturel.

Battleship, 1,55 m au garrot, est le plus petit cheval à avoir remporté le Grand National. Il était monté par Bruce Hobbs, plus jeune (17 ans) et plus grand (1,90 m) vainqueur de l'histoire de la course.

Les équidés

LES MEMBRES de la famille des équidés présentent tous des caractéristiques similaires. Ce sont tous des périssodactyles, mammifères ongulés dont les pattes reposent au sol sur un nombre de doigts impair. Les équidés sont des herbivores brouteurs dotés d'une constitution favorisant la course. Il existe deux structures sociales distinctes chez les équidés, même s'ils sont essentiellement grégaires.

La dentition d'un cheval doit être examinée au moins deux fois par an par un vétérinaire ou un dentiste équin. Celui-ci lime les arêtes dentaires trop acérées et vérifie qu'il n'existe pas de dents branlantes ou cariées.

HARDES

LA PREMIÈRE STRUCTURE sociale, celle choisie par le cheval sauvage, est la harde. Chaque harde se compose d'un mâle adulte, de plusieurs femelles et de leurs petits. Les membres forment des liens durables et la harde constitue une structure sociale solide et sûre. Le zèbre de montagne et le zèbre de plaine vivent également en hardes.

TERRITOIRES

LA SECONDE structure sociale est territoriale, plus marquée durant la période de reproduction. Le mâle adulte s'approprie un territoire pourvu d'un point d'eau et de réserves de nourriture et les femelles pénètrent dans ce territoire pour la reproduction et l'élevage de leurs petits. Chaque mâle défend son territoire et n'hésite pas à en chasser les rivaux potentiels.

Chez les équidés, la période de gestation dure de onze à treize mois, et les femelles ne portent généralement qu'un seul petit. Les femelles sont sexuellement matures à l'âge de deux ans, les mâles à l'âge de trois ans. La plupart des équidés peuvent vivre jusqu'à vingt ans ou plus.

LES ZÈBRES

MEMBRES DE la famille des équidés, les zèbres forment trois espèces distinctes: le zèbre de Grevy, le zèbre de montagne et le zèbre de plaine. Tous vivent en Afrique.

LE ZÈBRE DE GREVY

LE ZÈBRE DE GREVY (*Equus grevyi*) est essentiellement rencontré sur les plateaux semi-désertiques du Nord du Kenya. Il présente généralement des rayures noires et blanches étroites et très rapprochées sur l'ensemble du corps, à l'exception du ventre, d'un blanc uni. Le dos porte une large raie dorsale noire bordée de blanc de part et d'autre. Les pattes sont longues, la tête est massive avec des oreilles larges et arrondies. La crinière est abondante, hérissée et terminée de noir. Le cri se rapproche du braiment. Chez le zèbre

En haut
Le zèbre de Grevy est le plus gros de tous les zèbres.

En bas
Comme le cheval, le zèbre est un ongulé dont les membres reposent au sol sur un seul doigt.

de Grevy, la période de gestation est de treize mois. Après la naissance, la femelle et son petit demeurent auprès du mâle. Le jeune zèbre ne commence à boire de l'eau qu'après trois mois et, jusqu'à cet âge, il est également pris en charge par le mâle. Ce comportement est unique chez les équidés. Les petits parviennent à s'alimenter eux-mêmes assez rapidement et prennent leur indépendance plus tôt que chez les autres équidés. Le zèbre de Grevy est menacé, car son habitat naturel se trouve constamment réduit par la colonisation humaine.

LE ZÈBRE DE PLAINE

LE ZÈBRE DE PLAINE (*Equus burchelli*), qui vit essentiellement en Afrique orientale et australe, est le le plus commun. Plut petit et plus trapu que le zèbre de Grevy, il présente de larges rayures noires et blanches qui couvrent l'ensemble du corps et se rejoignent sous le ventre. La crinière, également habillée de rayures, est hérissée. Le cri ressemble à un aboiement. Dans certaines régions d'Afrique, les habitats du zèbre de Grevy et du zèbre de plaine se chevauchent et l'on rencontre parfois des hardes formées des deux espèces. On pense cependant qu'il n'y a pas de croisements interspécifiques.

Le zèbre de plaine a donné naissance à plusieurs sous-espèces, dont le zèbre de Grant (*Equus burchelli boehmi*) est la plus commune. Autre sous-espèce, le zèbre de Chapman (*Equus burchelli antiquorum*) présente une alternance de larges rayures foncées et de fines rayures claires. Les rayures sont absentes sur les pattes, et l'arrière-train est brun uni.

Le zèbre de Burchell (*Equus burchelli burchelli*) et le couagga (*Equus burchelli quagga*) sont deux autres sous-espèces aujourd'hui éteintes. La disposition des rayures est différente pour chaque espèce et sous-espèce de zèbre ce qui facilite leur étude par les scientifiques.

LE ZÈBRE DE MONTAGNE

LE ZÈBRE DE MONTAGNE (*Equus zebra*) est représenté par deux sous-espèces : le zèbre de Hartmann (*Equus zebra hartmani*) et le zèbre du Cap (*Equus zebra zebra*), qui vivent en hardes bien établies mais peu nombreuses. Tous deux ont été beaucoup chassés et sont aujourd'hui considérés comme menacés. Leur trait distinctif et un repli cutané (fanon) visible sur la gorge et davantage développé chez le mâle.

L'ÂNE SAUVAGE D'AFRIQUE

LA SEULE SOUS-ESPÈCE non éteinte de l'âne sauvage d'Afrique (*Equus africanus*) est l'âne sauvage de Somalie (*Equus africanus somalicus*), présent dans deux régions faiblement étendues de Somalie et d'Éthiopie. Haut d'environ 1,30 m au garrot, l'âne sauvage de Somalie présente une tête relativement massive sur un corps bien proportionné. Le pelage est blanc sur le museau, le ventre et autour des yeux, gris pâle uni sur le reste du corps. La crinière est noire et hérissée. La partie inférieure des pattes est cerclée de fines rayures noires, et une raie dorsale noire est parfois présente. Autre sous-espèce de l'âne sauvage d'Afrique, l'âne sauvage de Nubie (*Equus africanus africanus*) a sans doute disparu dans les années 1950. On pense qu'il est l'ancêtre le plus proche de l'âne domestique européen.

Ci-dessus
L'âne sauvage de Somalie est une espèce très menacée.

Ci-dessous
Le zèbre du Cap vit en hardes peu nombreuses. Le mâle et ses femelles forment un groupe stable et sûr.

L'HÉMIONE

L'HÉMIONE (*Equus hemionus*) est un équidé similaire à l'âne sauvage, établi au Tibet, en Mongolie et dans plusieurs autres régions d'Asie. En hiver, le corps des hémiones se couvre d'une fourrure épaisse de couleur brune qui les protège du froid intense sévissant en altitude. En été, leur pelage prend une teinte brun-rouge, plus claire sur le museau et la partie inférieure des pattes, et une raie dorsale noire se fait jour. On dénombre six sous-espèces d'hémione, dont l'onagre (*Equus hemonius onager*). L'onagre est plus petit, plus fin et plus clair de pelage que l'hémione. La tête, similaire à celle de l'âne domestique, porte de longues oreilles. La crinière est courte et hérissée.

En haut et ci-dessus
Originaire du Tibet et de Mongolie, l'hémione est similaire en apparence à l'âne sauvage d'Afrique (ci-dessus).

Au centre, à droite
Les ancêtres de cet âne de petite taille étaient utilisés pour diverses tâches agricoles.

En bas
L'âne a été domestiqué dès le VII° siècle av. J.-C.

L'ÂNE DOMESTIQUE

LES HISTORIENS estiment que l'âne a été domestiqué par les anciens Égyptiens dès le IV° siècle av. J.-C. et qu'il fut leur principale bête de somme. Très polyvalent et facile à dresser, l'âne joua un rôle primordial dans le développement du commerce de longue distance. Le lait d'ânesse était à la fois utilisé pour la consommation courante et pour la fabrication de produits cosmétiques. L'âne était également employé pour enfoncer les graines dans le sol et pour battre le blé après la récolte. On pense que l'âne atteignit l'Europe aux alentours de l'an 2 000 av. J.-C., et qu'il fut introduit sur le continent américain par les conquistadors vers 1495.

Très robuste et d'un entretien peu onéreux, l'âne est un animal domestique très apprécié dans toutes les régions du monde, mais il est plus particulièrement utilisé dans les pays pauvres. Durant les dernières décennies, il a été élevé pour des besoins spécifiques, soit pour la production de mules et bardots, soit comme animal de concours ou de compagnie.

Il existe des ânes domestiques d'une grande variété de robes et de tailles. L'apparence la plus commune est un pelage bai-gris, plus clair sur le ventre et le museau, avec raie dorsale et bande cruciale noires et de longues oreilles terminées de noir. Le cri est un braiment sonore très caractéristique.

et une bande cruciale noires. Le ventre est blanc et la partie inférieure des pattes est cerclée de fines rayures noires. Il existe également des burros à pelage marron, noir, gris pâle ou roux.

MULETS ET BARDOTS

LE MULET résulte d'un croisement entre un âne et une jument, le bardot d'un croisement entre un cheval et une ânesse. D'une manière générale, un mulet ressemble à un âne dans sa partie avant et à un cheval dans sa partie arrière. La tête est similaire à celle de l'âne et porte de longues oreilles. La crinière est hérissée et les pattes sont puissantes. L'arrière-train et la longue queue évoquent le cheval. A l'inverse, un bardot ressemble à un cheval dans sa partie avant et à un âne dans sa partie arrière. Mulets et bardots sont presque toujours stériles et l'élevage des bardots est plus difficile que celui des mulets.

De ces deux animaux, le mulet est le plus populaire et le plus fréquemment rencontré. Doté d'une force exceptionnelle et d'un tempérament paisible, il a été, à travers les âges, utilisé de façons très diverses : bête de somme pour l'acheminement de denrées commerciales, monture pour les membres du clergé, bête d'attelage pour tracter les premières voitures de pompier, acheminer les pièces d'artillerie vers le front ou ramasser les cadavres sur les champs de bataille. Il fut également employé dans la prospection minière et pour les travaux agricoles. Après un fort déclin en nombre dans les années 1940 et 1950, le mulet jouit aujourd'hui d'un regain d'intérêt aux États-Unis, où il est utilisé principalement pour la monte de loisirs.

LE BURRO

BURRO EST LE TERME employé aux États-Unis pour désigner les ânes ensauvagés. Les burros d'aujourd'hui sont probablement les descendants des ânes abandonnés par les prospecteurs miniers à la fin du XIXᵉ siècle. Généralement plus petit que l'âne domestique européen, le burro s'est adapté à la vie sauvage en devenant plus mince et plus rapide. Le pelage est généralement gris avec une raie dorsale

Secretariat, surnommé Big Red, fut l'un des chevaux de course américains les plus célèbres. Né en 1970 de Something Royal et de Bold Ruler, Secretariat fut nommé Cheval de l'Année aux États-Unis en 1972 et remporta la Triple Couronne anglaise en 1973. Il remporta des courses sur 9 hippodromes et ne perdit que 5 courses en 21 sorties.

En haut, à gauche
Le burro est un âne ensauvagé rencontré aux États-Unis.

En haut, à droite
Le mulet né d'un croisement entre âne et jument. Les mulets sont presque toujours stériles.

En bas
L'âne est encore utilisé pour le trait léger.

Qu'est-ce qu'une race équine ?

CHEVAUX ET PONEYS appartiennent tous à la famille des équidés, représentée par le genre *Equus*. À l'intérieur de ce genre, ils sont classés sous l'espèce *Equus caballus*, qui englobe un grand nombre de races. Une race englobe un groupe d'animaux possédant des traits communs héréditaires. Certaines races se sont formées naturellement, d'autres ont été produites par l'homme par le biais de croisements sélectifs.

RACES NATURELLES

UNE RACE NATURELLE englobe des animaux ayant développé des caractéristiques propres adaptées à leur environnement et transmises de génération en génération. Le pottok est un bon exemple de cette évolution : en hiver, la lèvre supérieure de ce poney du Pays basque se couvre d'épaisses touffes de crins qui le protègent des épines couvrant les plantes dont il se nourrit en cette saison. De même, le pelage du tarpan prend une teinte blanche en hiver, ce qui devait lui permettre de mieux échapper à ses prédateurs dans les campagnes neigeuses.

RACES ARTIFICIELLES

NOMBRE DES RACES équines modernes sont artificielles. Elles ont été produites par croisements sélectifs entre sujets possédant des caractéristiques distinctes afin de créer des chevaux dotés de qualités répondant à un besoin précis.

LE STUD-BOOK

LES ASSOCIATIONS de race définissent les réglementations propres à une race et conservent le stud-book. Chaque race est déterminée par un ensemble de critères de taille, de constitution, de mouvement et de robe, qui doivent être présents chez tout cheval réputé de cette race. Le stud-book ouvert permet à un cheval issu de races différentes

En haut
Cet étalon arabe appartient à l'une des races équines les plus pures, car le croisement avec d'autres races a été découragé.

Ci-dessus
Le pottok, très bien adapté à son environnement, est un bon exemple de race naturelle.

En bas
Les croisements interraciaux ont produit des chevaux possédant des aptitudes très pointues : cet hanovrien est excellent pour le dressage.

d'être reconnu d'une race particulière à condition qu'il possède tous les caractères propres à cette race. À l'inverse, le stud-book fermé ne reconnaît un cheval comme appartenant à une race que si ses deux parents appartiennent à cette race. Ce dernier type, illustré par l'arabe, permet de conserver une plus grande pureté.

LE DÉVELOPPEMENT DES RACES

LES RACES ÉQUINES ont commencé à se multiplier lorsque l'homme a entrepris d'utiliser le cheval pour des besoins précis. Les chevaux élevés pour le travail de la terre ont donné naissance aux chevaux de trait lourds, très spécialisés, et aux chevaux de trait légers, aptes à la fois au trait et aux travaux fermiers légers. Ceux employés à la traction de divers véhicules ont donné le cheval d'attelage, devenu progressivement plus léger et plus rapide, et ceux réservés à la monte ont produit le cheval de selle, aux qualités propres à cette activité.

Au fil des époques, de nombreux croisements ont eu lieu entre les membres de ces quatre groupes de base, mais l'élevage sélectif concerne aujourd'hui

essentiellement la production de chevaux de selle. Les besoins en chevaux de bât et de trait ont été éliminés par la motorisation, mais les croisements entre sujets de ces deux groupes et sujets plus légers ont donné naissance à des chevaux de selle d'excellente qualité. Il existe également diverses races de poneys, réparties en plusieurs groupes. Certains poneys conviennent mieux pour la selle, d'autres pour l'attelage, mais la plupart sont polyvalents, à l'exemple du poney welsh, qui excelle dans les deux activités.

Les croisements interraciaux ont provoqué le déclin de certaines races génétiquement isolées. Originaire de Russie, le strelets a aujourd'hui disparu, absorbé par le développement du tersk. Un grand nombre de races nouvelles ont été développées au cours des dernières décennies, particulièrement aux États-Unis, dont celle de l'american walking pony, établie en 1968.

TYPES SANGUINS

On distingue deux types sanguins principaux chez les chevaux et les poneys. L'arabe et l'akhal-téké sont des représentants typiques du cheval à sang chaud, généralement fin, rapide et impétueux. Originaires des régions désertiques, les chevaux à sang chaud supportent les chaleurs extrêmes et possèdent

un poil et un cuir très fins. Les chevaux à sang froid proviennent d'Europe du Nord et sont typiquement des chevaux de trait lourds tels que suffolk punch ou shire. Ils sont massifs, robustes et doués d'un tempérament docile. Un troisième groupe est constitué par les chevaux possédant des ancêtres proches appartenant aux deux groupes précédents. Le trakhener et le danois sang-chaud sont des représentants de ce groupe.

DÉFINITION D'UN TYPE ÉQUIN

Un type équin regroupe des chevaux ou des poneys possédant des qualités adaptées à une activité particulière, indépendamment de leur race. Ainsi, un hack est un cheval ou un poney bien proportionné et prédisposé à la course. Les hacks possèdent une large part de pur-sang dans leur ascendance. Le type hunter regroupe les chevaux et poneys adaptés à la chasse à courre et possédant les qualités d'énergie et de bravoure nécessaires pour cette activité. Bien souvent, il est possible d'établir le type d'un cheval au premier coup d'œil sans même connaître sa race.

En haut
À l'image de ce suffolk punch, certaines races ont été développées pour les lourds travaux agricoles.

Au centre
Originaire de régions désertiques, l'akhal-téké est un cheval à sang chaud.

En bas
Le hollandais sang chaud résulte de croisements entre chevaux à sang chaud et chevaux à sang froid.

Le cob

L E TERME COB s'applique à deux races, le welsh cob et le cob normand, mais il désigne surtout un type équin essentiellement représenté en Angleterre et en Irlande. Les chevaux regroupés sous ce type peuvent être de races diffé-rentes, mais ils possèdent tous des caractéristiques similaires. Le cob est très facilement reconnaissable, et il existe, dans les concours de modèles et allures britanniques, trois classes qui lui sont réservées : *lightweights*, *heavyweights* et *working cobs*. Les cobs résul-tent le plus souvent de croi-sements mettant en jeu un irish draft, mais certains sont de purs irish draft. D'autres sont élevés à partir de welsh cob et il exis-te également des cobs issus de croisements entre chevaux lourds et pur-sang ou bai de Cleveland.

Sur cette page
Ces chevaux présentent
tous les qualités typiques
du cob, par exemple
une belle face
et une encolure rouée
et de faible longueur.

APPARENCE

LA TÊTE DU COB est à la fois attrayante et élégante. Les traits faciaux reflètent sensibilité et droiture, qui sont des qualités équines très recherchées. L'encolure est généralement courte, rouée et bien en proportion avec le reste du corps. La crinière est presque toujours coupée très court, pour mieux mettre en valeur les lignes du haut du corps. Robuste et solidement bâti, le cob présente un poitrail large et puissant, et des membres antérieurs largement espacés.

Le corps est compact et la forte épaisseur au passage de sangle fait apparaître les pattes plus courtes. La croupe est musclée, large et fortement arrondie. Les pattes sont courtes, mais dotées d'os et d'articulations solides. Durant longtemps, les cobs eurent la queue coupée, ce qui était l'usage pour les chevaux de trait. Cette pratique également conduite pour des raisons esthétiques fut interdite au Royaume-Uni en 1948.

Certains chevaux ne peuvent prétendre au rang de cob mais ils en possèdent la constitution compacte et puissante et sont décrits comme tels. D'une manière générale, le cob est droit d'épaule, ce qui lui confère une foulée haute et relativement peu allongée. Sa taille au garrot est d'environ 1,50 m. Elle ne doit pas dépasser 1,53 m chez les sujets de concours, mais il n'existe pas de restrictions quant à la robe.

LES QUALITÉS DU COB

EN DÉPIT DE SA TAILLE relativement modeste, le cob est un excellent cheval de selle, capable de porter un homme une journée entière. Il est puissamment bâti – sa constitution rappelle davantage celle des races lourdes que celle des races légères - et capable, une fois lancé, d'une vitesse insoupçonnée, un peu à la manière d'une vieille Rolls-Royce. Il peut également sauter, si le besoin s'en fait sentir. Très polyvalent et d'un tempérament calme et paisible, le cob est également un excellent cheval de selle familial, acceptant sans sourciller parents et enfants.

Nombre de cobs sont également utilisés en attelage, activité dans laquelle leurs qualités de puissance et d'élégance s'expriment parfaitement.

O n dit d'un cheval qu'il est frappé du tic de l'ours quand il se balance latéralement d'un côté à l'autre de son box. Stress, ennui et excitation peuvent entraîner cette attitude, qu'il est difficile de combattre quand elle est établie. Un autre tic du même genre est le tic ambulatoire ou du félin. Atteint de ce tic, le cheval fait de constantes allées et venues dans son box.

Le hack

LE HACK est le plus élégant de tous les chevaux de concours. La plupart des hacks sont des chevaux à sang chaud, tantôt pur-sang ou tantôt issus de croisements entre pur-sang et anglo-arabe. Malgré tout, les traits typiques du cheval arabe sont jugés de façon négative chez un hack de concours. La taille au garrot d'un hack se situe généralement entre 1,43 et 1,54 m et toutes les robes unies sont admises. Parfaite conformation et excellentes manières : le hack est l'aristocrate du monde équestre.

Chez les sujets de concours, ils doivent être libres de bosses ou de cicatrices, et il doit exister au moins vingt centimètres de longueur d'os sous le genou. Les membres postérieurs sont relativement droits, avec une légère proéminence du jarret. Lors des concours, on attend du hack qu'il se comporte avec calme et grande élégance.

APPARENCE

LE HACK PRÉSENTE généralement une tête très harmonieuse avec un profil rectiligne, sans convexités ni concavités. L'encolure relativement allongée est élégante et bien définie. Le poitrail est large et profond, mais sans excès. Les épaules très bien dessinées affichent une légère inclinaison qui autorise la fluidité et l'élégance de mouvement propres à ce type équin. Le corps est parfaitement proportionné, sans excès ou manque de longueur, avec une belle épaisseur au passage de sangle. La croupe est ronde mais sans lourdeur excessive. Les membres sont musclés, sans trop de finesse.

LES QUALITÉS DU HACK

IL EXISTAIT au XIXe siècle deux types de hack très distincts : le covert hack et le park hack. Souvent mâtiné de pur-sang et possédant à la fois élégance et qualité, le covert hack était généralement utilisé comme cheval de selle pour se rendre aux chasses à courre. Il devait posséder un pas agréable et de bonnes manières. N'étant pas employé pour la chasse, il n'avait pas besoin de développer force ou vitalité, et il lui était rarement demandé de galoper. S'il existait encore aujourd'hui, le covert hack serait probablement assimilé à un cheval de selle, auquel il serait demandé moins d'élégance et de grâce qu'à un hack de concours.

Le park hack était souvent monté par son propriétaire en des lieux à la mode tels que Rotten Row, fameuse allée équestre de Hyde Park, à Londres. Ces chevaux impeccablement soignés affichaient une élégance qui rejaillissait sur le cavalier.

L'équivalent moderne du park hack est le hack de concours, pour lequel il existe plusieurs classes. Le hack de concours peut être présenté individuellement ou par paire. Pour les présentations individuelles, il existe trois classes distinctes : small (de 1,44 à 1,52 m), large (de 1,53 à 1,55 m) et ladies (de 1,44 à 1,55 m, avec harnachement en amazone).

La plupart des chevaux doivent être ferrés à neuf toutes les six semaines, mais cette valeur peut varier en fonction du rythme de croissance des sabots ou de la distance parcourue par l'animal.

Sur cette page
Excellent par sa conformation et son caractère, le hack est considéré comme le cheval le plus majestueux.

Le hunter

LES HUNTERS varient souvent en apparence mais ils possèdent tous vitalité, force athlétique, courage et équilibre. Nombre des hunters de qualité sont aujourd'hui produits en Irlande. Ils résultent souvent de croisements entre irish draft et pur-sang ou bai de Cleveland, et certains peuvent afficher du sang poney. Leurs traits varient selon les régions et les environnements naturels où ils sont utilisés. Sur terrain essentiellement plat et herbeux, l'emploi d'un hunter à prédominance pur-sang est préférable, tandis que sur sol lourd et argileux ou très accidenté, un hunter à prédominance demi-sang sera favorisé.

« Si nos désirs étaient des chevaux, les mendiants auraient une monture. » Ce vieux dicton anglais confirme qu'il ne faut pas prendre ses rêves pour des réalités.

Sur cette page
Le hunter est athlétique et courageux.

LES QUALITÉS DU HUNTER

LE HUNTER doit montrer un poids conséquent, c'est-à-dire qu'il doit être robuste et bien charpenté. Il doit également faire preuve d'une grande puissance de l'arrière-main, gage d'une vitesse de course élevée.

La résistance est un autre critère déterminant, car nombre de cavaliers chassent à courre une ou deux fois par semaine, souvent même par mauvais temps. Le hunter doit pouvoir supporter cette charge de travail, répétition de galops rapides durant plusieurs heures. Il doit également supporter les rigueurs du climat. Certains chasseurs à courre

possèdent deux chevaux et changent de monture à la demi-journée. C'est un choix raisonnable lorsque les conditions climatiques sont difficiles et que le terrain est lourd.

APPARENCE

LA PLUPART des hunter ont une tête élégante et un œil intelligent. Chez les meilleurs sujets, la tête tire ses qualités à la fois du pur-sang et du cheval irlandais.

De façon idéale, l'encolure doit être longue, afin de donner une longueur de rênes suffisante. Le poitrail est large et épais. Le corps est généralement compact jusqu'au passage de sangle. La conformation des épaules permet une foulée longue et proche du sol. La croupe est musclée et raisonnablement large, et les postérieurs affichent un jarret puissamment musclé. Les membres robustes et puissants supportent bien les efforts du saut et du galop. Qualités athlétiques et courage sont également nécessaires, car le hunter doit parfois sauter clôtures et murets avec son cavalier.

Un bon hunter doit être soumis, doit permettre à son cavalier d'ouvrir et de refermer les barrières sans difficulté, et s'arrêter net si nécessaire. La taille d'un hunter se situe généralement entre 1,52 et 1,72 m, mais certains poneys hunter font d'excellentes montures de chasse.

LE HUNTER DE CONCOURS

IL EXISTE quatre classes distinctes réservées aux hunter de concours : *lightweights*, *middleweights*, *heavyweights* et *working hunters*. Les trois premières classes sont réservées aux chevaux possédant des qualités similaires à celles du hack, tout en étant plus robustement charpentés. La dernière classe s'adresse aux hunter réellement utilisés pour la chasse, souvent moins élégants que les précédents, auxquels il est demandé d'effectuer un parcours de saut d'obstacles de faible hauteur. Il existe également des classes réservées au poneys hunter de chasse, généralement selon la taille. Comme les chevaux, les poney hunter de concours montrent de splendides qualités, mais des poneys de toutes tailles et apparences sont également utilisés pour la chasse.

Ci-dessus

Grâce à ses robustes postérieurs, le hunter est un cheval puissant et rapide.

Comme l'être humain, le cheval possède cinq sens : l'ouïe, la vue, l'odorat, le goût et le toucher. Selon certains, il possèderait également un sixième sens qui lui permettrait de pressentir les changements climatiques aussi bien que le danger.

Le poney de polo

LES PONEYS DE POLO ne forment pas une race, mais possèdent tous les qualités nécessaires à la pratique de ce sport : courage, agilité, vitesse et équilibre. Au sens strict, le poney de polo est aujourd'hui très souvent un cheval : depuis la suppression des réglementations limitant la taille de ces montures à la fin de la Première Guerre mondiale, les poneys de polo se sont progressivement étoffés, et leur taille moyenne s'établit aujourd'hui à 1,53 m. Robuste, rapide et agile, le poney de polo est généralement issu de croisements entre pur-sang et quarter horse ou criollo.

L'hippodrome de Longchamp, théâtre du fameux Prix de l'Arc de Triomphe, fut inauguré en avril 1857 par Napoléon III.

Sur cette page

Les poneys de polo ne forment pas une race, mais ils possèdent toutes les qualités nécessaires à la pratique de ce sport.

LE POLO

CERTAINS VESTIGES attestent de la pratique du polo dès l'an 525 av. J.-C., et l'on pense que ce jeu fut inventé par Darius Iᵉʳ, troisième roi de Perse, réputé pour ses magnifiques montures. Plus tard, le polo fut introduit en Inde et y devint rapidement très populaire. Les Britanniques découvrirent ce sport sur le sous-continent indien et fondèrent en 1859 le Silchar Club, aujourd'hui le club de polo le plus ancien au monde. Les montures utilisées en Inde étaient des poneys manipur, de petite taille (1,21 m en moyenne) mais extrêmement robustes. Le polo fut ensuite introduit en Europe et aux États-Unis par les Britanniques, mais ce sont les Argentins qui règnent aujourd'hui sur ce sport, à la fois par leurs résultats et par la production de montures de polo de grande classe souvent vendues à prix d'or.

Le cheval mâle possède 40 dents et la jument seulement 36, auxquelles s'ajoutent parfois, pour l'un et l'autre, plusieurs dents de loup, souvent indésirables.

LES QUALITÉS DU PONEY DE POLO

BIEN QUE plus grand et plus gros que les montures d'origine, le poney de polo moderne conserve une foulée courte et très rapide. Il est capable de brusques changements de direction et sait réagir très rapidement aux commandes du cavalier. Les meilleurs poneys de polo parviennent même à anticiper les actions de leur cavalier. Ces qualités sont rencontrées chez le quarter horse, souvent utilisé comme souche d'élevage.

APPARENCE

LA TÊTE reflète bien souvent l'ascendance pur-sang. L'encolure est fine et musclée, et la crinière toujours coupée en brosse afin d'éviter que les crins n'entravent les mouvements de la crosse. Le garrot est souvent proéminent sur un corps à la fois fin et très musclé.

L'arrière-main est puissante. Les membres droits et robustes sont terminés par un pied solide. Le canon tend à être court.

Les robes sont variées.

Le poney de selle

L E PONEY DE SELLE est l'équivalent du hackney, auquel il ressemble en conformation mais dans des proportions plus modestes. Il conserve cependant des traits propres au poney. L'élevage de poneys de selle de haute qualité est aujourd'hui une activité quasi scientifique, et de nombreux paramètres sont pris en compte pour obtenir une combinaison appropriée d'élégance, de qualité et de rusticité. Les poneys de selle sont obtenus par croisements de juments poneys de races telles que welsh, dartmoor ou exmoor avec des pur-sang de petite taille ou des étalons arabes. Un seul de ces étalons, nommé Naseel, a contribué de façon significative au développement du poney de selle.

APPARENCE

LE PONEY de selle allie élégance et grâce, et il montre d'excellentes manières. Le corps harmonieux et bien proportionné est mis en valeur par une tête petite mais bien dessinée qui porte des yeux larges et très espacés. Les traits propres aux poneys sont bien présents. Les sujets de concours sont épais au passage de sangle, compacts et puissamment musclés de l'arrière-main. Les membres solides affichent un canon de faible longueur, et les mouvements sont fluides depuis l'épaule. Les sujets de concours sont répartis en trois classes selon leur taille : moins de 1,24 m, de 1,24 à 1,34 m, et de 1,34 m à 1,44 m. Il n'existe pas de restrictions de robe. Le poney français de selle, établi en tant que race en 1969, ne possède pas la même qualité que le poney de selle britannique. Il s'agit d'un poney à usage polyvalent destiné aux clubs d'équitation, et il est, en cela, très utile.

D ans le monde des courses, le terme outsider, qui signifie étranger en anglais, désigne un cheval qui, n'ayant jamais encore démontré de grandes qualités, a très peu de chances de remporter la victoire. Lorsqu'un outsider parvient à s'imposer, les gains pour les heureux parieurs sont très élevés.

Sur cette page
Le poney de selle est un poney d'apparence harmonieuse, dont le développement a été influencé par l'arabe.

L e fameux Becher's Brook de l'hippodrome d'Aintree doit son nom au capitaine Becher, qui chuta sur cet obstacle lors de la première édition du Grand National.

Les poneys

Le poney est distingué du cheval soit par la taille seule, soit à la fois par la taille et par un ensemble de traits physiques typiques. Il est théoriquement correct de donner l'appellation de poney à tout représentant adulte de l'espèce *Equus Caballus* affichant une taille au garrot inférieure à 1,44 m. En pratique pourtant, il est d'usage de tenir également compte de la conformation générale et des traits caractéristiques pour distinguer poneys et chevaux. Certains sujets de taille inférieure à 1,44 m se rapprochent beaucoup plus du cheval que du poney. Ainsi, l'arabe est toujours considéré comme un cheval, quelle que soit sa taille, à cause de sa conformation particulière et de son tempérament fougueux.

Pour distinguer le poney du cheval, on peut se référer à la fois à la taille et la conformation.

En haut
La taille réduite du poney shetland est sans doute due à un environnement naturel très rude.

Ci-dessus et à droite
Il existe des hardes de poneys sauvages en Australie et dans les îles américaines de Chincoteague et d'Assateague, au large de l'État de Virginie.

LA CROISSANCE DES PONEYS

AU SEIN DES GROUPES raciaux natifs de régions pauvres en nourriture et exposées à un climat très rude, la croissance des poneys est souvent réduite, et certaines races « petites » afficheraient sans doute une taille moyenne plus élevée dans un environnement plus favorable. Dans cet ouvrage, plusieurs races ont été placées dans la catégorie des poneys en fonction de la taille seulement. Ceci est vrai, par exemple, pour le caspien, de taille inférieure à 1,44 m, mais qui est en fait un cheval miniature.

Le poney possède une conformation particulière. Il est plus trapu que le cheval, et son corps est très épais en proportion de sa taille. Le garrot est souvent arrondi, le dos court mais très musclé. Les pattes sont ramassées, avec un canon court et épais. Ces diverses caractéristiques permettent au poney de porter des charges très lourdes en comparaison de sa taille.

La plupart des poneys ont une tête aux traits très distinctifs : front large, museau en pointe et oreilles petites et très mobiles. En hiver, le poney porte un pelage épais, et la plupart possèdent une queue et une crinière très fournies. Très sûr de pied, et doué d'un instinct de conservation très développé, le poney affiche souvent plus de personnalité que la plupart des chevaux. En outre, son tempérament placide fait de lui un compagnon idéal pour les jeunes enfants.

Très polyvalents, les poneys ont tenu, au long des siècles, un nombre incalculable d'occupations : tracteurs de chars romains, travailleurs dans les mines, secouristes sur les champs de bataille ou vedettes de cirque.

Shetland américain

TYPE

USAGE **CARACTÈRE**

EN 1885, soixante-quinze poneys shetland écossais furent débarqués sur le sol des États-Unis par un certain Eli Elliot. Ces poneys ont été à la base du développement de la race du shetland américain, aujourd'hui assez éloignée du shetland d'origine. De nos jours, l'élevage du shetland américain est essentiellement pratiqué dans l'État de l'Indiana, mais ces poneys à

la popularité grandissante sont rencontrés dans presque toutes les régions des États-Unis.

Le shetland américain fut obtenu par croisements entre poneys shetland et poneys hackney, puis par influences, un peu plus tard, de chevaux pur-sang et arabes de petite taille. Créée en 1888, l'American Shetland Pony Club entretient aujourd'hui deux stud-books : le stud-book division A, qui enregistre les sujets purs (issus de deux parents shetland américains), et le stud-book division B, qui répertorie les sujets nés de croisements entre poneys shetland américains de division A et poneys hackney

ou poneys welsh. De manière générale, ces poneys de petite taille sont pleins de qualités et de caractère. Ils ressemblent au poney hackney quant à la conformation et à la posture et possèdent du shetland la queue et la crinière abondantes, la robustesse et l'endurance. Très polyvalent, le shetland américain est un excellent poney d'attelage mais il convient également pour l'équitation enfantine.

Les shetland américains participent à un grand nombre de concours et de compétitions, notamment en saut d'obstacles, en dressage, en gymkhana et en courses d'attelages. Cette race rencontre un très grand succès aux États-

Unis, et les meilleurs sujets sont très convoités.

La tête est souvent fine et allongée, traits peu courants chez un poney. L'encolure rouée et très musclée est similaire à celle du poney hackney. Le garrot est proéminent, le dos long et souvent étroit. L'arrière-main est large et musclée. L'inclinaison harmonieuse des épaules autorise l'élégance de mouvement rencontrée également chez le poney hackney. Les membres sont presque toujours longs et fins, avec un canon allongé. La posture, postérieurs tendus en arrière, du corps se rapproche de celle du poney hackney. Il n'existe pas de restriction quant à la robe pour cette race, et la taille maximale autorisée est de 1,44 m.

Dans l'Antiquité, le quadrige était un char attelé à quatre chevaux de front.

Ci-dessus
Le shetland américain ressemble peu à son rustique ancêtre originaire des îles Shetland, en Écosse.

Au centre et en bas
La posture et l'action du shetland américain évoquent celles du poney hackney.

TYPE

USAGE   CARACTÈRE

American Walking Pony

EN BREF	
NOM	American Walking Pony
TAILLE	Jusqu'à 1,42 m
ROBE	Toutes les couleurs unies possible
ORIGINE	États-Unis

L'AMERICAN WALKING PONY est un poney de grande taille et de type arabe, dont la réputation d'excellence n'est plus à faire.

Le stud-book de cette race, aux caractéristiques aujourd'hui bien fixées, fut fondé en 1968 par l'Américaine Joan Hudson Brown, laquelle effectua des croisements sélectifs durant quatorze années avant d'obtenir enfin le résultat escompté. L'objectif était de produire un poney de concours de grande taille alliant qualité et élégance.

Le dernier

En 1739, le roi George II de Grande-Bretagne et d'Irlande interdit les courses aux sujets de faible constitution.

croisement fondateur impliqua un cheval tennessee walker mâle et une jument poney welsh. Cette jument, nommée Browntree's Flicka, exerça une grande influence sur le développement de la race et figure en numéro un sur le stud-book. Son fils BT Golden Splendor, qui témoignait parfaitement des qualités de cette race, figure en numéro cinq sur le stud-book et en est le premier étalon. L'american walking pony combine les traits les plus enviables de ses deux lignées parentales : allures naturelles du tennessee walker et robustesse du poney welsh. De façon unique, il est capable de sept allures

différentes, dont le pleasure walk, allure sur quatre temps légèrement plus rapide que le pas normal, le merry walk, également une allure à quatre temps, mais plus rapide et accompagnée de mouvements de tête d'arrière en avant de la monture, et le canter, galop modéré et parfaitement contrôlé qui assure un grand confort au cavalier.

Extrêmement polyvalent, l'american walking pony se montre également à son aise en saut d'obstacles, en dressage, en équitation de loisirs et en attelage. Il possède une tête gracieuse et fine, dont les traits évoquent davantage le cheval que le poney. L'encolure, musclée et relativement longue, est portée avec élégance. L'inclinaison harmonieuse des épaules autorise une grande aisance de mouvement.

Le poitrail est large et puissant, le dos compact. L'arrière-main est très musclée. De façon typique, l'american walking pony affiche beaucoup de présence et de qualité. Toutes les robes unies sont possibles et la taille maximale admise est de 1,42 m.

En haut
L'american walking pony ressemble au cheval arabe, dont il possède la tête fine et délicate.

À droite
Par ses allures, l'american walking pony se rapproche du tennessee walker.

Mérens

TYPE

USAGE **CARACTÈRE**

SOUVENT RÉPERTORIÉ aujourd'hui en tant que cheval, le mérens est originaire des terres montagneuses des Pyrénées ariégeoises, dans le Sud-Ouest de la France. Les sujets de cette race très ancienne sont sans doute les descendants directs des chevaux figurés par les peintures rupestres vieilles de plus de 15 000 ans qui ornent la grotte de Niaux, en Ariège. L'élevage sélectif du mérens fut pratiqué dès 1908, avec pour objectif de conserver les qualités propres à cette race, et le stud-book fut ouvert en 1948 par le Syndicat d'élevage du cheval de Mérens. En 1971, des apports de sang arabe furent effectués afin d'améliorer la qualité du cheptel, dont la régulation est assurée aujourd'hui par le Haras national de Tarbes.

D'un très grande robustesse, le mérens est parfaitement adapté aux régions montagneuses de son aire géographique d'origine. Il tend à souffrir des fortes chaleurs, mais se moque des froids les plus intenses et peut suivre les chemins les plus escarpés avec une grande assurance. Les mérens sont rarement ferrés, car leurs sabots sont durs et formés d'une corne très dense. Ils mangent peu et peuvent survivre sur des rations très frugales. Utilisés de façon croissante pour la randonnée de loisirs, ils sont également appréciés en tant qu'animal de selle ou de trait agricole sur les terres peu accessibles aux engins motorisés. En outre, leur tempérament peu belliqueux fait d'eux des montures agréables pour les enfants et les cavaliers débutants.

Le mérens est similaire en apparence aux poneys anglais dales ou fell, mais il ressemble également aux chevaux frison noirs. La tête est très élégante et la face expressive. Les yeux sont petits et alertes, la crinière et le toupet très abondants. L'encolure est droite, plate et peu allongée. Le corps est trapu, avec un poitrail large et bien ouvert, des épaules plutôt droites et un dos long et musclé. La croupe est ronde, la queue plantée bas et très fournie. Les membres sont courts et puissants, parfois panards du

derrière, trait courant chez les chevaux et poneys élevés en montagne. La robe est toujours noire, généralement sans marques blanches, et le crin est épais et rêche. La taille du mérens se situe entre 1,33 et 1,45 m.

Dans les années 1870, près de 1 000 tonnes de crottin de cheval étaient ôtées chaque jour des rues de Londres.

En haut et au centre
Le mérens travaille bien en équipe et se montre très agile.

Ci-contre
Chez le mérens, la crinière et le toupet sont abondants et très épais.

 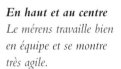

TYPE

USAGE   CARACTÈRE

Les croisements interraciaux permettent souvent d'éliminer un défaut d'une race.

Assateague et chincoteague

LES PONEYS ASSATEAGUE et chincoteague forment une seule et même race et sont rencontrés essentiellement sur les îles éponymes situées au large de l'État américain de Virginie. Ces poneys sont aujourd'hui ensauvagés, et il existe des incertitudes quant à l'origine de leur présence sur ces îles. Certains prétendent qu'ils descendent de chevaux rejetés sur ces rivages au XVIᵉ siècle

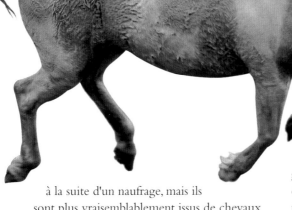

à la suite d'un naufrage, mais ils sont plus vraisemblablement issus de chevaux espagnols ou nord-africains abandonnés par leurs propriétaires à l'époque coloniale.

Bien que plutôt petits, avec une taille moyenne voisine de 1,22 m, ces poneys affichent des traits physiques proches de ceux des chevaux, notamment la tête et à la longueur relative du canon, ce qui semble confirmer la présence de chevaux dans leur ascendance proche. Leur existence ne devint réellement connue qu'à partir des années 1920, mais ils reçurent une attention nouvelle après la parution en 1947 de *Misty of Chincoteague*, fameux ouvrage de l'Américaine Marguerite Henry, puis la sortie sur les écrans en 1961 du film *Misty*, adaptation produite par la Twentieth Century Fox.
Ils sont aujourd'hui sous la protection du Chincoteague Fire Department, responsable de la gestion des îles. Afin de réguler le cheptel, cette institution organise chaque année un festival long de quatre jours, durant lequel plusieurs juments et poulains sont vendus aux enchères. L'argent recueilli est entièrement réinvesti au bénéfice des poneys.

Au début des années 1920, un grand nombre des poneys assateague et chincoteague étaient dans un état physique déplorable, principalement à cause de nombreux croisements interraciaux et d'un environnement très rude. Les principaux défauts étaient une tête de grosseur disproportionnée, un poitrail excessivement étroit et des pattes mal conformées. L'apport récent de sang shetland, welsh et pinto a permis d'améliorer grandement la race. Aujourd'hui, les poneys assateague et chincoteague présentent généralement une tête allongée, une longue encolure, un dos long et étroit et une croupe tombante. Les épaules sont droites et les pattes tendent à être ramassées et solides. La robe est de diverses teintes, mais plus souvent pie.

Au centre
L'apport de sang shetland et welsh a permis d'améliorer ce poney peu connu.

À droite
Le nombre de ces poneys ensauvagés est soigneusement régulé.

Poney australien

TYPE

USAGE   CARACTÈRE

L N'EXISTAIT pas de chevaux ou de poneys en Australie avant l'arrivée des colons, de sorte que toutes les races développées dans ce pays sont issues de chevaux importés. Les premiers chevaux arrivèrent à Sydney en 1788 sur le First Fleet, navire venu d'Afrique du Sud.

À partir de 1803, de robustes poneys de l'île de Timor (actuelle Indonésie) furent importés en nombres croissants, et ces animaux furent à la base du développement du poney australien. Plus tard, la race reçut diverses influences, dont celles de chevaux arabes et pur-sang de petite taille, et de poneys welsh mountain, hackney, shetland, highland et connemara. Deux poneys exmoor, nommés Sir Thomas et Dennington Court, contribuèrent également à la progression de la race, et au début du XIXᵉ siècle, un étalon appelé Bonnie Charlie fut utilisé pour son amélioration.

Le poney australien moderne illustre l'application des premiers éleveurs à employer essentiellement des poneys britanniques tout en conservant le caractère arabe. L'influence du poney welsh mountain est particulièrement évidente : Dyoll Greylight, poney Welsh Mountain importé en Australie en 1911 et considéré comme le mâle fondateur de la race, a clairement transmis à sa descendance sa grande beauté et sa parfaite conformation. L'Australian Pony Stud Book Society fut formée en 1911, et plus de 27 000 poneys sont aujourd'hui enregistrés.

Doté d'une excellente conformation et d'une bonne longueur de foulée, le poney australien excelle dans toutes les disciplines, notamment dressage, saut d'obstacles, gymkhana, concours de modèles et allures et courses d'attelage. Son tempérament remarquable fait de lui un poney de selle idéal pour les enfants, les adultes de petite taille ou les cavaliers débutants.

La tête généralement très harmonieuse porte des yeux larges et paisibles. L'encolure est arquée, le dos court et droit. Les épaules sont bien dessinées et légèrement tombantes. Le poitrail puissant et profond est prolongé par un dos musclé. Les pattes sont courtes, avec un canon dense et solide. La plupart des poneys australiens sont gris, mais toutes les robes sont possibles à l'exception de pie. Leur taille se situe entre 1,22 et 1,42 m.

À gauche
Le poney australien a bénéficié de nombreuses influences, dont celle du welsh mountain.

En bas
D'un tempérament gentil, le poney australien est un poney de selle idéal pour les enfants et les cavaliers débutants.

TYPE

USAGE   CARACTÈRE

Avelignese

EN BREF	
NOM	Avelignese
TAILLE	Jusqu'à 1,45 m
ROBE	Toujours alezan à crin lavé
ORIGINE	Italie

L'AVELIGNESE tire son nom de l'Avelengo, région du Haut-Adige devenue italienne en 1918. Ce poney est la version transalpine du haflinger autrichien, et les deux races affichent des caractéristiques très proches. Les spécialistes estiment qu'elles dérivent toutes deux de la race antique avellinum et qu'elles bénéficièrent de l'influence de l'étalon El Bedavi XXII, importé au Tyrol dans les années 1860. De fait, bien qu'il soit considéré comme un poney à sang froid et qu'il présente nombre des traits typiques de cette catégorie, l'avelignese doit beaucoup à des influences orientales.

L'élevage de l'avelignese est surtout pratiqué en Toscane, en Émilie-Romagne et dans la partie centro-méridionale de l'Italie, mais cette race est présente dans tout le pays et elle est considérée comme la race équine italienne la plus prolifique.

L'avelignese se montre extrêmement robuste et endurant, sans doute à cause de l'environnement rude et montagneux dont il est originaire. Plus grand et plus étoffé que le haflinger, il est très polyvalent, et on l'utilise encore aujourd'hui comme animal de trait pour le travail de terres non accessibles aux engins motorisés. Son pas est rendu très sûr par des sabots très durs et des pieds parfaitement formés, de sorte qu'il est souvent employé pour le bât et la randonnée.

Grâce à son tempérament paisible, typique des équins à sang froid, et à sa puissante musculature, qui lui permet de porter des adultes sans fatigue, l'Avelignese est un poney de selle idéal pour les enfants et les cavaliers

non confirmés. Bien que de conformation plutôt massive, les avelignese ont généralement un corps harmonieux. La tête est souvent pleine de qualité, avec un front large et un museau fin. L'encolure est épaisse, courte et très musclée. Les épaules puissantes semblent dessinées pour le port d'un collier d'attelage. Elles sont plutôt droites et la foulée est courte. Le poitrail très ouvert annonce un dos compact et large. La croupe musclée est bien arrondie. Les membres sont généralement bien formés, avec des os denses et des articulations solides. La robe est alezane avec queue et crinière blondes. La taille maximale avoisine 1,45 m.

L'ancêtre des équidés modernes est sans doute Hyracotherium, également appelé Eohippus.

En haut et au centre
L'avelignese a une musculature très développée, ce qui fait de lui un travailleur agricole apprécié.

Ci-contre
Très calme de nature, l'avelignese est un bon poney de selle pour les jeunes enfants.

EN BREF

NOM	Bali
TAILLE	Entre 1,22 et 1,32 m
ROBE	Souvent isabelle
ORIGINE	Indonésie

Bali

TYPE

USAGE   **CARACTÈRE**

LES PONEYS BALI sont issus d'une souche très ancienne mais il existe peu d'informations quant à leur origine. La plupart des spécialistes pensent qu'ils sont issus de chevaux introduits en Indonésie par les Chinois à partir du VIᵉ siècle. Si tel est le cas, le cheval de Przewalski est sans doute pour beaucoup dans les caractéristiques premières de cette race, et de fait, il existe chez les sujets d'aujourd'hui de nombreuses indications de cette influence.

On sait également que plusieurs races de chevaux indiennes furent introduites en Indonésie à diverses époques. Plus tard, au cours du XVIIIᵉ siècle, les colons hollandais importèrent des chevaux de souche orientale. Cette combinaison de sangs oriental, mongol et indien est considérée aujourd'hui comme la base fondatrice de la race.

Sur l'île éponyme où il vit, le poney bali ne fait pas l'objet d'un élevage poussé ou sélectif visant à produire telles ou telles qualités esthétiques ou athlétiques, mais il remplit les fonctions attendues de lui par les autochtones. Il est notamment utilisé pour le transport vers les lieux de construction des pierres et coraux collectés sur les plages. Extrêmement fort pour sa taille, il est également employé comme poney de selle, le plus souvent pour des randonnées organisées à l'intention des touristes.

Les poneys bali sont très autonomes, sans doute parce qu'ils y furent toujours contraints, et sont capables de survivre avec peu de soins et des rations alimentaires minimales. Ils possèdent des membres extrêmement robustes terminés par un pied très sûr et rarement ferré. Leur apparence primitive est renforcée par une robe souvent isabelle portant raie de mulet, bande cruciale et zébrures aux membres, traits indicatifs de leur ancienneté. Les sujets de la race arborent tous une abondante crinière noire hérissée similaire à celle du cheval de Przewalski.

Le poney bali est souvent comparé au cheval de Przewalski. Sa conformation n'est pas des plus harmonieuses, car la tête est souvent d'une grosseur disproportionnée. L'encolure est relativement longue. Les épaules plutôt droites induisent une foulée courte. Le poitrail est peu large, de même que le dos, qui est court. La croupe est tombante. La taille se situe entre 1,22 et 1,32 m.

Soit rapide
mon cheval
Soit rapide
comme l'oiseau
Soit rapide
mon cheval
Porte-moi à l'abri
Loin des flèches
de mes ennemis
Et tu seras
récompensé
Par des plumes
Et des rubans
bariolés
Chanson d'un guerrier
sioux à son cheval

Ci-contre
Le poney bali ressemble au cheval de Przewalski (voir page 229), auquel il est probablement lié.

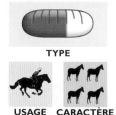

TYPE

USAGE CARACTÈRE

Bardigiano

○○○○○○○○○○○○○○○○○○○○○○○○○○

EN BREF

NOM	Bardigiano
TAILLE	Jusqu'à 1,32 m
ROBE	Souvent bai, parfois noir ou bai-brun
ORIGINE	Italie

DE SOURCE très ancienne, le bardigiano est probablement apparenté à la race avellinum de la Rome antique, à laquelle on peut également rattacher les races haflinger et avelignese. Le bardigiano habite le versant septentrional des Apennins, et il se montre particulièrement bien adapté aux terrains montagneux de cette région italienne. Il est proche des poneys haflinger et avelignese, bien que moins connu et moins réputé que ceux-ci. Il est probable qu'il a reçu, à un moment de son histoire, une influence avelignese, et donc qu'il possède lui aussi des traits dus au fameux étalon arabe El Bedavi XXII. De fait, le bardigiano présente une tête au caractère oriental bien

Ci-dessus
Grâce aux efforts entrepris il y a une trentaine d'années, le bardigiano est aujourd'hui un poney de haute qualité.

À droite
Le bardigiano est souvent utilisé pour les travaux agricoles, mais il convient également pour la selle et la randonnée.

marqué, mais il ressemble également aux sujets de races natives anglaises telles que exmoor et dales. Le poney nord-espagnol asturcon est également une référence possible.

Durant les Première et Seconde Guerres mondiales, les juments bardigiano furent utilisées pour la production de mulets de haute qualité, ce qui eut pour effet de réduire de façon importante le nombre de sujets de pure race. Plusieurs apports d'étalons d'autres lignées eurent lieu après 1945, mais ces nouvelles influences eurent un impact plutôt négatif sur la race. En 1972, un comité spécialement formé

fut chargé de rétablir la race ancienne, ce qui fut fait avec beaucoup de succès. Le bardigiano est un poney utile et attrayant ; à l'instar de tous les poneys de montagne, il est très sûr de pied et se montre extrêmement robuste et endurant. Son tempérament affable et calme en fait un poney de selle très agréable pour les enfants. Il convient bien également pour la randonnée, et grâce à sa puissance et à sa forte musculature, il est excellent pour les travaux agricoles, le bât et le trait léger.

Le bardigiano possède généralement une tête de type oriental, avec des yeux vifs et intelligents et des oreilles droites. L'encolure épaisse, rouée et très musclée porte une crinière abondante. Les épaules très puissantes sont souvent droites. Le dos est court et l'arrière-main est robuste. Les membres généralement courts et solides affichent des articulations robustes, un canon plutôt court et des sabots d'une grande dureté. La robe peut être baie, bai-brun ou noire, parfois légèrement marquée de blanc. La taille est voisine de 1,32 m.

EN BREF

NOM	Bashkir
TAILLE	Entre 1,32 et 1,42 m
ROBE	Bai, alezan ou isabelle
ORIGINE	Fédération de Russie

Bashkir

L E BASHKIR est implanté dans les régions inhospitalières de l'Oural depuis des milliers d'années. Ce poney probablement apparenté aux chevaux des steppes de l'Asie occidentale, et qui possède du sang turc, s'est bonifié au fil

Au Royaume-Uni, depuis 1999, une loi impose de doter les poulains pur-sang d'un implant électronique qui les identifie.

des siècles et se montre aujourd'hui parfaitement adapté à son environnement. Il est d'une grande utilité pour les habitants de ces contrées.

Les poneys bashkir sont très résistants et capables de survivre aux froids les plus intenses.

Doués d'une grande vitalité et très rapides pour leur taille, ils sont souvent employés pour le trait des traditionnelles troïkas. Les autochtones les utilisent également pour les travaux agricoles et pour la production de viande et de lait. Les juments traites huit mois par an sont réputées pour leur production intarissable : il n'est pas rare qu'un seule jument donne près de 1 500 litres de lait par an. Après fermentation, le lait est employé pour la confection de mets typiques qui forment une part importante du régime alimentaire des habitants de ces régions. Il fut un temps où les poulains étaient éloignés de leur mère durant la journée et seulement autorisés à téter le soir venu, afin d'accroître encore la production, mais cette pratique a été heureusement abandonnée.

Il existe deux types distincts de poney bashkir : le bashkir de montagne, petit et léger, et essentiellement utilisé pour la selle, et le bashkir

des steppes, plus lourd et souvent employé pour le trait des troïkas. De façon générale, le bashkir est fort et robuste et il fait preuve d'un tempérament calme et docile.

La tête est massive avec un profil rectiligne, des yeux très vifs, des oreilles petites et très mobiles et un toupet très fourni. L'encolure est courte et musclée, le garrot peu prononcé, le poitrail profond. Les épaules sont inclinées. Le dos est long et parfois incurvé, avec une queue placée très bas. Les membres sont courts et solides, terminés par un sabot très dur. La robe est souvent baie, alezane ou isabelle, et toupet et crinière sont abondants chez tous les sujets. La taille se situe entre 1,32 et 1,42 m.

En haut
D'origine très ancienne, le bashkir est très bien adapté à son environnement.

Ci-contre
La robe du bashkir est généralement baie, alezane ou isabelle.

TYPE

USAGE   CARACTÈRE

Pottock

EN BREF	
NOM	Pottock
TAILLE	Entre 1,13 et 1,44 m
ROBE	Alezan, bai-brun, bai ou pie
ORIGINE	France et Espagne

Les mains douces font des chevaux gentils.

En haut et au centre
Doué pour le saut, le pottock est un excellent poney de compétition.

En bas
Certains poneys pottock vivent à l'état demi-sauvage dans les régions les plus inaccessibles du pays basque espagnol.

LE POTTOCK est un poney de montagne natif des pays basques français et espagnol mais rencontré aujourd'hui dans de nombreuses régions de France. On pense qu'il descend du cheval de Solutré et qu'il a sans doute bénéficié, au cours de son évolution, d'apports de sang arabe.

La plupart de ces poneys vivent de façon sauvage ou demi-sauvage sur les terrains accidentés des Pyrénées françaises et espagnoles. Ils sont très résistants et bien adaptés à leur environnement. Durant l'hiver, la lèvre supérieure du pottock se couvre de touffes de poils épaisses qui la protège des plantes épineuses dont il se nourrit. En été, alors que la nourriture est à nouveau abondante, ces touffes de crin disparaissent. Le succès rencontré par la race a été la cause d'une diminution du cheptel en liberté : un grand nombre de sujets sont aujourd'hui apprivoisés. L'endurance du pottock est légendaire

et sa stature modeste dissimule une force insoupçonnée.

Le stud-book comprend deux sections et trois types : la section A, réservée aux sujets de race pure, rassemble les types pottoka et larre pottoka. La section B, réservée aux sujets issus de croisements avec étalons arabes et welsh, forme le type Pottoka Berria. Le pottock était utilisé à l'origine pour le bât et le trait léger, mais on l'emploie de plus en plus aujourd'hui comme poney de selle pour les jeunes enfants, car il est d'un tempérament doux et paisible. Les sujets d'excellente conformation, naturellement doués pour le saut, figurent avec succès dans les

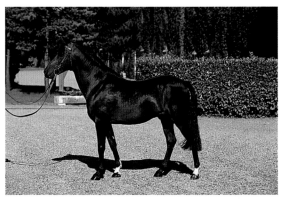

compétitions réservées aux poneys de petite taille. De récents apports de sang arabe et welsh ont amélioré la qualité et la conformation de la race.

La tête bien proportionnée par rapport au reste du corps affiche un profil rectiligne ou légèrement concave, de longues oreilles, des yeux larges et une lèvre supérieure parfois prédominante. L'encolure est parfois renversée. Les épaules sont droites. Le dos est long et droit, le poitrail bien ouvert et la cage thoracique bien arrondie. Les membres secs et nerveux sont terminés par un sabot petit et très dur. De façon typique, la robe est baie, bai-brun, alezane ou pie. La taille se situe entre 1,13 et 1,43 m.

Basuto

TYPE

USAGE   CARACTÈRE

L E BASUTO est l'un des poneys les plus réputés parmi ceux rencontrés en Afrique australe, et il a atteint la célébrité comme monture de guerre au cours du XIXe siècle. Bien qu'appartenant au groupe des poneys par sa taille, il présente de nombreuses caractéristiques chevalines, notamment une foulée très longue, de sorte qu'il est

plutôt considéré comme un petit cheval. Les premiers représentants du genre équin arrivèrent en Afrique du Sud en 1653, lorsque quatre chevaux furent introduits dans la région du Cap par la Compagnie hollandaise des Indes Orientales. Il s'agissait probablement de chevaux similaires dans leur conformation au poney de Java, et ce premier groupe reçut assez rapidement des influences arabes ou perses qui permirent d'établir la race cape horse, bientôt extrêmement populaire.

Au XIXe siècle, plusieurs chevaux cape horse furent introduits au Basutoland (actuel Lesotho) en tant que trésors de guerre, lors du conflit mettant aux prises Zoulous et colons britanniques. Victimes de la rudesse de l'environnement et des nombreux croisements avec les poneys locaux, les chevaux cape horse diminuèrent en nombre et laissèrent graduellement place aux poneys basuto. Très appréciés pour leur rapidité et leur sûreté de pied

sur les terrains vallonnés et rocailleux de cette région, les basuto faillirent être victimes de leur réputation : plusieurs milliers d'entre eux furent exportés vers d'autres régions, puis un grand nombre des meilleurs sujets périrent au cours des batailles de la Guerre des Boers. Aujourd'hui, les poneys basuto sont souvent utilisés pour la course en hippodrome ou la pratique du polo, et il existe des efforts concertés pour rétablir de façon durable cette superbe race.

Le basuto présente généralement une tête massive, une encolure allongée et un dos long et droit. Les épaules vont vers la verticale, et la croupe est tombante mais musclée. Les membres sont très souvent solides et bien formés. Les sabots sont d'une très grande dureté. La taille maximale se situe autour de 1,44 m. La robe est baie, bai-brun, alezane ou grise, et parfois pie.

L a première épreuve officielle de dressage se déroula en 1912, lors des Jeux olympiques de Stockholm.

Au centre et ci-contre
Le poney basuto et le poney java (voir page 219), figuré ci-contre, possèdent des origines communes.

193 🍃

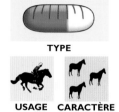

TYPE

USAGE   **CARACTÈRE**

Batak

LE BATAK est un poney de race probablement très ancienne originaire des terres intérieures de l'île de Sumatra. De même que le sandalwood et le bali, autres poneys indonésiens, le batak possède des influences mongoles et arabes, et la race a été régulièrement améliorée, durant de très nombreuses années, par des apports de sang arabe. Le poney batak est très réputé à Sumatra : il fait l'objet d'un élevage sélectif et on l'utilise pour améliorer les cheptels équins des îles avoisinantes.

Le batak a longtemps tenu un rôle central dans la vie quotidienne des autochtones, à tel point qu'il fut longtemps offert aux dieux lors de cérémonies sacrificielles. Aujourd'hui, le batak est un poney de selle apprécié à la fois par les paysans locaux et par les touristes. Doué d'un tempérament docile et paisible, il constitue une excellente monture pour les jeunes enfants, mais il sait également se montrer énergique et fougueux. Ses influences arabes clairement visibles contrebalancent des traits mongols moins marqués que chez les autres poneys indonésiens. Bien que forts et robustes, les poneys batak sont souvent de conformation plutôt fine, et ils présentent quelques défauts dus à la rudesse de leur environnement d'origine. En terme de conformation et de caractère, le batak est considéré comme le deuxième meilleur poney indonésien après le sandalwood. Il est d'un entretien facile et peu onéreux, et sa rapidité naturelle lui vaut d'être souvent utilisé lors de courses locales. Autre race de poney rencontré sur l'île de Sumatra, le Gayoe partage de nombreux traits avec le batak et en est sans doute dérivé.

Ci-dessus et en haut, à droite
Le batak est utilisé à la fois pour la selle et le trait léger.

En bas, à droite
L'influence arabe se traduit par une tête harmonieuse et une conformation plutôt fine.

D'une manière générale, il est plus trapu que ce dernier et possède moins de caractère et de qualité.

Le batak présente généralement une tête harmonieuse avec un profil rectiligne ou légèrement concave. L'encolure souvent courte et peu musclée bute sur un garrot proéminent. Le poitrail est étroit, le dos long, la croupe tombante. La queue plantée haut renforce l'élégance générale. Les membres sont souvent longs et peu musclés, avec un canon fin et allongé. Le sabot est généralement dur. Toutes les couleurs de robes sont possibles pour ce poney, dont la taille peut aller jusqu'à 1,32 m.

TYPE

USAGE   CARACTÈRE

⚪⚪⚪⚪⚪⚪⚪⚪⚪⚪⚪⚪⚪⚪⚪⚪⚪⚪⚪⚪⚪⚪	
EN BREF	
NOM	Bhutia and spiti
TAILLE	Jusqu'à 1,34 m
ROBE	Souvent gris, café au lait ou autre
ORIGINE	Inde

Bhutia et spiti

CES DEUX PONEYS très similaires sont originaires de l'Himalaya indien. Ils se rapprochent beaucoup du poney tibétain, auquel ils sont probablement liés, et ces trois races sont souvent désignées aujourd'hui sous l'appellation d'indian country breed, qui regroupe les divers poneys indiens. En effet, la plupart de ces poneys ont perdu leurs traits distinctifs à la suite de très nombreux croisements interraciaux.

Le bhutia et le spiti sont tous les deux bien adaptés au terrain et aux conditions climatiques des régions montagneuses, mais ils tendent à souffrir de la chaleur et de l'humidité propres aux régions moins élevées du sous-continent indien. L'Inde n'est pas un pays d'élevage équin : le climat se révèle insupportable pour nombre de races, et la pénurie quasi permanente de fourrage de bonne qualité affecte la croissance et le développement des sujets. Pour ces mêmes raisons, les poneys indigènes se montrent extrêmement résistants, mangent peu et sont peu onéreux en soins. Le bhutia et le spiti sont essentiellement élevés pour des travaux de force, et leur utilisation à des fins de loisirs ne s'est pas encore développée. Ils possèdent à la fois énergie et endurance et montrent un caractère paisible. Ils conviennent à merveille pour le bât et sont également utilisés pour la selle, même si certains sujets se révèlent parfois imprévisibles.

D'un manière générale, la conformation est loin d'être parfaite. La tête est plutôt massive avec des mâchoires prononcées et un profil droit. L'encolure courte est prolongée par un garrot peu marqué. Le poitrail profond est encadré par des épaules droites. Le dos est droit, la croupe tombante porte une queue haut placée. Les membres sont courts et solides. La taille se situe entre 1,22 et 1,34 m.

Légèrement plus petit que le bhutia, le spiti est surtout rencontré dans l'Himachal Pradesh. Sa robe varie généralement du gris au café au lait, mais d'autres teintes sont possibles. Sa taille dépasse rarement 1,22 m.

Le petit intestin d'un cheval mesure environ 23 m de long.

Ci-contre
Les poneys bhutia et spiti ont de nombreux traits communs avec le poney tibétain indigène (voir page 236), figuré ici par une jument et son poulain.

TYPE

USAGE   CARACTÈRE

Bosniaque

○○○○○○○○○○○○○○○○○○○○○○○○○

EN BREF

NOM	Bosniaque
TAILLE	Entre 1,32 et 1,44 m
ROBE	Souvent bai, noir ou isabelle
ORIGINE	Ancienne Yougoslavie

CE PONEY originaire de l'ancienne Yougoslavie se rapproche des poneys huçul et konik, collectivement désignés sous l'appellation de poneys des Balkans. Ces trois races sont très anciennes, et l'on pense que le bosniaque s'est développé à partir de croisements entre tarpan et cheval de Przewalski. Plus tard, diverses influences orientales, dont certaines apportées par les Turcs de l'Empire ottoman, eurent pour effet de détériorer la race, qui fut finalement sauvée par des apports successifs de sang tarpan.

Le bosniaque est présent dans sa région d'origine depuis de nombreux siècles, mais il n'est élevé de façon sélective que depuis le début du XXᵉ siècle. Pendant de nombreuses années, cet élevage fut centralisé dans les haras de Borike, en Bosnie-Herzégovine, où des étalons contrôlés par l'État fertilisaient des juments appartenant à des propriétaires privés. Durant les années 1940, trois étalons nommés Agan, Barat et Misco permirent d'améliorer la race de façon significative. Agan et Barat étaient d'une conformation comparable à celle du cheval de Przewalski, tandis que Misco présentait davantage de légèreté et de qualité. Jusqu'à un passé récent, les étalons étaient soumis à des tests très stricts afin que seuls les meilleurs éléments soient admis à assurer la reproduction.

Le bosniaque est un poney aux fonctions multiples, convenant à la fois pour les petits travaux agricoles et le trait léger. Du fait de sa grande sûreté de pied, il est souvent utilisé pour le bât en terrain accidenté. Robuste et résistant, aussi doté d'un tempérament docile, il constitue également une monture agréable.

Le bosniaque présente généralement des traits plutôt primitifs, qu'il doit à sa parenté avec le cheval de Przewalski, mais il possède malgré tout la qualité et la finesse liées aux apports de sang oriental. La tête est massive, avec un profil rectiligne, un toupet très fourni et des oreilles de modestes dimensions. L'encolure est courte et musclée. Les épaules allongées et tombantes encadrent un poitrail large et bien ouvert. Le dos est droit, la croupe tombante. La robe est souvent baie, noire ou isabelle. La taille se situe entre 1,32 et 1,44 m.

Ci-contre
Très sûr de pied et doué d'un tempérament docile, le bosniaque est une monture agréable.

Burma

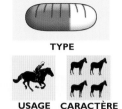

TYPE

USAGE CARACTÈRE

EN BREF

NOM	Burma
TAILLE	Jusqu'à 1,32 m
ROBE	Bai, bai-brun, noir, alezan ou gris
ORIGINE	Union de Myanmar (ex-Birmanie)

LE BURMA est un poney de montagne essentiellement rencontré sur les hauts plateaux de l'est de l'Union de Myanmar (ex-Birmanie), où il est élevé par les populations autochtones. Le burma présente de nombreuses similitudes avec le poney manipur d'une part, et les poneys himalayens bhutia et spiti d'autre part. Il est probable que ces races très anciennes se sont toutes développées à partir du poney mongol et qu'elles reçurent, au fil des siècles et à des degrés différents, des influences orientales.

Les apports de sang arabe ont sans doute été moindres chez le burma que chez le manipur, plus élégant et plus rapide. Malgré tout, le burma est un poney extrêmement bien adapté à son environnement et apte à remplir de multiples fonctions. Grâce à sa grande sûreté de pied, il convient de façon idéale pour le bât ou pour le travail de terres difficilement accessibles pour les engins agricoles motorisés. Son tempérament calme et docile en fait un poney de randonnée agréable, à la fois pour les enfants et les adultes

débutants. Robustes et résistants, les poneys burma ne craignent pas les dures conditions climatiques de leur environnement. Durant un temps, ils furent utilisés par les colons britanniques pour la pratique du polo, mais sans doute faute de montures mieux adaptées : le burma est un excellent travailleur de montagne, mais il n'est ni particulièrement rapide ni particulièrement athlétique, et ne peut être comparé, en tant que monture sportive, au manipur.

Le burma présente une conformation plus fonctionnelle qu'esthétique. La tête est généralement fine, avec un profil rectiligne et un front large. L'encolure musclée est bien proportionnée par rapport au reste du corps. Le garrot est peu marqué. Les épaules faiblement inclinées induisent une foulée courte, adaptée aux terrains montagneux. Le poitrail est profond, le dos musclé et long, la croupe tombante. Les membres musclés mais fins sont terminés par un sabot petit et dur. La robe est baie, bai-brun, noire, alezane ou grise. La taille moyenne est voisine de 1,32 m.

Ci-dessous
À une certaine époque, le burma fut utilisé comme monture de polo par les colons britanniques.

TYPE

USAGE CARACTÈRE

Camargue

EN BREF

NOM	Camargue
TAILLE	Jusqu'à 1,43 m
ROBE	Gris
ORIGINE	France

*Ci-contre
et ci-dessous*
*Le camargue est
implanté dans le delta
du Rhône depuis des
milliers d'années.*

En bas, à droite
*Doué d'un bon
tempérament,
le camargue convient
bien pour la randonnée.*

BIEN QUE de petite taille, le camargue est
davantage un petit cheval qu'un poney.
Originaire du delta du Rhône, dans
le Sud-Est de la France, il est d'origine très ancienne
et descend probablement du cheval de Solutré.
De fait, certains traits du camargue sont visibles
dans les figurations équines de la grotte de Lascaux,
réalisées voici près de 20 000 ans. Le camargue reçut
l'influence de chevaux barbes durant les invasions
maures, mais la race a peu évolué depuis

lors du fait de son isolation géographique. Il vit
en hardes demi-sauvages sur les terres marécageuses
du delta du Rhône, se nourrissant de plantes
halophiles et de roseaux. Ces facteurs
environnementaux, auxquels s'ajoutent
des conditions climatiques souvent difficiles, ont
rendu le camargue à la fois robuste et résistant.

Le camargue est essentiellement utilisé comme
monture pour le gardiennage des fameux taureaux
de camargue, voués aux corridas locales, mais
il est également employé pour la randonnée.
En dépit de sa riche histoire, la race ne fut
officiellement reconnue qu'en 1968 avec la création
d'une association. Depuis cette date, les étalons sont
régulièrement contrôlés.

De façon caractéristique, le camargue présente
une tête massive et large, une encolure très courte et
des épaules droites qui autorisent un pas très relevé.
Le trot, rarement utilisé, semble peu naturel, mais
petit galop et galop sont fluides et pleins d'aisance.
Le dos souvent court et musclé est terminé par
une croupe tombante et une queue plantée bas.
Les membres sont puissants et musclés, les sabots
très durs. La conformation générale est lourde mais
puissante, avec une bonne épaisseur au passage
de sangle. Le camargue est agile, athlétique et très
courageux. Son développement est lent – la maturité
est atteinte à l'âge de cinq
ou six ans – mais sa durée
de vie est très longue.
Les poulains naissent
avec une robe foncée
qui s'éclaircit avec
l'âge. La plupart
des camargues adultes
présentent une robe
grise et sont marqués
d'une lettre C.
La taille moyenne est
voisine de 1,40 m.

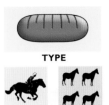

TYPE

USAGE   CARACTÈRE

Caspien

CETTE RACE très ancienne, qui tient davantage du petit cheval que du poney, fut redécouverte en Iran en 1965 par l'Américaine Louise Firouz. Les origines du caspien peuvent être retracées presque directement jusqu'au type équin cheval type 4, et l'on pense qu'il forme, comme le cheval de Przewalski, l'une des races équines les plus anciennes encore en vie. Le caspien est sans doute apparenté aux petits chevaux de Mésopotamie, et il s'est développé au sein de cette aire géographique depuis le IVᵉ siècle av. J.-C. jusqu'au VIIᵉ siècle, avant de disparaître mystérieusement.

Le caspien est-il l'ancêtre de tous les chevaux modernes à sang chaud ? Plusieurs spécialistes s'efforcent aujourd'hui de répondre à cette question. En 1969, l'étude approfondie d'un squelette de caspien mâle révéla plusieurs détails anatomiques distinguant ce cheval des autres races équines. Ces différences concernaient essentiellement la structure de la boîte crânienne, la longueur des canons, la position du garrot et la conformation des pieds.

Lors de la redécouverte de la race en 1965, les sujets étaient peu nombreux et très dispersés géographiquement. Depuis lors, la race a été rétablie durablement, d'abord par le biais du haras iranien de Norouzabad, puis, à partir de 1976, par celui d'élevages

du caspien implantés en Grande-Bretagne. Une gestion attentive et une reproduction soigneusement contrôlée ont permis d'améliorer grandement les sujets. Le caspien possède un tempérament très paisible. Il constitue une excellente monture pour les jeunes cavaliers et cavalières, s'adapte aisément au harnais pour le trait léger et figure honorablement dans les concours d'élégance. L'inclinaison des épaules et la longueur des membres induisent une foulée longue et fluide, rare chez un équidé de cette taille.

Le caspien possède la conformation et les proportions d'un petit cheval de grande qualité. La tête superbement dessinée trahit la présence de sang arabe. Les oreilles sont petites. L'encolure musclée est prolongée par un dos étroit et une arrière-main puissante. Les membres très solides sont terminés par un sabot très dur, qui est rarement ferré. La robe est le plus souvent baie ou bai-brun. La taille se situe entre 1,00 et 1,22 m.

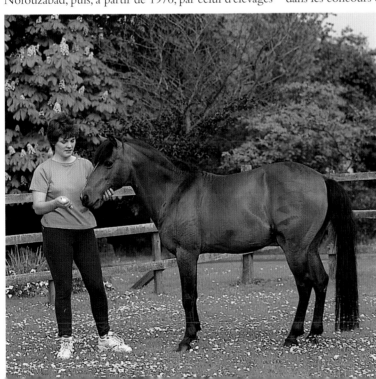

Ci-dessus et à gauche
L'élevage sélectif du caspien a permis d'améliorer les standards de la race.

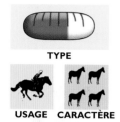

TYPE

USAGE **CARACTÈRE**

Guoxia

◯◯◯◯◯◯◯◯◯◯◯◯◯◯◯◯◯◯◯◯◯◯◯◯

EN BREF

NOM	Guoxia
TAILLE	Jusqu'à 1,12 m
ROBE	Bai, rouan ou gris
ORIGINE	Chine

L EXISTE de nombreuses races équines en Chine, nombre d'entre elles très anciennes et dérivées du poney mongol. La plupart produisent des sujets de petite taille, davantage considérés comme des petits chevaux que comme des poneys, et qui ne manqueraient pas de gagner considérablement en stature s'ils recevaient une nourriture et des soins appropriés. Rencontré dans le Sud-Ouest de la Chine et peu connu en dehors de celle-ci, le guoxia est, lui, un véritable poney. Nombre de chevaux et poneys chinois possèdent des traits morphologiques très distincts selon leur région d'origine, même s'ils ont tous des ancêtres communs, et le guoxia ne fait pas exception à cette règle.

Il existe peu d'informations concernant les origines de cette race, en dehors du fait que son développement s'est échelonné sur plusieurs siècles. On connaît une statuette en bronze vieille d'environ 2 000 ans figurant un poney guoxia, ce qui donne une idée de l'ancienneté de la race. Durant l'Antiquité, le guoxia était sans doute employé pour la récolte des fruits dans les vergers, où sa très petite taille – il mesure moins de 1,12 m au garrot – devait constituer un atout appréciable. Après avoir été longtemps considérée comme éteinte, la race fut redécouverte en 1981, et il existe aujourd'hui une association vouée à son développement.

Les guoxia sont d'excellents poneys de selle pour les jeunes enfants, et il sont également utilisés en attelage léger en dépit de leur faible stature. Ils montrent généralement un tempérament calme et docile et allient résistance et endurance. Leurs origines primitives sont trahies par une apparence peu raffinée. La tête petite mais massive porte des oreilles très mobiles. L'encolure est courte, le dos court et rectiligne. Les épaules sont droites. Les membres robustes et bien dessinés sont terminés par un pied solide et sûr. La robe est le plus souvent baie, rouanne ou grise.

En haut
Doté d'un tempérament calme et docile, le guoxia est un poney de selle idéal pour les jeunes enfants.

Ci-contre
Épaules droites et encolure courte et musclée figurent parmi les traits caractéristiques du guoxia.

EN BREF

NOM	Connemara
TAILLE	Jusqu'à 1,44 m
ROBE	Gris, bai, bai-brun, isabelle, parfois alezan ou rouan
ORIGINE	Irlande

Connemara

TYPE

USAGE   CARACTÈRE

CE PONEY natif de la province irlandaise de Connacht, est un descendant du poney celte, qui forma l'une des races équines européennes les plus anciennes. Au long des siècles, le connemara a reçu diverses influences, dont celles de chevaux arabes et barbes. Il a également profité d'apports de sang pur-sang, hackney et welsh, absorbant à chaque fois les qualités de ces diverses races.

Parmi les premiers étalons connemara figurent Golden Glen, né en 1932, Rebel, né en 1922 et Cannon Ball, né en 1904 d'un croisement entre welsh et connemara, et premier étalon inscrit au registre de la race en 1926. Carna Dun, né en 1948 du pur-sang Little Heaven, Clonkeehan Auratum, né en 1954, l'arabe Mayboy et l'étalon Welsh Dynamite ont apporté des influences plus récentes. Avec des sources aussi diverses, il est étonnant que le type ait pu être fixé de façon durable, ce qui prouve les grandes qualités de la race.

Forgé progressivement par un environnement sauvage et très humide, le connemara affiche aujourd'hui une grande robustesse et une résistance à toute épreuve. La Breeders Society, formée en 1923, travaille d'arrache-pied pour la conservation des traits caractéristiques de la race. Son calme et sa gentillesse font du connemara un excellent poney de selle pour les enfants. Très talentueux, il figure au plus haut niveau dans les épreuves de sauts d'obstacles, de dressage, de concours complet et de courses attelées. En résumé, le connemara est un poney naturellement athlétique, mais il demeure une monture très agréable par son calme.

L'allure générale très harmonieuse est renforcée par une tête bien dessinée et une encolure élégamment rouée. Les épaules bien conformées autorisent une foulée longue et puissante. Le poitrail large et profond et l'arrière-main très musclé accentuent la caractère compact du corps. Les membres joliment formés sont terminés par un pied solide. À l'origine, le connemara était caractérisé par une robe isabelle avec raie de mulet et taches noires. Aujourd'hui, la robe est souvent grise, et parfois baie ou alezane. La taille se situe entre 1,32 et 1,44 m.

Au centre
Réputé pour son tempérament docile et ses formidables qualités de sauteur, le connemara est un poney de compétition qui convient aux jeunes cavaliers.

En bas, à gauche, et ci-dessous
Autrefois, le connemara était caractérisé par une robe isabelle, mais celle-ci est souvent baie ou grise aujourd'hui.

TYPE

USAGE   CARACTÈRE

Dales

○○○○○○○○○○○○○○○○○○○○○○○○○○

EN BREF

NOM	Dales
TAILLE	Jusqu'à 1,44 m
ROBE	Souvent noir, bai foncé ou bai
ORIGINE	Angleterre

L E DALES et le fell sont des poneys très similaires qui possèdent vraisemblablement un ancêtre proche commun, mais ils ont pourtant développé des traits relativement distinctifs. Tous deux sont originaires des Pennines, massif montagneux du Nord de l'Angleterre : le dales des régions orientales de ce massif, le fell des régions septentrionales et occidentales. Le dales est un poney très ancien, sans doute apparenté à l'antique frison européen, qui lui-même descendait du cheval des forêts primitif. Il a néanmoins reçu des influences d'autres races, toutes pour son plus grand bénéfice si l'on excepte les apports de sang clydesdale effectués au début du XXᵉ siècle.

Le poney dales est réputé pour sa résistance, son endurance, et son aptitude à supporter de très lourdes charges. Il fut longtemps utilisé pour le transport du minerai de plomb depuis les mines des comtés de Northumberland et de Durham jusqu'aux fonderies. Le dales était également très apprécié par les agriculteurs, qui l'employaient pour divers travaux dont le labourage. Bien acclimaté au terrain et au climat, il donnait son meilleur sur les petites exploitations très vallonnées. Aujourd'hui encore, alors que la motorisation s'est généralisée, le dales peut surpasser, dans certaines conditions, le tracteur.

Poney très polyvalent, le dales convient aussi bien pour la selle que pour l'attelage. Il est bien connu pour son excellence dans le trait et dans le transport rapide de lourdes charges. Au début du XXᵉ siècle, plusieurs juments dales furent croisées avec un étalon welsh nommé Comet dans le cadre d'un programme d'élevage sélectif : le dales en retira de nombreux bénéfices, dont un trot plus fluide qui fait aujourd'hui de lui un poney de selle très apprécié. D'un tempérament docile, il est utilisé de manière croissante pour la monte de loisirs et la randonnée.

D'une manière générale, le dales présente une tête bien dessinée posée sur une encolure courte et épaisse. Le corps est puissamment musclé et les sabots sont d'une grande dureté. Les sujets de la race arborent tous une crinière et un toupet abondants, et la présence de fanons longs et soyeux est fréquente. La robe est le plus souvent noire ou bai foncé. La taille ne dépasse pas 1,44 m.

Ci-dessus

Le poney dales est originaire du Nord de l'Angleterre. Il est réputé pour sa force physique et son endurance.

À droite

Du fait de son tempérament docile, le dales est aujourd'hui souvent utilisé pour la randonnée.

EN BREF

NOM	Dartmoor
TAILLE	Jusqu'à 1,25 m
ROBE	Souvent bai, bai-brun ou noir
ORIGINE	Angleterre

Dartmoor

À gauche
La plupart des poneys dartmoor sont élevés au sein de résidences privées, mais certains vivent encore en liberté dans le comté anglais du Devonshire.

Ci-dessous
Le dartmoor arbore une crinière et un toupet très fournis. Sa taille n'excède pas 1,25 m.

PONEY AUX RACINES très anciennes, le dartmoor a connu un développement inégal au cours duquel son existence fut plusieurs fois menacée. Il compte parmi les poneys de race originaires d'Angleterre et vit depuis plusieurs siècles à l'état demi-sauvage au sein des landes du Dartmoor, massif granitique du Devonshire. On le rencontre encore en liberté dans cette région, mais la plupart des poneys dartmoor sont aujourd'hui apprivoisés et élevés au sein de résidences privées.

À travers les âges, le poney dartmoor a toujours été réputé pour ses qualités et aptitudes naturelles, et il a bénéficié, au cours du XXᵉ siècle, d'influences d'autres races. Les géniteurs les plus importants ayant contribué au développement de la race moderne ont été Dwarka, étalon arabe né en 1922, son fils The Leat, et un poney welsh mountain nommé Dinarth Spark. Le dartmoor a beaucoup souffert au début du XIXᵉ siècle, lors de la Révolution industrielle. Il subit alors de nombreux apports de sang shetland destinés à produire des poneys aptes aux travaux miniers, et qui eurent pour effet de diminuer en nombre le cheptel pure race. Rétablie par des influences de poneys welsh mountain et fell, la race connut à nouveau une période noire avec

la Première Guerre mondiale, durant laquelle de nombreux sujets périrent. La Deuxième Guerre mondiale le vit pratiquement disparaître de son habitat naturel, réquisitionné par l'armée. Fort heureusement, le dartmoor fut finalement sauvé, et il est aujourd'hui très apprécié en tant que monture pour les jeunes enfants. Excellent sauteur, et doué d'une grande élégance de mouvement, il est souvent employé aujourd'hui pour la production de poneys de selle dans les haras de France et de Grande-Bretagne.

Le dartmoor possède tous les traits d'un poney de selle de qualité. Le corps est bien proportionné avec une bonne conformation générale. La tête harmonieuse est portée par une encolure musclée. Le dos est court. Les pattes sont solides avec un canon peu allongé. La crinière et la queue sont très fournies chez tous les sujets. La robe est le plus souvent bai-brun ou noire, mais jamais pie, avec des marques blanches discrètes. La taille ne dépasse pas 1,25 m.

TYPE

USAGE   CARACTÈRE

Dülmen

EN BREF	
NOM	Dülmen
TAILLE	Entre 1,22 et 1,33 m
ROBE	Isabelle, noir, bai-brun ou alezan
ORIGINE	Allemagne

DANS LES MILIEUX ÉQUINS, l'Allemagne est davantage connue pour son excellente production de chevaux à sang chaud que pour ses poneys, et le dülmen forme, de fait, la dernière race de poney native de ce pays. Le poney senner, seul autre poney allemand, autrefois implanté dans la forêt de Teutoburg, en Westphalie du Nord, est aujourd'hui considéré comme éteint. Le dülmen est rencontré essentiellement à

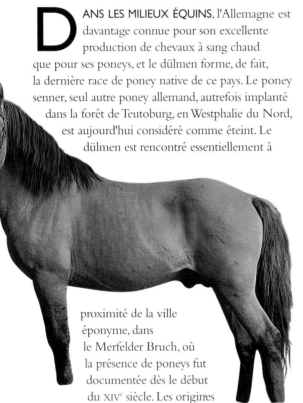

proximité de la ville éponyme, dans le Merfelder Bruch, où la présence de poneys fut documentée dès le début du XIV⁻ siècle. Les origines exactes du dülmen sont mal connues, mais il est probable qu'il descend de chevaux primitifs, et il porte la trace de cette ancienneté dans son morphotype.

Jusqu'au début du XIX⁻ siècle, le dülmen vivait en hardes nombreuses dans l'ensemble de la Westphalie, mais le morcellement croissant des terres a conduit à la disparition presque entière de son habitat naturel. Il ne reste aujourd'hui qu'une seule harde, propriété du duc von Croy, qui occupe environ 350 hectares dans le Merfelder Bruch. Les terres du Merfelder Bruch englobent une grande variété de biotopes qui procurent aux poneys un environnement hospitalier. Ils vivent en liberté, trouvant eux-mêmes leur nourriture et leur gîte. Seuls les sujets en parfaite santé parviennent à survivre, et c'est pourquoi le dülmen est connu pour sa grande robustesse et sa résistance aux maladies. Une fois par an, les poneys sont mis en corral et les jeunes mâles séparés de

En haut, à droite, et en bas
La robe du dülmen est souvent isabelle, teinte autrefois caractéristique, et certains sujets arborent une raie de mulet.

Au centre
Le dülmen est l'unique race de poney allemand existante.

la harde pour être vendus aux enchères. Les juments sont ensuite replacées en liberté en compagnie d'un ou deux étalons.

Une fois apprivoisé et éduqué, le dülmen constitue un bon poney de selle pour les jeunes enfants, et il s'adapte bien à la captivité. Il peut également être utilisé en attelage. Jadis, il était employé pour les travaux agricoles, dans lesquels sa robustesse faisait merveille. L'allure générale est primitive et les traits sont plutôt grossiers. Certains sujets arborent une robe isabelle, autrefois caractéristique, tandis que d'autres présentent une robe noire, baie ou alezane, qui témoigne des apports de sang étranger dans le développement de la race. La taille se situe généralement entre 1,22 et 1,33 m.

TYPE

USAGE   CARACTÈRE

Exmoor

CE PONEY est rencontré essentiellement aux alentours de la ville d'Exmoor, dans le Sud-Est du comté anglais du Devonshire. Autrefois très prolifique, la race est aujourd'hui très réduite en nombre, et plusieurs programmes d'élevage très stricts sont aujourd'hui entrepris pour assurer sa survie. Le poney exmoor est l'un des poneys ensauvagés les plus connus en Europe ; il vit le plus souvent en liberté au sein des landes et bruyères de cette région anglaise. Il est cependant de plus en plus domestiqué. Il possède des traits très primitifs, avec une robe isabelle et des naseaux et un ventre blancs.

La ressemblance du poney exmoor avec les figurations équines du pléistocène découvertes en France et en Espagne d'une part, et avec le poney tarpan et le cheval de Przewalski d'autre part, suggèrent qu'il pourrait être un descendant presque direct du cheval préhistorique. L'exmoor a reçu peu d'influences d'autres races, sans doute à cause de son isolement géographique, de sorte que son apparence a peu évolué au fil des siècles. Il se joue des intempéries, se montre extrêmement robuste et résiste à la plupart des maladies équines.

Le poney exmoor possède plusieurs traits distinctifs dus à son environnement. Son poil d'hiver, pratiquement imperméable, se compose d'une épaisseur de poils courts et laineux recouverte d'une couche superficielle de poils de plus grande longueur. Il est ainsi bien protégé du froid et la pluie. Ses paupières supérieures sont proéminentes, et sa queue porte une touffe de crins en éventail dans sa partie supérieure. Les hardes sont mises en corral une fois par an : après inspection, les poneys sont marqués d'une étoile et du numéro de la harde sur l'épaule et d'un numéro individuel sur la fesse gauche. Les jeunes mâles considérés comme de qualité inférieure sont castrés.

De prime abord, l'exmoor présente des traits plutôt grossiers. La tête est cependant bien dessinée, avec un front large et des yeux cerclés de clair. Le poitrail est large et profond dans une conformation générale compacte. Les épaules sont légèrement inclinées. Les membres courts et robustes sont terminés par un sabot très dur. La taille maximale autorisée est de 1,22 m pour les juments, de 1,25 m pour les étalons et les hongres.

Ci-dessus

L'exmoor se distingue par des paupières supérieures proéminentes et un poil d'hiver pratiquement imperméable.

Ci-contre

Après avoir failli disparaître, l'exmoor ensauvagé fait aujourd'hui l'objet de programmes d'élevage soigneusement contrôlés.

TYPE

USAGE   CARACTÈRE

Falabella

EN BREF	
NOM	Falabella
TAILLE	Moins de 0,92 m
ROBE	Toutes les couleurs possible
ORIGINE	Argentine

CETTE RACE argentine tire son nom de la famille Falabella, qui consacra de nombreuses années à son développement sur ses terres situées à proximité de Buenos Aires. L'idée de produire un poney de très petite taille fut à l'origine celle d'un Irlandais nommé Patrick Newtall, qui émigra en Argentine au XIXᵉ siècle et s'attacha à former une population de poneys de taille inférieure à 0,92 m avant de transmettre ses connaissances et son expertise à son gendre, Juan Falabella, en 1879.

Dès lors, la race fut développée par croisements entre les sujets rassemblés par Newtall et des poneys shetland. Plus tard, un pur-sang anglais et un criollo, tous deux de très petite taille, apportèrent leur contribution. Afin d'améliorer encore la race, les sujets les meilleurs et les plus petits furent systématiquement croisés entre eux jusqu'à obtention d'une taille moyenne au garrot inférieure à 80 cm. De façon intéressante, il existe une part non négligeable de sang espagnol chez le falabella, d'abord par l'influence des petits chevaux espagnols utilisés par Newtall pour la formation de la harde primordiale, puis par l'apport plus tardif de sang criollo.

L'intention réelle de Newtall était de produire un cheval miniature plutôt qu'un poney. On s'interroge sur les usages envisagés pour le falabella, tant il est réduit en taille et tant les consanguinités qui permirent son développement furent nombreuses. Malgré tout, le falabella montre une grande force physique pour sa taille, et il est parfois utilisé en trait léger ou en poney de selle pour les tout jeunes enfants. Intelligent, docile et gentil, il constitue un animal de compagnie original et agréable.

Les meilleurs sujets ont l'apparence d'un cheval miniature, mais ils souffrent tous, en raison de la consanguinité élevée, de défauts de conformation. La tête est la plupart du temps trop grosse par rapport au reste du corps, et les membres postérieurs sont souvent mal dessinés. Curieusement, il a été découvert que le falabella possédait une ou deux côtes de moins que les autres chevaux et poneys. La variété des robes est très grande, avec une plus grande fréquence pour les robes tachetées ou pinto, témoins du sang espagnol présent dans la race. Le falabella possède une durée de vie très longue : certains sujets vivent au-delà de quarante ans.

Ci-dessus et au centre
Avec une taille inférieure à 92 cm, le falabella est le plus petit poney du monde. Les robes sont diverses.

À droite
Suite à un élevage sélectif intense, le falabella présente souvent une tête trop grosse par rapport au reste du corps.

TYPE

USAGE CARACTÈRE

EN BREF

NOM	Fell
TAILLE	Jusqu'à 1,43 m
ROBE	Noir, bai foncé et gris
ORIGINE	Angleterre

Fell

En haut
Le poney fell est généralement noir, bai ou bai foncé, mais une robe grise est également admise.

Ci-dessous et à gauche
Le fell possède une tête petite et bien dessinée. Crinière et toupet sont abondants.

les mines du Nord de l'Angleterre au cours de la Révolution industrielle. On l'employait également pour le bât et pour le trait. Très bon trotteur, le fell peut couvrir une grande distance à un rythme soutenu, et il est fréquemment utilisé aujourd'hui pour la selle ou le trait léger. Sa sûreté de pied et son caractère placide en font un poney de selle de première qualité pour les jeunes enfants et les adultes débutants.

Le fell présente généralement une tête petite et bien dessinée, posée sur une encolure relativement longue. Le corps est musclé et compact, avec un poitrail bien ouvert. L'arrière-main est puissant. La robustesse des membres est renforcée par un canon court et des articulations larges et solides. La crinière et la queue sont très fournies chez tous les sujets, qui présentent également des fanons longs et soyeux. La robe est généralement noire, baies ou bai foncé, parfois grise, avec des marques blanches discrètes. Une abondance de marques blanches indique un sujet métis, qui ne peut être admis au stud-book de la race. La taille se situe entre 1,33 et 1,43 m. Le fell est légèrement plus petit et plus léger en stature que le dales, mais ces deux races sont de très grande qualité.

LE PONEY FELL est essentiellement rencontré en Angleterre, sur les versants ouest et nord des Pennines, massif montagneux du nord du pays, et dans les monts du comté de Cumbria. Il ressemble beaucoup au poney dales, son proche voisin géographique, et l'on pense que les distinctions entre les deux races ont été accentuées par l'élevage. Le fell descend probablement du frison européen et du poney galloway. Aujourd'hui éteint, ce poney écossais, très robuste et doué de nombreuses qualités, a sans doute joué un rôle également déterminant dans le développement du poney dales et du pur-sang anglais. Le fell se montre extrêmement robuste et résistant pour sa taille et la création en 1912 de la Fell Ponies Society a permis de fixer durablement ces qualités. À l'instar du dales, il fut utilisé dans

TYPE

USAGE   CARACTÈRE

Poney français de selle

○ ○

EN BREF	
NOM	Poney français de selle
TAILLE	Entre 1,24 et 1,44 m
ROBE	Toutes les couleurs possible
ORIGINE	France

Ci-dessus et à droite
Le poney français de selle forme une race relativement récente.

LE PONEY français de selle est une race récente, créée pour répondre aux besoins croissants en montures sportives de petite taille. La race a été établie par croisements, notamment de juments françaises avec des étalons welsh, new-forest, arabes et connemara, et de juments mérens, pottock et landais avec des étalons new-forest, selle français et connemara.

Parce qu'il est très polyvalent, le poney français de selle convient bien pour l'équitation enfantine. Il est doté d'une grande élégance et d'un tempérament placide mais éveillé. La tête finement dessinée arbore des yeux doux et des oreilles alertes. L'encolure relativement longue est bien portée. Le poitrail est large et bien ouvert. Les épaules sont légèrement inclinées. Le dos est droit, le garrot proéminent, la croupe légèrement tombante. Les membres robustes aux articulations solides sont terminés par un sabot assez dur. Toutes les robes sont possibles, et la taille varie entre 1,24 et 1,44 m.

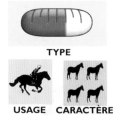

TYPE

USAGE   CARACTÈRE

Galaico et asturcon

○ ○

EN BREF	
NOM	Galaico et asturcon
TAILLE	Entre 1,14 et 1,24 m
ROBE	Bai-brun ou noir
ORIGINE	Nord de l'Espagne

Ci-dessus et à droite
L'asturcon a longtemps été menacé d'extinction, mais il est aujourd'hui protégé.

DE CES DEUX poneys originaires du Nord de l'Espagne, seul l'asturcon, rencontré dans les régions montagneuses des Asturies, a survécu jusqu'à aujourd'hui. Son proche cousin le galaico, natif de la Galice, est éteint.

Les origines exactes de l'asturcon sont mal connues : on pense qu'il résulte de croisements entre sorraia et garrano portugais, et que le poney celte est une autre influence possible. Robuste et frugal, l'asturcon est capable de survivre dans un environnement très inhospitalier. Malgré tout, il a été menacé d'extinction à plusieurs reprises, de sorte que plusieurs associations ont récemment été créées afin d'assurer sa protection.

Son tempérament placide et docile est mis à profit puisqu'il est utilisé à la fois pour la selle, le trait léger et le bât. En règle générale, la tête est petite mais ramassée, et l'encolure plutôt étroite porte une crinière très fournie. Le garrot est peu proéminent, le poitrail profond, le dos droit. Les épaules sont droites. La queue est plantée bas sur une croupe tombante. La robe est généralement noire ou brune avec marquages blancs discrets. La taille se situe entre 1,14 et 1,24 m.

Galiceño

TYPE

USAGE   CARACTÈRE

À gauche
Le galiceño est caractérisé par un pas rapide, très agréable pour le cavalier.

Au centre et ci-dessous
Par ses traits physiques, notamment sa tête bien proportionnée, le galiceño se rapproche davantage du cheval que du poney.

L E GALICEÑO est issu de poneys ibériques de races garrano, galaico et sorraia importés au début du XVIᵉ siècle par le conquistador espagnol Hernán Cortés, d'abord depuis

également utilisé en tant que poney de selle pour les jeunes enfants. La plupart des sujets sont caractérisés par un pas rapide et fluide, allure très confortable pour le cavalier, qu'ils doivent sans doute à leurs origines ibériques.

Malgré sa taille plutôt réduite, le galiceño est utilisé de façon traditionnelle par les gauchos mexicains. De fait, il est capable de porter un cavalier adulte toute une journée sans laisser paraître la moindre fatigue, et les Mexicains le considèrent davantage comme un cheval de petite taille que comme un poney. D'une grande intelligence et très courageux, le Galiceño se laisse apprivoiser facilement et il apprend très vite.

Les sujets présentent généralement une tête agréablement proportionnée, proche du cheval par ses caractéristiques. L'œil est doux, l'oreille petite et mobile, l'encolure courte et musclée, parfois rouée. Les épaules légèrement inclinées encadrent un poitrail étroit dans un corps puissant mais plutôt fin. Le dos court et compact est prolongé par une croupe un peu tombante. Les membres sont robustes et bien formés. Le sabot est parfois petit, et l'aplomb naturel n'est pas toujours parfait. Toutes les robes unies sont admises, et la taille se situe entre 1,24 et 1,43 m.

l'Espagne vers l'île de Cuba, puis de Cuba vers le Mexique. Sa robustesse, son endurance et sa grande vitalité font qu'il est aujourd'hui très apprécié dans ce pays. Le galiceño ne fut introduit aux États-Unis qu'en 1958, mais la première association d'éleveurs américains fut constituée dès 1959 avec le but de maintenir les standards de la race. Leur nombre demeure peu important dans ce pays. Le galiceño convient bien à la fois pour la selle, le trait, le bât et les travaux agricoles, pour lesquels ses qualités athlétiques font merveille. Depuis une époque plus récente, il est

TYPE

USAGE   CARACTÈRE

Garrano

○○○○○○○○○○○○○○○○○○○○○○○○○○○○

EN BREF

NOM	Garrano
TAILLE	Entre 1,00 et 1,43 m
ROBE	Bai, bai-brun ou alezan
ORIGINE	Portugal

L ES PONEYS GARRANO et sorraia possèdent des origines communes proches mais ils ont chacun développé des traits distinctifs induits par leur environnement.

Le sorraia est rencontré essentiellement entre les rivières Sor et Raia, au nord-ouest de Lisbonne, tandis que le garrano, qui a sans doute reçu davantage d'influences étrangères que son voisin méridional, vit sur les terres fertiles du Minho et du Trás os Montés.

Il existe des similitudes frappantes entre le garrano et les figurations équines du pléistocène, ce qui indique l'ancienneté de la race, et l'on considère généralement ce poney comme l'ancêtre de l'andalou et du peu connu galaico. Dans une époque plus récente, le garrano a reçu des apports relativement fréquents de sang arabe, à l'instigation du ministère de l'agriculture portugais. Il s'en est trouvé amélioré mais a perdu certains de ces traits primitifs. Les poneys garrano sont robustes, résistants et dotés d'un tempérament placide. Ils furent longtemps utilisés pour le bât mais sont plus couramment employés aujourd'hui pour la selle, le trait et les travaux agricoles légers. Très sûrs de pied, ils sont très à l'aise sur les terrains boisés et souvent accidentés de leur habitat, à tel point qu'on les préfère souvent aux engins motorisés. Ils sont également très rapides pour leur taille, c'est pourquoi certains sujets participent aux courses de trot très populaires dans ces régions.

Aujourd'hui, le garrano est un poney de conformation plaisante dont les traits trahissent des apports de sang arabe. Cette influence est particulièrement visible pour la tête, fine et bien dessinée mais au profil parfois concave. Les oreilles sont petites, les yeux grands et vifs. L'encolure plutôt allongée annonce des épaules droites. Le poitrail est profond, le dos court et compact. La queue est placée bas sur une croupe musclée. Les membres robustes, aux articulations larges, sont terminés par un sabot dur et bien formé. La robe est le plus souvent baie ou alezane. La taille se situe entre 1,00 et 1,43 m.

Ci-dessus et au centre
Le sorraia
(voir page 223)
est un poney très ancien
à robe souvent baie.

Ci-contre
Fort de ses influences
arabes, le garrano
possède aujourd'hui
une tête fine et
bien dessinée.

EN BREF

NOM	Gotland
TAILLE	Voisine de 1,25 m
ROBE	Toutes les couleurs unies possible
ORIGINE	Suède

Gotland

TYPE

USAGE CARACTÈRE

PONEY TRÈS ANCIEN, le gotland conserve aujourd'hui encore nombre de ses traits primitifs. Jadis, il était surtout rencontré sur l'île suédoise de Gotland, en mer Baltique, mais il est aujourd'hui présent dans l'ensemble de la Suède.

L'île de Gotland était habitée par les Goths dès 1800 av. J.-C., et il existe des sculptures vieilles de près de mille ans figurant des poneys harnachés proches par leurs traits du poney gotland moderne. À l'image des poneys huçul et konik, auxquels il est étroitement lié, le gotland puise également ses origines auprès du tarpan. La robustesse et la résistance du gotland n'ont d'égales que sa grande vitalité. Durant longtemps, il fut utilisé pour les travaux agricoles et le bât, mais son emploi le plus fréquent a trait, aujourd'hui, à l'équitation enfantine.

Le gotland est à la fois rapide et athlétique, ce qui fait de lui un concurrent très valable lors des courses de trot locales. Ces qualités sont surprenantes si l'on considère que ce poney est souvent faiblement musclé des membres postérieurs. Par ailleurs, le gotland possède un tempérament doux et placide, mais il peut se montrer têtu. Parmi les influences significatives du développement de la race figurent l'étalon Olle, croisement de gotland et de syrien, et auquel on doit sans doute la belle robe isabelle clair, et l'étalon oriental Khedivan, vraisemblablement responsable, quant à lui, de l'émergence de robes grises.

Le gotland présente généralement les traits caractéristiques d'un poney, notamment par sa tête au profil droit, aux yeux vifs, et surmontée d'oreilles petites et très mobiles. L'encolure

est toujours courte et très musclée. Le dos long et droit est prolongé par une croupe tombante. L'inclinaison des épaules explique les bonnes performances des sujets au trot, mais le galop est moins fluide. Les antérieurs sont robustes et renforcés par des articulations solides, les postérieurs souvent faiblement musclés et mal conformés. Les pieds sont très solides. La robe est le plus souvent café au lait ou grise. La taille avoisine 1,25 m.

Dans la religion gallo-romaine, Épona était une déesse cavalière. Ange gardien de la gente équine, Épona était souvent représentée assise, la main posée sur la tête d'un cheval, d'un âne ou d'un mulet. L'armée romaine, qui lui vouait respect et reconnaissance, érigea une statue à son effigie. Une fête lui fut même consacrée à Rome, le 18 décembre.

En haut
Poney ancien originaire du Nord de la Suède, le gotland est à la fois robuste et rapide.

Ci-contre
Le gotland possède des yeux très vifs, un profil droit et une encolure courte.

TYPE

USAGE   CARACTÈRE

Cheval Magazine est un magazine mensuel consacré au cheval et à l'équitation. Il est également publié sur Internet à l'adresse www.chevalmag.com

Au centre
Le pindos a la réputation d'être difficile à éduquer, mais il est d'une grande robustesse.

À droite
Les conditions climatiques difficiles et la nourriture souvent pauvre ont fait du pindos un poney à la résistance exceptionnelle.

Pindos

EN BREF	
NOM	Pindos
TAILLE	Jusqu'à 1,33 m
ROBE	Souvent bai, noir, ou gris foncé
ORIGINE	Grèce

CE PONEY GREC est implanté sur les terres montagneuses de la Thessalie et de l'Épire depuis la haute Antiquité. Du fait de son climat difficile et de ses sols souvent pauvres, la Grèce ne constitue pas un environnement idéal pour l'élevage équin. Pourtant, ces conditions peu propices ont permis le développement d'un poney très résistant qui compense son manque d'élégance par une grande polyvalence.

Le pindos est un poney de montagne doté de multiples qualités, et en particulier d'une étonnante sûreté de pied. Il est cependant réputé pour être têtu et difficile à apprivoiser.

Le pindos moderne est sans doute quelque peu différent de ses ancêtres, dont on pense qu'ils étaient des chevaux de type oriental enlevés aux Scythes, peuple antique connu pour ses idées avancées en matière d'équitation. Il descend également du cheval de Thessalonique élevé par les Grecs anciens et noté pour son courage et sa grande élégance.

Aujourd'hui, le poney pindos conserve une importance économique non négligeable dans ses régions d'origine. Il est utilisé pour la selle, les travaux agricoles, le bât et le trait, activités dans

lesquelles son endurance et sa grande vitalité s'expriment pleinement. Très frugal – il est capable de survivre en mangeant très peu –, le pindos est également l'un des poneys possédant la durée de vie la plus longue. Par ailleurs, les juments pindos sont souvent utilisées pour la production d'excellents mulets, durs au travail.

D'une manière générale, le pindos présente une tête au traits plutôt grossiers et à l'œil petit et peu expressif. L'encolure et le dos sont relativement longs. Le poitrail est étroit dans une conformation générale fine mais musclée. La queue haut placée trahit les ascendances orientales. Les membres sont robustes, malgré la finesse des articulations, mais une faiblesse des postérieurs est parfois notée. Le sabot est d'une grande dureté. La robe est le plus souvent baie, noire ou gris foncé. La taille dépasse très rarement 1,33 m.

Peneia

TYPE

USAGE CARACTÈRE

LE PONEY PENEIA est essentiellement rencontré sur les terres montagneuses de l'Ilía, dans le Nord-Ouest du Péloponnèse. Il est probablement apparenté au pindos, autre poney grec, mais il est plus rare que celui-ci et n'existe plus, aujourd'hui, qu'en nombre limité. Plus lourd que le pindos et doté d'un tempérament plutôt placide, le peneia est surtout utilisé pour les travaux agricoles, la selle et le trait. Bien que sa conformation soit rarement exemplaire, il se montre solide et résistant, et il est très apprécié pour son endurance et sa sûreté de pied en terrain accidenté.

De façon surprenante, le peneia est un excellent sauteur. Dans sa région d'origine, on lui enseigne une allure particulière appelée aravani, plus agréable pour le cavalier que son pas naturel. Les étalons Peneia sont souvent utilisés pour la production de bardots.

L'apparence générale est souvent lourde et massive, avec une tête aux traits grossiers et une encolure très musclée. Le dos est large et fort mais les postérieurs sont souvent faiblement développés. Les membres sont robustes, bien que souvent panards du derrière. La robe est le plus souvent rouanne, alezane ou noire. La taille se situe entre 1,00 et 1,43 m.

Ci-contre
Le poney peneia se distingue par une sûreté de pied peu commune.

Le roi Alexandre III d'Écosse (1249-1286) trouva la mort en chutant d'une falaise avec son cheval, lors d'une cavalcade nocturne.

Skyros

TYPE

USAGE CARACTÈRE

AUTRE PONEY GREC, le skyros est aujourd'hui peu répandu. Il est implanté depuis ses lointaines origines sur l'île de Skyros, en mer Égée, mais il existe peu d'informations concernant son arrivée sur cette terre. Autrefois disséminé dans toute l'île en hardes demi-sauvages, le skyros est aujourd'hui principalement élevé en milieu privé, où on l'utilise pour la selle et le trait léger. Sa taille et son tempérament placide font de lui un poney de selle particulièrement adapté aux jeunes enfants.

Il possède les mêmes qualités que les autres poneys grecs, notamment une grande résistance, une robustesse à toute épreuve et une sûreté de pied étonnante. Sa conformation médiocre ne semble pas affecter ses aptitudes au travail. D'une manière générale, le skyros est petit et de constitution légère. La tête attrayante est portée par une encolure courte. Le dos est compact, mais les postérieurs présentent souvent des faiblesses. La robe est le plus souvent bai-brun ou grise, et la taille n'excède pas 1,12 m.

Ci-dessous
Aujourd'hui peu répandu, le skyros est un excellent poney de selle pour les enfants.

TYPE

USAGE **CARACTÈRE**

Hackney

○○○○○○○○○○○○○○○○○○○○○○○○○○○○

EN BREF

NOM	Hackney
TAILLE	Entre 1,24 et 1,43 m
ROBE	Noir, bai, alezan ou bai-brun
ORIGINE	Angleterre

Au centre
Le hackney est caractérisé par une tête élégante, des yeux intelligents et des oreilles droites.

En bas
La locomotion du poney hackney est très accentuée, et la queue est toujours portée très haut.

LE PONEY HACKNEY a été développé par la volonté d'un seul homme : durant les années 1870, l'Anglais Christopher Wilson entreprit de croiser son étalon Sir George, mélange de norfolk roadster et de yorkshire trotter, avec des juments fell. Il sélectionna ensuite les meilleurs sujets parmi ceux obtenus et les croisa entre eux jusqu'à obtenir un type fixé. Plus tard, le poney hackney reçut des apports de sang welsh qui contribuèrent à améliorer la race.

Wilson avait coutume de laisser ses poneys en liberté toute l'année, y compris aux périodes les plus froides de l'hiver, et ne leur allouait que peu de soins et de nourriture. Ces pratiques ont permis le développement de qualités de robustesse et d'endurance chez la plupart des sujets. Le poney hackney ne possède pas de stud-book propre : il partage celui du cheval hackney. Dès la fin des années 1880, la race était solidement établie, et les qualités de trotteur du poney hackney, de même que son élégance et son vif caractère, furent cause d'un succès immédiat auprès des amateurs.

Le poney hackney ne doit pas dépasser 1,43 m en taille. Il est essentiel qu'il présente les traits caractéristiques d'un poney et ne soit pas simplement une réplique miniature d'un cheval hackney. D'une manière générale,

le poney hackney présente une locomotion plus exagérée encore que celle de son cousin, avec une élévation très importante des genoux. Les allures spectaculaires, fluides et pleines d'énergie, effectuées tête haute sur une encolure légèrement rouée ; produisent une grande impression de noblesse.

Le poney hackney présente le plus souvent une tête petite mais bien dessinée, rehaussée par des yeux grands et intelligents et des oreilles érigées et alertes. L'encolure musclée est fièrement portée. Les épaules et les postérieurs sont puissants dans une conformation générale plutôt légère. Le dos est compact. Les pattes robustes mais fines sont renforcées par des articulations solides. Le pied est exceptionnellement dur. La queue est toujours portée haut. La robe est généralement baie, noire, alezane ou bai-brun, parfois avec des marques blanches peu développées. La taille se situe entre 1,24 et 1,43 m.

Originaire de Mongolie, le cheval de Przewalski était également appelé Takhi, mot qui signifie « caractère », en référence à son tempérament très indépendant.

TYPE

USAGE CARACTÈRE

Haflinger

DU FAIT DE sa grande isolation géographique, le haflinger, poney aux racines très anciennes, a peu évolué au fil des siècles. Rencontré à l'origine dans les régions montagneuses du Tyrol autrichien, et plus particulièrement aux alentours du bourg de Hafling, il est aujourd'hui présent en Bavière ainsi que dans nombre de régions d'Europe. Le haflinger a reçu à la fois des influences de chevaux à sang froid et des apports de sang arabe, combinaison qui fait de lui un poney idéal pour la selle et le trait léger.

On sait peu de choses sur les origines du haflinger, mais son existence a été documentée dès le milieu du XIXᵉ siècle. L'étalon arabe El Bedavi XXII fut mis à contribution en 1868 et son fils Folie, né en 1874, est considéré comme le premier

mâle fondateur de la race. Aujourd'hui encore, les origines de quatre des cinq lignées principales peuvent être retracées jusqu'à la progéniture d'El Bedavi XXII. Cette grande pureté explique les traits très distinctifs du haflinger, et leur faible variation d'un poney à un autre.

La santé des étalons et l'évolution du cheptel sont suivis de façon rigoureuse par les autorités autrichiennes au sein de plusieurs centres d'élevage. Les jeunes mâles subissent une inspection très rigoureuse et seuls les meilleurs sujets sont utilisés en tant qu'étalons. Le haflinger jouit également d'une grande popularité en Bavière, où il reçoit souvent des apports de sang arabe. Cette pratique n'a cependant plus cours en Autriche.

À l'image des autres poneys de montagne, le haflinger se montre robuste, résistant et très sûr de pied. Doté d'un tempérament peu agressif, il convient à la fois pour le bât et pour l'équitation enfantine. Le haflinger présente souvent une tête massive mais élégante et des oreilles petites et alertes. Le regard est très doux. Les épaules et les postérieurs sont généralement puissants dans une conformation ramassée. Le poitrail est bien ouvert, le dos large et musclé. La robe est presque toujours alezan crins lavés, avec des nuances de or à rouille. La queue et la crinière sont blondes. La taille ne doit pas dépasser 1,49 m.

Les graines de lin doivent être cuites avant d'être données à manger aux chevaux, afin d'éviter la libération d'acide cyanhydrique, substance très toxique.

En haut et au centre
De caractère paisible, le haflinger est un poney de selle idéal pour les jeunes enfants.

Ci-contre
Le haflinger fait l'objet d'un élevage sélectif très strict, c'est pourquoi sa robe est presque toujours alezan à crins lavés.

TYPE

USAGE CARACTÈRE

Highland

○○○○○○○○○○○○○○○○○○○○○○○○○

EN BREF

NOM	Highland
TAILLE	Jusqu'à 1,45 m
ROBE	Isabelle, gris, bai ou noir
ORIGINE	Écosse

L E PONEY HIGHLAND présente des similitudes avec le poney type 2 (*voir* page 166) et avec le cheval de Przewalski, même si les influences extérieures reçues au cours de son histoire ont modifié de façon significative son morphotype.

Au XVIᵉ siècle, de nombreux poneys français et chevaux espagnols furent introduits dans les régions montagneuses de l'Écosse dont il est originaire. Plus tard, les poneys highland furent croisés avec des chevaux hackney et des poneys fell et dales, puis ils reçurent des apports de sang oriental et arabe effectués dans le but d'améliorer la race.

Il existait à l'origine deux types de poney highland : le highland des îles Hébrides, implanté dans l'archipel de l'ouest

du pays et de constitution plutôt fine, et le highland de l'intérieur, plus massif que son homologue îlien. Ces deux types sont aujourd'hui confondus. Comme bien d'autres poneys, le highland a été forgé par un environnement difficile et en a retiré des qualités d'endurance et de robustesse. Il fut longtemps utilisé par les fermiers écossais pour la selle, le trait, le bât et le travail de la terre.

Le highland est encore employé par les chasseurs à courre locaux pour le transport des carcasses de cerfs et de daims, ce qui démontre à la fois sa force physique et son tempérament placide – nombre de chevaux objecteraient à la présence

Ci-dessus
Les grands yeux et les larges naseaux du highland révèlent ses influences arabes.

Au centre et ci-contre
Très polyvalent, le poney highland était utilisé jadis à la fois pour la monte, le trait et le travail de la terre.

E n 24 heures, un cheval en liberté dort de 2 à 4 heures et consacre de 20 à 22 heures à son alimentation.

d'un animal mort sur leur dos. Aujourd'hui, son usage principal s'effectue dans l'équitation de loisirs, et il constitue un excellent poney de randonnée à la fois pour les adultes et les enfants.

D'une manière générale, le highland est fort et robuste, mais il présente un tête finement dessinée qui révèle ses influences arabes. Les yeux sont grands, les oreilles petites et mobiles, les naseaux larges. L'encolure relativement étirée est prolongée par un dos court et puissant et une arrière-main musclée. Les membres sont souvent courts avec des os plats et des articulations larges. La robe varie de isabelle avec raie de mulet, à bai-brun, alezane ou grise. Les marques blanches sont discrètes. La taille n'excède pas 1,45 m.

TYPE

USAGE   CARACTÈRE

Huçul

NATIF DES CARPATES polonaises, à l'extrême sud du pays, le huçul est considéré comme l'un des poneys européens les plus anciens. Il est probablement lié au Tarpan, auquel il ressemble par sa tête de forme ramassée et sa robe très souvent isabelle, et les spécialistes pensent qu'il est issu de croisements entre celui-ci et le cheval de Przewalski, ce qui lui confère également des origines orientales.

Le premier haras voué à l'élevage du huçul fut établi en 1856 dans la ville roumaine de Radauti. La race y fut développée de façon sélective pendant plusieurs décennies afin de fixer les trait distinctifs. Un grand nombre de poneys huçul disparurent durant la Deuxième Guerre mondiale, et ce n'est qu'en 1972, avec la création d'une association appropriée, que des efforts furent à nouveau consentis pour la préservation de la race. Ces initiatives couronnées de succès ont conduit, en 1982, à l'ouverture d'un stud-book.

À l'image des autres poneys de montagne, le huçul est à la fois robuste et endurant, se montrant capable de supporter les conditions climatiques les plus sévères. Il est encore utilisé aujourd'hui pour diverses tâches dans les petites exploitations de montagne, où sa grande polyvalence fait merveille. D'une très grande sûreté de pied, il remplace souvent les engins motorisés pour le transport de marchandises vers les villages les plus difficiles d'accès. Le huçul excelle également au trait, un de ses usages les plus courants, et il est employé de plus en plus fréquemment pour la promenade et la randonnée. Habitué à des conditions de vie très difficiles, il résiste à la plupart des infections équines.

Ses pieds bien formés nécessitent rarement un ferrage, même sur les sols les plus durs. En outre, il est doué d'un tempérament docile et placide, et ses qualités naturelles de détente dans les sauts et d'endurance sont presque sans égales.

Le huçul présente généralement une tête plutôt petite, avec des yeux vifs et des oreilles très mobiles. L'encolure courte et musclée bute sur un garrot peu proéminent. Le dos compact et très puissant se prolonge par une croupe tombante. Le poitrail est souvent large et profond. Les épaules très droites induisent une foulée courte et haute. Les membres sont solides mais souvent panards du derrière. La robe est le plus souvent baie, noire, isabelle ou alezane. La taille se situe entre 1,23 et 1,34 m.

Hadès, dieu grec des Enfers, est souvent représenté dans un char tiré par quatre chevaux noirs. Impitoyable au royaume des morts, il est dispensateur de richesses sur terre.

En haut
Le huçul arbore une tête de petite taille, portée par une encolure courte et musclée.

À gauche
Poney de montagne, le huçul est utilisé depuis plusieurs siècles pour le bât et le trait dans certaines régions d'Europe centrale.

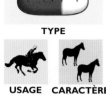

TYPE

USAGE **CARACTÈRE**

Islandais

EN BREF	
NOM	Islandais
TAILLE	Entre 1,25 et 1,34 m
ROBE	Toutes les couleurs possible
ORIGINE	Islande

L'ISLANDAIS est sans doute issu de croisements entre poneys des forêts du Nord de l'Europe et poneys celtes. Les deux premiers conquérants de l'Islande furent les chefs norvégiens Ingolfur et Leifur, qui s'établirent sur l'île avec armes et chevaux dès l'an 871 av. J.-C. Plus tard, l'arrivée de nouveaux colons originaires de Norvège et des îles occidentales de la Grande-Bretagne étoffa encore la population équine et permit l'établissement du poney islandais.

L'islandais, qui ressemble davantage à un petit cheval qu'à un poney, a pour particularité de n'avoir subi aucune influence extérieure pendant près de huit cents ans, de sorte qu'il forme l'une des races équines les plus pures. Des apports de sang arabe furent effectués au cours du XIIᵉ siècle, mais les piteux résultats obtenus poussèrent les autorités locales à voter une loi interdisant l'importation de chevaux sur le territoire. Cette loi est toujours en vigueur aujourd'hui ; de même, tout cheval ou poney exporté d'Islande ne peut être autorisé à revenir dans ce pays.

Depuis des siècles, le poney islandais occupe une place importante dans la vie quotidienne de nombre d'habitants de cette vaste île où il constitua, durant longtemps, l'unique forme de transport. Aujourd'hui, il est utilisé à la fois pour la selle, le travail de la terre, le transport de marchandises, et l'équitation sportive et de loisirs, qui tend à gagner en popularité.

L'hippodrome de Deauville – de même que le casino et le Grand Hôtel – fut construit à l'initiative du duc de Morny, demi-frère de Napoléon III. Il fut inauguré le 15 août 1864.

En haut et au centre
Grâce à son isolation géographique, l'islandais forme aujourd'hui l'une des races équines les plus pures.

À droite
L'islandais est utilisé de manière croissante pour la pratique de l'équitation sportive.

Il existe deux types principaux au sein de la race, chacun développé dans un but précis : l'islandais « lourd », souvent employé pour le trait, et l'islandais de selle, de plus en plus fréquemment utilisé pour les courses de plat sur petite distance, organisées aujourd'hui de façon quasi hebdomadaire.

L'islandais est doué d'une excellente vue et possède cinq allures naturelles : le pas, le trot, le galop,

l'amble et le tölt. L'amble est une allure latérale qui ne peut être maintenue que sur une courte distance, tandis que le tölt est un pas accéléré, particulièrement confortable pour le cavalier. De façon typique, le poney islandais est robuste et trapu, avec une tête plutôt large et un regard intelligent. L'encolure est courte et épaisse. Les membres sont solides. Crinière et toupet sont très fournis. La taille varie entre 1,25 et 1,34 m et la robe est souvent grise, isabelle ou alezane.

EN BREF

NOM	Java
TAILLE	Jusqu'à 1,24 m
ROBE	Toutes les couleurs possible
ORIGINE	Indonésie

Java

TYPE

USAGE   **CARACTÈRE**

On dit souvent que l'équitation est le sport des rois.

LA RACE du poney java est née sur l'île indonésienne éponyme au cours du XVIIᵉ siècle. Comme la plupart des poneys de ce pays, le java doit une part de ses origines aux chevaux orientaux importés par la Compagnie hollandaise des Indes orientales et utilisés pour les travaux de trait et de bât dans les nouvelles exploitations. Des apports de sang arabe et barbe achevèrent de donner au java son apparence actuelle.

Le java ressemble peu à l'arabe dans sa conformation, mais il a retiré de ses influences orientales une grande résistance à la chaleur. En dépit de son gabarit plutôt modeste, il est capable de travailler toute une journée sans faiblir même par les températures les plus élevées. Il fait preuve également d'une grande endurance et d'une grande vitalité. L'une des fonctions principales du java sur sa terre d'origine est le trait de carrioles attelées tenant lieu de taxis. Ces carrioles sont bien souvent chargées à plein, autant de voyageurs que de marchandises, mais le java semble effectuer son travail sans le moindre effort.

Encore aujourd'hui, le java est couramment employé pour le bât et la selle. À la différence des autres poneys indonésiens, il est souvent habillé d'une selle en bois couverte dont les étriers sont simplement formés par un anneau de corde dans lequel le cavalier glisse son pied. Le java est réputé pour son tempérament placide. Il est robuste et très musclé malgré une conformation plutôt légère. La tête est plutôt grossière, avec de longues oreilles et des yeux vifs. L'encolure généralement courte et musclée conduit à un garrot proéminent. Le poitrail est étroit mais souvent profond. L'inclinaison des épaules autorise une foulée longue et très fluide. Le dos souvent long est prolongé par une croupe tombante portant une queue haut placée. Les membres sont pauvrement formés mais très robustes, avec un canon long et des articulations peu denses. Le pied est solide, le sabot très dur. Toutes les robes sont possibles et la taille se situe entre 1,14 et 1,24 m.

Au centre
Le java présente un museau allongé, des oreilles proéminentes et une encolure courte et forte.

Ci-contre
Le java est couramment employé pour le trait de carrioles attelées tenant lieu de taxis.

TYPE

USAGE CARACTÈRE

Kazakh

L E KAZHAK est un poney d'origine très ancienne qui descend sans doute du cheval de Przewalski. Il est essentiellement rencontré au Kazakhstan, ancienne république soviétique devenue aujourd'hui un État indépendant. Au cours de son histoire, la race a reçu de nombreuses influences, dont celles de poneys mongols et de chevaux arabes, karabair et akhal-téké. Plus récemment, des apports de sang de trotteurs d'orlov, de pur-sang et de don ont été effectuées afin de renforcer ses qualités.

Il existe, au sein de la race, deux types distincts : l'adaev et le dzhabe. Le plus léger des deux, l'adaev est surtout un poney de selle, mais il est également utilisé pour le trait. Il a bénéficié d'influences orlov et pur-sang plus marquées que le dzhabe, ce qui explique ses qualités souvent supérieures, mais induit également une résistance un peu moindre aux conditions climatiques les plus sévères. L'adaev présente une conformation plutôt fine, avec une tête petite et une encolure souvent longue. Le poitrail est souvent étroit, le dos bien droit, prolongé par une croupe tombante. La robe est le plus souvent alezane, grise, isabelle ou baie, et la taille excède rarement 1,44 m. Le dzhabe est un poney très robuste, capable de supporter des conditions de vie très difficiles. Il est frugal et extrêmement résistant. Ses influences don sont très marquées, ce qui lui donne un certain caractère, même s'il reste malgré tout de conformation plutôt massive. C'est un poney de travail très utile, à la fois pour le bât et pour le trait, mais il peut également être monté. Sa principale utilisation demeure cependant la production de lait – les juments sont très prolifiques – et de viande.

En règle générale, le dzhabe présente une tête plutôt massive, posée sur une encolure courte, épaisse et musclée. Les épaules sont droites dans une conformation générale compacte, et les membres sont solides et robustes. La robe est souvent brune, baie, alezan brûlé ou gris et la taille ne dépasse pas 1,43 m. Adaev et dzhabe arborent tous les deux un poil d'hiver très épais qui les protège efficacement des intempéries.

Ils ne brillent pas par leurs performances à la course, et possèdent une foulée plutôt courte et heurtée.

Ci-dessus
Traditionnellement, le kazakh est davantage un poney de travail qu'un poney de selle. Il est très utile pour le trait et le bât.

À droite
Le dzhabe est puissant et trapu. Son épais poil d'hiver le protège efficacement contre les intempéries.

EN BREF

NOM	Konik
TAILLE	Jusqu'à 1,33 m
ROBE	Souvent isabelle à raie de mulet
ORIGINE	Pologne

TYPE

USAGE CARACTÈRE

Konik

LE KONIK est habituellement rencontré dans les régions agricoles de la Petite Pologne, à l'est de la rivière San, mais il est également présent dans d'autres régions d'Europe centrale, où il a été importé. Il fait l'objet d'un élevage sélectif très surveillé, pratiqué au sein des haras d'État de Jezewice et de Popielno. Le poney konik ressemble à son proche voisin le huçul – il est vraisemblable que ces deux races descendent

du tarpan – et il a largement contribué à l'établissement du tarpan moderne, à tel point que la population de tarpans présente à Popielno a été majoritairement constituée par des apports répétés de sang konik.

Poney très polyvalent utilisé pour tous les travaux agricoles, le konik a longtemps tenu une place importante dans l'économie locale. Au début du XXᵉ siècle, les poneys konik furent graduellement remplacés par des chevaux de trait, plus lourds et plus performants, et leur nombre déclina de façon inquiétante. Fort heureusement, la race est aujourd'hui solidement établie, et le konik connaît une popularité croissante, notamment en tant que poney de selle pour les jeunes enfants.

Son tempérament docile et placide le prédispose à l'équitation de loisirs. Les apports de sang arabe survenus au cours de son histoire ont donné au konik une certaine élégance. De façon typique, il est robuste, résistant, peu coûteux en soins et en nourriture, et très prolifique, toutes qualités qui ont contribué à son succès en Pologne et dans le reste de l'Europe.

À l'examen, certaines caractéristiques primitives associées au tarpan sont encore présentes, notamment la robe isabelle foncé, la raie de mulet et la bande cruciale. La tête joliment proportionnée porte des oreilles petites et des yeux très vifs. L'encolure est courte et musclée, le garrot peu proéminent. La position redressée des épaules, propice au trait, explique cependant la locomotion peu athlétique. Le dos est fort et musclé dans une conformation générale très compacte. La croupe plutôt tombante porte une queue plantée relativement bas. Les membres, aux os très denses, sont très solides, ainsi que les pieds. La taille ne dépasse pas 1,33 m.

Au centre
À l'image de son ancêtre le tarpan, le konik arbore presque toujours une robe isabelle foncé et une raie de mulet.

En bas
Les tarpans modernes ont bénéficié de nombreux apports de sang konik.

Lors d'une chasse à courre, un cavalier est passible d'exclusion si son cheval piétine ou heurte l'un des chiens de meute.

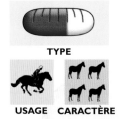

TYPE

USAGE   CARACTÈRE

Landais

E PONEY LANDAIS occupe depuis des siècles le bassin de l'Adour, dans le Sud-Ouest de la France. Il reçut d'importantes influences arabes au VIIIe siècle, lors de l'invasion Maure, puis à nouveau au début du XXe siècle. Plus récemment, des apports sanguins de races plus lourdes ont été effectués afin de renforcer sa constitution.

Après la Deuxième Guerre mondiale, la race se trouva grandement réduite en nombre et menacée d'extinction. Des étalons arabes et welsh furent alors utilisés pour relancer le cheptel. Aujourd'hui, le landais est un excellent poney de selle et d'attelage léger. Très robuste, et d'un caractère placide et docile, il convient de façon idéale pour l'équitation enfantine. Il présente généralement une tête plutôt petite, avec un front large et un profil droit. L'encolure est musclée mais le poitrail manque parfois d'ampleur. Le garrot est proéminent. Les épaules sont inclinées mais élégantes. Le dos large est prolongé par une croupe tombante. La robe est toujours noire, baie ou alezane. La taille se situe entre 1,15 et 1,35 m.

Ci-dessus et à droite
Le landais possède du sang arabe et welsh. Il est d'un caractère placide et docile.

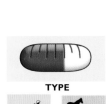

TYPE

USAGE   CARACTÈRE

Lundy

L es premiers ferrages de chevaux eurent lieu en Europe dès la fin du IXe siècle.

ETTE RACE relativement récente a été développée sur l'île anglaise de Lundy à partir d'étalons arabes et de juments new forest. Elle a également bénéficié d'apports sanguins d'un étalon connemara et de plusieurs étalons welsh mountain. En 1980, le cheptel fut déplacé depuis l'île de Lundy vers la Cornouailles et le nord du Devonshire, où son élevage se poursuivit.

Après la création d'une association de race en 1984, plusieurs juments et jeunes mâles furent réintroduits sur l'île. La rudesse du climat et la pauvreté de la nourriture ont fait du lundy un poney robuste, endurant et très frugal. Il est doué d'une bonne conformation et possède des qualités naturelles de sauteur. Depuis quelques années, il est beaucoup utilisé pour l'équitation de loisirs, plus spécialement enfantine. Le lundy présente une tête bien dessinée, portée par une encolure harmonieuse et musclée. Le poitrail est large et profond. Le dos est compact dans un corps bien proportionné. Les membres sont robustes et bien formés. La robe est généralement isabelle, rouanne, palomino, baie ou alezan brûlé. La taille n'excède pas 1,35 m.

À droite
Poney de création récente, le lundy a bénéficié d'influences arabes, new forest, connemara et welsh.

EN BREF	
NOM	Manipur
TAILLE	Jusqu'à 1,33 m
ROBE	Bai, alezan, gris, bai-brun ou pie
ORIGINE	Inde

Manipur

TYPE

USAGE   CARACTÈRE

LE MANIPUR est sans doute issu de croisements très anciens entre cheval de Przewalski et arabe. Il est d'une taille modeste – rarement plus de 1,33 m – mais brille par son endurance, son agilité, sa robustesse et sa rapidité, qualités qui ont fait de lui l'une des premières montures utilisées pour la pratique du polo.

Plusieurs manuscrits anciens attestent que ce jeu équestre vit le jour au VIIᵉ siècle dans le royaume de Manipur en Inde. Au XIXᵉ siècle, il fut découvert par les colons anglais qui le pratiquèrent avec passion. Plus tard, les Britanniques importèrent le polo sur le continent américain et en Europe, où il rencontra un fort succès auprès des classes les plus aisées. Bien que possédant toutes les qualités requises pour ce sport, le manipur fut graduellement remplacé par des poneys de plus forte constitution, plus spécialement après la suppression, en 1919, des réglementations limitant la taille des montures.

Au cours de son histoire, le manipur fut également le poney de choix pour la cavalerie du royaume de Manipur, crainte et réputée dans toute la Haute-Birmanie au XVIIᵉ siècle. Sa carrière militaire se poursuivit en 1945, lorsqu'il fut employé comme poney de bât par la 14ᵉ armée britannique en Birmanie. Même s'il est encore utilisé aujourd'hui par l'armée indienne, son emploi principal demeure l'équitation sportive, et plus particulièrement le polo et les courses de plat, ou il est réputé pour sa vitalité, son intelligence et sa rapidité.

D'une manière générale, le manipur présente une tête harmonieuse avec un profil droit, des oreilles alertes et un regard intelligent. Le nez est large et les naseaux sont souvent très ouverts. L'encolure musclée et relativement allongée porte une crinière épaisse et très fournie. Le poitrail est large dans une conformation générale compacte. Les épaules plutôt inclinées autorisent une locomotion rapide, longue et proche du sol. La queue est portée haut sur une croupe légèrement tombante. Bien proportionnées par rapport au reste du corps, les membres présentent des articulations robustes et un pied solide. La robe est généralement baie, alezane, grise, brune ou pie, et la taille dépasse rarement 1,33 m.

Les équidés appartiennent tous au sous-ordre des périssodactyles qui comprend également les tapirs et les rhinocéros.

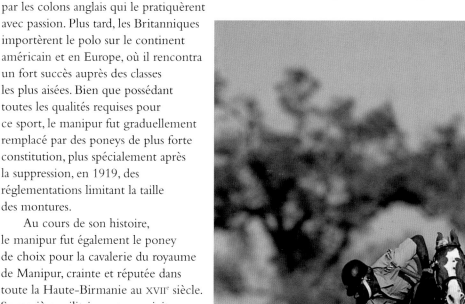

Ci-contre
Monture autrefois emblématique du polo, le manipur est considéré aujourd'hui comme trop petit pour la pratique de ce sport.

TYPE

USAGE   CARACTÈRE

Poney mongol

EN BREF

NOM	Poney mongol
TAILLE	Entre 1,22 et 1,43 m
ROBE	Isabelle, noir, bai, brun, alezan, palomino
ORIGINE	Mongolie

Le mongol des forêts est le plus massif des quatre, avec une taille voisine de 1,35 m. Sa solide constitution le prédispose aux travaux de bât et de trait. Le mongol des montagnes, de taille plus modeste, présente souvent une robe pie. De même taille que le précédent, le mongol des steppes possède une conformation mieux adaptée à la selle. Le mongol du désert, le plus petit des quatre, arbore généralement une robe claire et n'est jamais utilisé pour la production de lait.

Ces quatre poneys typiques ont en commun un aspect plutôt grossier, une grande vitalité et une aptitude à travailler dur et longtemps en dépit de rations alimentaires faibles et de soins limités. Placés en liberté toute l'année, le plus souvent sans supplément de nourriture, les poneys mongols développent une grande robustesse et une résistance à toute épreuve. Ils sont également dotés d'une étonnante endurance, qui leur permet de parcourir jusqu'à cent cinquante kilomètres en une seule journée. Certains utilisent des allures latérales, très agréables pour le cavalier. Le poney mongol est principalement employé pour le bât, le trait et la selle, mais il est également élevé de façon sélective pour la production de viande et de lait.

Le mongol présente le plus souvent une tête aux traits grossiers et primitifs. L'encolure est courte et robuste dans une conformation puissante. Le dos très compact est prolongé par une arrière-main très musclé. Les membres sont courts et très solides, les pieds très durs. La robe est isabelle, noire, baie, brune, alezane ou palomino. La taille se situe entre 1,22 et 1,43 m.

ORIGINAIRE DE MONGOLIE et lointain descendant du cheval de Przewalski, le poney mongol forme sans doute l'une des races les plus importantes quant aux influences apportées aux autres races, au même titre que l'arabe et que l'andalou. Monture probable de Gengis Khan et de ses farouches guerriers, il sema ses gènes en Europe et en Asie lors des invasions mongoles au XIIIe siècle. Aujourd'hui, le poney mongol demeure proche des ses ancêtres, dont il a conservé certains des traits primitifs.

Il existe aujourd'hui quatre types de poneys mongol, chacun lié à un environnement particulier.

Au IXe siècle, les Japonais équipaient leurs chevaux de combat de selles en bois laquées de noir ou d'or, avec des incrustations de nacre et des filigranes d'or.

En haut
Le poney mongol est un poney aux traits primitifs, de robe souvent isabelle.

Ci-contre
Nombre de poneys mongols vivent en liberté sur les terres d'Asie centrale.

TYPE

USAGE   CARACTÈRE

EN BREF

NOM	New forest
TAILLE	Entre 1,22 et 1,45 m
ROBE	Souvent bai ou bai-brun
ORIGINE	Angleterre

New forest

En équitation, le port d'une bombe aux normes réglementaires est obligatoire.

L'HISTOIRE DU NEW FOREST, qui vit en semi-liberté depuis le Xᵉ siècle dans les forêts du comté anglais de Hampshire, est à la fois riche et bien documentée. Issu de sources

très anciennes, le new forest a reçu de nombreuses influences, dont celle de dix-huit juments welsh introduites dans le cheptel en 1208. Plus tard, en 1765, le new forest bénéficia d'apports sanguins du fameux pur-sang anglais Marsk, géniteur de l'indomptable Éclipse, qui fut l'un des chevaux de course les plus talentueux de tous les temps. De cette source, le new forest conserve aujourd'hui une tête de type chevalin et une foulée longue et rasante favorisée par une excellente conformation des épaules. En 1852, l'étalon arabe Zorah fut utilisé pour rehausser la qualité amoindrie de la population, et un peu plus tard, en 1889, la reine Victoria accepta d'allouer à l'élevage de la race un étalon barbe nommé Abeyan et un étalon arabe nommé Yirrassan. Créée en 1891, la Society for the Improvement of the New Forest s'empressa d'instituer une stricte sélection des étalons susceptibles de bonifier la race. Puis il y eut de nombreuses influences de poneys fell, dales, highland, welsh, dartmoor et exmoor dont le new forest tira superbement parti.

De par ces sources nombreuses, le new forest présente une grande diversité de traits, et sa taille varie par exemple de 1,22 à 1,45 m. Excellent pour l'équitation enfantine, il convient également de façon idéale pour le dressage, le saut d'obstacles et les courses d'endurance. Le poney new forest est aujourd'hui élevé dans l'ensemble du Royaume-Uni, mais il est toujours présent en semi-liberté dans sa région d'origine. Robustesse, endurance et vitalité sont les principales qualités de ce poney anglais, qui est également doué d'un tempérament placide.

D'une manière générale, le new forest présente une tête très harmonieuse aux traits plutôt chevalins. L'encolure est musclée, le dos court et compact, la croupe puissante dans une bonne conformation générale. Les épaules sont souvent très bien formées. Les membres généralement fins mais robustes sont terminés par un pied solide. La robe est le plus souvent baie ou bai-brun.

En haut
Aujourd'hui le nombre des poneys new forest est à nouveau en augmentation.

À gauche
Le new forest est élevé dans l'ensemble du Royaume-Uni, mais il est toujours présent dans sa région d'origine.

TYPE

USAGE CARACTÈRE

Nigérian

EN BREF	
NOM	Nigérian
TAILLE	Voisine de 1,40 m
ROBE	Toutes les couleurs possible
ORIGINE	Nigeria

Ci-dessus
*Le poney nigérian
a vraisemblablement
bénéficié de sang barbe.*

O N ESTIME que ce poney africain résulte de croisements entre poneys locaux et chevaux barbes importés au Nigeria voilà plusieurs siècles par des peuplades nomades. On pense également qu'il est apparenté au poney musey du Cameroun.

Le nigérian est plus proche du cheval que du poney par son morphotype, et il est souvent considéré comme un cheval dont la croissance a été limitée par un environnement très pauvre. Il n'en reste pas moins un poney par sa taille. Très polyvalent, le nigérian est utilisé à la fois pour le trait léger, le bât et la selle. De façon typique, il fait montre de beaucoup d'endurance et de vitalité, et possède un tempérament calme et docile. Il s'est également forgé une grande résistance aux chaleurs élevées de sa région d'origine.

La tête est souvent chevaline, avec un profil droit et des oreilles petites et alertes. L'encolure est courte, le poitrail profond, le garrot proéminent. Les épaules sont joliment inclinées. Le dos court est prolongé par une croupe tombante, héritée du barbe. Les membres sont robustes et bien formés mais une faiblesse des postérieurs est parfois constatée. Toutes les robes sont possibles, et la taille avoisine 1,40 m.

TYPE

USAGE CARACTÈRE

Poney musey

EN BREF	
NOM	Poney musey
TAILLE	Jusqu'à 1,22 m
ROBE	Toutes les couleurs possible
ORIGINE	Cameroun

L ES ORIGINES du poney musey restent aujourd'hui peu connues, mais il est probable qu'il est apparenté au poney nigerian. Comme celui-ci, le musey présente de nombreux traits chevalins, et il est souvent caractérisé comme un barbe de petite taille. Du fait de sa grande isolation géographique, il a reçu peu d'influences extérieures.

Le musey est essentiellement rencontré dans le bassin de la rivière Logone, territoire de prédilection des mouches tsé-tsé vecteurs de la maladie du sommeil. De façon étonnante, le musey est immunisé contre cette maladie, qui affecte pourtant toutes les autres races équines. Doté à la fois de vitalité et d'endurance, le musey est généralement utilisé pour la selle. Il présente une tête plutôt massive, une encolure courte et un dos relativement allongé. Les membres sont courts et robustes. La robe est souvent grise ou alezane, et la taille dépasse rarement 1,22 m.

À droite
*Le poney musey
a développé
une immunité contre
la maladie du sommeil.*

EN BREF

NOM	Poney nordique
TAILLE	Entre 1,22 et 1,43 m
ROBE	Souvent bai ou bai-brun
ORIGINE	Norvège

Poney nordique

LE PONEY NORDIQUE forme une race très ancienne originaire de l'actuelle Norvège. Il descend probablement du cheval de Przewalski et du tarpan. Ce dernier a également présidé au développement des poneys baltes, islandais, shetland, exmoor et konik, avec lesquels le poney nordique présente de nombreuses similitudes de traits.

Le développement du poney nordique s'est effectué de façon naturelle dans diverses régions de Norvège. Les différences entre ces populations sont très minimes, mais il existe encore un type distinct appelé lyngen, essentiellement présent dans la presqu'île éponyme, dans le nord du comté de Troms. Généralement plus grand et plus gros que le poney nordique, et de robe souvent alezane, le lyngen fut longtemps le poney de prédilection des fermiers norvégiens, qui l'utilisaient pour la selle, le trait et le travail de la terre. Le poney nordique ne fait l'objet d'un élevage sélectif que depuis le début du XX siècle, et jusqu'à cette époque, il déclina en nombre de façon préoccupante.

Une première action visant à préserver la race et à établir des standards fut entreprise après la Première Guerre mondiale. Malgré tout, il n'existait plus, en 1944, que quarante-trois poneys nordiques répertoriés. Depuis lors, de nouveaux efforts ont été consentis pour la sauvegarde du poney nordique, notamment avec les apports d'un étalon nommé Rimfaske, et la population est aujourd'hui solidement établie.

D'une manière générale, le poney nordique affiche une grande vitalité et un tempérament docile, qui fait de lui un excellent poney de selle pour les enfants. Il est robuste, résistant, et remarquablement bien adapté aux dures conditions climatiques de son environnement. Sa durée de vie est particulièrement longue, et il demeure fertile plus longtemps que les poneys de la plupart des autres races. Ses qualités de sauteur sont également étonnantes.

Le poney nordique est robuste et trapu. La tête agréable porte des oreilles petites. L'encolure est courte, le poitrail large et profond, le garrot plat. Les épaules sont harmonieusement inclinées. Le dos est long et la croupe bien constituée. Les membres très robustes sont terminés par un pied solide et un sabot très dur. La robe est généralement baie ou brune, parfois alezane ou grise. La taille se situe entre 1,22 et 1,43 m.

Le cheval favori du duc de Wellington était un troupier appelé Copenhagen. Le duc montait ce cheval lors de la bataille de Waterloo au cours de laquelle il battit Napoléon.

Ci-contre
Grâce à l'élevage sélectif pratiqué aujourd'hui, le nombre des poneys nordiques a fortement progressé.

TYPE

USAGE   CARACTÈRE

Ci-contre, en haut et en bas
Le fjord affiche une crinière hérissée bicolore et des membres courts dotés de fanons soyeux.

Créature mythique, l'hippopode était un homme doté de jambes de cheval.

Fjord

◦◦◦◦◦◦◦◦◦◦◦◦◦◦◦◦◦◦◦◦◦◦◦◦◦◦◦

EN BREF

NOM	Fjord
TAILLE	Entre 1,33 et 1,43 m
ROBE	Isabelle à raie de mulet et zébrures
ORIGINE	Norvège

LE PONEY FJORD affiche des traits primitifs qui évoquent ceux du cheval de Przewalski. Jadis monture des guerriers vikings, le fjord s'est répandu dans l'ensemble de la Scandinavie et il est aujourd'hui rencontré dans le monde entier. Depuis le début du XXᵉ siècle, l'élevage de ce poney, souvent considéré comme l'un des ancêtres des races lourdes modernes, est pratiqué de façon sélective.

Très polyvalent, le fjord est utilisé à la fois pour la selle, l'attelage et les travaux fermiers, pour lesquels il vaut par sa grande endurance. Il est doté, en outre, d'un caractère placide et docile. Le fjord est

caractérisé par une robe isabelle et une crinière hérissée bicolore, foncée à la racine et claire ou argentée à l'extrémité. La tête bien

dessinée, avec un front large, est portée par une encolure courte et musclée. Le garrot est noyé ou peu proéminent. Les membres sont courts et solides avec présence de fanons longs et soyeux. Le pied est très dur. Bien souvent, les sujets les plus lourds sont employés pour le trait léger, ceux plus légers pour la selle. La taille se situe entre 1,33 et 1,43 m.

TYPE

USAGE   CARACTÈRE

Poney des Amériques

◦◦◦◦◦◦◦◦◦◦◦◦◦◦◦◦◦◦◦◦◦◦◦◦◦◦◦

EN BREF

NOM	Poney des Amériques
TAILLE	Entre 1,14 et 1,43 m
ROBE	Tacheté
ORIGINE	États-Unis

CETTE RACE récente a été développée dans les années 1950 à partir d'une jument appaloosa et d'un étalon shetland. Le premier poulain mâle, Black Hand 1, est le mâle fondateur de la race. Depuis, le poney des Amériques à bénéficié d'influences quarter horse, welsh et arabes, puis shetland et appaloosa. Le poney des Amériques moderne combine nombre des qualités de ses races, qui font de lui un poney idéal pour l'équitation enfantine, sa vocation première.

Il ressemble par sa conformation au quarter horse et à l'appaloosa, et a la présence et le tempérament

de l'arabe. Le poney des Amériques présente une tête élégante avec un profil légèrement concave. Les côtes sont convexes et les postérieurs bien musclés dans une conformation générale très compacte. Le poitrail est large et bien ouvert. Les épaules inclinées autorisent un déplacement fluide et équilibré.

La queue est plantée haut. Seuls les poneys à robe tachetée de type appaloosa sont officiellement reconnus comme appartenant à la race. La taille se situe entre 1,14 et 1,43 m.

Ci-contre, en haut et en bas
Cette race récente possède une tête fine et élégante qui rappelle celle de ses ancêtres arabes.

EN BREF

NOM	Cheval de Przewalski
TAILLE	Jusqu'à 1,33 m
ROBE	Isabelle clair à raie de mulet et zébrures sur les membres
ORIGINE	Asie

Cheval de Przewalski

TYPE

USAGE   **CARACTÈRE**

La monture favorite de Buffalo Bill Cosby était un cheval nommé Sultan, qui participait à tous ses spectacles.

LES SPÉCIALISTES s'accordent à dire que le cheval de Przewalski fut redécouvert par Nickolaï Przewalski, colonel de l'armée russe, en 1881, mais on sait aujourd'hui que ce cheval extraordinaire a été rencontré et décrit par divers explorateurs appartenant à des époques antérieures.

Nickolaï Przewalski découvrit le cheval qui porte aujourd'hui son nom en Mongolie occidentale. Durant la préhistoire, ce même cheval occupait l'ensemble des steppes d'Europe et d'Asie centrale. Le cheval de Przewalski forme l'unique race équine réellement sauvage, et il constitue, de ce fait, un lien presque direct entre le cheval ancien et le cheval moderne. De façon étonnante, il possède soixante-six chromosomes contre soixante-quatre pour les autres races équines. Certains scientifiques considèrent que cette différence fait de lui une espèce à part entière, d'autres estiment qu'il s'agit d'une mutation chromosomique sans incidence. Le cheval de Przewalski possède également des traits proches de ceux de l'âne, ce qui confirme les sources également très anciennes de cet animal.

Au fil des siècles, le cheval de Przewalski a été chassé jusqu'à extinction, et il n'était rencontré, depuis des années, qu'en captivité, au sein de zoos et de centres de recherche. Plus récemment, une harde de ces petits chevaux a été replacée en liberté dans leur habitat naturel, en Mongolie. Le cheval de Przewalski est très difficile à apprivoiser, et il conserve son tempérament indépendant et agressif même dans le cadre ordonné d'un zoo ou d'une installation scientifique.

Ce poney aux traits primitifs est caractérisé par une robe isabelle, plus claire sur le ventre et sur le nez, une raie de mulet foncée, et des zébrures sur les avant-bras et les jarrets. La crinière est grossière et hérissée, le toupet moins fourni. La queue plantée bas, similaire à celle d'un âne, porte des crins plus longs à son extrémité. La tête est large et massive, avec un profil convexe, des yeux haut placés et des mâchoires puissantes. L'encolure est courte et musclée, le garrot noyé, le dos droit. Les épaules sont à la verticale. Les membres courts et robustes s'appuient sur un sabot étroit mais très dur. La taille est voisine de 1,33 m.

En haut
Le cheval de Przewalski est le dernier cheval véritablement sauvage au monde.

À gauche et ci-contre
Têtu et volontiers agressif, le cheval de Przewalski est difficile à apprivoiser.

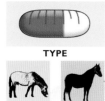

TYPE

USAGE   CARACTÈRE

Cheval de l'île du Sable

EN BREF	
NOM	Cheval de l'île du Sable
TAILLE	Jusqu'à 1,43 m
ROBE	Toutes les couleurs foncées possible
ORIGINE	Île du Sable

ON IGNORE dans quelles circonstances exactes les ancêtres de ce poney sont arrivés sur l'île du Sable, située au large de la province canadienne de Nouvelle-Écosse. En dépit de sa taille, qui dépasse rarement 1,43 m, le cheval de l'île du Sable est considéré comme un petit cheval, et il est probable que sa croissance a été freinée par un environnement difficile.

En 1801, un étalon nommé Jolly fut mêlé à la population équine existante, sans doute établie dès le début du

À droite
Le cheval de l'île du Sable ressemble plus à un petit cheval qu'à un poney.

XVIᵉ siècle et déjà porteuse de sang espagnol. La plupart des poneys vivent en liberté, mais certains sont utilisés pour l'équitation sportive et de loisirs, activités qui mettent en valeur leur endurance et

leur sûreté de pied. Le cheval de l'île du Sable ne fait pas l'objet d'un élevage organisé, de sorte que la population affiche une grande diversité de traits. Il présente une tête harmonieuse dans une conformation générale puissante et trapue. La robe est généralement de teinte foncée avec des marques blanches.

TYPE

USAGE   CARACTÈRE

Sandalwood

EN BREF	
NOM	Sandalwood
TAILLE	Jusqu'à 1,33 m
ROBE	Toutes les couleurs possible
ORIGINE	Indonésie

CE PONEY originaire des îles indonésiennes de Sumba et Sumbawa tire son nom du bois de santal, principal produit d'exportation de ces îles pendant la colonisation hollandaise, et avec lequel il était souvent transporté. Le sandalwood est l'un des poneys indonésiens les plus riches en qualités, condition qu'il doit sans doute à d'importantes influences arabes. D'une grande polyvalence, il est utilisé à la fois pour la monte, le bât, le trait léger, les travaux fermiers et les courses de plat et d'attelage. Sa rapidité et son agilité font de lui une monture idéale pour les courses à cru, très populaires en Indonésie.

Le sandalwood est également un excellent poney de selle pour les jeunes enfants, et il a, pour cette

Ci-dessus et à droite
Rapide et agile, le sandalwood est souvent utilisé en tant que poney de course.

raison, été exporté en grand nombre vers l'Australie. Il est également exporté en tant que poney de course vers l'Asie du Sud-Est. Il présente généralement une tête bien proportionnée, avec un œil vif et des oreilles petites et très mobiles. L'encolure est courte et musclée, le poitrail profond, le dos long et droit, la croupe inclinée. Toutes les robes sont représentées et la taille se situe entre 1,22 et 1,33 m.

TYPE

USAGE   **CARACTÈRE**

EN BREF

NOM	Poney sarde
TAILLE	Entre 1,22 et 1,33 m
ROBE	Bai-brun, bai, noir ou alezan foncé
ORIGINE	Sardaigne, Italie

Poney sarde

L E DÉVELOPPEMENT du sarde, poney aujourd'hui relativement rare, est peu documenté. De fait, il existe beaucoup plus d'informations sur l'établissement en Sardaigne du cheval sarde anglo-arabe.

Seul hippodrome parisien entièrement voué à l'obstacle, l'hippodrome d'Auteuil a été inauguré le 1er novembre 1873.

des petites oreilles très mobiles et un œil vif et intelligent. L'encolure musclée et rouée se trouve bien en proportion avec le reste du corps. Le dos est court et compact. La croupe inclinée porte une queue plantée bas. Les épaules inclinées et puissantes sont très bien conformées. Le poitrail est large et bien ouvert. Les membres longs et fins sont terminés par un sabot solide et dur. Certains sujets sont panards du derrière, sans réelles conséquences néfastes pour les allures. La robe est souvent bai-brun, noire ou alezan brûlé. La taille se situe entre 1,22 et 1,33 m.

Le poney sarde est sans doute né avec les premières importations sur l'île de chevaux barbes et arabes, et l'on pense qu'il possède également du sang espagnol. La première mention écrite de ce poney date de l'an 1845 ; depuis lors son évolution est restée largement ignorée.

De façon intéressante, ce poney affiche, malgré sa petite taille, certains traits chevalins, particulièrement visibles dans la conformation des poulains. Il est probable qu'il s'agit là encore d'un cheval dont la taille a été limitée par un environnement pauvre et sauvage. La plupart des poneys sardes vivent en liberté sur un haut plateau situé à environ 600 m d'altitude. Les conditions de vie difficiles et la nourriture souvent rare ont fait de lui un poney à la fois robuste, frugal et endurant, capable de supporter les conditions climatiques les plus dures.

Le poney sarde convient bien pour la selle, le trait léger et les petits travaux fermiers. D'une grande sûreté de pied, il est souvent utilisé pour le bât et la randonnée sur les terres vallonnées de l'île. Il est doué d'un caractère plutôt placide, même s'il est capable, parfois, de se montrer très têtu.

Le poney sarde présente généralement une tête lourde et massive avec un profil droit ou convexe,

En haut
On connaît peu de choses sur le poney sarde, mais on pense qu'il a bénéficié d'apports de sang barbe et arabe.

Ci-contre
Le sarde affiche un profil légèrement convexe, des oreilles petites et alertes et une encolure rouée.

TYPE

USAGE   CARACTÈRE

Shetland

EN BREF

NOM	Shetland
TAILLE	Jusqu'à 1,05 m
ROBE	Souvent noir, alezan, bai-brun, gris et pie
ORIGINE	Écosse

LE PONEY SHETLAND, natif des îles éponymes situées dans le Nord de l'Écosse, a des origines très anciennes. Il est probablement apparenté aux premiers poneys de Scandinavie et a peut-être atteint les actuelles îles Shetland voici plus de 8 000 ans, alors que celles-ci étaient encore rattachées au continent. En outre, il a sans doute reçu des influences de poneys celtes, introduits en Écosse aux IIe et IIIe siècles av. J.-C. Son apparence a peu changé au fil des siècles, bien qu'il soit l'un des poneys vivants les plus anciens.

Doté d'une force peu commune en proportion de sa taille, le shetland a été couramment utilisé pour tous les travaux agricoles et fut, à une certaine époque, un poney de choix pour l'industrie minière. Au XIXe siècle, les fermiers écossais l'employaient pour le transport de la tourbe, alors utilisée comme combustible. Du fait de son environnement très rude, le shetland est un poney robuste et résistant, capable de supporter sans broncher les conditions climatiques les plus sévères. Il est aidé en cela par un poil d'hiver très épais.

Le shetland est rencontré dans le monde entier, et plus particulièrement aux États-Unis, où se pratique l'élevage du shetland américain, poney proche du shetland écossais mais mâtiné de hackney et plus fort en stature. Le shetland américain est principalement utilisé pour l'attelage et les concours de modèles et allures. En raison de sa petite taille, le shetland anglais est surtout employé pour l'équitation

En haut
Poney très robuste, le shetland est capable de supporter les conditions climatiques les plus dures.

Au centre et ci-dessous
Le shetland est un excellent poney de selle pour les jeunes enfants, mais il a parfois mauvais caractère.

enfantine ou en tant qu'animal de compagnie. Il constitue un excellent poney de selle pour les tout jeunes enfants, même s'il tend parfois à développer un caractère difficile lorsqu'il est trop gâté.

Un shetland atteint généralement 1 m en taille à l'âge de trois ans, et environ 1,10 m à quatre ans. De façon typique, la tête est petite et élégante, avec des yeux largement espacés et des oreilles petites et très mobiles. L'encolure courte bute sur un garrot prononcé. Le poitrail est large et les côtes sont convexes. Les membres sont courts et solides. Crinière et queue sont très fournies, et le poil d'hiver est très épais. Toutes les robes sont représentées, y compris les robes pie, mais taches et mouchetures sont proscrites.

Sorraia

EN BREF

NOM	Sorraia
TAILLE	Jusqu'à 1,33 m
ROBE	Isabelle, alezan foncé
ORIGINE	Espagne, Portugal

TYPE

USAGE **CARACTÈRE**

LE SORRAIA est un poney très ancien, probablement lié de façon directe au tarpan et au cheval de Przewalski. Il a influencé le développement de nombre de races, dont celles des fameux chevaux espagnols andalous, lusitaniens et alter-real. Le sorraia est originaire d'un vaste territoire délimité par les rivières Sor et Raia, dans le Nord-Est du Portugal. Il fut introduit dans le Nouveau Monde par les conquistadors, et son influence est bien visible chez nombre de races américaines. Bien qu'il fasse l'objet d'un élevage sélectif strict depuis plusieurs siècles, le Sorraia conserve aujourd'hui encore des traits primitifs qui évoquent les figurations rupestres équines du pléistocène. Il est extrêmement robuste et endurant, affiche une grande vitalité et conserve ses aptitudes intactes durant de longues années.

De façon traditionnelle, le sorraia était utilisé pour le travail de la terre et pour le trait léger. Durant longtemps, il fut associé au gardiennage des troupeaux de bovins élevés dans cette région. Le sorraia est réputé pour son tempérament paisible, trait retrouvé chez de nombreuses races équines ibériques. Il est docile et apprend très vite grâce à sa vive intelligence. Hélas, le sorraia a diminué en nombre de façon significative ces dernières années, et il survit en grande partie grâce aux efforts de la famille d'Andrade, qui élève une harde de ces poneys en semi liberté.

D'une manière générale, le sorraia présente des traits ibériques marqués. La tête est lourde avec un profil convexe et des grandes oreilles. L'encolure musclée est rouée de façon

élégante. Les épaules sont droites. Le garrot est bien défini, le poitrail profond mais étroit, le dos compact. La queue est plantée bas sur une croupe inclinée. Les membres courts et solides sont terminés par un sabot dur et bien formé. La robe est souvent isabelle ou alezan foncé. Une raie de mulet est toujours présente. La taille excède rarement 1,33 m.

Ci-dessus
La robe du sorraia est souvent isabelle ou alezan foncé. Une raie de mulet est toujours présente.

Ci-contre
Le sorraia présente une tête massive, avec des oreilles grandes et dressées. Son encolure est musclée.

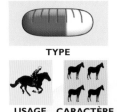

TYPE

USAGE   CARACTÈRE

Sumba et sumbawa

EN BREF	
NOM	Sumba et sumbawa
TAILLE	Jusqu'à 1,25 m
ROBE	Souvent isabelle à raie de mulet
ORIGINE	Indonésie

Ci-dessus et à droite
Agiles et rapides, sumba et sumbawa sont utilisés à la fois pour le palosa et pour les cérémonies traditionnelles.

CES DEUX NOMS désignent une seule et même race de poney, implantée sur les îles indonésiennes éponymes. Riches d'influences chinoises et mongoles, et dotés d'une force peu commune, les poneys sumba et sumbawa sont couramment utilisés par les paysans locaux pour la selle, le bât et le trait léger. Ils sont également choisis pour la pratique du fameux palosa, combat équestre rituel, et pour certains spectacles de danse traditionnelle, au cours desquels, habillés de clochettes et montés à cru par de jeunes cavaliers, ils effectuent des figures en musique sous les ordres d'un maître de cérémonie. Sumba et sumbawa sont généralement calmes, dociles, endurants, rapides et agiles. Ils présentent des traits plutôt primitifs, avec une tête massive, une encolure courte et musclée, un poitrail profond, des épaules droites et un garrot plat. Le dos puissant et souvent allongé est prolongé par une croupe tombante. Les membres robustes s'appuient sur un sabot bien formé. La robe est le plus souvent isabelle à raie de mulet et taches noires. La taille excède rarement 1,25 m.

TYPE

USAGE   CARACTÈRE

Syrien

EN BREF	
NOM	Syrien
TAILLE	Jusqu'à 1,54 m
ROBE	Alezan et gris
ORIGINE	Syrie

À droite
Le syrien, lié à l'arabe, est doté de la même conformation élégante.

LE SYRIEN forme une race très ancienne intimement liée à l'arabe, à tel point que certains spécialistes estiment qu'il est un pur arabe dont le développement a été modifié par un environnement difficile. De fait, il possède de nombreux traits chevalins, et il est plus proche du cheval que du poney par sa conformation générale. Seule sa petite taille (parfois supérieure pourtant à 1,44 m) lui vaut de figurer ici parmi les poneys.

Le syrien possède un grand nombre des qualités de l'arabe. Il se montre notamment robuste, résistant et très frugal. En outre, il est très bien adapté au climat désertique, supportant sans broncher la chaleur, le froid et une nourriture souvent pauvre. Il ressemble également à l'arabe par sa conformation – même s'il est généralement plus fort en stature – sans atteindre cependant la superbe de ce dernier. La robe est le plus souvent alezane ou grise, et la taille se situe entre 1,40 et 1,54 m.

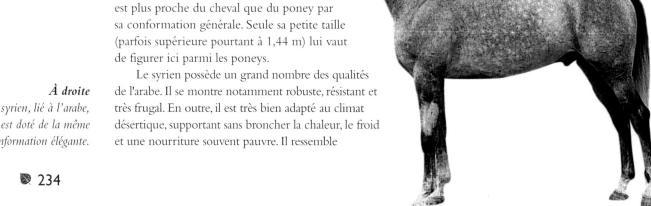

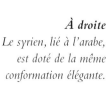

Tarpan

EN BREF

NOM	Tarpan
TAILLE	Voisine de 1,30 m
ROBE	Isabelle
ORIGINE	Europe de l'Est, Russie occidentale

DURANT de nombreuses années, aucune distinction ne fut effectuée entre le tarpan et le cheval de Przewalski, mais on sait aujourd'hui que ces deux races sont notablement différentes. Les spécialistes estiment que le cheval de Przewalski est l'ancêtre du poney mongol et de tous les chevaux et poneys chinois. Le tarpan serait, quant à lui, lié au développement de chevaux légers tels que le trakenher, et peut-être même à celui de l'arabe. Le tarpan tient une grande

place dans l'établissement des races légères modernes. Il est hélas aujourd'hui éteint dans sa forme primitive : il fut vu à l'état sauvage pour la dernière fois en 1879, et le dernier sujet en captivité mourut en 1887 dans un zoo de Munich.

Le tarpan moderne a été créé à partir de poneys konik et huçul, parents proches du tarpan sauvage. Sur décision des autorités polonaises, les sujets de ces races montrant les traits les plus primitifs, et donc considérés comme possédant un pourcentage élevé de sang tarpan, furent réquisitionnés puis croisés entre eux. Leurs descendant directs furent à nouveau croisés entre eux afin d'obtenir un type fixé. Le tarpan moderne fait aujourd'hui l'objet d'un élevage sélectif dans les forêts polonaises de Bialowieza et Popielno, où il vit en hardes ensauvagées. Il a regagné certaines des caractéristiques du tarpan sauvage, même s'il ne ressemble qu'imparfaitement à celui-ci. Il est robuste, se nourrit de peu, résiste à la plupart des maladies équines, affiche une grande longévité et

se montre très fertile. Jadis, les tarpans sauvages étaient capturés puis domestiqués par les paysans locaux qui appréciaient sa force prodigieuse. Ils étaient également chassés pour leur viande, ce qui a sans doute précipité leur extinction.

D'une manière générale, le tarpan présente une tête allongée avec un profil légèrement convexe et de longues oreilles. Les épaules sont puissantes. L'encolure est épaisse, le dos long, la croupe inclinée. La robe est isabelle à raie de mulet. Le poil prend une teinte gris pâle en hiver. Queue et crinière sont bicolores et des zébrures sont parfois présentes sur les membres. La taille avoisine 1,30 m.

Au centre et ci-dessus
Éteint au XIXᵉ siècle, le tarpan a été recréé à partir de poneys konik et huçul.

Ci-contre
Le tarpan moderne présente une face allongée, de longues oreilles et une encolure très courte.

235

TYPE

USAGE CARACTÈRE

Tibétain indigène

EN BREF	
NOM	Tibétain indigène
TAILLE	Jusqu'à 1,25 m
ROBE	Souvent bai ou gris
ORIGINE	Tibet, Chine

À droite et ci-dessus
Le tibétain affiche une grande robustesse et une étonnante sûreté de pied.

L E TIBÉTAIN indigène ou nanfan affiche des traits communs avec le poney mongol et les races équines chinoises, mais il a subi peu d'influences extérieures tout au long de son histoire.

Il est essentiellement rencontré au Tibet, où il est réputé pour sa robustesse et sa grande force en proportion de sa taille. Les Tibétains le tiennent en grande estime, et il est élevé par les plus pauvres comme par les plus riches. Durant les dynasties Tang et Ming, le poney tibétain était couramment offert en présent aux empereurs et dignitaires chinois. Excellent travailleur, le tibétain est utilisé pour la selle, le bât et le trait léger, activités dans lesquelles s'expriment

son endurance, sa grande vitalité et sa sûreté de pied.

Il présente généralement une tête plutôt allongée, avec des mâchoires marquées, un profil droit et des petites oreilles. L'encolure est courte et musclée, le poitrail profond, le garrot noyé, le dos peu allongé. Les épaules sont droites. Les membres plutôt ramassés sont renforcés par des articulations solides. La robe est le plus souvent baie ou grise. La taille dépasse rarement 1,25 m.

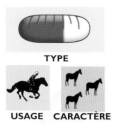

TYPE

USAGE CARACTÈRE

Timor

EN BREF	
NOM	Timor
TAILLE	Entre 1,00 et 1,23 m
ROBE	Souvent bai, bai-brun ou noir
ORIGINE	Indonésie

Ci-dessus et à droite
Le poney timor fait partie de la culture indonésienne. Il est utilisé pour la selle, le trait et le gardiennage des troupeaux.

C E PONEY aux traits primitifs est rencontré sur l'île de Timor, en Indonésie. Il descend probablement de chevaux importés sur l'île depuis l'Inde, et a établi, au fil du temps, ses propres caractéristiques.

Le timor joue un rôle important dans le tissu économique de l'île : il est utilisé par les paysans locaux pour la selle, le gardiennage des troupeaux et les petits travaux fermiers. En dépit de sa petite taille, il montre une force, une endurance et une rapidité peu communes. Un grand nombre de poneys timor ont été exportés vers l'Australie, où ils ont contribué au développement du poney australien.

Le timor présente une tête massive dans une conformation plutôt légère. L'encolure est courte, le garrot proéminent, le dos peu allongé. La croupe inclinée porte une queue plantée haut. Les épaules sont droites. Les membres solides sont terminés par un pied robuste. La robe est souvent baie, bai-brun ou noire. La taille se situe entre 1,00 et 1,23 m.

Viatka

TYPE

USAGE   **CARACTÈRE**

EN BREF	
NOM	Viatka
TAILLE	Entre 1,33 et 1,45 m
ROBE	Aubère, rouan vineux ou isabelle
ORIGINE	Fédération de Russie

PONEY PEU CONNU en dehors de sa région d'origine, le viatka est menacé d'extinction depuis plusieurs années. Son berceau géographique est constitué par les bassins des rivières Viatka et Obva, en Russie occidentale. Il a sans doute reçu des influences de poneys konik, et il est très probable qu'il descend du tarpan.

Très polyvalent, et doué à la fois de vitalité, de robustesse et d'endurance, le viatka est utilisé par les paysans locaux pour la monte et les petits travaux fermiers. Il excelle également dans le trait des traditionnelles troïkas. Le Viatka possède un tempérament placide et docile qui rend son éducation relativement aisée. Il présente le plus souvent une tête petite portée par une encolure forte et épaisse. Les épaules et le poitrail affichent une grande puissance. L'arrière-main est musclée. Crinière et queue sont fournies, et le poil d'hiver est très épais. La robe est très souvent alezan rouan, baie ou isabelle à raie de mulet. Des zébrures sont parfois présentes sur les membres. La taille se situe entre 1,33 et 1,45 m.

Ci-dessus et à gauche
Aujourd'hui très rare,
le viatka descend
probablement
du tarpan.

Welara

TYPE

USAGE   **CARACTÈRE**

EN BREF	
NOM	Welara
TAILLE	Entre 1,14 et 1,45 m
ROBE	Toutes les couleurs possible, sauf tacheté
ORIGINE	États-Unis

CETTE RACE très récente a été développée dans le Sud de la Californie, et elle est officiellement reconnue aux États-Unis depuis 1981. L'élevage du welara fut entrepris à l'initiative de l'Anglaise Lady Wentworth à partir d'alliances entre un étalon nommé Skowronek et plusieurs juments welsh importées depuis le haras de Coed Coch, au pays de Galles. Il combine les qualités de l'arabe et du welsh et propose des allures à la fois souples et fluides, ce qui est relativement rare chez un poney. Doté d'un tempérament calme et docile, mais porté aussi à l'exubérance si on lui en laisse le loisir, il constitue un excellent poney de selle pour les jeunes enfants et les adultes débutants.

Le welara présente généralement une tête harmonieuse, portée par une encolure forte et légèrement rouée. Les épaules sont joliment inclinées. Le dos est compact, l'arrière-main puissante. Les membres très solides sont terminés par un sabot dur et bien formé. Toutes les robes sont acceptées dans le registre de la race à l'exception des robes tachetées. La taille se situe entre 1,14 et 1,45 m.

L'herbe pousse mieux lorsque la terre affiche un pH de 6,5.

À gauche
Le poney welara
cumule les qualités
de l'arabe et du welsh.

TYPE

USAGE CARACTÈRE

Welsh mountain

○○○○○○○○○○○○○○○○○○○○○○○○○

EN BREF

NOM	Welsh mountain
TAILLE	Jusqu'à 1,22 m
ROBE	Souvent gris, toutes les couleurs possible sauf pie
ORIGINE	Pays de Galles

L E WELSH MOUNTAIN est le poney le plus anciennement connu de Grande-Bretagne : on pense que les premiers efforts voués à sa production furent entrepris sur les rives du lac Bala par les conquérants romains de l'Antiquité, probablement à l'aide de chevaux importés d'Afrique du Nord. Tout au long de son histoire et jusqu'au début du XXᵉ siècle, le welsh mountain a bénéficié de nombreuses influences extérieures, et notamment d'apports de sang arabe, pur-sang et hackney. Un étalon pur-sang nommé Merlin joua un rôle important dans son développement.

Le stud-book du poney welsh est divisé en quatre sections définies par la conformation et la taille. Le welsh mountain forme la section A, la plus ancienne des quatre, qui regroupe les poneys welsh de taille inférieure à 1,22 m, et dont les sujets ont servi de base à la création des trois autres types raciaux. Le poney welsh a influencé de nombreuses autres races, souvent pour leur plus grand bénéfice, et il a joué un rôle décisif dans le développement du riding pony. Le stud-book du poney welsh fut établi dès 1902, et depuis lors, des efforts importants ont été consentis afin de maintenir des types fixés. L'un des acteurs les plus importants fut

l'étalon Dyoll Starlight, croisement de welsh et d'arabe, et considéré comme le mâle fondateur de la race moderne.

Doté d'un caractère facile, le welsh mountain constitue un excellent poney

de selle pour les jeunes enfants. Il est très talentueux et montre autant d'aptitudes pour le trait que pour la selle. Traditionnellement élevé en semi-liberté dans les collines galloises, le welsh mountain a développé d'étonnantes qualités d'endurance et de résistance. Il se montre, en outre, très frugal.

D'une façon générale, le welsh mountain présente une tête petite aux traits orientaux marqués, avec des yeux largement espacés et des oreilles petites et alertes. L'encolure est longue et rouée, le poitrail profond. Les épaules sont inclinées. Le dos court et musclé est prolongé par un arrière-main puissant. Les membres sont fins, les jarrets bien formés. Le canon est court et solide. Toutes les robes sont représentées, à l'exception de pie.

Au centre
Le welsh mountain présente une tête aux trait orientaux, avec un profil légèrement convexe.

En bas
Endurant et doté d'un tempérament facile, le welsh mountain constitue un excellent poney de selle.

L a première course hippique australienne documentée eut lieu à Sydney en 1821.

TYPE

USAGE **CARACTÈRE**

EN BREF

NOM	Welsh pony
TAILLE	Entre 1,23 et 1,34 m
ROBE	Toutes les couleurs possible, sauf pie
ORIGINE	Pays de Galles

Welsh pony

DÉVELOPPÉ à partir d'alliances entre welsh mountain et welsh pony type cob, le welsh pony forme la section B du stud-book du poney welsh. À l'image du welsh mountain, il a reçu des apports de sang arabe, pur-sang et hackney, gages de ses grandes qualités.

Nombre de welsh Pony sont présentés comme des riding pony, mais leur caractère gallois ainsi que les traits empruntés au mountain welsh demeurent toujours perceptibles. Néanmoins, le welsh pony est parfois critiqué pour sa constitution, jugée trop fine et trop légère.

Les trois mâles fondateurs pour ce type racial sont Tan-y-Bwlch Berwyn, issu d'un croisement entre un étalon barbe et une jument welsh de la fameuse lignée Dyoll Starlight, Criban Victor, de souche welsh, et Solway Master Bronze, géniteur d'un grand nombre de mâles de grande valeur. Les influences arabes anciennes sont souvent évidentes chez le welsh pony, notamment dans l'élégance de la tête et la qualité du déplacement. Sa conformation d'épaule quasi parfaite autorise des mouvements très fluides, particulièrement appréciés dans les concours de modèles et allures.

À l'image du welsh mountain, le welsh pony affiche un caractère très facile, qui fait de lui un poney de selle apprécié. Il se montre excellent sauteur et possède équilibre et sens du rythme, qualités requises pour le dressage. Doué également pour l'attelage, il est parfait pour un usage combinant la selle et le trait.

Le welsh pony conserve les traits caractéristiques du welsh mountain mais dans une conformation plus légère. La tête est très élégante, avec un front large et un museau plutôt fin. Le regard est expressif et intelligent. Le poitrail est large et bien ouvert. L'encolure musclée et légèrement rouée se prolonge en un dos fort et compact. L'arrière-main est très puissante, la queue plantée haut sur une croupe musclée. Les membres très bien conformés, renforcés par des articulations solides, sont terminés par un sabot très dur. Toutes les robes sont possibles à l'exception de pie. La taille se situe entre 1,23 et 1,34 m.

En haut
La conformation puissante du welsh pony trahit la présence de sang arabe.

Ci-contre
Le welsh pony arbore une tête d'une grande élégance.

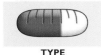

TYPE

USAGE CARACTÈRE

Welsh pony type cob et welsh cob

L e premier Grand National se déroula sur l'hippodrome d'Aintree, à Liverpool, en 1839. La course fut remportée par Lottery.

LE WELSH pony type cob forme la section C du stud-book du poney welsh. C'est le plus petit des deux welsh de type cob. Il se rapproche du welsh mountain, mais affiche une constitution plus lourde et une taille plus élevée que celui-ci. Le welsh cob forme la section D du stud-book du poney welsh. Le croisement des premiers poneys welsh avec des chevaux d'origine espagnole donna naissance au cheval Powys, qui constitua l'élément fondateur pour le développement du welsh pony type cob et du welsh cob. Plus récemment, ces deux types raciaux reçurent des influences de chevaux norfolk roadster, hackney et yorkshire coach-horse.

Le welsh pony type cob et le welsh cob sont tous les deux excellents pour le trait, et l'engouement récent pour les courses attelées a provoqué un regain d'intérêt pour le welsh cob. Parmi les géniteurs principaux pour ces deux types raciaux figurent Trotting Comet, né en 1840 et issu d'une lignée de formidables trotteurs, True Briton, né en 1830 d'un trotteur et d'une jument arabe, Cymro Llwyd, né en 1850 d'un étalon arabe et d'une jument trotteuse, et Alonzo the Brave, né en 1866 et apparenté

par son héritage hackney à l'étalon Darley Arabian. Ces quatre mâles présentent clairement un héritage de trotteur allié à des influences arabes, et ces caractéristiques demeurent présentes encore aujourd'hui chez les sujets des deux sections.

Le sang arabe est visible dans la présence, le port, la forme de la tête et les traits faciaux. Très polyvalents, le welsh pony type cob et le welsh cob montrent à la fois des qualités d'endurance, de vitalité et de gentillesse.

D'une manière générale, le welsh pony type cob est plus petit que le welsh cob, pour lequel il n'existe pas de limite de taille. Chez les sujets des deux types, la tête bien dessinée est portée par une encolure musclée et légèrement rouée. Le poitrail est large et profond, le ventre arrondi, le dos compact, l'arrière-main puissante. Les membres bien conformés sont solides et robustes. Chez le welsh cob, la présence de longs fanons est parfois notée. Toutes les robes sont admises sauf pie.

En haut et ci-contre
La conformation puissante du welsh cob est contredite par l'élégance de sa tête.

À droite
Le welsh cob arbore une crinière et un toupet très fournis.

Zemaituka

EN BREF	
NOM	Zemaituka
TAILLE	Entre 1,34 et 1,44 m
ROBE	Gris ou isabelle
ORIGINE	Lituanie

TYPE

USAGE **CARACTÈRE**

LE ZEMAITUKA est un poney aux origines très anciennes, aujourd'hui rencontré en nombre restreint et menacé d'extinction, dont le berceau géographique est formé par l'actuelle Lituanie. Son histoire est peu connue, mais les spécialistes estiment qu'il est apparenté au poney konik et qu'il descend du tarpan. Au fil des siècles, il a bénéficié d'influences de diverses races extérieures, en particulier russes et polonaises.

Plus récemment, au cours du XIXᵉ siècle, le zemaituka bénéficia d'apports de sang arabe qui provoquèrent l'émergence de deux types raciaux distincts : un poney de selle de bonne qualité et un poney aux influences orientales moins marquées plus spécialement destiné aux travaux de trait. Au lendemain de la Deuxième Guerre mondiale, les éleveurs s'efforcèrent d'augmenter le poids et la taille des sujets, de sorte que ces deux types raciaux sont aujourd'hui confondus et conviennent à la fois pour la selle et pour l'attelage.

Confronté depuis toujours à des conditions de vie difficiles dans son environnement d'origine, notamment à un froid souvent intense et à un fourrage peu abondant, le zemaituka a développé des qualités de résistance et d'endurance hors du commun. Il est doté d'un tempérament placide et docile qui fait de lui un poney de selle très apprécié, même s'il est encore utilisé aujourd'hui pour le trait et les travaux fermiers. En dépit de sa conformation plutôt massive, il fait preuve de grandes qualités athlétiques. C'est pourquoi il produit d'excellents chevaux voués à la pratique sportive lorsqu'il est croisé avec des sujets de races plus grandes et plus légères.

Le zemaituka présente généralement une tête bien dessinée avec des oreilles très mobiles et un regard intelligent. L'encolure est large et forte, le poitrail profond. Les épaules vont vers la verticale. Le dos compact, court et droit, est prolongé par une croupe inclinée qui porte une queue plantée bas. Les membres sont souvent ramassés et musclés, les postérieurs parfois un peu faibles du jarret. Le pied solide est doté d'un sabot très dur. La robe est le plus souvent gris ou isabelle avec taches et raie de mulet noires, qui confirment son origine très ancienne. La taille se situe entre 1,34 et 1,44 m.

Le Grand Pardubice est une course d'obstacles disputée chaque octobre à Pardubice en République tchèque. La première édition eut lieu en 1874.

Ci-contre
De même que ce poney indonésien et le tarpan, le poney zemaituka a été façonné au fil du temps par son difficile environnement.

Les races lourdes

LES RACES LOURDES, dites à sang froid, englobent les chevaux adaptés au trait lourd et aux travaux fermiers. Ces chevaux diffèrent des chevaux à sang chaud par leur conformation et leur caractère. Durant plusieurs siècles, le cheval de trait a tenu un rôle essentiel dans les domaines agricole et industriel, et il est encore utilisé aujourd'hui dans certains pays. Hélas, la progression constante de la motorisation a mis certaines races lourdes en danger de disparition.

Le record de sauts périlleux effectués sur le dos d'un cheval au galop est détenu par l'Américain James Robinson.
En 1856, dans la ville de Pittsburgh, en Pennsylvanie, il en réalisa 23 consécutifs .

DANS CERTAINES SITUATIONS, le cheval de trait peut se montrer plus efficace qu'un engin motorisé. En Scandinavie, le suédois du Nord est couramment employé en forêt pour le débardage des grumes, car il s'y révèle plus maniable qu'un large véhicule. En France, le comtois est encore utilisé dans les exploitations viticoles et forestières. Au Royaume-Uni, les brasseurs les plus réputés supportent activement les races lourdes, et il existe, dans les concours de modèles et d'allures, des classes qui leur sont vouées.

Nombre de chevaux de trait sont aujourd'hui élevés pour leur viande, notamment en France et dans certains pays de l'Est. Cette orientation, basée sur l'augmentation de la masse corporelle, conduit souvent à une détérioration de la race. Les chevaux de trait légers sont souvent croisés avec des pur-sang. L'association de traits irlandais et de pur-sang donne ainsi des résultats de grande qualité, à tel point que le nombre des traits irlandais pure race est aujourd'hui en diminution.

D'une manière générale, le cheval de trait affiche une conformation massive et une ossature très dense. Les membres sont courts en proportion de la masse corporelle, le clydesdale faisant seul exception. L'encolure épaisse et très musclée bute sur un garrot souvent arrondi. Le poitrail est large et profond, le dos large et peu allongé. Les épaules quasi verticales induisent une locomotion courte et haute. La plupart des chevaux de trait sont placides et obéissants, ce qui est fort heureux si l'on considère leur gabarit. Chez nombre de sujets, canons et paturons sont garnis de longs poils qui, en retenant l'humidité, peuvent être à l'origine de lésions cutanées lors de travaux sur terrains boueux. Le suffolk punch échappe à cette particularité, sans doute à cause des terrains argileux sur lesquels il a toujours travaillé.

Bien que souvent associé aux travaux des champs, à l'exploitation forestière ou au transport de lourdes marchandises, le cheval de trait a connu bien d'autres usages. Il fut notamment la monture des chevaliers du Moyen Âge avant de tracter, bien plus tard, les premiers coches.

En haut, à droite
La race Jutland est apparue dès le XIIᵉ siècle.

Ci-contre
Les chevaux lourds sont encore utilisés aujourd'hui pour les travaux des champs.

Ardennais

TYPE

USAGE   CARACTÈRE

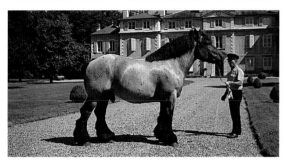

physique, son endurance et son aptitude à supporter les conditions les plus dures firent merveille lors des guerres napoléoniennes. Certaines races lourdes russes ont probablement bénéficié d'influences de chevaux ardennais abandonnés par l'armée impériale lors de la retraite de Russie.

Le type moderne, de conformation plus massive, fut développé au XIXᵉ siècle à partir d'apports de sang boulonnais, percheron, pur-sang et arabe dans le but d'augmenter la force physique des sujets et de les rendre aptes aux travaux de trait les plus difficiles.

Proche parent de l'auxois et du trait du Nord, et doté d'un tempérament placide et docile,

Le Hollandais Charles Pahud de Mortanges a remporté quatre médailles d'or olympiques dans l'épreuve de concours complet, en 1924 (par équipes), en 1928 (individuel et par équipes), et en 1932 (individuel).

COMME SON NOM l'indique, l'ardennais est originaire des Ardennes, massif hercynien situé à cheval sur les territoires français, belge et luxembourgeois. Il existe un ardennais suédois et un ardennais belge, mais la race la plus ancienne est formée par l'ardennais français, mentionné par Jules César dans son ouvrage *De Bello Gallico*, qui décrit la conquête des Gaules par les légions romaines. L'ardennais est un cheval de trait de type cob, similaire dans sa conformation au cheval préhistorique de Solutré, ce qui suggère une descendance presque directe.

Moins lourd et moins massif que son descendant moderne, l'ardennais d'antan convenait à la fois pour le trait et pour la selle. Il fut largement utilisé par l'armée française après la Révolution, et sa force

l'ardennais montre toutes ses qualités en terrain vallonné ou accidenté grâce à sa très grande sûreté de pied. En Suède et en Belgique, l'ardennais est souvent croisé avec d'autres chevaux lourds.

La conformation est de type cob, avec une tête bien dessinée, une encolure épaisse dans un corps puissant et compact, et une arrière-main très musclée. L'inclinaison des épaules autorise une liberté d'action peu fréquente chez un cheval lourd. L'ardennais dispose d'une puissance de trait étonnante, que l'on devine aisément au vu de sa stature. En France, il est principalement élevé pour le trait ou pour sa viande. La robe est le plus souvent rouanne, parfois baie ou alezane. La taille se situe entre 1,46 et 1,62 m.

En haut et ci-dessus
L'ardennais affiche une conformation puissante, une tête bien dessinée et une encolure épaisse.

À gauche
L'ardennais fait souvent bonne figure dans les compétitions d'attelage.

TYPE

USAGE   CARACTÈRE

Auxois

EN BREF	
NOM	Auxois
TAILLE	Entre 1,53 et 1,65 m
ROBE	Rouan, bai, parfois alezan
ORIGINE	France

L E BERCEAU D'ÉLEVAGE de l'auxois, qui descend du cheval bourguignon du Moyen Âge, se situe dans la partie sud-ouest du département de la Côte-d'Or, avec une extension sur les départements de l'Yonne et de la Saône-et-Loire. Le nombre de ces chevaux de trait est aujourd'hui restreint, et des efforts sont

L e Néo-Zélandais Mark Todd a remporté la médaille d'or olympique dans l'épreuve individuelle de concours complet en 1984 et 1988.

obéissance et placidité à une endurance étonnante, ce qui fait de lui un animal de choix pour le trait lourd et les travaux fermiers.

La tête au front large et aux oreilles alertes est souvent petite en proportion de la stature générale. La conformation est très robuste, avec une encolure courte et épaisse, un garrot noyé et un poitrail profond et bien ouvert, caractéristiques trouvées également chez l'ardennais. Le dos court et large est prolongé par une croupe tombante et musclée portant une queue plantée bas. La légère inclinaison des épaules permet une grande liberté de foulées à toutes les allures. Les membres sont particulièrement puissants, bien que relativement minces au regard de la conformation, avec des avant-bras très musclés et des canons forts en os.

L'auxois affiche moins de puissance et d'épaisseur dans les postérieurs que l'ardennais, mais il se révèle étonnamment agile et rapide pour sa stature. De même que l'ardennais, il montre une puissance de trait peu commune. La robe est le plus souvent baie ou rouanne, parfois alezane, gris fer ou isabelle. Canons et paturons sont peu poilus. La taille se situe entre 1,53 et 1,66 m.

actuellement entrepris pour maintenir la race, notamment sur les terres voisines du haras de Cluny.

Au XIXᵉ siècle, la stature de l'auxois fut fortifiée par des apports de sang boulonnais, percheron, ardennais et trait du Nord, mais depuis le début du XXᵉ siècle, seul l'ardennais, son proche parent, est mis à contribution pour le maintien de la race. L'auxois moderne est légèrement plus grand que l'ardennais, et les deux races sont élevées de façon sélective pour leur viande en raison de leur masse corporelle très importante. L'auxois était autrefois couramment utilisé pour le transport des personnes et des biens, mais le nombre de ces chevaux s'est fortement réduit avec l'émergence de la motorisation.

Aujourd'hui, l'élevage de l'auxois est contrôlé par le Syndicat du cheval de trait ardennais de l'Auxois, organisation basée à Dijon et qui détient le stud-book de la race depuis 1913. L'auxois allie

En haut
L'auxois présente souvent une robe baie ou rouanne. Les épaules sont légèrement inclinées.

Ci-contre
La tête de l'auxois est petite au regard de sa conformation générale.

Boulonnais

TYPE

USAGE   **CARACTÈRE**

ORIGINAIRE DU Nord-Est de la France, le boulonnais n'est mentionné dans les chroniques locales qu'à partir du XVIIe siècle. Certains spécialistes estiment cependant qu'il descend de chevaux de trait de l'Antiquité romaine et qu'il doit ses qualités à des infusions arabe et barbe survenues au XVIe siècle.

Le boulonnais est souvent décrit comme le pur-sang des chevaux de trait, sans doute à cause de sa tête remarquablement fine et de son action souple et harmonieuse, traits exceptionnels chez un cheval de cette stature. Jadis, il était couramment utilisé pour l'attelage. La peau très fine et les veines délicates, qui font parfois comparer sa robe à du marbre poli, sont d'autres particularités de la race.

On distinguait autrefois deux types distincts pour cette race : le boulonnais « mareyeur », d'une taille voisine de 1,53 m, utilisé pour le transport du poisson depuis Boulogne-sur-Mer vers Paris, et le boulonnais de trait, plus grand et plus puissant. Le modèle mareyeur a disparu, et le boulonnais de trait a été presque entièrement décimé durant la Seconde Guerre mondiale. Aujourd'hui, le boulonnais est réputé pour sa grande vitalité, son endurance, et son aptitude à maintenir une vitesse constante sur une longue distance. Du fait de ces qualités, il est souvent utilisé pour l'amélioration d'autres races de trait, de la même manière que le pur-sang est employé pour l'amélioration des races légères. Le boulonnais est peu utilisé de nos jours, mais la préservation de la race est assurée par les Haras nationaux français, et les types les plus massifs sont élevés pour le commerce de la viande.

D'une manière générale, le boulonnais est un cheval imposant et massif dont la taille dépasse souvent 1,70 m. La tête est fine, avec des yeux très expressifs. L'encolure, presque toujours rouée, annonce des épaules légèrement inclinées qui autorisent des allures brillantes. Le poitrail est très large, l'arrière-main puissante. Les membres très musclés sont renforcés par des articulations larges et bien formées. La queue est souvent touffue et broussailleuse. La robe est le plus souvent grise, mais les robes baies ou alezanes ne sont pas rares.

En haut
Le boulonnais présente une tête élégante, au type arabe bien marqué.

Ci-contre
Fort des ses influences orientales, le boulonnais est l'aristocrate des chevaux de trait.

TYPE

USAGE   CARACTÈRE

Brabant

┌─────────────────────────────────────┐
│ ○○○○○○○○○○○○○○○○○○○○○○○○○ │
│   E N   B R E F   │
├──────────┬──────────────────────────┤
│ NOM   │ Brabant   │
│ TAILLE   │ Entre 1,56 et 1,73 m   │
│ ROBE   │ Rouan   │
│ ORIGINE │ Belgique   │
└──────────┴──────────────────────────┘

L E BRABANT, ou grand belge, forme une race très ancienne qui descend probablement des races équines préhistoriques. On pense également qu'il est apparenté à l'ardennais. Connu au Moyen Âge sous le nom de cheval des Flandres, le brabant a influencé le développement de nombre de chevaux de trait lourds anglais – notamment shire, clydesdale et suffolk punch – et a sans doute joué un rôle décisif dans l'établissement du trait irlandais.

Durant longtemps, la race compta trois types distincts : le colosse de la Méhaigne, lié à l'étalon Jean Ier, le gros de la Dendre, descendant de l'étalon Orange Ier, et le gris de Nivelles, lié indirectement à l'étalon Bayard. Au tout début du XIXe siècle, les descendants directs de l'étalon Orange Ier remportèrent de nombreux succès dans les concours de modèles.

Les distinctions entre ces trois types disparurent progressivement au début du XXe siècle. Le stud-book du brabant fut établi en 1855 par la Société royale du cheval de trait belge. Le brabant est très populaire au États-Unis, où un stud-book a été établi pour la race dès 1887.

Le brabant américain se distingue quelque peu de son homologue belge, notamment par une apparence plus fine. Cheval de trait parmi les plus lourds, le brabant possède à la fois une force herculéenne et un caractère placide, traits qui font de lui un cheval idéal pour le trait lourd et les durs travaux fermiers.

La plupart des sujets affichent une tête plutôt petite portée par une encolure épaisse et très musclée. Les épaules sont imposantes et très puissantes, de même que l'arrière-main. Les membres sont courts, les canons et les paturons moyennement poilus. La locomotion courte est typique du cheval de trait, mais le pas est souple et efficace.

La robe est souvent alezane ou aubère, et la taille peut dépasser 1,70 m. Avant l'émergence de la motorisation, le brabant était exporté dans les autres pays d'Europe et aux États-Unis pour y faire valoir sa puissance de trait. Aujourd'hui, il est surtout élevé pour sa viande.

Breton

TYPE

USAGE   CARACTÈRE

L'HISTOIRE DE CE CHEVAL de trait originaire de Bretagne est très intéressante. Il doit son origine aux chevaux des guerriers celtes et demeura pratiquement inchangé jusqu'au temps des Croisades, durant lequel il reçut des influences orientales. Cet apport de sang étranger conduisit au développement du bidet breton, et à l'existence, à la fin du Moyen Âge, de deux types raciaux distincts : le breton sommier et le breton roussin. Plus fort et plus lourd, le sommier était surtout employé comme animal de bât, tandis que le roussin, doté d'une allure particulière tenant à la fois du trot diagonalisé et de l'amble, servait plutôt à l'attelage. Il devint très populaire dans l'armée française à cause de son aptitude à couvrir de longues distances sans fatigue apparente. Un grand nombre de bretons roussins furent exportés vers le Canada au XVIIᵉ siècle, et leur influence y est encore ressentie aujourd'hui.

La fin du XIXᵉ siècle vit l'émergence du breton de trait, cheval de trait d'une grande puissance obtenu par des apports de sang percheron, ardennais et boulonnais. Produit de croisements entre étalons norfolk roadster de Grande-Bretagne et juments du Léon espagnol, le postier breton, à la fois puissant et polyvalent, fit son apparition au milieu du XIXᵉ siècle. Il continue aujourd'hui à faire la fierté de la Bretagne. Le breton corlay, autre type, obtenu à partir d'influences de poneys de montagne, est aujourd'hui très rare. Le postier breton et le breton de trait possèdent un stud-book commun, créé en 1926, et fermé depuis 1951 afin de protéger les standards de la race.

Le postier breton présente presque toujours une tête bien définie portée par une encolure bien greffée et légèrement rouée. Le corps est très compact. Les membres bien formés permettent des allures énergiques. Son caractère docile fait de lui un cheval très polyvalent. La robe est le plus souvent alezane ou aubère, avec queue et crinière blondes. Une bande cruciale noire est parfois présente. La taille se situe entre 1,53 et 1,63 m. Le breton de trait est similaire au postier breton, mais d'une conformation plus lourde. Sa taille est voisine de 1,55 m.

Steamboat, premier cheval de rodéo américain, naquit à la fin du XIXᵉ siècle dans l'État du Wyoming. Sa carrière longue de treize ans commença en 1901, et durant celle-ci, un seul cavalier réussit l'exploit de rester sur son dos durant les huit secondes réglementaires. Ce nom lui a été donné en raison du son qu'il émettait lorsqu'il s'ébrouait, rappelant celui des bateaux à vapeur (*steamboat* en anglais).

En haut
Le breton figure souvent dans les compétitions d'attelage.

Ci-contre
Le breton présente une encolure rouée et une queue et un toupet très fournis.

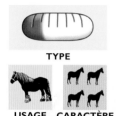

TYPE

USAGE CARACTÈRE

Clydesdale

EN BREF

NOM	Clydesdale
TAILLE	Entre 1,63 et 1,84 m
ROBE	Souvent bai
ORIGINE	Écosse

L E CLYDESDALE apparut dans le comté écossais de Clyde au début du XVIIIe siècle, à partir de croisements entre juments natives, traits belges et chevaux des Flandres, et il remplaça progressivement le shire dans l'ensemble de l'Écosse. Un étalon des Flandres nommé Blaze fut le premier étalon influent dans l'histoire de la race. Plus tard, dans les années 1720, le clydesdale bénéficia des influences de six chevaux des Flandres importés en Écosse.

Très rapidement, le clydesdale obtint reconnaissance et admiration pour son incroyable puissance de trait. Des apports de sang shire permirent d'augmenter encore sa stature vers la fin du XIXe siècle, sous l'impulsion des éleveurs britanniques Lawrence Drew et David Ridell, qui étaient convaincus que le shire et le clydesdale formaient deux types d'une seule et même race. Au XIXe siècle, le clydesdale était couramment utilisé pour le transport du charbon en Angleterre. Glancer, né en 1806, et Broomfield Champion, souvent crédités pour la conformation du clydesdale moderne, furent deux autres étalons décisifs pour la race. Clyde, conçu par Broomfield Field, eut également une influence déterminante.

La Clydesdale Horse Society, association vouée à l'élevage du clydesdale, fut fondée en 1877, et le clydesdale devint dès lors le premier cheval de trait à faire l'objet d'une association de race en Grande-Bretagne. La puissance des membres, la robustesse des pieds et la locomotion énergique sont les principales qualités du clydesdale, qui montre en outre une foulée très longue, probablement unique chez les chevaux de trait.

La plupart des sujets présentent une tête bien dessinée, au profil droit, au front large et au regard intelligent. L'encolure est légèrement rouée, le dos court et compact. Les postérieurs sont très musclées et renforcés par des articulations solides. Canons et paturons sont couverts de longs poils. Le clydesdale moderne, d'une taille voisine de 1,65 m, tend à être plus petit que le type ancien.

À l'image des autres chevaux de trait, le clydesdale s'est trouvé réduit en nombre après l'émergence de la motorisation, mais la population tend à augmenter à nouveau ces dernières années. Il est très populaire aux États-Unis, où il forme les fameux équipages Budweiser-clydesdale.

Les acteurs-chanteurs Gene Autry et Roy Rogers – dits les « cow-boys chantants » et leurs chevaux Champion et Trigger forment deux couples cavalier/cheval célèbres de la télévision et du cinéma américains.

En haut et ci-contre
À Hawaï, les clydesdale tirent les carrosses des noces. Ailleurs, ils figurent brillamment dans les compétitions d'attelage.

Au centre
Parmi tous les chevaux de trait, le clydesdale possède le pas le plus brillant.

Comtois

EN BREF	
NOM	Comtois
TAILLE	Entre 1,43 et 1,53 m
ROBE	Alezan foncé à crins lavés
ORIGINE	France

TYPE

USAGE **CARACTÈRE**

ON SAIT par les écrits de l'auteur latin Végèce que cette race très ancienne était présente en Franche-Comté dès le IVe siècle. Elle s'est probablement formée à partir de chevaux germains importés par les Burgondes et a peu évolué depuis cette lointaine époque. Au cours du XVIe siècle,

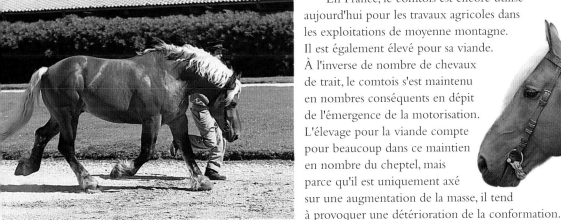

le comtois fut utilisé pour l'amélioration du cheval bourguignon. Au XIXe siècle, il bénéficia lui-même d'apports de sang percheron, cob normand et boulonnais. Plus récemment, des influences ardennaises ont permis d'augmenter de façon significative la force des sujets et d'améliorer leur conformation. Le comtois est un cheval très polyvalent qui fut largement utilisé par l'armée française, d'abord par les régiments d'artillerie et de cavalerie de Louis XIV, puis durant la campagne de Russie napoléonienne. Robuste et très sûr de pied, il convient à la fois pour le trait, les travaux fermiers et la selle. Il supporte parfaitement un environnement de type montagnard : de fait, il est souvent élevé aujourd'hui dans les Alpes, le Massif central et les Pyrénées. Le comtois est également présent dans certaines exploitations forestières et viticoles, où sa force tranquille est très appréciée.

L'apparence générale du comtois est de type cob. La tête est plutôt lourde, avec un profil droit et des oreilles petites et très mobiles. L'encolure très musclée est souvent peu allongée. Le poitrail est profond et bien ouvert, l'arrière-main très puissante. Les membres robustes sont renforcés par des articulations solides et un sabot très dur. Canons et paturons sont peu poilus. Certains sujets tendent à être cagneux des postérieurs. La robe est d'une teinte alezan foncé très typique, avec queue et crinière plus claires. La taille est voisine de 1,53 m.

En France, le comtois est encore utilisé aujourd'hui pour les travaux agricoles dans les exploitations de moyenne montagne. Il est également élevé pour sa viande. À l'inverse de nombre de chevaux de trait, le comtois s'est maintenu en nombres conséquents en dépit de l'émergence de la motorisation. L'élevage pour la viande compte pour beaucoup dans ce maintien en nombre du cheptel, mais parce qu'il est uniquement axé sur une augmentation de la masse, il tend à provoquer une détérioration de la conformation.

Au centre
Chez le comtois, la robe alezan foncé caractéristique met en valeur la blondeur des crins.

En bas, à gauche
Le comtois affiche une grande robustesse des membres, qui convient bien pour le travail en terrain accidenté.

En bas, à droite
La crinière du comtois est très fournie, de même que son toupet.

Avec une superficie de 92 hectares, l'hippodrome de Maisons-Laffitte est le plus vaste hippodrome de la région parisienne.

TYPE

USAGE   CARACTÈRE

Döle gudbrandsdal

EN BREF

NOM	Döle Gudbrandsdal
TAILLE	Entre 1,45 et 1,55 m
ROBE	Noir ou bai-brun
ORIGINE	Norvège

Ci-contre
Le döle de type trotteur affiche une grande puissance dans les épaules et les membres postérieurs.

En bas
Queue et crinière sont très fournies chez les deux types raciaux, et la robe est presque toujours noire ou bai brun.

L'ASSOCIATION de race pour le döle gudbrandsdal ne fut établie qu'en 1967. Il s'agit pourtant d'un cheval relativement ancien, né dans la vallée du Gudbrandsdal, en Norvège, probablement à partir de frisons hollandais. Le döle gudbrandsdal présente de nombreux traits communs avec les poneys britanniques fell et dales, et les spécialistes estiment que ces trois races descendent d'une même souche préhistorique. Il existait traditionnellement deux types distincts pour la race : le döle de trait et le döle trotteur, mais ces deux types sont souvent croisés entre eux aujourd'hui.

Le döle fut largement utilisé pour le bât et les travaux agricoles jusqu'à l'émergence de la motorisation, qui provoqua son déclin. Aujourd'hui, grâce à la création d'une association de race et d'un centre d'élevage d'État, le nombre de ces chevaux est en augmentation. Chaque animal

La première édition du Royal Meeting, sur l'hippodrome d'Ascot (dans la banlieue de Londres), eut lieu le 11 août 1711, à l'initiative de la reine Anne Stuart.

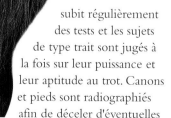

subit régulièrement des tests et les sujets de type trait sont jugés à la fois sur leur puissance et leur aptitude au trot. Canons et pieds sont radiographiés afin de déceler d'éventuelles faiblesses. De même, le döle trotteur est soigneusement testé sur piste avant introduction dans un programme de reproduction.

Le type trotteur a été développé à partir de différentes croisements interraciaux, dont l'un faisant intervenir un cheval anglais nommé Odin, mélange de pur-sang et de norfolk trotter. Odin, qui figure sur le pedigree de tous les döles modernes, permit de produire un cheval aux postérieurs puissants et doté d'une foulée bien adaptée au trot. Parmi les autres étalons influents pour la race figurent Balder, petit-fils d'Odin, et les arabes Mazarin, Toftebrun et Dovre, ce dernier répertorié comme mâle fondateur pour le type trotteur. Le döle trotteur est légèrement plus grand que son homologue de trait, avec une tête plus fine et des canons moins poilus, mais les deux types sont pratiquement identiques dans leurs grandes lignes.

D'une manière générale, l'encolure est légèrement rouée, le dos plutôt long. Les épaules et l'arrière-main sont très puissants. Les membres sont courts avec un canon très dense faiblement couvert de poils. Queue et crinière sont très fournies chez les deux types. La robe est presque toujours noire ou bai-brun et la taille se situe entre 1,45 et 1,55 m.

Trait hollandais

EN BREF

NOM	Trait hollandais
TAILLE	Voisine de 1,65 m
ROBE	Alezan, bai ou gris
ORIGINE	Pays-Bas

TYPE

USAGE CARACTÈRE

À gauche

Chez le trait hollandais, canons et paturons sont couverts de longs poils noirs.

LE TRAIT HOLLANDAIS forme une race à part entière depuis le début du XXe siècle. Développé à partir de croisements entre brabants, ardennais et juments hollandaises de type zeeland, il présente encore aujourd'hui certaines similitudes avec le brabant.

Le trait hollandais a longtemps été utilisé aux Pays-Bas pour les travaux agricoles, particulièrement sur les sols lourds et argileux. Jusqu'à l'émergence de la motorisation, il était très apprécié dans les provinces du Gelderland, du Brabant du Nord et du Limbourg,

notamment pour sa force phénoménale et son caractère facile. Le trait hollandais se montre généralement intelligent et peu gourmand en soins. Il présente une vitalité étonnante pour un animal de sa stature et conserve ses qualités intactes de longues années.

Le trait hollandais présente une tête assez fine dans une conformation très massive. L'encolure peu allongée est greffée sur des épaules puissantes. Le dos est large et fort, l'arrière-main puissante et musclée, avec une croupe tombante portant une queue plantée bas. La robe est alezane, baie ou grise. La taille est voisine de 1,65 m.

En Angleterre, le port d'une bombe en course devint obligatoire en 1923, après la mort d'un jockey sur l'hippodrome d'Aintree.

Trait finlandais

TYPE

USAGE CARACTÈRE

EN BREF

NOM	Trait finlandais
TAILLE	Voisine de 1,55 m
ROBE	Alezan, bai ou gris
ORIGINE	Finlande

CETTE RACE regroupait à l'origine deux types distincts : le finlandais universel (*voir* page 301) et le trait finlandais, mais ce dernier n'existe plus aujourd'hui dans sa lourde conformation d'origine, principalement en raison des nombreux croisements effectués entre les deux types.

Le trait finlandais a été développé pour des raisons exclusivement pratiques, ce qui explique une apparence générale plutôt quelconque. C'est un cheval plutôt petit et moyennement lourd – sa taille est voisine de 1,65 m, son poids d'environ 550 kg – mais doté d'une grande force physique et apte aux travaux agricoles les plus durs. En outre, il possède une foulée rapide et très active. Il s'est sans doute développé à partir de croisements entre chevaux importés et poneys natifs des franges côtières baltiques, d'où ses

caractéristiques tenant à la fois du cheval de sang et du cheval de trait. D'une manière générale, le trait finlandais affiche une tête bien dessinée, une forte encolure et des épaules puissantes. Les membres sont musclés, avec des canons peu poilus. La robe est le plus souvent alezane, baie ou grise, parfois noire. La présence de marques blanches est tolérée. Le stud-book fut créé en 1907, et d'importants efforts sont aujourd'hui consentis pour préserver la race.

Ci-dessus

Le trait finlandais se montre apte aux travaux agricoles les plus difficiles.

TYPE

USAGE   CARACTÈRE

Franches-Montagnes

○○○○○○○○○○○○○○○○○○○○○○○○○○○○

EN BREF	
NOM	Franches-Montagnes
TAILLE	Entre 1,46 et 1,56 m
ROBE	Alezan ou bai
ORIGINE	Suisse

Ci-contre

D'un naturel paisible et obéissant, le franches-montagnes est souvent utilisé pour l'attelage de loisirs.

Ci-dessous

L'élevage du franches-montagnes est strictement contrôlé : seules les robes baies ou alezanes sont admises.

LE FRANCHES-MONTAGNES, également appelé freiberger, est apparu à la fin du XIXᵉ siècle dans le Jura suisse, probablement à la suite de croisements de chevaux jurassiens du Bernois avec des pur-sang anglais et des anglo-normands. Des influences arabes et ardennaises sont également probables. La race compte deux types distincts : un type lourd à forte masse musculaire et un type plus fin et plus léger qui a aujourd'hui la faveur des éleveurs, probablement en raison de son potentiel en tant que cheval de loisirs. Malgré tout, l'importance du type lourd ne doit pas être négligée, et c'est pourquoi le franches-montagnes est classé parmi les chevaux de trait dans cet ouvrage.

Rencontré aujourd'hui dans nombre de pays d'Europe, et plus particulièrement en Italie, le franches-montagnes est un cheval très polyvalent, utilisé à la fois pour le trait léger, les travaux fermiers, la selle et les compétitions hippiques. De par sa nature de cheval de montagne, il se révèle plein d'aisance sur terrain vallonné et affiche une grande sûreté de pied. Longtemps, il fut couramment employé pour le travail de la terre par les fermiers du haut Jura. L'armée suisse l'employa, quant à elle, comme sommier et comme monture pour

les patrouilles équestres. Un grand nombre de franches-montagnes sont liés à un étalon nommé Valliant, mélange de norfolk roadster, d'anglo-normands et de hunter anglais. L'étalon Urus, de sang normand, eut également une influence non négligeable. Aujourd'hui, le principal centre d'élevage du franches-montagnes se situe au haras national d'Avenches, en Suisse vaudoise. À la fois actif et très calme, le franches-montagnes est un compagnon de travail idéal.

De façon typique, le franches-montagnes présente une tête plutôt lourde, avec un front large et des mâchoires prononcées. L'encolure très musclée et souvent rouée bute sur un garrot proéminent. Les épaules sont joliment inclinées. Le dos est droit et puissant. Les membres bien formés sont renforcés par des articulations solides et un pied très dur. Le canon est généralement couvert de longs poils, mais ce trait tend à disparaître chez les types les plus modernes, qui laissent également paraître une tête aux caractéristiques orientales plus marquées. La robe est exclusivement baie ou alezane. La taille se situe entre 1,46 et 1,56 m.

« L'homme doit apprendre à marcher. Le cheval le fait naturellement. »
Alessandro Alvisi

EN BREF

NOM	Trait irlandais
TAILLE	Entre 1,56 et 1,74 m
ROBE	Bai, alezan ou gris
ORIGINE	Irlande

Trait irlandais

TYPE

USAGE   **CARACTÈRE**

PLUTÔT LÉGER et d'une grande polyvalence, le trait irlandais n'est pas un cheval de trait au sens traditionnel du terme, même s'il était couramment utilisé autrefois pour les travaux fermiers. Dans sa conformation d'origine, le trait irlandais était plus petit que le type moderne – sa taille était voisine de 1,55 m – et montrait une meilleure adaptation au trait.

Le trait irlandais descend probablement de chevaux des Flandres introduits en Irlande vers l'an 1170, lors des invasions anglo-normandes. Il reçut, au fil des âges, des apports de sang andalou et connemara. À la fin du XIXᵉ siècle, de nombreux sujets furent croisés avec des clydesdale afin d'augmenter les aptitudes au trait de la race. Hélas, loin de donner les résultats escomptés, ces croisements causèrent une perte de vitalité et l'apparition de défauts de conformation. Plus récemment, le trait irlandais s'est affiné et à gagné en endurance grâce à des apports de sang arabe.

Aujourd'hui, le trait irlandais a perdu la plupart de ses caractéristiques de cheval de trait traditionnel.

De fait, il est fréquemment utilisé pour la selle, ce qui sied à son caractère placide. D'une manière générale, le trait irlandais présente une tête aux traits intelligents et au profil droit, portée par une encolure bien formée. Les épaules sont puissantes et musclées, de même que l'arrière-main. Les membres sont solides et robustes, avec un canon peu allongé. Avant-bras et jambes sont très musclés. La robe est généralement baie, alezane ou grise. La taille se situe entre 1,56 et 1,74 m. Parce qu'ils combinent puissance et qualités athlétiques, les traits irlandais sont souvent croisés avec des pur-sang pour la production de chevaux sportifs de toute première qualité. Cette orientation a causé un déclin en nombre des poulains pure race, mais des efforts sont entrepris aujourd'hui par les éleveurs afin de corriger ce problème.

L'Irish Draft Society, association irlandaise, fut formée en 1976, l'English Irish Draft Horse Society, son homologue anglaise, en 1979. Ces deux associations sont très actives dans la défense du trait irlandais et sont impliquées dans de nombreux programmes d'élevage.

L'inflammation du canon antérieur est causée par un travail trop intensif du cheval. Elle peut s'étendre au tendon et provoquer une boiterie. Sa guérison est longue et demande beaucoup de repos.

En haut et à gauche
Le trait irlandais moderne est plus léger que son homologue d'antan. Il est surtout utilisé aujourd'hui pour la selle.

Ci-contre
Très polyvalents, les traits irlandais sont souvent croisés avec des pur-sang pour la production d'excellents chevaux sportifs.

TYPE

USAGE CARACTÈRE

Trait italien

EN BREF	
NOM	Trait italien
TAILLE	Entre 1,53 et 1,63 m
ROBE	Rouan ou alezan
ORIGINE	Italie

ORIGINAIRE DU NORD de l'Italie, mais populaire dans l'ensemble de ce pays, le trait italien a été définitivement fixé à la suite de croisements entre étalons bretons et juments locales, après plusieurs tentatives peu satisfaisantes dans lesquelles furent impliqués chevaux italiens, brabants, percherons et boulonnais.

Le stud-book de la race fut fondé en 1926, soit environ soixante-dix ans après les premières expérimentations réalisées à Ferrare, en Émilie-Romagne. À l'origine, le trait italien était élevé exclusivement pour le trait agricole et les travaux fermiers, mais il fut longtemps utilisé dans les régiments d'artillerie de l'armée italienne. Aujourd'hui, il est surtout élevé pour sa viande, et cette exploitation axée uniquement sur une augmentation de la masse a conduit à une détérioration de la conformation. Dans son allure générale, le trait italien tient à la fois du breton et du poney avelignese.

Il est doté, comme la plupart des chevaux de trait, d'un caractère placide et docile. Il est relativement frugal pour un cheval de cette stature et peu gourmand en soins. En outre, les poulains atteignent leur maturité très rapidement, ce qui est un avantage non négligeable dans tous les domaines d'utilisation.

D'une manière générale, le trait italien présente une tête bien dessinée dans une conformation générale de type cob. L'encolure est large et musclée, souvent courte. Les épaules sont bien formées et puissantes. Le dos fort et compact est prolongé par une croupe musclée et ronde. Les membres sont souvent un peu faibles pour un animal de cette stature, avec des articulations petites, et il existe une tendance au pied bot. Des touffes de poils sont présentes sur la face arrière du canon, trait absent chez le breton ou l'avelignese.

Le trait italien présente une locomotion rapide et énergique, sans doute héritée du breton. De fait, il est appelé *Tiro Pesante Rapido* en Italie, ce qui signifie « cheval de trait lourd rapide ». De façon typique, la robe est alezan foncé, parfois alezane ou rouanne, à crins lavés. La taille se situe entre 1,53 et 1,63 m et le poids est voisin de 700 kg.

En haut
En dépit de sa masse imposante, le trait italien affiche une locomotion rapide et énergique.

Ci-contre
L'encolure pleine de puissance est courte et rouée.

Jutland

EN BREF

NOM	Jutland
TAILLE	Voisine de 1,56 m
ROBE	Souvent alezan, rouan, bai ou gris
ORIGINE	Danemark

TYPE

USAGE   CARACTÈRE

LES ORIGINES du jutland sont officiellement retracées jusqu'au XIIᵉ siècle, mais il existe des iconographies du IXᵉ siècle montrant

des guerriers vikings montés sur des chevaux semblables presque en tous points au jutland moderne. Au Moyen Âge, le jutland était principalement utilisé pour les travaux des champs, mais il servait également de monture aux chevaliers, possédant à la fois la puissance et la vitalité nécessaires pour porter un homme en armure au combat. Certains spécialistes pensent que le jutland fut introduit en Angleterre par les guerriers vikings, et qu'il est l'ancêtre du suffolk punch. De fait, il existe de nombreuses similitudes entre les deux races.

Au XVIIIᵉ siècle, des apports de sang fredericksborg apportèrent une amélioration notable des allures, mais c'est l'étalon Oppenheim LXII, de race suffolk punch, qui eut l'influence la plus déterminante pour le développement du jutland moderne. Cet étalon fut

importé au Danemark en 1860 par le fameux négociant en chevaux Oppenheimer. Des influences bai de Cleveland et yorkshire coach-horse sont aussi attestées pour la race, et sans doute responsables de la conformation à la fois lourde et puissante, typique du cheval de trait. Par ailleurs, le jutland est apparenté au schleswig, cheval de trait d'Allemagne du Nord, lié dans ses origines à l'étalon Oppenheim LXII.

Le jutland est un cheval lourd et compact, aux membres courts et robustes. Canons et paturons sont couverts de longs poils, trait que les éleveurs modernes s'efforcent d'éliminer, pour l'instant sans grand succès. La conformation générale est très similaire à celle du suffolk punch, mais avec une tête moins élégante. L'encolure épaisse et musclée, portée très haut, est greffée sur des épaules presque verticales. Le poitrail est large et bien ouvert, le dos peu allongé. Les membres robustes étaient autrefois sujets à des faiblesses articulaires, mais ce défaut a été corrigé.

De façon typique, la robe est alezane, parfois rouane, baie ou grise. Le jutland affiche une taille voisine de 1,56 m et pèse environ 800 kg. Il est utilisé aujourd'hui en Angleterre pour le trait de carrioles de livraison, et il figure, à ce titre, dans de nombreux concours et démonstrations. Le jutland n'est plus employé que très rarement pour les travaux agricoles.

La voltige consiste à pratiquer des exercices acrobatiques à dos de cheval. Ce sport, qui fait appel à la fois à des qualités de gymnaste et de cavalier, connaît un grand succès auprès des jeunes. Il existe deux types de voltige : la voltige en cercle et la voltige en ligne droite.

En haut
Le jutland a été récemment amélioré par des croisements interraciaux.

Ci-contre
Le jutland affiche une robe souvent alezane. Il n'est pratiquement plus utilisé pour les travaux des champs.

TYPE

USAGE   CARACTÈRE

Trait latvien

EN BREF

NOM	Latvien
TAILLE	Entre 1,56 et 1,64 m
ROBE	Souvent bai, parfois noir ou alezan
ORIGINE	Lettonie

du XXᵉ siècle, quarante-cinq juments et soixante-deux étalons oldenbourgs furent importés depuis les Pays-Bas pour servir de base à l'amélioration de la race. Des croisements faisant intervenir hanovriens, norfolk roadster, frisons de l'Est et ardennais furent également effectués.

Il existe trois types principaux pour la race : le type trait lourd, proche du type ancien et affichant une étonnante puissance de trait, le type moyen, apte à la fois au trait léger et à la selle et représenté par le latvien moderne, et le latvien de selle, apparu de façon très récente à la suite d'influences arabes et pur-sang anglais et doté d'une conformation beaucoup plus fine que les deux précédents. Ce dernier type, très populaire, tend aujourd'hui à éclipser le latvien de trait. Fort de sa grande polyvalence, il remporte de nombreux succès dans le domaine sportif, aussi bien en concours hippique qu'en dressage.

D'une façon générale, le latvien présente une tête massive mais bien dessinée, avec des petites oreilles très mobiles et un regard intelligent. L'encolure est longue et musclée, le garrot souvent proéminent. Les épaules légèrement inclinées encadrent un poitrail large et profond. Le dos est droit. Les membres musclés sont renforcés par des articulations bien formées. Certains sujets tendent à être panards du derrière, et l'apparition de formes sur les paturons n'est pas rare.

Le latvien affiche généralement une étonnante vitalité et une grande endurance. La robe est souvent baie, parfois noire ou alezane. La taille se situe entre 1,56 et 1,64 m.

CETTE RACE n'est établie officiellement que depuis 1957, mais la plupart des spécialistes s'accordent à lui reconnaître des origines très anciennes. Le latvien est probablement apparenté au döle gudbrandsdal et au suédois du Nord, ainsi qu'à d'autres chevaux de trait européens, et tous descendent vraisemblablement du cheval des forêts préhistoriques d'Europe du Nord. Le latvien reçut des influences de pur-sang, d'arabes et de chevaux de selle allemands au cours du XVIIᵉ siècle ; les apports de sang les plus déterminants pour la race furent cependant le fait d'oldenbourgs, de hanovriens et de holsteins. Au début

En haut
La race du latvien ne fut officiellement établie qu'en 1957, mais ses racines sont très anciennes.

Ci-contre
Le latvien présente une tête bien dessinée, une encolure rouée et des épaules longues et inclinées.

Trait lituanien

┌───┐
│ EN BREF   │
├──────────┬────────────────────────────────┤
│ NOM   │ Trait lituanien   │
│ TAILLE   │ Entre 1,53 et 1,63 m   │
│ ROBE   │ Bai, noir, gris, alezan ou rouan│
│ ORIGINE │ Lituanie   │
└──────────┴────────────────────────────────┘

EN BREF	
NOM	Trait lituanien
TAILLE	Entre 1,53 et 1,63 m
ROBE	Bai, noir, gris, alezan ou rouan
ORIGINE	Lituanie

un peu lourde, et une encolure musclée et rouée portant une crinière abondante. Le garrot est prononcé, le poitrail large et profond. Le dos court et puissant est terminé par une croupe bien arrondie portant une queue haut placée. Certains sujets présentent un dos un peu affaissé, signe de faiblesse, mais ce trait tend à être éliminé par l'élevage sélectif. La conformation est massive, accentuée encore par la puissance du haut du corps. Les membres sont généralement courts et robustes, renforcés par des articulations saines et un pied bien formé. La robe est le plus souvent baie, noire, grise, alezane ou rouanne. La taille se situe entre 1,53 et 1,63 m.

Ci-contre
Doté d'une grande force physique, le trait lituanien excelle dans le trait lourd et les travaux agricoles.

Ci-dessous
L'encolure rouée est mise en valeur par une crinière et un toupet très fournis.

APPARU EN RUSSIE à la fin du XIXᵉ siècle, le trait lituanien ne fut officiellement reconnu en tant que race qu'en 1963. Il était alors très populaire, puisqu'il existait environ 60 000 sujets en Lituanie en 1964, nombre qui témoigne à la fois de ses qualités et de sa grande fécondité. Le trait lituanien est probablement né de croisements entre chevaux zhmud locaux d'une part et traits finlandais et ardennais suédois d'autre part. Aujourd'hui, la race est préservée par de strictes réglementations.

Son caractère facile et paisible, sa grande force physique et son étonnante endurance font du trait lituanien un cheval de choix pour le trait lourd et les travaux agricoles. Il allie une durée de vie très longue à un taux de fécondité élevé, qui contribue à garantir la pérennité de la race. En outre, il supporte sans broncher les conditions climatiques les plus dures, notamment le froid. Le lituanien est réputé pour la qualité de son pas et de son trot, trait peu commun chez un cheval lourd.

De façon typique, le lituanien présente une tête élégamment proportionnée, parfois

Il existe de grandes similitudes entre le trait lituanien et le latvien de trait léger, notamment dans la conformation et les allures. Le trait lituanien est encore utilisé aujourd'hui pour les travaux agricoles dans certaines régions du pays. On l'emploie également pour des croisements avec l'altaï, autre cheval local, afin d'augmenter la production de viande et de lait chez celui-ci.

TYPE

USAGE   CARACTÈRE

Muräkoz

○ ○

EN BREF

NOM	Muraköz
TAILLE	Voisine de 1,63 m
ROBE	Alezan foncé à crins lavés
ORIGINE	Hongrie et ex-Yougoslavie

L E MURAKÖZ est originaire du bassin de la rivière Mura, en Hongrie méridionale, région dans laquelle il est encore élevé aujourd'hui, mais on le rencontre également en Pologne et dans les pays issus de l'ex-Yougoslavie. La race a été développée par croisements de juments hongroises et polonaises avec des étalons percherons, ardennais et noriques.

Des apports de sang arabe ont également été effectués au début du XXᵉ siècle, et bien que considéré comme un cheval à sang froid, le muraköz affiche une qualité orientale rarement observée chez les chevaux de trait. Ce mélange d'influences a permis l'émergence d'un cheval de trait extrêmement robuste et d'une rapidité étonnante pour un animal de cette stature. Durant l'entre-deux-guerres, le muraköz était couramment utilisé en Hongrie pour les travaux agricoles. À l'image de quantité de chevaux de trait, il connut un fort déclin en nombre durant la Seconde Guerre mondiale, de sorte qu'il fut nécessaire, au lendemain de celle-ci, d'effectuer de nouveaux apports de sang pour faire revivre la race. La principale source utilisée fut l'ardennais, auquel le muraköz doit sans doute sa puissance et sa force physique. Le muraköz est d'un entretien peu coûteux, parce que très robuste et relativement frugal. Il est en outre prêt à donner sa pleine mesure dès l'âge de deux ans. C'est un excellent travailleur, au caractère facile et paisible, qui répond bien aux commandes de son maître. Traditionnellement, il existe deux types pour la race, l'un de forte conformation, voué au trait lourd, l'autre plus polyvalent et de stature plus fine, apte à la fois au trait léger, aux travaux fermiers et à la selle.

Le muraköz présente généralement une tête bien dessinée et un regard aimable. L'encolure courte et musclée, typique du cheval de trait, est élégamment greffée sur des épaules puissantes. Le poitrail est bien ouvert, le dos compact. Les membres sont courts et robustes, mais moyennement forts en os en proportion de la masse de l'animal. La croupe souvent tombante porte une queue placée bas. Canons et paturons sont faiblement couverts de crins. La robe est généralement alezan foncé à crins lavés. La taille est voisine de 1,63 m.

Ci-dessus
Le muraköz affiche un corps très compact et des membres courts et robustes.

Ci-contre
Doté d'un caractère paisible, le muraköz est un excellent travailleur agricole.

Norique

TYPE

USAGE   CARACTÈRE

Ci-contre
Le norique est originaire d'Autriche, mais il est également élevé dans le Sud de l'Allemagne.

En bas
Le norique affiche un tête un peu lourde, une encolure courte et un large poitrail.

L E NORIQUE est originaire de l'ancienne province romaine de Noricum, dans les Alpes autrichiennes, et il est probable qu'il s'est développé à partir des chevaux de guerre élevés non loin de Salzbourg par les conquérants romains de l'Antiquité. Au Moyen Âge, l'élevage du norique se poursuivit au sein de haras rattachés à des monastères. Des influences haflinger et bourguignonnes ont vraisemblablement présidé, un peu plus tard, au développement de la race. Aujourd'hui, le norique est couramment rencontré en Autriche et dans la partie méridionale de l'Allemagne.

Dans les années 1730, alors que le norique était largement utilisé pour les travaux agricoles, des apports de sang pur-sang furent effectués afin de former une lignée pouvant répondre aux besoins de l'armée autrichienne. Du fait de la rudesse de son environnement naturel, le norique est d'une grande robustesse et se montre capable de supporter les pires conditions climatiques. La race englobe aujourd'hui

le pinzgauer, autrefois considéré comme une race à part entière, mais similaire dans sa conformation au norique et doté d'une robe tachetée. Le norique comme le pinzgauer sont des chevaux de trait légers très polyvalents, montrant une grande sûreté de pied. Ils sont particulièrement adaptés aux travaux fermiers effectués dans les régions montagneuses d'Autriche.

En plus de sa robustesse et de sa force physique, traits entretenus par un contrôle très strict de la reproduction, le norique fait preuve d'un caractère paisible et il est, par nature, obéissant. Par ailleurs, il joue un rôle important dans l'élevage de nombre de chevaux de trait d'Europe de l'Est et d'Europe centrale. D'un manière générale, le norique présente une tête un peu lourde, portée par une encolure courte et épaisse. Les épaules sont puissantes. Le poitrail est large et bien ouvert. La croupe ronde et musclée porte une queue plantée bas. Les membres robustes, au paturon couvert de longs poils, sont terminés par un sabot très dur. La foulée est souvent efficace, notamment au trot.

De façon typique, la robe est baie ou alezane, parfois café au lait, tachetée ou pie-bai.

O n dit souvent qu'un cheval à longues oreilles est très rapide, mais ce vieil adage n'a aucun fondement scientifique.

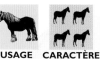

TYPE

USAGE CARACTÈRE

Cob normand

EN BREF

NOM	Cob normand
TAILLE	Entre 1,55 et 1,66 m
ROBE	Bai ou alezan
ORIGINE	France

LA LONGUE HISTOIRE du cob normand peut être retracée jusqu'au fameux bidet, cheval petit et très robuste présent dans l'actuel Nord-Ouest de la France avant les conquêtes romaines. Peu avant l'ère chrétienne, les envahisseurs romains entreprirent de croiser leurs puissantes juments avec des bidets locaux afin de produire des chevaux aptes à répondre à leurs besoins militaires. Dès son origine, le cob normand fut donc développé à la fois comme cheval de selle et comme cheval de trait léger. L'établissement de haras royaux, d'abord au Pin en 1728 puis à Saint-Lô en 1806, contribua grandement au développement de la race. Le haras de Saint-Lô devint bientôt le centre national d'élevage pour le cob normand, et il abritait, en 1976, soixante étalons.

Au cours des XIXᵉ et XXᵉ siècles, le cob normand se mua en deux types distincts. Le type léger, obtenu à partir d'apports de sang pur-sang et norfolk roadster, fut largement employé comme cheval de selle dans les régiments de cavalerie de l'armée française, tandis que le type lourd, le plus fréquemment rencontré aujourd'hui, se trouva voué aux travaux de trait léger et à l'attelage. De façon surprenante, il n'existe pas, à ce jour, de stud-book pour la race, ce qui n'empêche pas un contrôle très strict de l'élevage et une sélection rigoureuse des étalons.

Le cob normand moderne est un cheval aussi élégant que polyvalent, qui montre une grande présence et une action impressionnante, notamment au trot. Il est similaire dans sa conformation au cob anglais, mais plus lourd et mieux adapté au trait. Calme, gentillesse et vitalité sont au nombre de ses autres qualités. Il est aujourd'hui très recherché par les amateurs d'attelage, et il figure souvent brillamment dans ces compétitions. D'une manière générale, le cob normand affiche une tête sobrement dessinée portée par une encolure forte et peu allongée. Les épaules sont bien formées. Le poitrail est large et profond, le dos compact, la croupe bien arrondie. Les membres sont extrêmement robustes, avec un canon et un paturon peu couvert de poils. Bien que puissamment conformé, le cob normand n'est pas classé parmi les chevaux de trait lourds. La robe est toujours baie ou alezane. La taille se situe entre 1,55 et 1,66 m.

L'hippodrome de Maisons-Laffitte est le plus ancien des hippodromes franciliens. Les premières course y furent disputées dans les années 1820.

En haut
Le cob normand est remarqué pour sa conformation puissante et compacte.

Ci-contre
La robe du cob normand est toujours baie ou alezane.

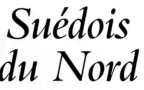

TYPE

USAGE **CARACTÈRE**

Suédois du Nord

LE SUÉDOIS DU NORD forme une race relativement jeune, puisque son stud-book n'a été établi qu'en 1909. Il est apparenté

au döle gudbrandsdal, et descend, comme ce dernier, de chevaux présents dans cette région depuis les temps préhistoriques. Au cours de son histoire, le suédois du Nord a bénéficié d'apports de sang frison et oldenbourg, de même que d'influences de divers chevaux de trait lourds européens. Depuis 1903, le développement de la race est soumis à des réglementations très strictes, destinées à sauvegarder ses admirables caractéristiques. À l'avant-scène de ce mouvement figure le haras de Wangen, aujourd'hui l'un des principaux haras de Suède septentrionale.

Ce qui étonne en premier lieu chez le suédois du Nord, c'est son incroyable

puissance de trait en comparaison de sa stature plutôt modeste. Le suédois du Nord n'est pas un cheval de trait lourd de type percheron ou clydesdale, mais il est parfaitement adapté aux tâches forestières pour lesquelles il est élevé, notamment le débardage. La sélection des reproducteurs est draconienne : puissance de trait, fécondité et conformation des membres sont soigneusement testées et examinées à travers de nombreux tests. Chaque année à date fixe, de nombreux étalons et juments sont ainsi examinés, et une importance particulière est donnée au caractère. Le suédois du Nord a donné naissance à un type plus léger et plus fin, produit principalement pour les courses de trot attelé et appelé trotteur suédois du Nord.

Travailleur coopératif et infatigable, le suédois du Nord est souvent utilisé aujourd'hui pour le débardage dans les forêts suédoises, tâche pour laquelle il se révèle plus efficace qu'un engin motorisé. Il est doué en outre d'une durée de vie très longue et semble insensible à la plupart des maladies équines. De façon typique, le suédois du Nord présente une tête plutôt lourde, évoquant celle d'un poney par ses traits, portée sur une encolure courte et musclée. Les épaules bien formées et légèrement inclinées autorisent une foulée longue et très efficace. Le dos est souvent très allongé. Les membres sont courts et robustes, avec présence de longs crins sur le canon et le paturon. La robe est généralement bai-brun, alezane ou café au lait mouchetée de noir. La taille est voisine de 1,55 m.

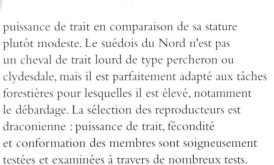

À Waterloo, Napoléon montait un cheval arabe gris nommé Marengo.

En haut, à gauche
Le suédois du Nord figure souvent de façon brillante en compétition d'attelages.

Ci-dessus et ci-contre
Le suédois du Nord affiche une tête plutôt lourde, qui évoque par ses traits celle d'un poney.

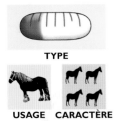

TYPE

USAGE CARACTÈRE

Percheron

○○○○○○○○○○○○○○○○○○○○○○○○○○○○○○

EN BREF

NOM	Percheron
TAILLE	Entre 1,55 et 1,73 m
ROBE	Souvent bai-brun ou gris
ORIGINE	France

effectués, de sorte que le percheron figure aujourd'hui parmi les chevaux lourds les plus élégants. L'influence orientale est particulièrement visible dans la foulée fluide et très active, trait peu commun chez un cheval lourd. Le haras du Pin est le centre d'élevage historique du percheron, et c'est cet établissement qui a présidé, en 1760, à l'importation de plusieurs étalons arabes dans le but d'améliorer la race. Parmi les étalons arabes les plus influents figurent Godolphin et Gallipoly, ce dernier père du fameux étalon Jean le Blanc, né en 1830. Au fil des ans, les éleveurs sont parvenus à modifier légèrement la race pour répondre à de nouvelles exigences, et cette évolution s'est faite avec succès.

Au cours de son histoire, le percheron a été utilisé pour le trait, les travaux fermiers et la selle. Il a connu plusieurs guerres, notamment dans les régiments d'artillerie. Aujourd'hui, le percheron est élevé principalement pour le trait lourd, et du fait de ses splendides qualités, il est souvent utilisé pour l'amélioration d'autres races lourdes. Le Percheron possède une grâce et une élégance de mouvement très rares chez un cheval lourd. À ces qualités s'ajoute une grande vitalité, qui lui permet de couvrir au trot jusqu'à soixante kilomètres par jour.

ORIGINAIRE DU PERCHE, région du Centre-Ouest de la France, le percheron est l'un des chevaux de trait lourds les plus populaires, et il est rencontré dans le monde entier. Ses origines ne sont pas connues avec exactitude, mais les spécialistes estiment qu'il forme une race très ancienne, probablement présente dans sa région d'origine depuis la préhistoire.

Les fondations de la race ont vraisemblablement été établies par des croisements entre juments locales et étalons arabes intervenus au VIIIᵉ siècle. Depuis lors, des apports de sang arabe ont été régulièrement

Le percheron présente généralement une tête finement dessinée, témoin de ses ascendances arabes. L'encolure bien formée est greffée sur un poitrail profond. Le dos est puissant, la croupe musclée. Les membres tendent à être courts, avec canon et paturon faiblement couverts de poils. La robe est le plus souvent bai-brun ou grise, et la taille se situe entre 1,55 et 1,73 m.

Ci-dessus
Très polyvalent,
le percheron était
autrefois utilisé pour
le trait, les travaux
fermiers et la selle.

Ci-contre et à droite
La tête fine au profil
légèrement concave
témoigne des influences
arabe.

Poitevin

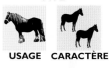

TYPE

USAGE   CARACTÈRE

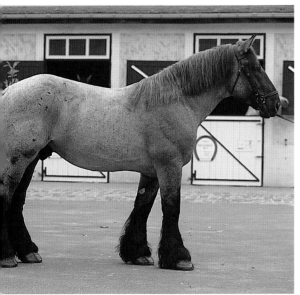

LE MULASSIER POITEVIN, originaire de l'actuelle région Charente-Poitou, est sans doute lié par ses origines au cheval des forêts primitif d'Europe du Nord. Cheval sans qualités particulières, de conformation plutôt pauvre et peu performant, le poitevin est cependant utilisé avec succès pour la production de mules et mulets poitevins, animaux de très grande réputation obtenus par croisements avec le baudet du poitou. Les spécialistes estiment que le poitevin descend de divers chevaux lourds scandinaves et hollandais importés dans la région au début du XVIIᵉ siècle à l'occasion des travaux de mise en valeur du marais poitevin. Le poitevin moderne peut être utilisé pour le trait et les travaux fermiers, et il est également élevé pour sa viande.

D'une manière générale, le poitevin présente une tête au traits grossiers et au profil droit, portée par une encolure courte et puissamment musclée. Les épaules quasi verticales sont pauvrement formées. Le dos est plutôt allongé, la croupe tombante. Les membres courts

et épais en proportion de la stature générale sont terminés par un pied large et plat. Canons et paturons sont couverts d'abondantes touffes de poils. Le poil est très grossier dans une robe généralement grise, baie, noire ou isabelle. La taille est voisine de 1,65 m. Menacé d'extinction dans les années 1950, le poitevin connaît aujourd'hui un regain d'intérêt, grâce à la production des mules et mulets poitevins.

Le baudet du poitou forme une race véritablement étonnante. Cet âne domestique dont la taille peut atteindre 1,62 m montre une résistance et une robustesse peu communes. Il allie aux trait habituels de l'âne une foulée rapide et très énergique. L'élevage du baudet du poitou est aujourd'hui soigneusement contrôlé, et le stud-book de la race, ouvert dès 1885, est joint à celui du poitevin. Mules et mulets poitevins sont des animaux forts et endurants, doué d'une bonne constitution et aptes au travail durant de nombreuses années. Après une période de déclin au lendemain de la Seconde Guerre mondiale, la demande pour la mule poitevine est aujourd'hui en forte augmentation, ce qui semble de bon augure pour l'avenir du poitevin et du baudet du poitou.

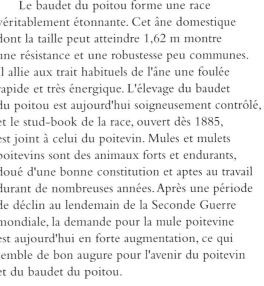

En haut
Le poitevin présente une tête lourde au traits grossiers, portée par une encolure très courte.

Ci-contre
Mules et mulets poitevins sont obtenus par croisements entre juments poitevin et étalons baudet du poitou.

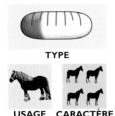

TYPE

USAGE **CARACTÈRE**

Rhénan

○○○○○○○○○○○○○○○○○○○○○○○

EN BREF

NOM	Rhénana
TAILLE	Entre 1,63 m et 1,73 m
ROBE	Alezan, rouan vineux, aubère, bai
ORIGINE	Allemagne

La vitesse d'un cheval au pas est d'environ 6 km/h, celle d'un cheval au trot d'environ 10 km/h.

En haut
Très répandu en Allemagne avant la motorisation agricole, le rhénan y est aujourd'hui rare.

Ci-contre
Cheval grand et massif, le rhénan est un excellent travailleur.

PRÉSENT SUR L'ENSEMBLE du territoire allemand, le rhénan tend à apparaître sous des types divers et des appellations variées selon les régions, notamment en ex-Allemagne de l'Est. Ainsi, il n'est pas rare de le rencontrer sous les dénominations de trait lourd de Basse-Saxe, de rhénan-belge ou de rhénan-westphalien. La race fut développée à partir de la seconde moitié du XIXᵉ siècle pour répondre aux besoins des exploitations agricoles, et le stud-book fut ouvert en 1876. Après une période de popularité relativement brève, le rhénan a vu ses effectifs décroître en nombre de façon importante à la suite de l'émergence de la motorisation, à tel point qu'il est rarement rencontré aujourd'hui dans les berceaux d'élevage. À une certaine époque, le rhénan formait la race la plus prolifique d'Allemagne, mais le nombre des chevaux de trait a diminué en de telles proportions dans ce pays qu'ils ne représentent plus actuellement que deux pour cent de la population équine germanique. Développé en grande partie à partir de traits belges, et à l'aide d'influences ardennaises, clydesdale, percheronnes et boulonnaises, dans le but de produire un cheval de grande puissance, le rhénan excelle à la fois dans le trait et les travaux agricoles. Le centre d'élevage se situe au haras national de Wickrath, en Rhénanie.

En apparence, le rhénan est un cheval de conformation très massive. La tête est souvent bien dessinée, avec des mâchoires très marquées. L'encolure d'une extrême puissance est joliment rouée. Les épaules sont le plus souvent imposantes. Le garrot est plutôt bas, le poitrail large et très ouvert. Le dos peu allongé est prolongé par une croupe ronde et musclée. Les membres sont courts et robustes par rapport à la stature générale, et renforcés par des articulations bien formées. Le canon est solide, le pied d'une grande dureté. Aux qualités athlétiques du rhénan s'ajoute souvent un caractère docile et paisible. La robe est alezane, alezan rouanné, aubère ou baie.

La taille se situe entre 1,63 et 1,73 m.

Trait russe

TYPE

USAGE CARACTÈRE

En 1987, date de la création de la Fédération française d'équitation, il y avait 400 000 cavaliers en France, dont 200 000 licenciés.

dont un cheval de constitution moins massive voué au trait léger et à la selle.

Le trait russe est robuste et puissant, mais il est relativement petit, avec une taille voisine de 1,40 m. Cette particularité n'a pas nui à sa popularité, bien au contraire, car il est capable d'effectuer les tâches agricoles les plus dures tout en étant d'un entretien relativement économique en soins et en nourriture. En outre, la race est très féconde, avec une durée de vie relativement longue. Le trait russe atteint rapidement sa maturité et est apte à travailler dès deux ans.

CETTE RACE trouve ses origines en Russie, dans les années 1860, au sein des haras impériaux de Khrenov et de Derkul, où des juments locales étaient croisées avec des étalons ardennais importés de France. Plus tard, des apports de sang belge, percheron et orloff permirent d'améliorer la race. On attribue généralement la foulée active et énergique du trait russe à ses influences orloff, de même que sa tête bien dessinée.

En raison de ses liens avec l'ardennais, le trait russe fut longtemps appelé ardennais russe. Il souffrit énormément lors de la Première Guerre mondiale et de la Révolution russe et fut sur le point de disparaître durant la Seconde Guerre mondiale. Au début des années 1950, des efforts furent entrepris par les autorités russes afin de rétablir la race, laquelle regroupe aujourd'hui plusieurs types,

Il affiche une présence et une qualité rares chez un cheval de trait lourd. Réputé pour son caractère facile, il fait preuve d'une puissance de trait phénoménale et se montre relativement rapide au pas et au trot pour un animal de cette stature.

De façon typique, le trait russe présente une allure générale de type cob dans une conformation très robuste. La tête souvent pleine d'élégance est portée par une encolure musclée. Le poitrail est large et profond. Les épaules sont très puissantes. Le dos plutôt allongé, ce qui est souvent une faiblesse pour la race, est prolongé par une croupe tombante. Les membres sont courts et robustes, mais le paturon antérieur est sujet aux formes et l'articulation du genou est parfois imparfaitement conformée. Canons et paturons sont couverts de poils. La robe est généralement alezane, aubère ou baie.

En haut
Après avoir failli disparaître, le trait russe est aujourd'hui solidement établi.

Ci-dessus et ci-contre
Fort de son caractère facile et de ses allures agréables, le trait russe est un cheval de selle apprécié.

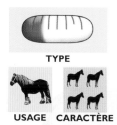

TYPE

USAGE   CARACTÈRE

Schleswig

○○○○○○○○○○○○○○○○○○○○○○○○○○○

EN BREF

NOM	Schleswig
TAILLE	Entre 1,55 et 1,64 m
ROBE	Souvent alezan à crins lavés
ORIGINE	Allemagne

En haut

Les origines du schleswig moderne peuvent être retracées jusqu'à l'étalon jutland Menkedal.

Ci-contre

Cheval de trait parmi les plus légers, le schleswig présente une conformation de type cob et une tête bien dessinée.

LE SCHLESWIG est originaire du land de Schleswig-Holstein, en Allemagne du Nord. L'association de race fut créée en 1891, ce qui indique la relative jeunesse de ce cheval. Il fut développé à partir de chevaux jutland, puis amélioré par des apports de sang danois sang chaud, yorkshire coach-horse et pur-sang anglais. Les origines de la race peuvent être retracées jusqu'à l'étalon jutland Menkedal et à ses descendants Hovding et Prins af Jylland. Pourtant, l'établissement d'un élevage sélectif en vue de bonifier la race n'eut lieu que dans les années 1860, avec l'utilisation de l'étalon suffolk punch Oppenheim LXII. D'autres apports de sang, notamment boulonnais et breton, furent effectués après la Seconde Guerre mondiale.

Les ancêtres proches du schleswig furent utilisés pour porter les chevaliers du Moyen Âge et leur lourdes armures. Plus tard, le schleswig fut employé dans les régiments d'artillerie de l'armée allemande, après des apports de sang bai de Cleveland et pur-sang visant à créer un type bien adapté à cette fonction. Au XIXᵉ siècle, le schleswig fut utilisé pour le trait des premiers tramways. À cette même époque, il était couramment employé pour les travaux agricoles, ce qui montre sa grande polyvalence. À l'instar de nombreux chevaux lourds, le schleswig a vu ses effectifs fortement diminuer en nombre, et l'on estime qu'il n'existe plus aujourd'hui que dix étalons pure race dans l'ensemble de l'Allemagne. Il est pourtant doué d'un caractère facile, et se montre enclin à l'obéissance. Cheval de trait de moyenne corpulence, le jutland a donné naissance à un type moderne, de constitution plus légère, convenant bien pour la selle.

Le schleswig présente généralement une conformation de type cob, relativement légère pour un cheval de trait. La tête est souvent bien dessinée et les traits faciaux reflètent une certaine intelligence. L'encolure courte et musclée, typique des chevaux lourds, est greffée sur des épaules très puissantes. Le poitrail est large et profond, le dos long, la croupe ronde. Les membres courts, renforcés par des articulations bien formées, sont terminés par un pied souple. Canons et paturons sont couverts d'épaisses touffes de poils. La robe est le plus souvent alezane mais toutes les robes s'observent et la taille se situe entre 1,55 et 1,64 m.

TYPE

USAGE   **CARACTÈRE**

Shire

EN BREF	
NOM	Shire
TAILLE	Voisine de 1,75 m
ROBE	Bai, alezan, gris ou bai-brun
ORIGINE	Angleterre

APPARU ET DÉVELOPPÉ dans les comtés anglais de Fen, Derbyshire et Staffordshire, le shire est sans doute lié au cheval anglais du Moyen Âge et au cheval des forêts des temps préhistoriques. Au XVIIᵉ siècle, de nombreux chevaux

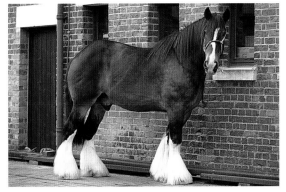

des Flandres et frisons furent importés en Angleterre par les ingénieurs hollandais chargés de la mise en valeur des marais du Fen. Ces deux races eurent une importance considérable dans le développement du shire.

Les croisement intervenus donnèrent naissance au noir anglais. Plus grand que son ancêtre, le noir anglais possédait certains des traits du cheval des Flandres et la robe dominée de noir du frison. Les spécialistes estiment que le mâle fondateur de la race shire est un étalon noir anglais nommé Packington Blind Horse, père des premiers sujets mentionnés dans le stud-book de la race. Après la fondation de la Shire Horse Society en 1884 et jusqu'à la Seconde Guerre mondiale, un grand

nombre de sujets furent enregistrés chaque année dans le stud-book. Le shire devint vite très populaire du fait de son incroyable puissance de trait, aujourd'hui encore inégalée, et pour sa grande efficacité dans les travaux agricoles. Le cheptel diminua de façon importante au lendemain de la Seconde Guerre mondiale, mais le shire connaît aujourd'hui un regain d'intérêt au Royaume-Uni, grâce notamment aux grandes entreprises de brasserie, qui continuent à l'utiliser pour des démonstrations d'attelage. En dépit de son imposante stature, le shire est réputé pour son tempérament docile, qui fait de lui un cheval facile à diriger.

D'une manière générale, le shire présente une conformation très massive et des membres souvent longs, au canon abondamment couvert de crins. La tête est souvent élégante, avec des yeux largement espacés et des oreilles petites et très mobiles. Le regard est gentil et intelligent. L'encolure plutôt allongée est presque toujours rouée. Les épaules légèrement inclinées dégagent une grande puissance. La croupe est ronde et musclée. La robe est généralement noire, baie, alezane, grise ou bai-brun, souvent avec balzanes. La taille avoisine 1,75 m.

Le record de l'épreuve du Grand Pardubice est détenu par un cheval tchèque nommé Cipisek, qui l'emporta en 1996 dans le temps de 9 min 35 s.

En haut et en bas, à gauche
Malgré son imposante stature, le shire est réputé pour sa docilité.

Ci-contre
Le shire arbore souvent des balzanes, et il est doué d'une locomotion brillante.

TYPE

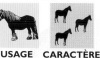

USAGE   **CARACTÈRE**

L es Indiens des tribus Nez-Percés et Umatilla célébraient leurs victoires en peignant des signes sur leurs chevaux.

Sokolsk

EN BREF

NOM	Sokolsk
TAILLE	Entre 1,53 et 1,63 m
ROBE	Alezan, bai, bai-brun ou rouan
ORIGINE	Pologne

Ci-contre et à droite
Le sokolsk s'est développé grâce à des croisements avec d'autres races lourdes.

L E SOKOLSK est apparu en Pologne il y a environ un siècle à partir de croisements entre chevaux belges, ardennais belges, norfolk, döle gudbrandsdal et anglo-normands. Il montre une grande force physique, malgré sa conformation moyennement lourde, et une bonne aptitude au trait et aux travaux fermiers. Ce cheval polonais très polyvalent est également réputé pour sa robustesse, sa vitalité et ses allures brillantes, qui ont fait beaucoup pour sa popularité. D'une manière générale, le sokolsk présente une tête plutôt massive, au profil droit, et aux oreilles très mobiles. Le regard est intelligent. L'encolure, relativement allongée pour un cheval de trait, est large et fortement musclée à la base. Les épaules bien formées et légèrement inclinées autorisent un déplacement fluide. Le poitrail est profond, le garrot prononcé, le dos court et droit, la croupe tombante et musclée. Les membres robustes, aux tendons bien définis et au canon plutôt court, sont terminés par un sabot dur et bien formé. La robe est généralement alezane, baie ou bai-brun. La taille se situe entre 1,53 et 1,63 m.

TYPE

USAGE   **CARACTÈRE**

L a Fédération française des sports équestres, ancêtre de la FFE, a été créée en 1921.

Trait soviétique

EN BREF

NOM	Trait soviétique
TAILLE	Voisine de 1,55 m
ROBE	Alezan, bai ou rouan
ORIGINE	Russie

Ci-contre
Le trait soviétique est un cheval très massif, mais l'élevage sélectif lui a conféré une grande agilité.

L E TRAIT SOVIÉTIQUE est apparu en Russie à la fin du XIXᵉ siècle, par croisements de juments locales avec des étalons percherons et belges. Des croisements subséquents entre descendants ont permis de stabiliser la race. En dépit d'une conformation très massive, le trait soviétique affiche une grande fluidité au pas et au trot, qualité rare chez un cheval de trait. Il compte parmi les chevaux de trait russes les plus répandus et se trouve souvent utilisé pour l'amélioration d'autres races lourdes. La maturité est atteinte rapidement, mais la résistance aux maladies semble moins grande que chez certaines autres races équines.

D'une manière générale, le trait soviétique présente une tête bien proportionnée, au profil droit. L'encolure est souvent courte et musclée, le poitrail bien ouvert. Les épaules sont droites et puissantes. Le dos court et compact est prolongé par une croupe musclée et bien arrondie. Les membres robustes, renforcés par des articulations solides, sont terminés par un sabot large et arrondi. Certains sujets sont panards des postérieurs, d'autres sont cagneux du devant. La robe est souvent alezane, parfois baie ou rouanne. La taille est voisine de 1,55 m.

Suffolk punch

TYPE

USAGE   CARACTÈRE

Le suffolk était autrefois utilisé pour les travaux agricoles, dans lesquels sa grande force physique et son caractère placide se révélaient précieux. L'un des principaux personnages associés à la race est l'Anglais Hermann Biddell, premier secrétaire de la Suffolk Horse Society, qui fut l'auteur d'une volumineuse histoire de la race et le créateur, en 1880, de son stud-book.

Doué d'une étonnante vitalité, le suffolk peut travailler de longues heures avec des rations de nourriture minimales. Jadis, il participait fréquemment à des concours de puissance constitués par le trait de fûts d'arbre. Le cheval était jugé à la fois sur le poids déplacé et sur la volonté affichée, et il n'était pas rare

LE SUFFOLK PUNCH, né dans la région anglaise de l'East Anglia, s'est peu modifié en apparence depuis ses lointaines origines. Il est aujourd'hui élevé dans d'autres régions d'Angleterre, de même que dans certains pays étrangers, parmi lesquels les États-Unis. La race était déjà mentionnée dans des écrits locaux en 1506, et tous les suffolk punch modernes peuvent être rattachés par la lignée mâle à l'étalon Crisp's Horse of Ufford, né en 1760. Le Suffolk Punch forme avec le clydesdale et le shire le trio des chevaux lourds anglais. Il diffère cependant de ces deux derniers, notamment par sa taille moindre, sa conformation plus massive, et ses canons faiblement couverts de poils.

qu'il s'affaisse sur les genoux dans son effort.

Le suffolk punch doit son apparence unique à la faible longueur de ses membres par rapport à la conformation très massive du reste de son corps. La tête est généralement lourde, avec un front large et un regard très doux. L'encolure est puissante et épaisse, le poitrail large et profond, la croupe bien musclée. Les épaules sont puissantes. Les membres courts mais très robustes portent des articulations bien formées et un canon plutôt court. La robe est toujours alezane – sept nuances différentes sont reconnues par l'association de race – et les marques blanches sont peu appréciées. La taille avoisine 1,66 m.

Le International Museum of the Horse, situé dans la ville américaine de Lexington, est le musée équin le plus vaste et le plus complet du monde.

En haut
Doté d'une étonnante vitalité et d'une incroyable puissance, le suffolk fut longtemps utilisé pour les travaux agricoles.

Au centre et ci-contre
La tête est souvent lourde, et les membres sont courts par rapport à la conformation massive du reste du corps.

TYPE

USAGE CARACTÈRE

Torik

EN BREF	
NOM	Torik
TAILLE	Voisine de 1,53 m
ROBE	Souvent alezan, parfois bai, bai-brun ou gris
ORIGINE	Estonie

Ci-dessous et à droite
Le torik est un cheval
agréable qui présente
de grandes capacités
pour le saut.

CHEVAL D'ORIGINE relativement récente, le torik est apparu en Estonie au cours du XIXᵉ siècle, à partir de croisements entre klepper locaux et chevaux arabes, hackney, frisons de l'Est, ardennais, hanovriens, pur-sang, orloff et trakehner. C'est un cheval de grande qualité, apte au trait lourd et aux travaux agricoles, et pour certains types, à la selle. L'étalon Hetman, aux racines norfolk trotter et anglo-normandes, est considéré aujourd'hui comme le mâle fondateur de la race. D'une manière générale, le torik présente une

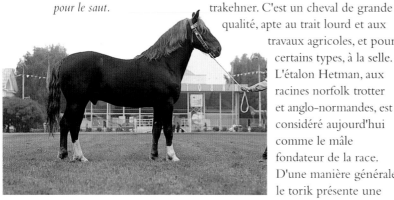

tête plutôt massive, au profil droit, portée par une encolure longue et musclée. Le poitrail est large et profond. Les épaules sont puissantes. Le dos souvent allongé est prolongé par une croupe musclée. La queue est bien plantée. Les membres robustes sont renforcés par des articulations et des tendons solides. La robe est généralement alezane, grise, baie ou bai-brun, avec des marques blanches. La taille est voisine de 1,53 m. Le torik est un cheval élégant qui montre de bonnes dispositions pour le saut.

TYPE

USAGE CARACTÈRE

Trait du Nord

EN BREF	
NOM	Trait du Nord
TAILLE	Entre 1,55 et 1,65 m
ROBE	Rouan, rouan vineux, aubère ou bai
ORIGINE	France

L'ÉLEVAGE DU TRAIT DU NORD, cheval lourd originaire du Nord de la France, est encore pratiqué aujourd'hui dans la région lilloise, la Somme, l'Aisne et le Pas-de-Calais. Il doit la plupart de ses caractéristiques à l'ardennais, auquel il est parfois, à tort, assimilé. Après l'établissement du stud-book de la race en 1919, le trait du Nord connut une brève période de popularité, mais la généralisation de la motorisation agricole provoqua son déclin. Outre ses qualités de puissance et d'endurance, le trait du Nord est doué d'un caractère

Ci-contre
Doué d'un caractère
facile et d'une grande
robustesse, le trait du
Nord convient bien pour
les travaux agricoles sur
terrains vallonnés.

très facile. Il est particulièrement adapté aux travaux fermiers sur terrains vallonnés.

Le trait du Nord affiche généralement une tête lourde portée par une encolure courte et musclée. Les épaules sont inclinées. Le poitrail est ample et bien ouvert, le garrot presque noyé, le dos droit, la croupe très musclée. Les membres sont forts en os, avec des articulations solides et un sabot large et bien formé. Canons et paturons sont couverts de longs crins. La robe est rouanne, aubère ou baie. La taille se situe entre 1,55 et 1,65 m.

EN BREF

NOM	Vladimir
TAILLE	Voisine de 1,63 m
ROBE	Bai, toutes les couleurs unies possible
ORIGINE	Russie

Vladimir

TYPE

USAGE CARACTÈRE

RECONNU OFFICIELLEMENT comme cheval de race depuis 1946, le vladimir fut développé à la fin du XIXe siècle dans les établissements d'élevage d'État des régions russes du Vladimir et de l'Ivanovo. Le haras de Gavrilovo-Posadsk a également joué un rôle important dans l'histoire de la race.

À l'origine, le vladimir fut obtenu par croisements de juments locales avec des étalons shire et clydesdale, destinés à produire un cheval de conformation moyennement massive, relativement rapide et doté d'une grande puissance de trait. Les trois mâles fondateurs de la race sont des étalons clydesdale nommés Lord James, Border Brand et Glen Albin, les deux premiers nés en 1910, le troisième en 1923. Des apports de sang percheron, bai de Cleveland, ardennais et suffolk punch furent également effectués durant cette période afin de bonifier la race. À partir de 1925, les influences étrangères furent bannies et l'amélioration de la race se fit uniquement par croisements sélectifs entre descendants, jusqu'à obtention du type connu aujourd'hui.

En dépit de son gabarit moyen, le vladimir fait preuve d'une grande force physique. L'influence du clydesdale est particulièrement visible dans la fluidité de son action, et il possède une présence et une qualité dans le haut du corps rarement rencontrées chez un cheval de trait. En outre, à l'image de nombre de chevaux lourds, il est doué d'un caractère calme et gentil. Les vladimirs se montrent aptes au travail dès l'âge de trois ans. Ils sont souvent utilisés pour le trait des traditionnelles troïkas, tâche dont ils s'acquittent avec élégance, attelés à trois de front.

De façon typique, le vladimir affiche une tête plutôt massive, au profil droit ou légèrement convexe. L'encolure bien proportionnée est greffée sur des épaules très puissantes. Le poitrail est très large, plus développé que celui du clydesdale. Le garrot est souvent proéminent, l'épaisseur au passage de sangle très marquée. Le dos plutôt allongé est prolongé par une croupe tombante et musclée. Les membres courts portent balzane et sont couverts de longs crins sur canon et paturon. Toutes les robes unies sont possibles, et la taille varie entre 1,55 et 1,65 m.

Crazy Horse (1842-1877) était un chef sioux de la tribu des Oglala Lakota. Cavalier émérite, il combattit en 1876 le lieutenant-colonel Custer et son 7e régiment de cavalerie, lors de la bataille de Little Bighorn, dans l'actuel État américain du Wyoming.

En haut
Avec une taille voisine de 1,65 m, le vladimir montre une grande puissance au regard de son gabarit.

Ci-contre
Le vladimir présente une tête au profil droit, une encolure musclée et des épaules très puissantes.

Les races légères

CETTE CATÉGORIE regroupe les chevaux dits à sang chaud. S'y côtoient des chevaux de conformation et ossature très fines, uniquement voués à la selle, et d'autres, plus massifs, qui conviennent également pour l'attelage léger. Il n'existe pas de démarcation précise entre races lourdes et races légères, et certains chevaux répertoriés parmi les races lourdes sont couramment utilisés pour la selle et montrent de grandes qualités dans cette activité. C'est le cas, par exemple, du trait irlandais.

En haut, à droite, et ci-dessus
Il existe une grande variété de races de chevaux à sang chaud.

En bas
Les chevaux à sang chaud sont utilisés pour la selle dans le monde entier.

TYPES DE CHEVAUX À SANG CHAUD

LE CHEVAL À SANG CHAUD possède une ossature beaucoup plus fine que celle du cheval de trait, et il est particulièrement bien adapté, par certaines de ses caractéristiques, au port d'un cavalier. D'une manière générale, le cheval à sang chaud affiche un garrot proéminent et un dos peu large. L'arrondi des huit premières paires de côtes (côtes sternales) est relativement peu marqué, ce qui permet un positionnement stable et naturel de la selle. Les dix autres paires de côtes (côtes asternales) affichent une convexité plus importante.

Le poitrail, très souvent large et profond, offre une capacité optimale pour le cœur et les poumons. Les épaules sont inclinées chez la plupart des sujets, pour une locomotion riche et fluide. Un grand nombre de chevaux à sang chaud affichent une foulée longue et rasante suscitant une flexion peu accentuée des genoux. Ce trait particulier explique leur grande efficacité à la course. Il existe, bien sûr des exceptions, tel le hackney, cheval léger doté d'une foulée élégante mais plutôt haute.

La plupart des chevaux de sang sont rapides et athlétiques. Les membres sont bien définis avec un jarret près du sol. On dit souvent d'un cheval qu'il est peu, moyennement ou très fort en os, selon la circonférence du canon juste au-dessous du genou. Cette mesure ne doit pas être trop faible, et de nombreuses associations de race ont établi, à ce sujet, un standard. D'une manière générale, une valeur supérieure à vingt centimètres est considérée comme adéquate.

Forts d'une grande polyvalence, nombre de chevaux à sang chaud montrent autant de qualités pour l'attelage léger que pour la selle. En outre, et suivant en cela l'évolution générale, certains chevaux voués à l'attelage léger, tels le hanovrien et l'oldenbourg, sont aujourd'hui reconnus comme d'excellents chevaux de selle.

Le terme anglais *steeple-chase* (« course au clocher ») désignant les courses d'obstacles, vient des courses organisées entre villages : les cavaliers devaient franchir les obstacles se trouvant sur leur passage.

TYPE

USAGE **CARACTÈRE**

```
○○○○○○○○○○○○○○○○○○○○○○○○○○○
        EN  BREF

NOM         Akhal-téké
TAILLE      Entre 1,45 et 1,55 m
ROBE        Isabelle clair ou foncé, bai, alezan ou gris
ORIGINE     Turkménistan
```

Akhal-téké

L'AKHAL-TÉKÉ est lié par le sang au cheval turkmène, monture des guerriers de l'Est voici environ 2 500 ans. Il descend probablement d'un cheval aux caractéristiques très similaires élevé dans la région d'Achkhabad dès l'an 1 000 av. J.-C.. Cet élevage était pratiqué

essentiellement pour la course hippique, activité dans laquelle l'akhal-téké excelle et pour laquelle il est encore élevé aujourd'hui. De façon intéressante, les spécialistes pensent que Bucéphale, fameuse monture d'Alexandre le Grand, était un cheval de sang turkmène et donc étroitement lié à l'akhal-téké.

Pratiquement unique en son genre, l'akhal-téké présente de grandes similitudes avec le cheval primitif de type 3, autre indication de sa grande ancienneté. Il est rencontré essentiellement au Turkménistan, en Asie centrale, terre où il fut développé par les tribus

turkmènes dans le but d'obtenir un cheval endurant, doué d'une grande vitalité, et capable de supporter les froids et chaleurs extrêmes du climat local. L'endurance de l'akhal téké est légendaire : en 1935, plusieurs de ces chevaux couvrirent en quatre-vingt-quatre jours les 4 000 km séparant la ville d'Achkhabad de Moscou, dont près de 400 km de désert parcourus en trois jours et sans boire.

Certains spécialistes estiment que l'akhal-téké est un parent proche de l'arabe, ce qui explique sa ressemblance avec l'arabe munaghi, cheval également élevé pour la course. La conformation de l'akhal-téké n'est pas parfaite au regard des standards occidentaux, mais il se dégage de lui une élégance et une beauté extraordinaires.

D'une manière générale, l'akhal-téké affiche un corps mince et très allongé, évoquant celui d'un lévrier. La tête est très finement dessinée. L'encolure longue et musclée est greffée presque à l'aplomb des épaules légèrement inclinées, qui autorisent des allures très souples. Le poitrail est profond mais étroit, le garrot proéminent, le dos souvent très long. La croupe est puissante et musclée, souvent un peu tombante. Les membres longs et robustes, aux tendons bien définis, sont terminés par un sabot bien formé. Les postérieurs sont parfois cagneux. La robe isabelle clair et foncé, alezane, baie ou grise affiche un lustre métallique peu commun. Les crins sont souvent peu fournis.

Aujourd'hui, l'akhal-téké est

L'un des premiers steeple-chases eut lieu dans le comté de Cork, en Irlande, en 1752. La course fut remportée par un certain Edmund Blake, qui reçut en récompense plusieurs barriques de rhum et de porto. À compter de cette date, les courses se répandirent dans toute l'Irlande.

En haut
L'akhal-téké est un excellent cheval de selle, vif et courageux de tempérament.

Ci-contre
Cheval à la fois athlétique et très endurant, l'akhal-téké peut aussi se montrer têtu.

273

En haut
Jadis, l'akhal-téké vivait en liberté au sein des hardes.

En 1998, le jockey australien Damion Beckett et sa monture Brave Buck ont péri foudroyés lors d'une course disputée sur l'hippodrome de Perth, en Australie. Le jockey avait vingt-deux ans et une course porte aujourd'hui son nom.

essentiellement élevé pour la course, mais il figure également dans les compétitions de saut d'obstacles et de dressage. De façon originale, l'akhal-téké tend à marcher la bouche plus haute que les mains du cavalier, sans doute à cause de la conformation très verticale de son encolure et de ses épaules. Ce défaut doit être corrigé chez les sujets voués au dressage. L'akhal-téké est souvent utilisé pour l'amélioration d'autres races légères, et il a lui-même bénéficié, dans un passé récent, d'apports de sang pur-sang voués à améliorer sa vitesse de course. Ces croisements produisent des chevaux élégants et performants, mais dépourvus de l'endurance légendaire de la race. Des efforts sont aujourd'hui consentis afin de conserver la pureté de l'akhal-téké, notamment au sein des haras de Lugov (Kazakhstan) et Gubden (Russie), ainsi qu'au haras de Komonosol, non loin d'Achkhabad.

Aujourd'hui encore, l'akhal-téké est le cheval de prédilection des Turkmènes, qui le traitent de façon peu conforme aux pratiques occidentales. L'élevage est pratiqué dans des conditions très dures, gages d'un développement musculaire optimal et d'une absence presque totale de graisse. Jadis, il était courant d'envelopper les chevaux dans une épaisse couverture de feutre, à la fois pour les protéger du froid nocturne et pour produire une sudation importante, synonyme de minceur, aux heures les plus chaudes de la journée. De façon traditionnelle, l'akhal-téké était nourri de luzerne, de blé, de pain, ainsi que de protéines animales présentées sous forme de poulet bouilli, d'œufs et de graisse de mouton. Avec une taille habituellement comprise entre 1,45 et 1,55 m, l'akhal-téké est un cheval plutôt petit. Il est vif et courageux mais tend parfois à se rebeller contre son maître.

TYPE

USAGE   CARACTÈRE

Albinos

L'ALBINOS est né au cours des années 1930 dans l'État du Nebraska, aux États-Unis, en grande partie grâce aux efforts des frères Caleb et Hudson Thompson. L'étalon Old King, mélange d'arabe et de morgan, et acheté par les Thompson en 1918, est considéré comme le mâle fondateur de la race.

Old King produisit un grand nombre de poulains à peau rose et crins blancs par croisements avec des juments à robe unie, de sorte que les Thompson eurent l'idée de l'utiliser pour former une lignée de chevaux blancs à partir d'une population de juments Morgan. Il existe, au sein de la race, de nombreuses différences de conformation, qui traduisent des influences quarter horse, morgan, pur-sang anglais et arabes, présentes à divers degrés chez les sujets.

De fait, le terme *albinos* fait davantage référence à une couleur de robe qu'à une race bien déterminée, même si tous les chevaux albinos présentent des traits similaires, notamment une grande aptitude à l'apprentissage. La distinction entre robe et race est aujourd'hui bien établie : l'American Albino Horse

Club, association américaine des chevaux à robe albinos, est devenu l'American White Horse Club, et la race Albinos est officiellement appelée American Cream (crème américain) aux États-Unis.

La race accuse un manque d'homogénéité dans la conformation, mais l'albinos montre presque toujours des qualités d'intelligence et de gentillesse qui font de lui un excellent cheval de selle. Ces qualités lui ont valu d'être souvent utilisé pour le tournage de films ou dans les cirques. Au cours de l'histoire, le cheval blanc a toujours été considéré comme une monture superbe réservée aux reines, aux rois et aux chefs militaires. Il est également le héros de nombre de mythes et légendes dans lesquels sa robe lui confère des pouvoirs surnaturels.

L'élevage de l'albinos est souvent un exercice délicat, car le croisement de chevaux blancs ne donne pas toujours des poulains blancs. Il existe quatre combinaisons acceptables pour la race : robe blanc ivoire avec crinière claire, yeux bleus et peau rose ; robe crème avec crinière plus foncée, yeux foncés et peau cannelle ; robe et crinière crème, yeux bleus et peau rose ; robe et crinière crème foncé, yeux bleus et peau rose. La taille d'un albinos est généralement voisine de 1,53 m.

Ci-contre
Doué d'une grande facilité d'apprentissage, l'albinos est souvent utilisé pour les spectacles de cirque.

En bas
L'albinos, ou crème américain, est issu d'une population de poulains albinos.

Le centre d'entraînement de Chantilly abrite 2 600 chevaux de course, dont 70 % de « cracks » courant sur les hippodromes.

TYPE

USAGE   CARACTÈRE

Alter-real

○ ○

EN BREF

NOM	Alter-real
TAILLE	Entre 1,53 et 1,63 m
ROBE	Souvent bai, parfois alezan, bai-brun ou gris
ORIGINE	Portugal

Dans une version particulière de la chasse à courre, le gibier est remplacé par un coureur humain suivi à la trace par les chiens de meute. Le coureur doit être un véritable athlète, capable de couvrir de nombreux kilomètres sur terrain accidenté, souvent sous la pluie. Bien entendu, il est laissé en vie s'il est rattrapé !

L'HISTOIRE DE L'ALTER-REAL est riche en rebondissements, et c'est un véritable miracle s'il n'est pas éteint aujourd'hui. La race fut établie en 1747 par la maison royale portugaise

de Bragance après l'importation depuis la ville espagnole de Jerez de trois cents juments andalouses soigneusement sélectionnées, et l'installation d'un haras à Alter do Chão, dans la province de l'Alentejo. Le but était la production de chevaux d'attelage et de Haute École pour les écuries royales de Lisbonne. Au cours du XVIIIᵉ siècle, l'alter-real acquit une grande popularité pour ses aptitudes dans les évolutions de Haute École, sous l'impulsion notamment du marquis de Marialva (1713-1799), alors grand écuyer à la cour du roi du Portugal.

Durant les invasions napoléoniennes, l'alter-real perdit de sa pureté du fait d'influences pur-sang, arabes, normandes et hanovriennes. Plus tard, des apports de sang pur-sang furent effectués dans le but de rétablir la race, mais ils n'apportèrent pas les résultats

escomptés, et il fallut faire appel à des chevaux andalous pour que l'alter-real retrouve enfin sa prestance d'antan. Au début du XXᵉ siècle, l'alter-real connut de nouvelles difficultés avec la dissolution de la monarchie portugaise, cause de la fermeture des haras et la destruction de la plupart des archives de la race. Fort heureusement, le fameux éleveur portugais Ruy d'Andrade parvint à sauver deux étalons et quelques juments et entreprit de reconstituer à nouveau la race. Grâce à ses efforts, l'alter-real fut sauvé et l'élevage de ce cheval prestigieux se poursuit aujourd'hui au Portugal.

L'alter-real montre une grande intelligence et une aptitude aiguë à l'apprentissage, c'est pourquoi il est très apprécié par les cavaliers émérites et les passionnés de dressage. D'une manière générale, il présente une tête de taille moyenne, au profil droit et aux mâchoires prononcées. L'encolure joliment rouée est courte et musclée. Les épaules sont inclinées. Le garrot est proéminent, le dos court et compact. La croupe puissante porte une queue bien plantée. Les membres sont robustes, avec des canons et paturons fins mais solides. La robe est généralement baie, parfois alezane, bai-brun ou grise. La taille se situe entre 1,53 et 1,63 m.

En haut

Fort de son encolure joliment rouée et de son profil élégant, l'alter-real est un cheval plein de fierté.

À droite

L'alter-real est très vif de nature, et se montre parfois pétulant.

Bashkir curly

TYPE

USAGE CARACTÈRE

L'AMERICAN BASHKIR est une cheval hors du commun, doué de qualités uniques. Il existe de nombreuses incertitudes quant à ses origines, et il est sans doute inexact de situer le berceau de la race aux États-Unis. Dans le monde entier, seuls le lokaï et le bashkir de Russie affichent, comme le bashkir curly, un poil bouclé, et ces deux chevaux trouvent leurs origines sur les territoires de l'ex-URSS.

Le bashkir curly fut découvert en 1898 lorsque deux voyageurs aperçurent trois chevaux sauvages à poil bouclé dans les montagnes de l'État du Nevada. La plupart des bashkir curly modernes doivent leur existence à cette harde originelle. Le stud-book du bashkir curly fut établi en 1971 dans le but de favoriser son développement, et il connaît, depuis lors, une popularité croissante. Doué

d'une endurance et d'une robustesse étonnantes, le bashkir curly supporte des conditions climatiques extrêmes. Les sujets issus de hardes sauvages se révèlent faciles à éduquer, et ceux élevés en captivité montrent une grande gentillesse. Le bashkir est utilisé dans nombre d'activités, notamment pour l'équitation de loisirs. En outre, il figure souvent avec brio dans les épreuves de saut d'obstacles, de dressage ou d'endurance.

Le trait le plus spectaculaire du bashkir curly est son poil, très bouclé en hiver, un peu moins au cœur de l'été. Le gène bouclé est dominant, de sorte que les poulains issus de croisements entre bashkir curly et chevaux à poil raide arborent le plus souvent un poil bouclé. De façon également unique, la crinière et la queue du bashkir curly perdent une grande partie de leurs crins en été. Par ailleurs, nombre de bashkir curly sont dépourvus d'ergots et présentent des châtaignes tendres et peu développées. Enfin, et de façon étrange, les personnes allergiques au crin de cheval semblent supporter sans problème le poil bouclé du bashkir curly.

D'une manière générale, le bashkir curly présente une tête plutôt lourde, au front large et aux traits souvent orientaux. L'encolure est courte et musclée dans une conformation puissante et ramassée. Le corps est presque toujours bien proportionné, et le déplacement très actif produit chez nombre de sujets une sorte de pas accéléré. La taille moyenne se situe entre 1,46 et 1,53 m.

À gauche
Le poil bouclé du bashkir curly est également rencontré chez le bashkir de Russie et le Lokaï, originaires de l'ex-URSS.

En bas
Doté d'une grande gentillesse, le bashkir curly est un excellent cheval de selle.

La Fédération Française d'Équitation regroupe plus de 5 000 groupements équestres (clubs et organisateurs d'activités) affiliés, auxquels s'ajoutent près de 2 000 petites associations vouées à la pratique de l'équitation. Elle compte plus de 400 000 licenciés et représente ainsi aujourd'hui la 5e Fédération olympique sportive française.

TYPE

USAGE   CARACTÈRE

Selle américain

Le Poney Club de France, organisation fédérant l'équitation à poney, a été créée en 1971 avec le soutien des Haras nationaux. Depuis, ceux-ci ont soutenu l'aménagement et le développement de nombreux poney clubs partout en France.

EN BREF	
NOM	Selle américain
TAILLE	Entre 1,53 et 1,63 m
ROBE	Alezan, parfois autres couleurs unies
ORIGINE	États-Unis

LE SELLE AMÉRICAIN est né au cours du XIXe siècle dans le Sud-Est des États-Unis. Il fut à l'origine développé par les pionniers de l'État du Kentucky à partir de croisements entre narragansett pacer et canadian pacer, races aujourd'hui éteintes, dans le but de produire un cheval robuste et polyvalent. Les influences morgan, hackney et pur-sang, survenues plus tard, sont perceptibles aujourd'hui chez la plupart des sujets. Le selle américain est réputé dans l'ensemble des États-Unis pour ses allures brillantes, et il s'est principalement forgé ce renom dans les concours de modèles et allures.

Dans ces concours, les chevaux sont répartis en deux classes : l'une pour les sujets à trois allures, l'autre pour les sujets à cinq allures. Dans les deux classes, les allures sont toujours exagérées afin d'accentuer le côté spectaculaire. La queue est niquetée afin d'obtenir un port très haut, et bien souvent le cheval est ferré d'une façon particulière, avec un fer plus lourd posé sur un sabot plus long, afin d'amplifier l'allure. Toutes ces mesures, alliées aux méthodes de dressage utilisées pour ces compétitions, ont provoqué récemment de vives inquiétudes dans les milieux équestres. De fait, le selle américain est un cheval très polyvalent, apte également aux travaux de ferme ou de ranch. Doué d'un caractère paisible et énergique, et de beaucoup d'endurance et de vitalité, il est très apprécié en équitation de loisirs, notamment pour l'attelage léger et la randonnée équestre.

De façon typique, le selle américain affiche une grande présence et une locomotion d'une rare élégance. Certains sujets sont éduqués pour la démonstration de cinq allures : le pas, le trot, le canter, le slow gait (amble lent) et le rack (amble rompu). La plupart des chevaux de la race présentent une tête petite et très bien dessinée. L'encolure est greffée très haut sur les épaules, ce qui renforce la grande verticalité du déplacement.

Le poitrail est large, le dos relativement allongé. La croupe peu marquée porte une queue bien posée, souvent niquetée. Les membres minces et longs sont renforcés par des tendons solides et bien définis, mais les aplombs sont parfois défectueux : certains sujets tendent à se camper du devant, d'autre ont des jarrets droits. La robe est souvent alezane, mais toutes les robes unies sont tolérées. La taille se situe entre 1,53 et 1,63 m.

En haut
Certains selles américains démontrent cinq allures, d'autres seulement trois, mais tous sont élégants et spectaculaires.

À droite
Le selle américain est un cheval intelligent, au caractère gentil et paisible.

Andalou

EN BREF

NOM	Andalou
TAILLE	Entre 1,53 et 1,63 m
ROBE	Souvent gris, parfois bai, rouan, alezan ou noir
ORIGINE	Espagne

TYPE

USAGE CARACTÈRE

LES ORIGINES de l'andalou, qui forme l'une des races équines les plus renommées d'Espagne, sont entourées de mystère. Deux hypothèses ont été avancées par les spécialistes, et quelle que soit celle retenue, il est clair que ce cheval espagnol possède une histoire très ancienne. Certains estiment que l'andalou descend des deux mille juments numides convoyées par bateau vers l'Espagne par le général carthaginois Hasdrubal. D'autres pensent qu'il est apparu au VIIIᵉ siècle, lors des invasions maures, à la suite de croisements entre chevaux barbes et arabes et chevaux espagnols. C'est l'hypothèse la plus vraisemblable. Il existe également un débat se rapportant aux possibles liens entre l'andalou et *Equus ibericus*, cheval préhistorique dont descend également sans doute le barbe.

Quoi qu'il en soit, il est admis que l'andalou a exercé un rôle important dans le développement d'un très grand nombre de races. En Europe, holstein, oldenbourg, frederiksborg, kladruber, lipizzan, hackney, frison, et orloff témoignent tous de cette influence, également perceptible, aux États-Unis, chez le quarter horse et le criollo.

D'une manière générale, l'andalou présente une tête bien dessinée, au front large et au profil convexe. Les grands yeux expriment de la douceur. L'encolure joliment rouée et souvent épaisse est greffée avec élégance sur les épaules légèrement inclinées. Le poitrail est large et profond, le dos court et compact, la croupe très musclée. La queue plantée bas est très fournie. L'andalou est doté d'une grande prestance et d'une locomotion brillante, illustrée par son fameux pas de parade. Il est tout à la fois calme,

docile, énergique et courageux, qualités qui expliquent son utilisation fréquente dans les corridas. La robe est généralement baie, grise, noire, alezane ou rouanne. La taille se situe entre 1,53 et 1,63 m.

En Espagne, l'andalou porte l'appellation officielle de *Pura Raza Espanola* (pure race espagnole). Le terme « cheval ibérique » est utilisé pour désigner de façon globale plusieurs chevaux espagnols ou portugais possédant des liens de sang et affichant des caractéristiques similaires, parmi lesquels alter-real, lusitanien, hispano et andalou.

En course, jockeys et drivers portent les couleurs de leur écurie sur leur casaque, manches et toque. Le choix des couleurs et de leur disposition s'effectue selon un code très précis.

En haut
À la fois énergique et intelligent, l'andalou est réputé pour son pas de parade.

Ci-contre
L'andalou affiche une tête d'une grande élégance. Crinière et toupet sont très fournis.

TYPE

USAGE CARACTÈRE

Anglo-arabe

○○○○○○○○○○○○○○○○○○○○○○○○○

EN BREF	
NOM	Anglo-arabe
TAILLE	Entre 1,55 et 1,66 m
ROBE	Bai, alezan ou gris
ORIGINE	Grande-Bretagne

L'ANGLO-ARABE est présent dans l'ensemble de l'Europe, mais il fut élevé dans le Sud-Ouest de la France dès le milieu du XIXᵉ siècle et son élevage se poursuit aujourd'hui dans cette région avec un grand dynamisme. La race, obtenue par croisements de pur-sang et d'arabes, est sans doute apparue dès le XVIIIᵉ siècle au Royaume-Uni.

La production d'anglo-arabes nécessite des connaissances approfondies en matière d'élevage sélectif. Un anglo-arabe doit posséder au moins 25 % de sang arabe, et la méthode habituellement employée consiste à croiser un étalon arabe pure race avec une jument pur-sang ou anglo-arabe. Elle est préférable au croisement d'un étalon pur-sang avec une jument arabe, qui donne naissance à un cheval de moindre taille et de moins bonne conformation. D'une manière générale, les meilleurs sujets de la race combinent les traits de l'arabe et du pur-sang, sans pour autant ressembler de façon trop marquée à l'un ou à l'autre de ces chevaux. L'anglo-arabe montre habituellement la vitesse et la prestance communes au deux races, auxquelles s'ajoutent la robustesse et la vitalité propres à l'arabe. Possédant des qualités athlétiques naturelles et excellent sauteur, il figure souvent avec brio dans les compétitions de sauts d'obstacles.

La plupart des anglo-arabes montrent une grande élégance et beaucoup de qualité. La tête harmonieusement dessinée porte des traits orientaux marqués. La conformation générale est similaire à celle du pur-sang, avec sans doute davantage de masse. L'encolure est plutôt longue et joliment rouée de la nuque au garrot. Les épaules sont puissantes et leur inclinaison autorise une grande fluidité dans les allures. Le poitrail est profond, le dos compact, la croupe puissante. Les membres sont bien formés, avec des articulations solides et des tendons forts et bien définis. Le pied est sain et solide.

Fort d'une grande aisance de mouvement et d'une allure longue et très fluide, l'anglo-arabe montre autant de qualités pour le dressage que pour le saut d'obstacles. Il est considéré comme l'un des meilleurs chevaux au monde pour le concours complet, notamment grâce à sa grande adresse naturelle. La robe est généralement baie, alezane ou grise, mais il n'existe pas de restrictions. Des marques blanches sont souvent présentes. La taille située entre 1,55 et 1,66 m est légèrement supérieure à celle de l'arabe.

En haut
Cheval de selle très réputé, l'anglo-arabe est élevé dans l'ensemble de l'Europe.

À droite
La tête superbement dessinée trahit les influences orientales.

TYPE

USAGE   CARACTÈRE

EN BREF

NOM	Appaloosa
TAILLE	Entre 1,43 et 1,55 m
ROBE	Tacheté
ORIGINE	États-Unis

Appaloosa

L'APPALOOSA descend de chevaux espagnols introduits dans le Nouveau Monde par les conquistadors au début du XVIᵉ siècle. Plus tard, la race fut développée par les indiens Nez-Percé dans le Nord-Ouest des États-Unis actuels, et l'appaloosa tire son nom de la rivière Palouse, qui traversait leur territoire. Les Nez-Percé furent les premiers indiens d'Amérique à pratiquer l'élevage sélectif. Ils établirent des hardes et

parvinrent à maintenir la haute tenue des chevaux en castrant ou en échangeant contre d'autres montures les sujets montrant une qualité insuffisante. Au milieu du XVIIIᵉ siècle, la race se trouvait solidement fixée et les Nez-Percé avaient gagné une solide réputation pour la qualité de leurs chevaux, appréciés non seulement pour leur robe tachetée, mais également pour leur endurance, leur vitesse et leur vitalité.

À la fin du XIXᵉ siècle, l'armée fédérale américaine soumit par la force les derniers Nez-Percé et massacra la plupart de leurs chevaux. Après avoir failli disparaître, la race fut reconstituée en 1938 par un groupe d'éleveurs à partir des derniers descendants des chevaux indiens. À la fois par son histoire et par ses gènes, l'appaloosa est étroitement lié au quarter horse, et ces deux chevaux affichent de nombreux traits communs. Aujourd'hui l'Appaloosa Horse Club répertorie environ 400 000 chevaux, nombre qui ne cesse d'augmenter. Il existe quatre caractéristiques principales d'identification d'un cheval appaloosa : la robe tachetée, pour laquelle six configurations sont agréées, les ladres autour des naseaux, des lèvres et des parties génitales, le sabot habillé de stries verticales et la sclérotique de l'œil, blanche et bien visible. Pour être reconnu comme tel, un cheval appaloosa doit remplir au moins deux de ces conditions, dont la robe tachetée ou les ladres.

La nuance de base de la robe est le plus souvent rouanne, mais toutes les nuances sont acceptées dès lors que deux des critères distinctifs sont présents. Crinière et queue sont généralement peu fournies. D'une manière générale, l'appaloosa affiche une tête plutôt petite, au profil droit. L'encolure est longue et musclée, le poitrail profond, le garrot peu prononcé. Les épaules sont inclinées. Le dos court et compact est prolongé par une croupe arrondie et musclée. À la fois docile, paisible et énergique, l'appaloosa est un cheval de selle très apprécié. Sa taille se situe entre 1,43 et 1,55 m.

Ci-contre
L'appaloosa est un cheval de selle très populaire aux États-Unis.

À gauche et en bas
L'appaloosa est surtout réputé pour sa robe tachetée, pour laquelle il existe six configurations agréées.

La première course organisée sur l'hippodrome de Chantilly eut lieu le 15 mai 1834. Elle fut remportée par le duc d'Orléans. Neuf ans plus tard sera créé à Chantilly le célèbre Prix de Diane.

Arabe

TYPE

USAGE CARACTÈRE

LE CHEVAL ARABE constitue l'une des plus anciennes races équines pures dans le monde. Resté libre d'influences étrangères durant la plus grande partie de son histoire, il a pu conserver ses caractéristiques remarquables et spécifiques.

Il existe une riche iconographie attestant de la présence du cheval arabe en Asie occidentale près de 3 000 ans avant l'ère chrétienne, mais ses origines nous sont encore très peu connues.

Certains spécialistes estiment qu'il est apparu dans l'actuelle Arabie Saoudite, mais le berceau de la race est plus probablement situé à l'intérieur du vaste territoire correspondant à l'Iran, l'Irak, la Syrie et la Turquie actuels. Quoi qu'il en soit, tous les spécialistes s'accordent à reconnaître l'ancienneté et la pureté de l'arabe, et il est aujourd'hui admis qu'il descend, à l'instar de l'akhal-téké, du cheval primitif de type 4.

Le cheval arabe est entré en France dès le VIIIᵉ siècle, lors des invasions maures stoppées à Poitiers, puis, plus tard, au retour des Croisades. Il a, dès lors, participé à l'amélioration de nombreuses races. Napoléon, qui posséda une vingtaine de chevaux, devint un grand admirateur du cheval arabe, qu'il découvrit lors de la campagne d'Égypte. Dès lors, il en imposa l'élevage en race pure. En Grande-Bretagne, la présence du cheval arabe trouve ses origines en 1121, avec le don d'un sujet de cette race à l'église de Saint-Andrews par le roi d'Écosse Alexandre Iᵉʳ. Les chevaux arabes furent alors occasionnellement utilisés pour améliorer la vitesse des poneys britanniques. Plus tard, le roi Charles II d'Angleterre envoya son maître d'équitation quérir des étalons et des poulinières arabes au Moyen-Orient. À partir de cette époque, la réputation de l'arabe en Grande-Bretagne et dans le reste de l'Europe ne cessa de croître.

Aujourd'hui, en France, les qualités de la race sont défendues par l'Association nationale française du cheval arabe, basée au haras national de Pompadour. L'arabe est étroitement lié au barbe, cheval évoqué plus loin dans cet ouvrage, et il a joué un rôle dans le développement de la quasi totalité des races équines modernes, en particulier de celle du pur-sang anglais. De fait, il forme sans aucun doute la race la plus influente dans l'histoire du cheval.

Durant des siècles, et encore largement aujourd'hui, l'arabe a été utilisé pour l'amélioration d'autres races. La réputation du cheval arabe est solidement établie dans le monde entier, sans doute

Il faut 40 à 45 minutes à un cheval pour mastiquer et ingérer 3 kilos de foin.

En haut et à droite
L'arabe, certainement la race la plus connue au monde, est un cheval très polyvalent.

Ci-contre
L'arabe possède une tête harmonieuse à l'encolure rouée.

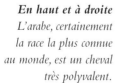

en partie à cause de sa très grande polyvalence. Outre qu'il est un des plus beaux chevaux du monde en termes de proportions et de conformation, l'arabe montre une endurance et une robustesse rares, que son apparence ne laisse pas supposer. Il est également réputé pour sa rapidité et pour ses qualités de cheval de selle.

L'arabe est un cheval vraiment unique qui se distingue des autres races équines par son squelette : il possède dix-sept paires de côtes, cinq vertèbres lombaires et seize vertèbres coccygiennes, contre dix-huit paires de côtes, six vertèbres lombaires et dix-huit vertèbres coccygiennes chez la plupart des autres chevaux de race. Cette disposition explique la compacité de son dos et le port très haut de sa queue. La tête est généralement petite et très bien dessinée, avec un front large. Le museau est petit, avec des naseaux très larges et souvent dilatés. Les yeux sont toujours très grands, expressifs et d'une grande beauté. Les oreilles sont petites et alertes, inclinées l'une vers l'autre. Grâce à une accroche sur l'encolure qui lui est propre, la tête dispose d'une grande liberté de mouvement dans toutes les directions. L'encolure rouée, musclée et pleine d'élégance est greffée sur un poitrail profond encadré par des épaules puissantes et bien formées. Le dos est fort et droit, la croupe large et musclée, la queue placée et portée haut. Les membres sont déliés, avec des tendons bien définis et un pied sûr.

L'arabe présente une excellente locomotion, à la fois efficace et fluide, et montre une grande rapidité à toutes les allures. Il semble véritablement flotter au-dessus du sol. La peau souvent très fine laisse paraître les veines. La taille, voisine de 1,55 m, est relativement modeste. Il existe des lignées produisant des sujets de taille plus grande, mais montrant moins de qualité. La robe est généralement baie, grise ou alezane.

Le cheval arabe Vizir, suivit Napoléon dans son exil à Sainte-Hélène. Il mourut plusieurs années après l'Empereur. Empaillé par son dernier propriétaire, il est aujourd'hui exposé au musée de l'Armée à Paris.

TYPE

USAGE **CARACTÈRE**

Australian stock horse

○ ○

EN BREF

NOM	Australian stock horse ou waler
TAILLE	Entre 1,45 et 1,65 m
ROBE	Bai, parfois autres couleurs unies
ORIGINE	Australie

À droite

Depuis ses origines, l'australian stock horse est utilisé par les cow-boys australiens de l'intérieur du pays.

Au centre et en bas

D'une apparence similaire à celle du pur-sang, le stock horse vit encore en hardes sauvages sur le territoire australien.

LES PREMIERS CHEVAUX australiens furent importés en 1788 depuis la région du Cap, en Afrique du Sud, par le capitaine anglais Arthur Phillip, premier gouverneur de la Nouvelle-Galles du Sud. Dès lors, un nombre croissant de chevaux furent introduits sur le territoire australien, la plupart arabes ou pur-sang, et leur élevage fut pratiqué de façon sélective en Nouvelle-Galles du Sud afin de produire des sujets aptes au travail sur les vastes exploitations ovines. De cette tradition d'élevage est né le waler,

cheval robuste et endurant, qui ne fut jamais enregistré en tant que race malgré des traits bien particuliers.

Le waler acquit rapidement une excellente réputation, à la fois comme cheval de ranch et comme monture militaire. Il fut utilisé en premier lieu par les régiments de cavalerie de l'armée indienne, puis, au cours de la Première Guerre mondiale, par un grand nombre des forces alliées. De fait, le waler fut exporté

en grand nombre durant la première moitié du XXᵉ siècle, de sorte qu'il avait presque entièrement disparu au lendemain de la Seconde Guerre mondiale. La race fut alors reconstituée à l'aide d'influences arabes et pur-sang sous le nom d'australian stock horse. En 1954, des apports de sang quarter horse furent effectués et quatre étalons quarter horse – Vaquero, Jackeroo, Ribson et Gold Standard – eurent une influence déterminante sur la race. L'Australian Stock Horse Society, organisation vouée à la promotion et au contrôle de l'élevage du stock horse, fut fondée en 1971 et continue à œuvrer aujourd'hui.

Le stock horse est un cheval très polyvalent, doté d'un caractère vif mais docile, et montrant à la fois rapidité et vitalité. D'une manière générale, il ressemble par sa conformation au pur-sang, mais au poids plus important. La tête est fine et bien dessinée, avec un front large et de grands yeux. L'encolure, bien en proportion avec le reste du corps, est joliment greffée sur des épaules légèrement inclinées. Le poitrail est profond mais moyennement large, le dos compact, la croupe puissante et musclée. Les membres solides sont renforcés par un pied bien formé. La robe est souvent baie, mais toutes les robes unies sont possibles. La taille se situe entre 1,45 et 1,65 m.

Une forge destinée au ferrage d'un cheval peut chauffer le métal jusqu'à 2 500 °C.

Aztèque

TYPE

USAGE   CARACTÈRE

L'AZTÈQUE forme une race très récente. Elle fut développée au Mexique à partir de 1972, grâce aux efforts combinés de plusieurs organisations, parmi lesquelles le Secretaria de Agriculturea y Recursos Hidraulicos, l'Asociacion Mexicana de Criadores de Caballos de Raza Azteca et le Centro de Reproducion Caballar Domecq. Aujourd'hui très populaire au Mexique, où il rivalise avec le criollo mexicain, l'aztèque est élevé de façon sélective et selon des critères très stricts. Il fut, à l'origine, produit par croisements entre andalous et quarter horse, ou par croisements d'étalons andalous avec des juments criollo soigneusement sélectionnées.

Ces croisements furent étudiés de façon scientifique afin de produire un cheval possédant les qualités des trois races impliquées.

La combinaison la plus courante met en jeu un étalon andalou et une jument quarter horse, et les sujets des générations suivantes peuvent être croisés avec l'une ou l'autre des races. Les poulains de race ne doivent pas afficher plus de six huitièmes de sang de l'une des trois races d'origine. L'International Azteca Horse Association fut constituée en 1992 afin de contrôler le développement de la race à l'étranger, notamment aux États-Unis et au Canada, pays dans lesquels des associations locales ont été formées. Il existe aujourd'hui environ mille chevaux de race aztèque enregistrés par cette

association, et ce nombre ne cesse de croître. De façon typique, l'aztèque est un cheval à la fois élégant, polyvalent et athlétique, qui combine les qualités du quarter horse et de l'andalou. Il convient pour tous les usages de selle, y compris ceux touchant à la compétition, et se montre également apte au trait léger et aux petits travaux fermiers. La plupart des sujets montrent un caractère calme, énergique et obéissant.

L'aztèque présente généralement une tête de type andalou, avec des yeux très vifs et des oreilles petites et très mobiles. L'encolure musclée et joliment rouée rejoint avec élégance les épaules légèrement inclinées. Le poitrail est large et profond, le garrot prononcé, le dos droit, l'arrière-main puissante. Les membres très robustes sont renforcées par des articulations solides. Le canon est long, le pied bien formé. Toutes les robes unies sont admises. Les standards imposent une taille minimale de 1,46 m pour les femelles et de 1,53 m pour les mâles.

Le premier concours de saut d'obstacles eut lieu en Irlande, en 1865, à l'initiative de la Royal Dublin Society. Les techniques modernes de saut seront développées par l'Italien Federico Caprilli.

En haut
L'aztèque est souvent utilisé dans les épreuves de dressage.

Au centre et ci-contre
L'aztèque affiche une tête très élégante, des membres robustes et une locomotion brillante.

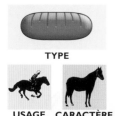

TYPE

USAGE   CARACTÈRE

Barbe

○ ○

E N   B R E F

NOM	Barbe
TAILLE	Entre 1,43 et 1,53 m
ROBE	Souvent gris, parfois bai ou alezan
ORIGINE	Afrique du Nord

LE BARBE est originaire de la bande côtière nord-africaine occupant une partie de la Libye, du Maroc, de l'Algérie et de la Tunisie

Ci-dessus
Originaire d'Afrique du Nord, le barbe a influencé un grand nombre de races européennes et américaines.

À droite
Le barbe ressemble à un arabe de petite taille, mais affiche une tête un peu plus lourde.

Chez le cheval, l'articulation du grasset correspond à peu près au genou humain.

actuels. De même que l'arabe, le barbe a exercé une grande influence sur un nombre des races équines connues aujourd'hui. Il forme une race très ancienne, aux origines mal connues, dont les spécialistes pensent qu'elle est liée au cheval primitif de type 3. Aujourd'hui encore, les avis divergent sur la question de l'antériorité entre le cheval arabe et le barbe. Il est néanmoins probable que le barbe possède du sang arabe, et le fait qu'il ait conservé ses traits intacts jusqu'à aujourd'hui témoigne du caractère dominant de ses gènes. Ces dernières années, le barbe a cependant fait l'objet de très nombreux croisements interraciaux, de sorte qu'il existe, en Afrique du Nord, plusieurs types distincts.

À l'image de l'arabe, le barbe est un cheval typique des régions désertiques, doté d'une peau très fine et doté d'une grande endurance. Les deux races ne doivent cependant pas être confondues : le barbe

affiche des caractéristiques très distinctives, par exemple un profil convexe retrouvé chez les nombreux chevaux ibériques qu'il a influencés.

De façon typique, le barbe présente une tête plutôt étroite qui s'affine nettement du front vers les naseaux. Les oreilles sont incurvées, trait également présent chez l'arabe, et les yeux sont très expressifs. L'encolure, souvent très musclée est joliment rouée du garrot à la nuque. Les épaules tendent à être verticales, ce qui est étonnant si l'on considère la rapidité et l'agilité de ce cheval. Le poitrail est profond mais souvent étroit, le passage de sangle relativement épais dans une conformation plutôt fine. La queue est portée bas sur une croupe légèrement tombante. Les membres sont fins mais extrêmement robustes, renforcés par des sabots très durs. Certains sujets sont panards du derrière, d'autres serrés du devant, mais ces défauts de conformation ne semblent pas affecter les performances.

La taille est généralement peu élevée, la plupart du temps comprise entre 1,43 et 1,53 m. La robe est souvent grise, trace des influences arabes, mais elle peut également être baie ou alezane. Le barbe est un petit cheval incroyablement robuste, doué d'une endurance et d'une vitalité étonnantes, et montrant une grande résistance aux conditions climatiques extrêmes de sa région d'origine. Il ne possède ni la même grâce ni la même qualité de fonctionnement que l'arabe, mais il se révèle au moins aussi rapide que celui-ci sur de courtes distances. Le barbe est encore bien présent aujourd'hui dans le Maghreb, particulièrement en Algérie, en Tunisie et au Maroc, pays dans lesquels il est souvent habillé d'un harnachement précieux qui témoigne de la richesse de son propriétaire.

Introduit en Espagne lors des invasions maures, le barbe a exercé une grande influence sur les chevaux ibériques – les spécialistes estiment qu'il est l'ancêtre direct de l'andalou – et, à travers ceux-ci, sur un très grand nombre de races européennes et américaines. Il a notamment contribué au développement du pur-sang anglais par le biais de l'étalon Godolphin Arabian, à l'histoire fascinante. Petit cheval à la tête élégante et à l'encolure portée très haut, Godolphin Arabian fut remarqué à Paris, alors qu'il tirait une calèche, par un Britannique

du nom de Coke, qui en fit l'acquisition et lui fit traverser la Manche. Plus tard, le nommé Coke vendit sa superbe monture à un certain Williams, qui lui-même le céda au duc de Godolphin. En 1731, Godolphin Arabian remplaça un étalon défaillant alors qu'il était utilisé comme boute-en-train sur une jument nommée Roxana. Le poulain produit par cette union, nommé Lath, devint l'un des meilleurs chevaux de course de l'époque, seulement dépassé en réputation par Flying Childers, et fut à la base d'une lignée de chevaux d'une extrême qualité. En France, le barbe fut le cheval préféré de nombreux rois, plus particulièrement de Louis XIII, et il fut recommandé par les maîtres d'équitation Antoine de Pluvinel et François Robichon de la Guérinière. Avant cela, des chevaux barbes avaient été importés en Angleterre pour un emploi dans les haras royaux dès le règne de Richard II (1377-1399).

De même que l'arabe, le barbe est reconnu pour son influence sur le développement du camargue, avec lequel il présente de nombreux traits communs, du poney connemara irlandais et de diverses races françaises, dont celle du limousin.

Les premières méthodes d'attelage consistaient à mettre en action deux animaux placés de part et d'autre d'un timon central. L'idée d'atteler un seul animal entre deux brancards n'est apparue qu'au IIe siècle, en Chine.

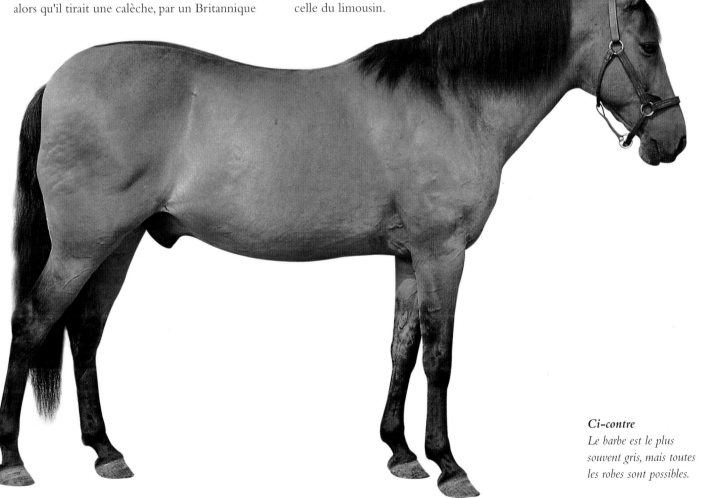

Ci-contre
Le barbe est le plus souvent gris, mais toutes les robes sont possibles.

TYPE

USAGE   CARACTÈRE

Belge
sang chaud

EN BREF	
NOM	Belge sang chaud
TAILLE	Voisine de 1,65 m
ROBE	Bai, parfois autres couleurs unies
ORIGINE	Belgique

Monty Roberts, « l'homme qui sait parler aux chevaux », est un dresseur américain réputé qui vit en Californie (États-Unis). Il participa à des compétitions de rodéo dès l'âge de 4 ans et tourna dans de nombreux films comme doublure. Il doubla notamment James Dean dans *À l'est d'Eden*. Il est reconnu pour ses méthodes dans le monde entier.

En haut

Le belge sang chaud est un cheval puissant, doué d'une locomotion brillante.

À droite

La robe est le plus souvent baie, et la conformation générale est excellente.

LE BELGE SANG CHAUD forme une race relativement récente, développée depuis le début des années 1950 spécialement pour l'équitation sportive et la compétition. Traditionnellement, la Belgique est associée à l'élevage de chevaux lourds tels que le brabant, mais elle est également reconnue aujourd'hui pour ses chevaux de compétitions grâce au belge sang chaud, dont elle produit environ 5 000 poulains par an. Ce cheval d'une grande polyvalence, à la fois élégant et très athlétique, est devenu très populaire aux États-Unis ainsi que dans l'ensemble de l'Europe.

Le belge sang chaud résulte, à l'origine, de croisements entre chevaux agricoles légers et gelderland. Le cheval de selle obtenu, harmonieux mais lourd, et manquant par trop d'agilité pour les disciplines sportives, fut amélioré et affiné par des apports de sang holstein, de selle français et hanovrien. Un complément de vitesse et de finesse fut apporté par l'introduction d'étalons anglo-arabes, pur-sang et hollandais sang chaud dans les programmes d'élevage, ce qui donna naissance au belge sang chaud tel qu'il est connu aujourd'hui.

Le belge sang chaud allie puissance et qualité du déplacement en même temps qu'il montre un tempérament calme et docile. Il excelle aujourd'hui dans toutes les disciplines sportives, plus particulièrement en concours de sauts d'obstacles et en dressage. Il présente généralement une tête fine et élégante, dont les traits témoignent d'influences anglo-arabes et pur-sang. Le regard est doux et vif. L'encolure est musclée, le poitrail large, le garrot bien placé. Les épaules inclinées autorisent une foulée d'une très grande fluidité. Le dos court et compact est prolongé par une croupe très musclée. Les membres robustes et bien formés sont terminés par un sabot très dur. La conformation générale est excellente, notamment dans son équilibre et ses proportions. La robe est le plus souvent baie, mais toutes les robes unies sont possibles. La taille est voisine de 1,65 m.

Brumby

TYPE

USAGE **CARACTÈRE**

EN BREF

NOM	Brumby
TAILLE	Entre 1,43 et 1,53 m
ROBE	Toutes les couleurs possibles
ORIGINE	Australie

CHEVAL ENSAUVAGÉ australien, le brumby descend vraisemblablement de chevaux abandonnés par les prospecteurs après la ruée vers l'or en Australie au milieu du XIXᵉ siècle. De fait, le brumby désigne plusieurs chevaux de types différents, tous ensauvagés, et mêlant ensemble des influences waler, australian stock horse, anglo-arabes, percherons et poneys australiens. Il n'existe donc pas de conformation typique pour cette race, et l'apparence varie souvent de manière importante d'un sujet à un autre. Dès la fin du XIXᵉ siècle, les brumby formaient de larges hardes qui ne cessaient de croître, avec des effets souvent néfastes pour l'agriculture locale.

Fort de sa parfaite adaptation à l'environnement australien et aux dures conditions climatiques, le brumby se développa au détriment de nombreuses espèces de la flore et de la faune, notamment lors des périodes de grande sécheresse. Au début des années 1960, l'élimination sélective décidée par le gouvernement australien conduisit le brumby aux portes de l'extinction. Ces opérations, effectuées au fusil depuis des hélicoptères, causant des blessures plutôt que la mort chez de nombreux sujets,

provoquèrent des protestations dans le monde entier. Aujourd'hui, le nombre des brumby s'est considérablement réduit, mais il demeure nécessaire de contrôler la croissance des hardes, et les méthodes employées sont toujours l'objet de vifs débats.

Malheureusement, le brumby offre peu de qualités pour la selle. À l'instar de tous les animaux ensauvagés, il est difficile à capturer et à apprivoiser et se montre rebelle et têtu de caractère. En outre, le nombre élevé de stock horses, chevaux de selle de qualité, rend l'éducation du brumby inutile. Après son retour à la vie sauvage au milieu du XIXᵉ siècle et lors de son adaptation à son nouvel environnement, le brumby perdit en taille mais gagna en rapidité, en endurance et en robustesse.

Le brumby varie beaucoup dans sa conformation, mais il présente une tête plutôt lourde posée sur une encolure courte. Le dos est peu allongé, la croupe inclinée. Les épaules sont droites, les membres robustes. L'allure générale manque d'élégance, même si certains sujets laissent paraître de lointaines origines pur-sang, notamment par leurs traits faciaux. Toutes les robes sont possibles et la taille excède rarement 1,55 m.

En haut
Autrefois, le brumby était si prolifique qu'il menaçait plusieurs espèces de la faune et de la flore australiennes.

En bas
L'apparence du brumby est souvent quelconque, même si certains sujets laissent paraître de lointaines origines pur-sang.

Du fait de la position de ses yeux, le cheval possède un angle de vision proche de 360 °. Seules les zones situées directement devant son museau et directement derrière sa croupe échappent à son regard.

TYPE

USAGE CARACTÈRE

Boudienny

EN BREF

NOM	Boudienny
TAILLE	Voisine de 1,63 m
ROBE	Souvent alezan, parfois gris, bai-brun, bai ou noir
ORIGINE	Ex-URSS

La jarde, autrefois appelée éparvin, est une lésion inflammatoire touchant le jarret. Elle est souvent cause de boiterie et d'un épaississement de l'articulation. Le repos complet du cheval est alors indispensable.

C E CHEVAL, qui doit son nom au maréchal Boudienny, héros de la Révolution russe, fut développé à partir des années 1920 dans la région de Rostov, au nord-est de Moscou, pour les régiments de cavalerie de l'armée soviétique. L'intention première était de produire une monture militaire de qualité afin de compenser les lourdes pertes en chevaux subies par l'armée russe au cours de la Première Guerre mondiale. Aujourd'hui, le boudienny est un cheval à vocation sportive, élevé en Ukraine et dans le Sud de la Russie.

Les premières tentatives pour établir la race, effectuées par croisements de chevaux kirghiz et kazakh, se révélèrent peu fructueuses, les poulains héritant le plus souvent des défauts des deux races. Un peu plus tard, le croisement d'étalons pur-sang avec des juments don soigneusement sélectionnées donna naissance à un cheval dit anglo-don, dont les descendants furent croisés entre eux afin de fixer le type obtenu. Des apports réguliers de sang pur-sang permirent d'améliorer la race, qui fut reconnue en 1949. Aujourd'hui, les jeunes mâles sont testés avec rigueur dans toutes les disciplines équestres sportives afin de garantir l'excellence de la production.

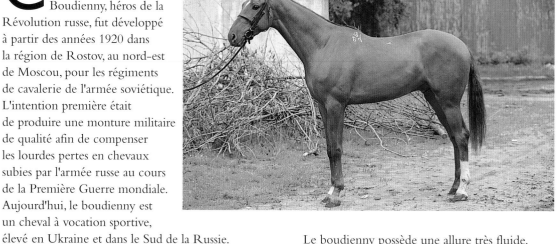

Le boudienny possède une allure très fluide, d'une grande efficacité au galop. Il se montre également excellent sauteur, ce qui fait de lui un cheval sportif très recherché. Il figure souvent brillamment dans les courses d'obstacles, mais ne peut rivaliser en vitesse avec le pur-sang. Ainsi, sa présence est croissante dans les concours de saut d'obstacles, les courses d'endurance et les épreuves de dressage.

Le boudienny est tout à la fois calme, docile et énergique, et sa robustesse et son endurance sont réputées. De façon typique, il présente une tête bien dessinée dans une conformation bien proportionnée. L'encolure est musclée, le poitrail large et profond, le dos long. Les épaules sont inclinées. La croupe tombante porte une queue bien posée. Les membres généralement solides et riches en os sont renforcés par des articulations bien formées. Certains sujets tendent à être droits sur les jarrets, d'autres affichent une faiblesse des antérieurs, défauts attribués aux premières influences kirghiz et kazakh. La robe est généralement alezane, avec un lustre métallique hérité du don, mais parfois baie, bai-brun, grise ou noire. La taille est voisine de 1,63 m.

En haut
À la fois élégant, athlétique et docile, le boudienny est un excellent cheval pour l'équitation sportive.

Ci-contre
Le boudienny affiche une allure fluide, très efficace au galop.

Calabrese

TYPE

USAGE   CARACTÈRE

L E CALABRESE possède une histoire longue et riche, puisqu'il descend de chevaux élevés sur l'actuel territoire italien avant la fondation de la Rome antique. Ses principaux traits furent cependant établis par des influences andalouses intervenues durant la période des Bourbons, principalement en Calabre,

région de l'Italie du Sud dont la race tire son nom. Le calabrese était une monture appréciée par les chevaliers du Moyen Âge, notamment pour son intelligence et son aptitude à supporter sans fatigue le poids d'un homme en armure.

Il connut un certain déclin aux XVIᵉ et XVIIᵉ siècles, durant lesquels se développa l'élevage du mulet, utilisé comme animal de bât et considéré comme mieux adapté aux terrains accidentés du Sud de l'Italie. Des apports de sang arabe et andalou réalisés entre 1750 et 1850 permirent cependant de reconstituer la race. En 1874, celle-ci subit un nouveau revers avec la fermeture des haras par décret royal et la dispersion des sujets. L'élevage du calabrese ne reprit de façon organisée qu'au début du XIXᵉ siècle, cette fois grâce à des influences arabes, andalouses, pur-sang anglais et hackney. Les apports de sang pur-sang ont apporté au calabrese qualité et finesse, et ses origines arabes sont gages d'une grande robustesse et d'une étonnante endurance. Vif et énergique en même temps que doué

d'un tempérament calme et docile, le calabrese est un cheval de selle très polyvalent.

D'une manière générale, le calabrese présente une tête bien dessinée, avec un profil droit ou convexe. L'encolure musclée s'insère avec élégance dans une conformation générale plutôt compacte. Le poitrail est profond et bien ouvert, le dos court et fort, la croupe tombante et musclée. Les épaules légèrement inclinées permettent une allure fluide. Les membres solides, qui affichent des tendons bien définis, sont terminés par un pied dur et bien formé. La robe est généralement grise, baie, alezane, bai-brun ou noire, et la taille se situe entre 1,56 et 1,65 m chez la plupart des sujets.

Au centre
L'ancêtre du calabrese était élevé sur la pénincule italienne avant la fondation de la Rome antique.

En bas
Les apports de sang arabe et hackney ont grandement amélioré la race.

E n 2001, 16 519 courses, réparties en 2 261 réunions, ont été organisées sur les 256 hippodromes français. Elles ont mis aux prises plus de 26 000 chevaux.

TYPE

USAGE CARACTÈRE

L'Anglais Robert Bakewell (1725-1795) fut l'un des premiers spécialistes de l'élevage sélectif. Il est resté célèbre pour ses expériences pratiquées sur le black horse dans le comté de Leicestershire, en Grande-Bretagne, lesquelles donnèrent naissance au shire de type midlands.

Cutting canadien

EN BREF

NOM	Cutting canadien
TAILLE	Entre 1,53 et 1,63 m
ROBE	Bai, alezane, noir et autres couleurs
ORIGINE	Canada

ORIGINAIRE DU CANADA, le cutting canadien est étroitement lié au quarter horse, auquel il ressemble par son apparence, son caractère et ses aptitudes. Il est élevé

depuis ses origines de façon sélective et montre de grandes qualités d'agilité et de rapidité auxquelles s'ajoutent intelligence, calme et docilité. Au Canada, il est principalement utilisé pour le travail du bétail dans les ranchs de l'Ouest du pays.

À l'instar du quarter horse, le cutting canadien tire une grande partie de ses qualités de l'andalou, cheval réputé pour son aisance auprès des vaches et des taureaux. Un cutting canadien est généralement capable d'anticiper sur les mouvements d'un troupeau et d'agir en conséquence. Aux États-Unis et au Canada, le travail du bétail fait l'objet de compétitions : les concurrents doivent séparer une vache marquée d'un troupeau de la façon la plus rapide et la plus élégante possible. Une fois la séparation effectuée, le cheval doit « marquer » la vache isolée dans tous ses mouvements pour l'empêcher de rejoindre

le troupeau. Durant cette opération, le cavalier ne peut utiliser ses rênes et place les mains sur le pommeau de sa selle, de sorte que le cheval travaille seul. Ces compétitions, qui mettent en valeur l'intelligence et la vivacité des montures, sont souvent richement dotées.

D'une manière générale, le cutting canadien présente une tête agréablement proportionnée, avec un regard intelligent, des oreilles petites et très mobiles, et un profil droit ou légèrement convexe qui trahit ses influences espagnoles. L'encolure musclée est joliment greffée sur les épaules puissantes et légèrement inclinées. Le poitrail est large et profond, le dos droit, l'arrière-main très musclée. Les membres courts et robustes sont renforcés par des tendons solides et un pied très sûr. La robe peut être baie, alezane, baie, noire ou de toutes couleurs unies. La taille se situe généralement entre 1,53 et 1,63 m.

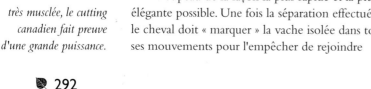

En haut
Le cutting canadien est lié au quarter horse et à l'andalou.

À droite
Fort de membres courts et d'un arrière-main très musclée, le cutting canadien fait preuve d'une grande puissance.

Cartujano

TYPE

USAGE   CARACTÈRE

NOMBRE DE SPÉCIALISTES considèrent aujourd'hui que le cartujano forme une branche de la race andalouse plus qu'une race à part entière, même s'il est resté conforme à ses caractéristiques d'origine et n'a pas été complètement absorbé par son illustre parent. Le cartujano est l'un des chevaux les plus anciens d'Espagne, et son histoire est à la fois très riche et largement documentée.

Elle commence avec celle des frères Zamora, originaires du Sud de l'Espagne et propriétaires de plusieurs juments andalouses. Andrés, l'un des deux frères, reconnut un jour un vieil étalon attelé à une carriole comme étant le cheval qu'il montait dans la cavalerie espagnole. Il acheta le cheval, nommé El Soldado, et le croisa avec deux de ses juments. Esclavo, l'un des poulains produits, devint le mâle fondateur de la race. Considéré comme proche de la perfection à la fois par son caractère et sa conformation, Esclavo conçut de nombreux descendants de qualité. Un jour, alors qu'Andrés était absent, son frère vendit Esclavo à un éleveur portugais pour une confortable somme d'argent. Désespéré par la nouvelle, Andrés mourut peu après.

Vers 1735, certains des descendants d'Esclavo furent vendus à un éleveur du nom de San Pedro, qui, lui-même, fit don de quelques juments à des moines chartreux. Les moines poursuivirent l'élevage et parvinrent à conserver la pureté de la race. Aujourd'hui, le cartujano est élevé dans les haras d'État de Cordoue, Jerez de la Frontera et Badajoz. Les particularités d'Esclavo sont encore présentes chez la plupart des sujets, notamment la présence de verrues sur la face interne de la queue et celle d'étranges excroissances osseuses sur le front, semblables à de minuscules cornes. À une certaine époque, un cheval dépourvu de ces verrues n'était pas considéré comme un descendant d'Esclavo. Esclavo a également transmis sa robe gris sombre, qui est aujourd'hui dominante. Les robes noires ou alezanes sont également rencontrées.

De façon typique, le cartujano présente une tête bien formée, portée par une encolure musclée et joliment rouée de la nuque au garrot. Les épaules sont inclinées. Le poitrail est profond, le dos bien proportionné, de même que l'arrière-main. La conformation générale est excellente, à la fois par son équilibre et ses proportions. La taille se situe entre 1,53 et 1,63 m.

En haut
Le cartujano forme l'une des races espagnoles les plus anciennes.

En bas
Le dos et l'arrière-main du cartujano sont puissamment musclés.

TYPE

USAGE   CARACTÈRE

Bai de Cleveland

Près de 3 100 chevaux ont été vendus aux enchères en France durant l'année 2001, pour un montant global proche de 80 millions d'euros. La plupart des ventes se faisant de gré à gré, il est difficile de connaître le nombre total annuel de transactions.

LE BAI DE CLEVELAND forme l'une des races natives britanniques les plus anciennes. Il trouve ses origines dans le comté du Yorkshire au Moyen Âge, où il fut développé à partir du chapman horse, cheval utilisé alors par

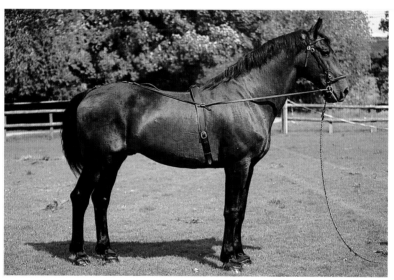

les marchands ambulants. Le chapman horse était un cheval de petite taille et de conformation robuste, doué d'une puissance peu commune à l'attelage. Grâce à ses membres solides, dépourvus de longs poils dans leur partie inférieure, il se montrait très à l'aise sur les terres argileuses du Yorkshire. Le bai de Cleveland a vraisemblablement bénéficié d'influences barbes au cours du XVIIᵉ siècle, et il doit également une partie de ses qualités au pur-sang, notamment par le biais de deux étalons : Jalep, petit-fils du fameux Godolphin Arabian, et Manica, fils de Darley Arabian.

En haut
Le bai de Cleveland forme l'une des races natives britanniques les plus anciennes.

À droite
Seule la robe baie est admise pour la race, mais la présence d'une petite étoile blanche en tête est tolérée.

Durant les XVIᵉ et XVIIᵉ siècles, le bai de Cleveland fut surtout utilisé pour l'attelage, mais l'émergence du yorkshire coach-horse, cheval d'attelage d'une rapidité supérieure obtenu à partir de croisements entre bais de Cleveland et pur-sang, mit progressivement fin à cet usage. En 1884, un stud-book fut ouvert dans le but de protéger la race, mais il ne restait plus, en 1962, que quatre étalons aptes à la reproduction. L'un de ces étalons, Mulgrave Supreme, fut acheté par la reine Élisabeth II qui l'utilisa pour tenter de reconstituer la population, opération menée avec succès grâce au soutien toujours renouvelé de la famille royale britannique. Aujourd'hui, le bai de Cleveland est employé comme cheval d'attelage pour les carrosses royaux, et il constitue également un cheval de selle de bonne qualité souvent utilisé pour la chasse à courre. Doué d'un caractère calme et d'une grande intelligence, il est souvent mis à contribution pour l'amélioration d'autres races équines.

D'une manière générale, le bai de Cleveland est un cheval grand et puissant montrant beaucoup de qualités. La tête au type espagnol marqué est portée avec élégance sur une encolure musclée et rouée. Épaules et poitrail dégagent une grande puissance, trait typique chez un cheval d'attelage. Le dos est plutôt allongé, la croupe puissante. Les membres sont courts et robustes. Seule la robe baie est admise pour la race, et la seule marque tolérée est une étoile blanche sur la face. La taille est voisine de 1,65 m.

Colorado ranger

EN BREF

NOM	Colorado ranger
TAILLE	Entre 1,45 et 1,63 m
ROBE	Toutes les couleurs, souvent tachetée
ORIGINE	États-Unis

TYPE

USAGE CARACTÈRE

Ci-contre
Il existe de nombreuses robes au sein de la race, la plupart tachetées.

En bas
Cheval de selle apprécié pour son bon caractère, le colorado ranger est souvent utilisé pour la garde du bétail.

LA RICHE HISTOIRE du colorado ranger commence en 1878, à l'occasion d'une visite en Turquie du général américain Ulysses S. Grant. Lors de ce voyage, le fameux général reçut en cadeau deux étalons de toute première qualité : un arabe appelé Leopard et un barbe du nom de Linden Tree. Les deux chevaux furent transportés en bateau jusque dans l'État de Virginie et confiés à l'Américain Randolph Huntingdon, l'un des grands maîtres d'équitation de l'époque. Huntingdon avait développé une lignée de chevaux légers voués au trot attelé, et il entreprit d'utiliser les deux étalons afin d'améliorer cette population. Mis à contribution durant quatorze années, Linden Tree et Leopard permirent la fixation d'un type arabo-américain, mais en 1906, suite à la ruine personnelle de Huntingdon, le cheptel fut dispersé et vendu.

Pour Linden Tree et Leopard, l'histoire ne s'arrête pas là. En 1894, les deux étalons furent envoyés sur les terres du général Colby, dans l'État du Nebraska. Croisés avec diverses juments locales, ils y donnèrent naissance à une population de jeunes chevaux dotés de caractéristiques très distinctives et doués de grandes qualités pour la garde du bétail. Cette nouvelle race fut appelée colorado ranger. En 1918, un étalon barbe à robe tachetée du nom de Spotte apporta son sang à la race, et les origines de nombre de sujets contemporains peuvent être retracées jusqu'à cet ancêtre. Plus tard, un autre étalon nommé Max exerça une influence non négligeable.

Il existe de nombreuses robes, la plupart tachetées, et il n'existe pas de restrictions à cet égard. Pour être admis au registre de race, un colorado ranger doit remplir des conditions de conformation et d'origines, et seules les influences pur-sang, quarter horse, arabes, appaloosa et lusitano sont aujourd'hui autorisées. De façon typique, le colorado ranger affiche un caractère à la fois docile et énergique, qui fait de lui une monture de choix.

Le colorado ranger présente généralement une tête harmonieuse, avec des oreilles petites et très mobiles. L'encolure, relativement longue, est souvent très musclée. Le poitrail est large et profond, le dos court. Les membres postérieurs sont extrêmement puissants dans une conformation générale solide et compacte. La taille se situe entre 1,45 et 1,63 m.

Horse and Hound est l'un des magazines d'équitation les plus vendus au monde. Cet hebdomadaire anglais publié depuis 1884 contient de nombreuses informations et une rubrique de petites annonces réputée.

TYPE

USAGE **CARACTÈRE**

Criollo

EN BREF	
NOM	Criollo
TAILLE	Entre 1,43 et 1,53 m
ROBE	Souvent isabelle, parfois rouan ou autres couleurs unies
ORIGINE	Argentine

LES ORIGINES du criollo remontent au début du XVIᵉ siècle, lorsque l'Espagnol Pedro de Mendoza, fondateur de Buenos Aires, fit venir d'Espagne cent chevaux de races sorraia, garrano et andalouse. Beaucoup périrent durant le voyage, mais les survivants, croisés entre eux et sans doute également avec des sujets arabes et barbes, donnèrent naissance aux premiers criollos. Vers 1540, la ville de Buenos Aires fut attaquée et détruite par des peuplades indigènes, et la plupart des chevaux

s'échappèrent ou furent remis en liberté. Ce retour à l'état sauvage eut pour effet de renforcer considérablement les qualités du criollo, qui développa endurance et robustesse et fut grandement influencé dans son évolution par les facteurs environnementaux.

Très rapidement, le criollo devint apte à supporter les froids et chaleurs extrêmes du climat argentin et il

parvint à survivre avec des rations de nourriture minimales, se contentant souvent de l'herbe de la pampa. Après la formation d'une association de race en 1918, des tests d'endurance très rigoureux furent institués afin de sélectionner les meilleurs éléments pour la reproduction. Aujourd'hui, cet examen consiste en un parcours de 750 kilomètres à couvrir en un temps maximal de soixante-quinze heures réparties sur quatorze jours. Le cheval ne reçoit aucun complément de nourriture durant l'épreuve – il se contente de l'herbe trouvée au bord des routes – et il est examiné par un vétérinaire à la fin de chaque journée.

Le criollo est la monture traditionnelle des gauchos (cow-boys argentins) et il a été largement utilisé pour le développement du poney de polo argentin. Il se montre endurant, jouit d'une durée de vie longue et résiste à la plupart des maladies équines. En outre, il est doté d'un caractère agréable et docile.

D'une manière générale, le criollo présente une tête aux traits ibériques marqués, une encolure longue et musclée et des épaules joliment inclinées. Le poitrail est large, la garrot bien défini, le dos court et compact, la croupe musclée. Les membres sont robustes, forts en os, et terminés par un sabot très dur. La robe est souvent isabelle, mais toutes les robes unies sont possibles. La taille se situe entre 1,43 et 1,53 m.

En haut
Le criollo présente une tête allongée, aux traits ibériques marqués.

Au centre et ci-contre
Le criollo est souvent utilisé pour les parades. Il est également la monture traditionnelle des gauchos.

Danois sang chaud

TYPE

USAGE **CARACTÈRE**

EN BREF

NOM	Danois sang chaud
TAILLE	Voisine de 1,65 m
ROBE	Bai, parfois autres couleurs unies
ORIGINE	Danemark

LA TRADITION de l'élevage équin est très ancienne au Danemark, puisque celui-ci était déjà pratiqué au XIVe siècle. Ce pays jouit depuis peu d'une réputation internationale pour la

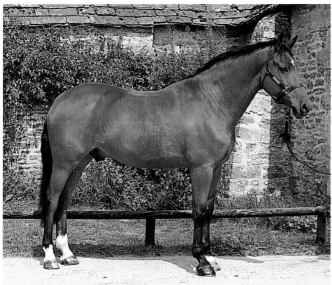

production de chevaux de compétition de grande qualité. Le holstein, produit dans la région éponyme, et le fredericksborg, développé au sein du haras royal de Fredericksborg, ont formé la souche d'origine de la race, dont l'évolution s'est effectuée par un élevage sélectif très rigoureux auquel furent associées diverses autres races.

Dans un premier temps, le croisement de fredericksborg et de pur-sang donna naissance à un cheval de selle de bonne qualité mais un peu lourd. Celui-ci fut ensuite bonifié par des apports de sang trakehner, wielkopolski et selle français pour finalement donner naissance au danois sang chaud moderne. L'absence de sang hanovrien chez le danois sang chaud explique sans doute ses caractéristiques particulières, qui le distinguent des autres chevaux dits de sang chaud. Le stud-book fut ouvert dans

les années 1960 par la Danish Warmblood Society, association qui veille aujourd'hui à la promotion de la race et au maintien de ses standards. Les candidats à la reproduction doivent subir divers tests afin d'obtenir un agrément, ce qui permet de pérenniser la grande qualité des sujets.

De façon typique, le danois sang chaud est un cheval plein de valeur, similaire au pur-sang dans son allure générale, mais plus lourd et plus massif que celui-ci dans sa conformation. Il montre une grande élévation naturelle dans ses allures et possède à la fois vitalité, rapidité et aptitude au saut. Il excelle dans les concours de saut d'obstacles et les épreuves de dressage, à tel point qu'il a gagné une réputation mondiale dans ces deux disciplines.

D'un manière générale, le danois sang chaud présente une tête élégante portée par une encolure musclée et plutôt allongée. Les épaules sont inclinées. Le poitrail est large et profond, le dos compact, la queue bien posée. Les membres sains et musclés sont renforcés par des articulations solides et un sabot bien formé. La locomotion est d'une grande fluidité. Le danois sang chaud fait preuve d'un caractère à la fois docile et énergique. La robe est le plus souvent baie, mais toutes les robes unies sont possibles. La taille est voisine de 1,65 m chez la plupart des sujets.

Les Indiens d'Amérique vouaient une grande admiration au cheval. Chez les Indiens wishram, la monture d'un guerrier tué au combat était abattue afin qu'elle rejoigne son maître au royaume des morts.

En haut
Le danois sang chaud ressemble au pur-sang, mais dans une conformation plus massive.

Ci-contre
Les chevaux de la race présentent une tête bien dessinée, portée par une encolure longue et musclée.

TYPE

USAGE   CARACTÈRE

Don

○ ○

EN BREF

NOM	Don
TAILLE	Entre 1,55 et 1,65 m
ROBE	Souvent alezan ou bai
ORIGINE	Ex-URSS

LE DON tire son nom du fleuve russe éponyme qui traverse la vaste région de steppes dont il est originaire. Les dures conditions climatiques rencontrées sur ces territoires ont fait du don un cheval étonnamment robuste et endurant. Il s'est développé au cours des XVIIIe et XIXe siècles, probablement à partir de croisements entre turkmènes, karabakh, akhal-téké et orloff. Le don connut une brève période de gloire en 1812-1814 durant la campagne de Russie. Nombre des chevaux de l'armée napoléonienne périrent alors de froid, tandis que le don, monture des cosaques, supportait sans sourciller les conditions extrêmes de l'hiver russe.

Dans les années 1830, l'élevage du don commença à être pratiqué de façon sélective, principalement dans le but de produire des chevaux militaires aptes à la fois à la selle et au trait. Des apports de sang pur-sang et arabe furent effectués au début du XXe siècle afin de bonifier la race, mais celle-ci est, depuis, restée essentiellement libre d'influences extérieures. Le don présente plusieurs défauts de conformation que les éleveurs contemporains s'efforcent d'éliminer, mais ce cheval se révèle néanmoins extrêmement utile pour ses qualités de robustesse et d'endurance, complétées par un caractère calme mais énergique. Durant la période soviétique, le don fut souvent mis à contribution pour l'amélioration d'autres chevaux de race russes, notamment le boudienny. Aujourd'hui, il est principalement utilisé pour la selle et le trait léger.

Le don présente généralement une tête de type oriental, moyennement massive. L'encolure est bien formée, souvent très musclée. Les épaules sont presque verticales, ce qui explique l'allure plutôt étriquée. Le poitrail est large, le dos long et droit, l'arrière-main parfois faible, avec une croupe peu marquée. Les membres sont presque toujours longs, terminés par un sabot très dur. Certains sujets sont cagneux du devant. La robe est généralement alezane ou bai, parfois avec un lustre métallique qui trahit les influences akhal-téké. La taille se situe entre 1,55 et 1,65 m chez la plupart des sujets.

En haut
Le don est un cheval très résistant, car originaire de régions aux conditions climatiques extrêmes.

À droite
Doté d'un caractère calme et docile, le don montre de grandes aptitudes pour le saut.

EN BREF

NOM	Hollandais sang chaud
TAILLE	Entre 1,56 et 1,66 m
ROBE	Bai, gris, alezan ou noir
ORIGINE	Pays-Bas

Hollandais sang chaud

TYPE

USAGE CARACTÈRE

À gauche
Doté de grandes aptitudes pour le saut, le hollandais sang chaud est un excellent cheval sportif.

En bas
Le hollandais sang chaud présente une tête bien dessinée, un poitrail profond et des épaules inclinées.

LE HOLLANDAIS SANG CHAUD est un cheval d'origine récente, mais doué de grandes qualités et d'une grande polyvalence. Les Pays-Bas ont toujours été hautement réputés pour leurs activités en matière d'agronomie et d'élevage, et cette réputation englobe aujourd'hui la production de chevaux de compétition de premier ordre. En Hollande comme ailleurs en Europe, l'émergence de la motorisation a provoqué un déclin des chevaux lourds au profit des chevaux de selle. Le hollandais sang chaud, qui s'inscrit dans cette tendance, combine les qualités du groningen et du gelderland, et affiche des traits liés à des influences pur-sang, trakehner et oldenbourg.

Les apports de sang pur-sang furent effectués afin d'obtenir davantage de finesse, de rapidité et de bravoure chez les sujets, mais dans le même temps, les éleveurs sont restés soucieux de préserver le caractère sensible et paisible propre à la race. Aujourd'hui, l'élevage du hollandais sang chaud est contrôlé par l'association d'État Warmbloed Paarden Nederland, bien que les étalons demeurent aux mains de particuliers. Pour être autorisés à la reproduction, ces étalons doivent passer des tests très stricts destinés à maintenir les standards de la race. Tous les aspects du cheval sont jugés : conformation, locomotion, aptitudes athlétiques et caractère. En outre, les canons sont radiographiés afin de détecter d'éventuelles malformations héréditaires. Les juments sont également testées, et les poulains suivis tout au long de leur développement. Cette approche scientifique, l'une des plus sophistiquées au monde en la matière, est responsable du succès rapide et grandissant de ce cheval. Le hollandais sang chaud est aujourd'hui réputé pour sa locomotion superbe et très fluide, qui lui vaut de nombreux succès dans les épreuves de dressage. Très athlétique et doté d'une aptitude naturelle au saut, il figure également de manière brillante dans les concours de saut d'obstacles.

De façon typique, le hollandais sang chaud présente une tête agréablement proportionnée, au front très large. L'encolure bien en proportion avec le reste du corps est souvent musclée. Les épaules sont inclinées. Le poitrail est large et profond, le dos droit, l'arrière-main puissante, la queue bien posée. Les membres robustes affichent des articulations bien formées et un sabot très dur. La robe est le plus souvent baie, grise, alezane ou noire. La taille se situe entre 1,56 et 1,66 m.

Un cheval adulte possède un estomac d'une capacité de 15 à 20 litres, contre 200 à 250 litres pour son tube digestif. Les deux tiers d'un repas sont digérés en une heure et le reste en cinq ou six heures.

TYPE

USAGE   CARACTÈRE

À droite

Le bulgare oriental est un cheval d'une belle allure, excellant tant au dressage qu'au jumping.

*D*ans une chasse à courre, les chiens d'une meute sont comptabilisées par paires. Un équipage de 7 paires se compose donc de 14 chiens.

Bulgare oriental

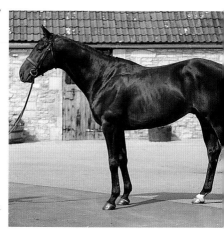

EN BREF	
NOM	Bulgare oriental
TAILLE	Entre 1,50 et 1,60 m
ROBE	Alezan, bai ou noir
ORIGINE	Bulgarie

*L*E BULGARE ORIENTAL est une race développée à la fin du XIXᵉ siècle au haras Vassil Kolarov, non loin de Shumen, et à Bojurishte près de Sofia en Bulgarie. Elle résulte du croisement de chevaux autochtones avec des arabes, des anglo-arabes, des pur-sang et des demi-sang anglais. Depuis que les caractéristiques de la race ont été établies, seul du pur-sang a été introduit afin d'améliorer les qualités de la souche. La lignée fut reconnue en 1951. C'est un cheval très raffiné. Ses nombreuses qualités le font exceller dans les diverses disciplines équestres, du jumping au dressage, en passant par le trait léger.

Ces chevaux affichent un caractère tranquille, énergique et sociable, et disposent d'une bonne conformation. D'allure, le bulgare oriental présente une tête fine avec un profil rectiligne et de grands yeux très doux. La tête doit être bien attachée sur un cou élégant et musclé, plutôt long et qui s'achève sur un garrot solide. Le bulgare oriental est doté d'épaules puissantes, d'un poitrail large et profond, d'un dos de belle longueur, d'une croupe légèrement inclinée et de longs membres bien dessinés. Sa robe est souvent alezane, baie ou noire. Il mesure entre 1,50 et 1,60 m au garrot.

TYPE

USAGE   CARACTÈRE

Frison oriental

EN BREF	
NOM	Frison oriental
TAILLE	Entre 1,52 et 1,61 m
ROBE	Noir, bai, gris ou alezan
ORIGINE	Allemagne

À droite

Ces chevaux ont du sang mélangé, comprenant notamment l'introduction récente de sang arabe afin d'améliorer la race.

*O*RIGINAIRE D'ALLEMAGNE, la race du frison oriental s'est développée en parallèle de celle de l'oldenbourg, du moins jusqu'à la division de l'Allemagne à la fin de la Seconde Guerre mondiale. Le frison oriental est le fruit d'un mélange de sang andalou, napolitain, anglo-arabe et pur-sang. Plus récemment, la race a été enrichie par le biais d'étalons arabes originaires du haras de Marbach et du gazal gris issu du haras de Balbona en Hongrie. La race a été davantage affinée, notamment grâce à l'influence de l'hanovrien qui a contribué à créer un cheval davantage polyvalent.

Le frison oriental affiche une tête noble et bien proportionnée, un regard vif et intelligent et des naseaux dilatés. Son encolure se doit d'être longue et harmonieusement courbée, le poitrail large, les épaules inclinées, le dos long et droit et l'arrière-main légèrement inclinée. Les membres sont musclés, les tendons puissants et les sabots durs. En règle générale, le frison oriental a un tempérament joueur et vif et affiche des allures amples et enlevées. Sa robe peut être noire, baie, grise ou alezane. Le frison oriental peut atteindre entre 1,52 et 1,61 m au garrot.

Finlandais universel

TYPE

USAGE **CARACTÈRE**

Autrefois moyen de locomotion pour les peuples du Nord, le ski-jöring (ski tracté) tend à devenir un sport à part entière. Le skieur, tracté par un cheval, doit allier la maîtrise du ski et l'aptitude à manier le cheval.

ON DISTINGUE deux types de cheval originaires de Finlande, tous deux étant issus de la même souche : le finlandais universel et le trait finlandais, aujourd'hui plus rare. Le finlandais universel est issu d'un mélange de races à sang chaud et à sang froid. Les poneys finlandais servirent de base et furent croisés avec d'autres races européennes, notamment l'oldenbourg. Le stud-book fut ouvert en 1907 et, depuis, l'élevage s'est fait selon une sélection de pure race de façon à conserver les qualités de la race.

Le finlandais est un petit cheval aux talents multiples, alliant grande puissance de trait, vitesse, endurance et agilité. Dans certaines régions, il est encore utilisé pour des travaux agricoles légers, particulièrement sur des terrains inadaptés pour les engins à moteur. Ce cheval est également mis à profit dans le domaine du bois : travaillant dans les forêts, il cause moins de dégâts que les véhicules imposants. C'est un bon cheval de selle, présentant de réelles aptitudes au jumping. Par ailleurs, sa nature calme et conciliante en fait un cheval qui a véritablement sa place dans les écoles d'équitation et en randonnée. Le finlandais universel peut se révéler extrêmement rapide en cas de besoin et, partout en Finlande, il participe à de nombreuses courses de trot attelé dans lesquelles il excelle. Ce cheval est réputé pour son tempérament calme et docile, pour sa résistance et sa longévité. Le finlandais n'est pas un cheval d'une beauté exceptionnelle, il a en effet été élevé dans une optique davantage utilitaire qu'esthétique. Plutôt quelconque, sa tête n'en demeure pas moins sympathique avec des petites oreilles alertes. L'encolure affiche une longueur moyenne et une forte musculature, bien plantée sur des épaules extrêmement puissantes et musclées, caractéristiques du cheval de trait. Le poitrail est généreux et profond, le garrot plutôt saillant, le dos rectiligne et long, l'arrière-main musclée et dotée d'une croupe inclinée, et une queue attachée bas. Le finlandais arbore des membres certes courts, mais bien faits, sans fanons, des os et des articulations solides, des pieds durs. La couleur de robe la plus répandue reste l'alezan, toutefois le bai, le gris et le noir sont envisageables. Enfin, il affiche une hauteur d'environ 1,52 m.

Ci-dessus

Ces chevaux peuvent adopter une allure extrêmement rapide et participent souvent à des courses de trot attelé.

À gauche

Nombre de finlandais arborent une liste blanche sur le chanfrein, une crinière et un toupet longs et épais.

TYPE

USAGE CARACTÈRE

Florida cracker horse

EN BREF	
NOM	Florida cracker horse
TAILLE	Entre 1,40 et 1,50 m
ROBE	Couleurs unies et rouannes, parfois autres couleurs
ORIGINE	États-Unis

LE FLORIDA CRACKER HORSE a des origines très anciennes, mais ne dispose de son propre registre que depuis 1989. Il est le descendant des premiers chevaux ibériques emmenés en Floride par les conquistadores au début du XVIᵉ siècle. Les qualités de ce cheval espagnol furent rapidement constatées et au début du XVIIᵉ siècle, il fut élevé pour travailler dans les champs et les ranchs avec le bétail.

Le florida cracker horse est un mélange des premiers chevaux originaires d'Espagne, du sorraia, du genêt d'Espagne, du barbe et de l'andalou. Il présente également nombre de caractéristiques similaires à celles présentées par d'autres races basées sur le cheval ibérique, tels que le criollo et le paso fino. Il a toutefois développé ses propres particularités. Les Amérindiens comptent parmi les premiers à avoir employé le cracker. Par la suite, les premiers éleveurs propriétaires de ranchs les mirent à profit pour travailler avec le bétail. Ce cheval présente un « sens du bétail », et sa robustesse et son endurance en font un excellent cheval pour ce genre de travail. Il fut employé pour tous types d'usages, sous la selle ou à tirer des charges, à travailler la terre et à tirer les premiers attelages.

Le cracker devint rapidement la monture favorite des cow-boys. En effet, il est capable d'incroyables pointes de vitesse et, en dépit de sa petite taille, peut porter des hommes d'une stature imposante durant toute une journée. Le florida cracker horse tire son nom des cow-boys alors appelés « crackers ». Il est également connu sous différentes appellations telles que le seminole pony, chikasaw pony, le florida horse et le florida cow pony. Il appartient au patrimoine culturel de la Floride, mais, malheureusement, le nombre de spécimens a dramatiquement chuté. Avec la création d'une association pour la préservation de la race, il reste à espérer que celle-ci se maintienne.

D'aspect, le cracker est un petit cheval dont la taille oscille entre 1,40 et 1,50 m, tout comme ses ancêtres espagnols. Sa tête est de type andalou, avec un profil convexe ou rectiligne, une encolure musclée et de bonnes épaules. Le poitrail est large et profond, l'arrière-main inclinée avec une queue attachée assez bas. En règle générale, ce cheval a bon caractère et on l'apprécie pour son endurance et sa rapidité incroyables. Même à la marche, nombre d'entre eux peuvent garder un pas de course.

Ci-contre
Il s'agit d'une race très impressionnante dotée d'une incroyable résistance.

TYPE

USAGE   CARACTÈRE

EN BREF

NOM	Frederiksborg
TAILLE	Voisine de 1,60 m
ROBE	Alezan à crins lavés
ORIGINE	Danemark

Frederiksborg

EN 1562, le roi Frédéric II du Danemark fonda le haras royal de Frederiksborg où se développa la race, à partir d'étalons andalous et napolitains. L'objectif initial de cet élevage visait à créer un cheval polyvalent, pour un usage d'apparat et militaire, tant pour la selle que pour l'attelage. Ce n'est qu'à partir du XVIIIe siècle qu'un programme de sélection s'instaura afin d'améliorer la race du frederiksborg. L'un des plus célèbres représentants issus de cette évolution fut l'étalon blanc Pluto, né en 1765 et qui devint l'un des mâles fondateurs d'une des six lignées de lipizzans. Le frederiksborg se révéla un formidable cheval utilitaire et sa popularité ne cessa de croître tout au long des XVIIe, XVIIIe et XIXe siècles. Cependant, cet engouement a porté préjudice à la pérennité de la race, car trop de lignées de très grande qualité furent exportées à l'étranger. En 1839, le nombre de frederiksborg diminua tellement que les haras royaux de Frederiksborg se virent contraints de fermer leurs portes. Des propriétaires particuliers et des amoureux de la race parvinrent à la maintenir quelque peu, toutefois la tendance s'orienta vers l'introduction d'un cheval de type plus lourd, davantage adapté au trait.

En 1939, de nouveaux efforts tentèrent de rétablir le frederiksborg en introduisant du sang frison, oldenbourg, pur-sang et arabe. Le nombre de représentants de la race demeure encore faible, toutefois l'influence du frederiksborg sur les autres races ne doit pas être négligée. En effet, ces chevaux ont largement contribué à améliorer la race du jutland et ont également influencé le développement du danois sang chaud. Le frederiksborg présente une allure relevée, un tempérament vif et intelligent, ce qui en fait un excellent cheval de selle.

Il présente une tête bien proportionnée, témoignage de ses ancêtres andalous, plantée sur une encolure musclée, bien que parfois un peu courte. L'encolure est plutôt verticale, de même que les épaules, associées à un garrot profond et un dos long et droit. Le poitrail doit être large et l'arrière-main arrondie avec une queue bien plantée. Les membres sont musclés, arborant des tendons bien définis, des articulations solides et des pieds bien formés. La robe du frederiksborg est toujours alezane et il mesure environ 1,60 m.

Ci-dessus
Cette race arbore une robe systématiquement alezane et présente une encolure et des épaules plutôt verticales.

En bas
Ces chevaux présentent une action très relevée et un tempérament vif ; leur popularité en tant que chevaux de selle ne cesse de grandir.

Une jument est dite « bréhaigne » lorsque sa dentition comporte une canine en haut et en bas, ces dents étant habituellement une caractéristique de la dentition des mâles.

TYPE

USAGE   CARACTÈRE

Anglo-arabe français

EN BREF

NOM	Anglo-arabe français
TAILLE	Entre 1,52 et 1,63 m
ROBE	Alezan, bai ou gris
ORIGINE	France

Ci-contre et au centre
Chaque anglo-arabe doit contenir 25 % de sang arabe.

En bas
Ce cheval arbore une tête fine et séduisante, avec une encolure souple et musclée.

ORIGINAIRE de France, l'anglo-arabe français constitue aujourd'hui une race de chevaux prépondérante dans le monde. Il est communément admis que cette race donne naissance à des chevaux d'un très haut niveau de compétition, avec des aptitudes particulières au jumping, et présentant une excellente conformation. La race a été véritablement définie en 1843 par un vétérinaire du nom d'Eugène Gayot aux haras du Pin et de Pompadour. Avant les travaux du docteur Gayot, l'on pensait déjà que l'anglo-arabe descendait d'un groupe de juments de type oriental, abandonnées par les Maures après la bataille de Poitiers en 732. Il est fort probable que ces juments se soient accouplées à des étalons locaux, donnant ainsi naissance aux races de chevaux tarbais et limousins. Le croisement avec des pur-sang et des arabes a fourni la lignée initiale de l'anglo-arabe français. Par la suite, les caractéristiques et les conformités de la race ont été arrêtées par l'étalon arabe Massoud (1814-1843), l'étalon turc Aslan, l'étalon Prisme (1890-1917) et trois juments pur-sang Daer, Selim Mare et Comus Mare. Le stud-book de l'anglo-arabe français édicte des exigences strictes, l'une d'entre elles stipulant que chaque cheval doit attester d'au moins 25 % de sang arabe. Ces règles permettent de contribuer à la préservation des qualités

La température corporelle d'un cheval est normalement d'environ 38 °C ; toute température supérieure doit être prise au sérieux et peut être le signe d'une infection ou de fièvre.

de cette race. L'anglo-arabe français est particulièrement rapide, endurant et athlétique, aptitudes définies très tôt dans l'histoire de la race par un programme de sélection rigoureuse. Il existe aujourd'hui également une lignée d'anglo-arabes français consacrée à la course. Bien que l'anglo-arabe ne soit pas aussi rapide que le pur-sang, plus de trente courses sont organisées chaque année. D'une grande beauté, l'anglo-arabe français possède une tête fine et rectiligne. L'encolure est musclée et légèrement arquée, solidement plantée sur un poitrail profond et large, et de longues épaules obliques. Le garrot est saillant, le dos rectiligne et proportionné, l'arrière-main puissante et musclée, avec une croupe plate et une queue attachée haut et droit. Les membres sont bien dessinés, puissants, avec des articulations nettes et des sabots très résistants. L'anglo-arabe français arbore une robe généralement alezane, mais qui peut parfois être baie ou grise, et sa taille varie entre 1,52 et 1,63 m.

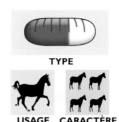

Trotteur français

TYPE

USAGE   **CARACTÈRE**

EN FRANCE, les chevaux ont commencé à être élevés pour les courses de trot au début du XIXe siècle. Le trotteur français est issu d'une souche initiale normande avec des apports de pur-sang, hunter demi-sang, de norfolk trotter et de trotteurs américains. Le trotteur français est parfois

appelé trotteur normand, en raison de l'influence du demi-sang normand sur l'évolution de la race.

Les premiers trotteurs étaient plus lourds qu'aujourd'hui, affichant une ressemblance marquée avec leurs ancêtres normands. Mais l'apport de sang pur-sang a beaucoup affiné ce cheval. Young Rattler, étalon né en 1811 du pur-sang Rattler et d'une jument possédant du sang norfolk trotter, a considérablement influencé le développement de la race.
On peut distinguer cinq lignées de trotteurs issues des étalons Conquérant, Lavater, Normand, Phaeton et Fuchsia. En dépit des apports de sang trotteur américain, le trotteur français a conservé l'habitude peu commune du trot en diagonal plutôt que d'adopter l'allure latérale du trotteur américain.

Le trotteur français excelle dans le trot monté et attelé, et maintient une foulée

équilibrée. Grâce aux croisements avec le pur-sang, la conformation des épaules du trotteur s'est améliorée et elles sont moins verticales, permettant ainsi une foulée plus longue. Il présente également une très bonne résistance. En France, les premières courses de trot furent organisées dans les années 1830 à Cherbourg et dès lors, cette discipline gagna rapidement en popularité, reflétée par la production accrue de trotteurs français.

Le trotteur français est élevé dans une optique fonctionnelle et non esthétique, aussi les caractéristiques physiques varient-elles considérablement au sein de la race. Toutefois, on peut distinguer des tendances générales, telles qu'une grande tête un peu lourde, simple mais non dénuée de charme. L'encolure est bien proportionnée, attachée à des épaules de plus en plus inclinées. Le garrot est plutôt arrondi, le dos large et long, avec des hanches extrêmement puissantes. Les membres affichent une très belle conformation, puissants et musclés, avec des articulations de qualité, des os solides et denses, ainsi que des sabots d'une dureté exceptionnelle. Le trotteur français affiche une robe plutôt alezane ou baie, mais peut arborer n'importe quelle couleur unie. Sa taille varie entre 1,58 et 1,70 m.

Au centre
Le trotteur français a une foulée longue et équilibrée, laquelle s'est amplifiée depuis que la conformation de ses épaules a été améliorée.

Ci-contre
Ce cheval présente une grande tête et une encolure bien proportionnée ; les épaules deviennent plus inclinées grâce à des modèles d'élevage soigneusement sélectionnés.

TYPE

USAGE CARACTÈRE

Frison

EN BREF	
NOM	Frison
TAILLE	Voisine de 1,50 m
ROBE	Noir
ORIGINE	Pays-Bas

L E FRISON descendrait du grand cheval occidental préhistorique et est originaire de la Frise néerlandaise. Des références au frison ponctuent l'histoire et il figure souvent sur

Le selle américain est souvent le cheval de prédilection des entraîneurs d'Hollywood lorsqu'ils ont besoin d'une star équine dans un film. En effet, c'est un grand cheval à la fois intelligent et très séduisant.

les tableaux des grands maîtres flamands, emmenant les chevaliers à la bataille. En effet, le frison était une monture très appréciée des chevaliers : il présente un port de tête d'une très grande noblesse et une allure très relevée tout en étant extrêmement puissant pour sa taille, plutôt petite. Au cours de l'occupation espagnole des Pays-Bas, de 1568 à 1648, le frison a vraisemblablement connu des apports de sang andalou, dont l'influence a apporté un grand raffinement à la race.

Au fil des siècles, le frison a prouvé ses formidables facultés d'adaptation et a été utilisé dans différents domaines, comme cheval agricole, de trait, de selle, de dressage, de guerre, trotteur et enfin comme étalon afin d'améliorer d'autres races. Le frison aurait contribué à influencer le fell et le poney dales, qui affichent une ressemblance évidente avec lui. Le frison est intervenu dans le développement de nombreuses races : l'old english black des Midlands, le shire, le döle gundbrandsal norvégien. De même, il a été utilisé comme souche de base au haras allemand de Marbach où il a contribué

au développement initial du wurtenberg et de l'oldenbourg. Au cours des XVᵉ et XVIᵉ siècles, le frison fut utilisé dans les écoles d'équitation françaises et espagnoles, réalisant les exercices de Haute École.

Le frison est un petit cheval séduisant, compact et musclé au port et à la présence remarquables. Sa tête est de type andalou, son allure fière et son trot actif et très relevé. Il compte parmi les quelques races de chevaux légers qui possèdent des fanons abondants. Avec, en outre, une crinière et une queue fournies, une robe d'un noir de jais, le frison attire les regards. Par ailleurs, il est doté d'un caractère particulièrement docile et affectueux, et n'a pas de grandes exigences alimentaires. Au cours du XIXᵉ siècle, le frison a beaucoup été utilisé dans les courses de trot, ce qui a conduit les éleveurs à vouloir créer un cheval plus léger. Aussi, le frison d'aujourd'hui est-il beaucoup plus fin qu'à l'origine. Sa robe est exclusivement noire, avec un minimum de taches blanches et il toise environ 1,50 m.

En haut

Le frison est désormais un cheval plus léger qu'à l'origine et arbore une robe exclusivement noire.

À droite

C'est une race arborant une allure fière, une petite tête élégante et des oreilles mobiles et pointues.

Furioso

TYPE

USAGE   CARACTÈRE

L E HARAS de Mezohegyes, fondé en 1785 par Joseph II, empereur d'Autriche et roi de Hongrie, acquit rapidement la réputation d'être l'un des meilleurs centres d'élevage en Europe. Apparu au XIXᵉ siècle, le furioso ou furioso north star est le résultat du croisement de juments nonius, lignée initiale du haras, et de deux étalons pur-sang anglais importés, Furioso et North Star. Importé en 1841, Furioso a produit 95 étalons qui ont largement contribué à l'évolution de la race. Importé en 1844, North Star était issu d'une ascendance illustre, comprenant notamment du sang norfolk trotter. Il était le petit-fils de Touchstone, vainqueur du St-Leger en 1834 et double vainqueur de l'Ascot Gold Cup. Du côté maternel, il pouvait s'enorgueillir de liens de parenté avec Waxy, vainqueur du Derby de 1793, et avec le fameux Éclipse.

Dans un premier temps, les deux lignées restèrent distinctes l'une de l'autre ; toutefois, à la fin du XIXᵉ siècle, les éleveurs commencèrent à croiser leur descendance et, au final, les caractéristiques de Furioso devinrent prédominantes, par rapport à celles de North Star. Le furioso d'aujourd'hui conserve bien peu de ressemblances avec ses origines nonius. Il est désormais élevé à Apajpuszta en Hongrie et également dans toute l'Europe centrale. Le furioso est un cheval

de selle polyvalent, plus fin que son cousin le nonius, et témoigne de grandes qualités de compétition dans toutes les grandes disciplines. Il était autrefois utilisé pour de petits travaux agricoles où il excellait grâce à sa résistance naturelle. Désormais, les éleveurs mettent davantage l'accent sur la production de chevaux de selle. Puissant et résistant, le furioso affiche un caractère calme, mais néanmoins résolu.

Le furioso présente une tête aux belles proportions et raffinée, qui rappelle plus le pur-sang que le nonius. L'encolure est longue, musclée, ornée d'une crinière bien fournie. On dit souvent que la conformation du furioso est celle d'un cheval de travail, héritage du nonius. Il a souvent un dos long, une arrière-main musclée, de longs membres et des jarrets bien descendus. Son poitrail est large et ses épaules obliques. Chez le furioso, les erreurs de conformation peuvent être des antérieurs affectés d'un *hallux varus* et des postérieurs panards. Sa robe est généralement baie, alezane ou noire et il toise environ 1,60 m.

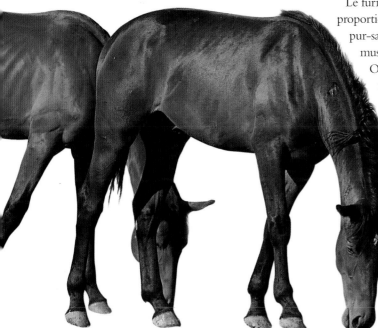

En haut
Ces chevaux arborent une longue tête intelligente avec une encolure musclée et une crinière bien fournie.

À gauche
Le furioso est aujourd'hui élevé dans toute l'Europe centrale et considéré comme un cheval de selle très utile.

TYPE

USAGE   CARACTÈRE

Gueldre

○○○○○○○○○○○○○○○○○○○○○○○○

EN BREF

NOM	Gueldre
TAILLE	Entre 1,52 et 1,62 m
ROBE	Souvent alezan
ORIGINE	Pays-Bas

L E GUELDRE est né il y a environ une centaine d'années dans la province du Gelderland, aux Pays-Bas. Il fut créé par des éleveurs locaux dans une optique polyvalente, comme cheval essentiellement destiné aux travaux agricoles, mais avec une conformation adéquate pour en faire un bon cheval de selle. La race a évolué à partir d'une base génétique plutôt variée. En effet, les éleveurs locaux ont croisé des juments indigènes avec des étalons andalous, norfolk trotter, napolitains et normands. Par la suite, il y eut d'autres apports, notamment de sang arabe, anglo-arabe, furioso, holstein et orloff. À la fin du XIXᵉ siècle, la race subit une nouvelle amélioration par l'apport de sang pur-sang anglais, hackney et oldenbourg. Étonnamment, au vu de la diversité des influences, un type établi s'est véritablement développé, une race désormais connue sous le nom de gueldre.

C'est en 1663 que Colbert, ministre de Louis XIV, créa les Haras royaux, ancêtres des Haras nationaux.

Le gueldre est un cheval des plus polyvalents, doté d'un excellent caractère. Les influences du pur-sang procurent à cette race une certaine classe qui en fait un cheval d'attelage de poids moyen séduisant. Le gueldre est de plus en plus populaire dans les compétitions d'attelage dans lesquelles il excelle, de nombreux gueldres ayant participé à des épreuves de niveau international. Il offre également une excellente résistance. C'est aussi un bon cheval de selle, plutôt athlétique qui présente des aptitudes pour le saut. Toutefois, la vitesse lui fait défaut. Il allie présence et élégance à une allure déliée et à un trot particulièrement relevé. Le nombre de gueldres a quelque peu décliné ces dernières années car ils sont davantage utilisés pour développer la race des hollandais sang chaud, chevaux de selle plus grands.

Le gueldre présente une bonne conformation, avec une tête longue, plutôt simple et un profil rectiligne. L'encolure est musclée et légèrement rouée. Rectiligne et long, le dos est porté par une arrière-main musclée, rectiligne dès la croupe. La queue est placée et portée haut. Le poitrail est large et profond, les épaules musclées et plutôt droites. Les membres sont robustes et assez courts, avec une avant-main souvent longue en proportion. Les articulations sont fortes et solides, les sabots d'une grande dureté. Le gueldre présente une robe généralement alezane, mais il peut également être bai, gris, noir avec des balzanes blanches. Il mesure entre 1,52 et 1,62 m au garrot.

En haut et au centre
Le gueldre est un excellent cheval d'attelage, mais la vitesse de chevaux tels que le hollandais sang-chaud lui fait défaut.

En bas
Le gueldre est originaire des Pays-Bas et a été développé il y a une centaine d'années.

EN BREF

NOM	Arabe gidran
TAILLE	Entre 1,60 et 1,62 m
ROBE	Souvent alezan
ORIGINE	Hongrie

Arabe gidran

TYPE

USAGE   **CARACTÈRE**

La vaccination anti-tétanique est aussi importante pour le cheval que pour l'homme. Chaque animal doit être à jour dans ses rappels.

L'ARABE GIDRAN ou anglo-arabe hongrois est originaire du haras Mezohegyes en Hongrie, fondé en 1785. La race a été développée au cours du XIXᵉ siècle, et son histoire remonte à l'étalon Siglavy Gidran, importé d'Arabie en 1816. Gidran était issu de la célèbre lignée arabe Siglavy et un imposant cheval alezan. Il fut accouplé à une jument andalouse, Arrogante, laquelle donna naissance à un poulain baptisé Gidran II. Gidran II devint le fondateur de la race arabe gidran.

Dans les premières phases d'évolution de la race, le processus de sélection fut plutôt hasardeux, recourant à différents types de juments, tantôt indigènes, tantôt andalouses. À cette étape succéda un apport de sang pur-sang et de plus de sang arabe. Ce processus permit alors de définir les caractéristiques de la race. Cette dernière a tout d'abord été développée de façon à fournir des chevaux de cavalerie, plus charpentés et mieux adaptés aux transports lourds que l'arabe. L'arabe gidran a été développé suivant deux lignées initiales : l'une plus lourde et adaptée à des travaux agricoles et de trait légers, l'autre plus légère, rapide et davantage orientée vers la selle. Au cours de la Première Guerre mondiale, la race a subi des pertes importantes. Par la suite, on procéda à de nouveaux apports de sang arabe et de demi-sang kisbér. En 1977, le nombre de chevaux chuta à nouveau et deux étalons originaires de Bulgarie permirent de relancer la race.

L'arabe gidran est un grand cheval bien campé, solidement bâti et faisant montre de grandes qualités et de classe. Adapté aux compétitions d'équitation, c'est un bon cheval sportif également utilisé comme cheval d'attelage. Son caractère, hérité du fondateur Siglavy Gidran, ne le rend pas des plus accommodants.

L'arabe gidran est un grand et beau cheval, le plus souvent alezan. Sa tête est raffinée, mais pas aussi fine que l'arabe traditionnel. L'encolure est en proportion avec le corps, bien musclée et bien plantée. Les épaules doivent arborer une agréable inclinaison, permettant une grand liberté de mouvement, et le poitrail est large et profond. Le dos est puissant, parfois long, la croupe est musclée. L'arrière-main est musclée elle aussi, les membres forts, les canons petits et denses, et les sabots bien formés. L'arabe gidran toise environ 1,60 m au garrot, bien que certains atteignent parfois 1,73 m.

Ci-contre
L'arabe gidran est un beau cheval aux origines arabes apparentes. Il présente le plus souvent une robe alezane.

TYPE

USAGE **CARACTÈRE**

Groningue

EN BREF	
NOM	Groningue
TAILLE	Entre 1,52 et 1,62 m
ROBE	Bai, bai-brun ou noir
ORIGINE	Pays-Bas

Ci-dessus
*Autre cheval hollandais,
le groningue est une race
de cheval lourd autrefois
utilisée pour le trait.*

En bas
*Le groningue arbore une
tête forte avec des
épaules puissantes,
lesquelles ont désormais
tendance à s'incliner.*

L E GRONINGUE est originaire de la province de Groningue, située dans la partie nord-ouest des Pays-Bas. Cette race a d'abord été développée pour produire un cheval polyvalent adapté aux travaux de la ferme. Par la suite, des croisements de juments locales avec des étalons oldenbourg, frisons et frisons orientaux ont permis de faire évoluer la race, qui présente alors les caractéristiques d'un cheval de labeur. Il fait également un excellent cheval de selle lourd. Enfin, durant longtemps, le groningue fut un cheval d'attelage très prisé : certes moins éclatant que son voisin le gueldre ; il est toutefois un compagnon extrêmement fiable et résistant.

Le groningue compense son manque de classe par son endurance, sa vigueur et sa polyvalence. Il a eu peu d'influence sur d'autres races, mais a toutefois contribué au développement du très impressionnant

hollandais sang chaud. À partir de 1945, concurrencé par les chevaux de labeur, le nombre de représentants de la race a diminué, jusqu'à une quasi extinction dans les années 1970 où il ne restait alors qu'un seul étalon pur-sang. Depuis, les amoureux du groningue ont déployé de grands efforts afin de préserver cette race par le biais d'apports récents de sang oldenbourg. Aujourd'hui, le groningue affiche une meilleure conformation, plus compacte avec des épaules plus inclinées, héritage de l'oldenbourg.

Le groningue est un cheval de poids moyen aux traits simples qui présente toutefois un port altier. Sa tête est plutôt longue, avec un profil rectiligne et de longues oreilles. L'encolure est très musclée et présente une base large, tandis que le garrot est long et plutôt saillant. Ces dernières années, ses épaules se sont inclinées, ce qui a eu pour effet de rallonger sa foulée. Puissant, son poitrail est large et profond, et avec un passage de sangle profond. Le dos peut être long et la croupe plate. L'arrière-main est puissante, la queue plantée haut. Courts, mais néanmoins forts, les membres se terminent par des sabots d'une grande dureté. Le groningue a un très bon caractère, et est de plus frugal. Sa robe peut être de n'importe quelle couleur unie, baie, bai-brun ou noire et il toise entre 1,52 et 1,62 m.

TYPE

USAGE **CARACTÈRE**

Hackney

EN BREF

NOM	Hackney
TAILLE	Entre 1,40 et 1,53 m
ROBE	Toutes les couleurs unies possible
ORIGINE	Angleterre

DÉVELOPPÉ EN GRANDE-BRETAGNE au cours des XVIIIe et XIXe siècles, le hackney est issu de deux races de trotteurs de l'époque : le norfolk et le yorkshire. Ces deux

trotteurs étaient alors des chevaux de type similaire, lesquels avaient évolué selon les caractéristiques de leur région, le premier affichant une conformation plus lourde que le second.

Le norfolk est le mieux connu des deux, célèbre à l'époque pour son trot d'une incroyable rapidité. Il a également largement contribué au développement de nombreuses races telles que le gueldre, le furioso, le trotteur français, le welsh cob, le maremmana, le trotteur d'orloff, le selle américain et le trotteur américain. Tant le norfolk que le yorkshire ont été élevés pour le transport, domaine dans lequel ils excellaient, offrant d'incroyables pointes de vitesse alliées à une grande endurance. Le norfolk et le yorkshire sont issus d'un seul et même étalon, Original Shales, né en East Anglia en 1755. Il était issu d'une jument hackney, ce qui désignait à l'époque un simple type de cheval de selle, et de l'étalon Blaze. Blaze s'enorgueillissait d'ancêtres de renom, son père étant le célèbre Flying Childers, premier grand crack de l'époque, et son grand-père Darley Arabian, l'un des fondateurs de la race pur-sang.

Original Shales fut le père de deux étalons, Scot Shales et Driver, qui eut une grande influence sur le norfolk.

L'émergence finale du hackney, permise par l'association du norfolk et du yorkshire, est largement due à Robert et Philipp Ramsdales. Ce duo père-fils sélectionna deux étalons norfolk, Wroot's Pretender et Phenomenon, pour les accoupler avec des juments du Yorkshire. Le résultat allie les qualités des deux races. En 1833 fut fondée la Hackney Horse Society à Norwich et le stud-book fut alors ouvert. L'une des filles de Phenomenon, Phenomena, une jument de 1,44 m au garrot, battit un record de trot en 1832 en parcourant 17 miles, soit un peu plus de 27 kilomètres en 53 minutes. Au XIXe siècle, l'avènement du chemin de fer et les débuts de la mécanisation décimèrent les norfolk et les yorkshire au point qu'ils disparurent définitivement. Le hackney toutefois parvint à se maintenir, survie largement due à sa superbe prestance, bien supérieure à celle de ses ancêtres, et qui l'amena à être de plus en plus présent dans les concours hippiques.

Le hackney mesure au moins 1,43 m, bien que certains spécimens puissent afficher une taille inférieure. Ce cheval est aisément reconnaissable par son allure extraordinairement relevée. Le mouvement de l'épaule est très fluide, projetant

À gauche
Le cheval hackney présente des allures spectaculaires et est le plus souvent employé dans les courses d'attelage.

En bas
Le hackney a réussi à prospérer tandis que d'autres races similaires de trotteurs se sont éteintes.

Dans la mythologie grecque, l'hippocampe, dit le cheval des mers, était un animal fabuleux, mi-cheval, mi-poisson, qui tirait le chariot du dieu des Mers, Poséidon.

les antérieurs en avant avec un temps d'arrêt marqué à chaque foulée, de sorte que le cheval semble flotter. Les postérieurs présentent une activité similaire, mais à un degré légèrement moindre. L'allure du hackney est splendide et a été qualifiée de spectaculaire, électrique et fluide à l'extrême. De par son apparence, sa prestance et son port, le hackney est unique et doit être considéré comme un cheval de classe mondiale. À l'instar du poney hackney, le cheval hackney est surtout sollicité pour l'attelage, à la fois sur route et, avec beaucoup de brio, en concours. Cette race a été croisée avec des pur-sang, engendrant d'excellents chevaux de selle, remarquables en concours hippiques. La robe du hackney est généralement alezane, baie ou noire, mais il peut également posséder n'importe quelle couleur unie avec quelques balzanes.

Le hackney arbore une tête petite et fine avec un profil légèrement convexe. Ses oreilles sont petites, alertes et mobiles. Quant à ses yeux, ils sont grands et doux. L'encolure, portée haute, affiche une longueur raisonnable et une puissante musculature. Le poitrail se doit d'être large, sans être forcément profond. Les épaules affichent une belle conformation pour le harnais tout en étant extrêmement puissantes. Le dos est droit et compact, le corps bien formé et les côtes arrondies. L'arrière-main est d'une puissance exceptionnelle et la croupe

est horizontale. Trait caractéristique, la queue du hackney est plantée et portée très haut, particularité accentuée par l'utilisation des traditionnelles croupières et trousse-queues. Les jambes sont très puissantes avec des articulations larges et solides, les jarrets particulièrement bas, ce qui permet au cheval de projeter en avant ses postérieurs. Les sabots sont également très durs, et le hackney est réputé pour l'exceptionnelle solidité de ses membres et de ses pieds.

En haut et ci-contre

Le hackney est un cheval particulièrement prisé en concours, tant pour les courses de trot que d'attelage, en raison de ses allures uniques.

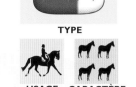

Hanovrien

EN BREF

NOM	Hanovrien
TAILLE	Voisine de 1,62 m
ROBE	Toutes les couleurs unies possible
ORIGINE	Allemagne

TYPE

USAGE   CARACTÈRE

LE HANOVRIEN tel que nous le connaissons aujourd'hui a peu de points communs avec le hanovrien d'origine. Il jouit d'une excellente réputation, tant dans le domaine du saut d'obstacles

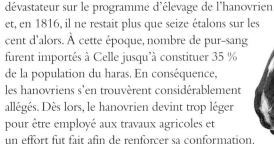

que dans celui du dressage. En 1735, George II d'Angleterre fonda le haras de Celle en Basse-Saxe. Un élevage sélectif y fut organisé entre la souche de base du type pur-sang et quatorze étalons holstein noirs. Ces holstein exercèrent une influence prépondérante sur le développement de l'hanovrien durant environ une trentaine d'années.

L'objectif initial était alors de produire un animal de qualité, adapté à l'attelage, à la selle et à la plupart des travaux agricoles. Des apports ultérieurs de sang pur-sang allégèrent discrètement la race, celle-ci devenant plus adaptée à la selle. Les guerres napoléoniennes de 1812-1813 eurent un effet dévastateur sur le programme d'élevage de l'hanovrien et, en 1816, il ne restait plus que seize étalons sur les cent d'alors. À cette époque, nombre de pur-sang furent importés à Celle jusqu'à constituer 35 % de la population du haras. En conséquence, les hanovriens s'en trouvèrent considérablement allégés. Dès lors, le hanovrien devint trop léger pour être employé aux travaux agricoles et un effort fut fait afin de renforcer sa conformation.

En 1924, le nombre de représentants de la race augmentait rapidement et Celle comptait désormais cinq cents étalons. En raison de cette croissance, un nouveau haras fut fondé à Osnabrück-Eversburg avec cent étalons. Au terme de la Seconde Guerre mondiale, une tendance visa à créer un type de cheval plus léger, mieux adapté à la selle. Cet objectif fut atteint par des apports de sang trakehner et pur-sang. Aujourd'hui, le hanovrien est un excellent cheval de compétition, à la fois pour le dressage et le saut d'obstacles. Par ailleurs, il est fréquemment mis à profit pour améliorer d'autres races. Il est apprécié pour son très bon caractère, sa force et sa résistance.

Il arbore une belle tête bien attachée à une encolure longue et bien conformée, un poitrail large et profond, des épaules joliment inclinées, un dos long et rectiligne, une arrière-main musclée et une queue bien plantée. Les membres doivent être forts et présenter des articulations larges et des sabots durs. Le hanovrien s'enorgueillit d'une présence et d'une élégance naturelles, avec un mouvement très fluide et un formidable équilibre. Sa robe peut être d'une n'importe quelle couleur unie et sa taille est voisine de 1,62 m.

En haut
Le hanovrien est un cheval très prisé pour les concours de saut d'obstacles où il fait montre d'une très grande agilité.

Ci-contre
Il arbore une belle tête avec une encolure puissante et des épaules joliment inclinées.

TYPE

USAGE   CARACTÈRE

Hispano

○○○○○○○○○○○○○○○○○○○○○○○○○○○○

EN BREF

NOM	Hispano
TAILLE	Entre 1,43 et 1,60 m
ROBE	Bai, gris ou alezan
ORIGINE	Espagne

L'HISPANO, également appelé hispano-anglo-arabe est originaire d'Espagne et descend du croisement de juments à l'héritage arabe et andalou avec des étalons pur-sang anglais. C'est pourquoi cette race est aussi appelée *très sangres*, c'est-à-dire « trois sangs ». L'hispano est un cheval arborant une allure arabe, alliée à la qualité et à la marque du pur-sang ainsi qu'aux caractéristiques de l'andalou. L'aspect de ces chevaux varie considérablement, l'arabe, le pur-sang ou l'andalou prenant tour à tour la caractéristique dominante. Hardi, l'hispano est souvent employé pour préparer les jeunes taureaux à combattre dans l'arène et apparaissent eux-mêmes dans les arènes pour les corridas. Les Espagnols utilisent depuis très longtemps les taureaux pour des activités

sportives. L'un de ces sports se nomme l'*acoso y derribo*. À dos de cheval, le concurrent doit coucher le taureau à terre au moyen d'une lance. Le cheval doit être rapide, agile et parfaitement entraîné, car les taureaux cherchent bien sûr à se relever, puis à charger. L'hispano présente un caractère tranquille mais résolu et possède de multiples aptitudes. C'est en effet un excellent cheval de compétition pour le dressage et le saut d'obstacles. Pour la plupart d'entre eux, ces chevaux allient les qualités des trois races en une seule, ce qui en fait un cheval des plus populaires en tant que cheval de selle.

D'aspect, l'hispano présente une tête fine et bien proportionnée avec un profil rectiligne, bien que les origines arabes se manifestent parfois dans la forme de la tête. Il affiche une ossature plutôt fine, contrastant avec sa vaillance et sa force. L'encolure est élégante et longue, bien attachée, arborant une douce courbure de la nuque au garrot. Le poitrail se doit d'être large et profond avec des épaules bien inclinées lui permettant une activité d'une belle fluidité. Le dos est rectiligne, puissant et plutôt court avec une arrière-main musclée et une queue bien plantée. Les membres sont sains et solides, avec des tendons bien définis et des sabots d'une belle dureté. En règle générale, l'hispano arbore une robe baie, grise ou alezane, et mesure entre 1,43 et 1,60 m.

Ci-dessus et à droite
D'une élégance rare, ces chevaux aux influences arabes sont employés dans les disciplines taurines espagnoles traditionnelles.

Ci-contre
L'hispano est un cheval rapide et agile, et jouit d'une grande popularité en tant que cheval de selle.

Holstein

TYPE

USAGE   CARACTÈRE

LE HOLSTEIN est une autre race de cheval à sang chaud originaire d'Allemagne qui a, elle aussi, considérablement évolué au fil de son histoire. La race tire son nom de la province du Schleswig-Holstein d'où elle est originaire et semble s'être développée au cours du XIIIᵉ siècle. Des documents attestent de l'existence de chevaux de type holstein en 1285, lorsque la permission fut donnée au monastère d'Uetersen de laisser paître des chevaux sur des terrains privés autour des cloîtres. Il est probable que ce cheval est le résultat d'un mélange de sang allemand, andalou et oriental. Au Moyen Âge, le holstein aurait été un cheval de bataille lourd plutôt élégant, également employé aux travaux des champs. Il fut fréquemment employé dans la cavalerie et dans l'artillerie pour tracter les armes lourdes.

Au cours du XVIIᵉ siècle, le holstein servit davantage de cheval d'attelage, en dépit d'une apparence quelconque. L'un des plus célèbres holstein du XVIIᵉ siècle fut l'étalon gris Mignon, qui devint le fondateur de la lignée des chevaux crème si prisés des électeurs de Hanovre et qui servirent aux écuries royales de la cour britannique jusqu'en 1920. Au cours du XIXᵉ siècle, un apport de sang pur-sang permit d'améliorer la conformation et la vitesse du holstein, apport complété par du sang yorkshire qui procura alors au holstein l'excellence de son caractère et l'amplitude de son déplacement.

Au terme de la Seconde Guerre mondiale, de nouveaux apports de sang pur-sang transformèrent le holstein en un cheval plus léger et raffiné, un cheval de selle parfaitement adapté à la compétition. Son excellent caractère en fait un cheval facile à manier et polyvalent car doué à la fois pour le dressage et le saut d'obstacles. Aussi est-ce un cheval extrêmement populaire en compétition. Très

athlétique, le holstein compte parmi les meilleurs chevaux du monde en concours hippique.

La tête du holstein présente des proportions agréables, de type pur-sang ; elle est bien plantée sur une encolure musclée et élégante. Le poitrail doit présenter largeur et profondeur, avec des épaules

inclinées permettant une grande liberté de mouvements, un dos long et rectiligne, une arrière-main inclinée et puissante, des membres courts et forts. L'os du canon est long avec des tendons fins et des pieds bien dessinés. La robe peut présenter n'importe quelle couleur unie, toutefois le hoslstein est le plus souvent bai et mesure environ 1,65 m.

Au centre
Ces chevaux présentent une locomotion de qualité et puissante et une excellente disposition : ce sont des animaux de selle dociles.

En bas
Le holstein arbore une tête puissante aux influences pur-sang indéniables.

Le Jockey Club fut fondé à Newmarket en 1752. Cette association destinée à réglementer les courses, l'élevage et les concessions de licence, s'attache à conserver aux courses leur caractère impartial et contrôlé.

TYPE

USAGE   CARACTÈRE

Indien

EN BREF

NOM	Indien
TAILLE	Entre 1,50 et 1,60 m
ROBE	Toutes les couleurs possibles
ORIGINE	Inde

En bas

L'indien peut présenter des caractéristiques physiques variées ; les plus beaux spécimens sont issus des haras dirigés par l'armée indienne.

L'INDIEN EST une race développée en Inde, dans un premier temps par les haras militaires afin de produire un cheval adapté à la cavalerie. Il est issu d'un croisement entre le kathiawari, le waler australien et le pur-sang. Vers le début du XXᵉ siècle, de nombreux waler furent importées en Inde pour servir au sein de la cavalerie indienne et restèrent le moyen de transport privilégié jusqu'aux premiers temps de la mécanisation.

Aujourd'hui, l'indien est élevé dans toute l'Inde, notamment au haras du dépôt militaire de Saharanpur et au haras militaire de Barugarh. De la même façon, l'indien est également largement employé par les forces de police dans les villes et plus particulièrement dans les zones rurales. Le nombre de chevaux utilisés dans les clubs d'équitation civils ne cesse de croître, ainsi que dans les compétitions où l'indien se distingue particulièrement. Avec son climat difficile, la pauvreté de ses sols et l'aridité de ses prés, l'Inde n'est pas le lieu idéal de l'élevage de chevaux. Ces facteurs ont en partie contribué à la nature résistante et robuste de l'indien, qui a évolué de manière à s'adapter au climat et à la nourriture disponible. Ses caractéristiques physiques peuvent varier considérablement et, en règle générale, les chevaux élevés dans les haras militaires affichent une meilleure conformation.

Toutefois, dans son ensemble, l'indien est un cheval qualiteux, avec une belle musculature, et un caractère calme et volontaire. D'aspect, c'est un beau cheval affichant des influences manifestes du pur-sang. Il arbore une belle tête avec des yeux doux et des oreilles alertes. Parfois, les oreilles s'incurvent vers l'intérieur, rappel de ses chromosomes kathiawari. L'encolure affiche longueur

et musculature généreuses, les épaules sont joliment inclinées et idéales pour un cheval de selle, bien que certains représentants peu réussis de la race affichent des épaules rectilignes. Le poitrail doit être profond et s'avère parfois plutôt étroit. Ce cheval a un long dos droit, une arrière-main arrondie et des membres forts, bien dessinés et sains. Il peut arborer une robe de toute couleur et toise 1,50 à 1,60 m au garrot.

Le polo est l'un des plus vieux sports pratiqué dans le monde. Il aurait été élaboré sous le règne de Darius Iᵉʳ, troisième roi de Perse, 522-486 av. J.-C.

EN BREF	
NOM	Iomud
TAILLE	Voisine de 1,50 m
ROBE	Souvent gris, parfois bai ou noir
ORIGINE	Turkménie

Iomud

TYPE

USAGE **CARACTÈRE**

L'**IOMUD** est une race ancienne de chevaux, descendant direct de l'akhal-téké et des anciens chevaux turkmènes. L'iomud s'est développé dans le Sud de la Turkménie et, au fil des siècles, s'est enrichi des apports de sang arabe, kazakhe, mongol, turkmène et plus récemment akhal-téké.

L'iomud parcourait en troupeau les zones semi- désertiques et désertiques, aussi peut-il survivre avec peu d'eau et peu de nourriture et sait-il s'accommoder de conditions climatiques extrêmes. À l'instar de l'akhal-téké, l'iomud présente une robustesse rarement égalée, sa résistance et son endurance étant légendaires. Dans un premier temps, cette race a été développée pour produire des chevaux de selle, en dépit de leur aptitude à l'attelage et de leur grande polyvalence. Ils participent également à des courses depuis 1925 et sont capables de pointes de vitesses impressionnantes, bien que dans ce domaine, ils ne surpassent pas l'akhal-téké.

Malheureusement, l'iomud est une race en voie de disparition, en dépit des nombreux efforts visant à la rétablir. Selon une publication parue en 1989, il reste seulement 616 iomuds pur-sang. C'est un excellent cheval de selle et il présente une aptitude naturelle au saut d'obstacles, laquelle, alliée à sa vitesse, en fait un très bon cheval de compétition. Ce cheval présente également une constitution particulièrement saine, une longue espérance de vie et un excellent caractère.

D'aspect, l'iomud rappelle moins la forme du lévrier que l'akhal-théké, car il affiche une constitution plus lourde et plus compacte. Sa tête fine présente souvent, un profil plutôt romain. Les oreilles sont petites, alertes et mobiles, tandis que ses grands yeux sont empreints de gentillesse. L'encolure est proportionnée au corps, musculeuse et bien formée, avec une douce courbure de la nuque au garrot. Le garrot est raisonnablement saillant, le dos plutôt long, droit et musclé. Les épaules sont plutôt inclinées, aussi a-t-il une bonne foulée, douce et fluide. L'arrière-main est musclée et la croupe légèrement inclinée. Les membres sont extraordinairement forts, ainsi que les sabots. L'iomud arbore une robe généralement grise, parfois noire ou baie. Il mesure environ 1,50 m.

En haut
L'iomud est une race ancienne de chevaux et affiche différentes influences.

Ci-contre
La tête présente souvent un profil légèrement romain, avec de grands yeux doux.

TYPE

USAGE   CARACTÈRE

Hunter irlandais

○ ○

EN BREF	
NOM	Hunter irlandais
TAILLE	Entre 1,53 et 1,70
ROBE	Toutes les couleurs possible, sauf pie marron et pie noir
ORIGINE	Irlande

ORIGINAIRE D'IRLANDE, le hunter est le résultat du croisement du pur-sang et du trait irlandais. D'un point de vue technique, le hunter n'est en fait pas une race, mais un demi-sang. Toutefois, il présente des caractéristiques bien définies et peut être classé dans la catégories des races. Son impact et sa popularité dans le monde méritent bien d'être mentionnés.

Le hunter irlandais allie les qualités à la fois du trait irlandais, dont il a hérité l'intelligence, la loyauté et le charisme, et du pur-sang qui lui a transmis ses aptitudes athlétiques, sa vitesse et son endurance. Traditionnellement, le trait irlandais était employé en Irlande comme moyen de transport, pour les travaux agricoles ou comme cheval de selle. Mais avec la mécanisation, le nombre de chevaux de trait n'a cessé de décroître alors que la demande en chevaux de selle augmentait.

Le développement du hunter irlandais correspond au besoin d'un cheval de première catégorie avec un talent considérable. Aussi, leur nombre a-t-il fortement augmenté ces dernières années. L'Irlande produit annuellement un nombre impressionnant de chevaux de très grande qualité, lesquels sont vendus pour des sommes importantes dans toute l'Europe et les États-Unis. Le hunter a un merveilleux caractère, peut-être l'un des meilleurs parmi toutes les races de chevaux. Il est naturellement calme, intelligent, loyal et sait se montrer énergique et vif quand il le faut. Il est également très vaillant et résistant.

Le hunter est un sauteur de talent. Ses nombreuses aptitudes et sa bravoure en font l'un des chevaux les plus polyvalents et populaires de notre époque. Cette race donne des chevaux de concours et de saut d'obstacles de première catégorie, tout en gardant au quotidien ses manières de cheval de chasse.

Ils sont classés en trois catégories : léger, moyen et lourd. Le hunter arbore une belle tête parfois dotée d'un profil convexe, une encolure bien définie et musclée qui doit être légèrement arquée, de bonnes épaules solides et inclinées, et un dos court et compact avec une croupe large et puissante. Les membres sont puissants et les pieds bien conformés. La robe du hunter peut être baie, grise, alezane ou noire et sa taille oscille entre 1,53 et 1,70 m.

En haut
L'élevage sélectif du hunter irlandais a donné naissance à un cheval de selle polyvalent de première catégorie.

En bas
Le hunter peut arborer une robe de diverses couleurs et sa taille oscille entre 1,53 m et 1,70 m au garrot.

EN BREF

NOM	Kabardin
TAILLE	Entre 1,50 et 1,52 m
ROBE	Bai ou noir
ORIGINE	Ex-Union Soviétique

Kabardin

TYPE

USAGE CARACTÈRE

À gauche
Le kabardin affiche une allure orientale avec, de profil, un nez légèrement romain.

En bas
Le kabardin est originaire des régions accidentées du Caucase septentrional ; il se révèle hardi et est doté d'un pied très sûr.

LE KABARDIN est né au cours du XVIᵉ siècle, au cœur des régions montagneuses du Caucase septentrional, dans l'ancienne Union Soviétique. Cette race s'est développée par croisements entre des chevaux turkmènes, arabes, persans et des races issues des steppes russes méridionales. Toutefois, le facteur ayant exercé le plus d'influence sur le développement du kabardin reste vraisemblablement son environnement. Décrit comme l'élite des chevaux de montagne, il a un pied très sûr et peut passer les cols montagneux hasardeux, traverser des rivières et composer avec de hautes couches de neige. Le plus souvent, ces chevaux ne sont pas ferrés, tant leurs sabots sont durs. Il offre une robustesse et une endurance incroyables. En effet, en 1935, un groupe de kabardins a franchi près de 3 000 kilomètres dans les montagnes du Caucase et par mauvais temps, en seulement 37 jours. Il est doté d'un grand sens de l'orientation, même dans l'obscurité et par mauvais temps.

Lors de la révolution russe de 1917, leur nombre a chuté de façon tragique. Aussi, dans les années 1920, de nombreux efforts ont été fournis pour rétablir la race. Les premiers programmes d'élevage furent initiés aux haras de Kabardin-Balkar et de Karachaev-Cherkess. Aujourd'hui, les meilleurs sont élevés aux haras de Malokarachaevski et de Malkin. Le kabardin est plutôt petit, de constitution nerveuse. Après la Révolution, des apports de sang turkmène, karabakh, persan et arabe améliorèrent la race, permettant d'en augmenter la taille. Le kabardin est agile, frugal, endurant, doté d'une longue espérance de vie et d'un caractère calme, mais néanmoins vif. C'est un cheval polyvalent, adapté à la selle et à l'attelage.

D'allure orientale, il arbore une belle tête avec un profil souvent romain ; l'encolure peut être plutôt courte et musclée, tandis que les épaules sont droites et puissantes. Cette conformation lui confère une locomotion haute et adaptée aux environnements montagneux. Son allure est fluide et certains spécimens emploient spontanément l'amble, mais sont incapables de galoper ou d'allonger l'allure. L'ossature du kabardin est très puissante, même si l'ensemble ne se révèle pas très classique. D'ordinaire, les membres sont courts, très puissants, mais fins et dotés de jarrets coudés. Sa robe est baie ou noire et sa taille oscille entre 1,50 et 1,52 m.

Au premier siècle av. J.-C., l'auteur romain Columelle, qui rédigea notamment un traité sur la culture des jardins et l'agriculture, développa dans ses écrits une théorie selon laquelle les juments pourraient être inséminées par le vent.

TYPE

USAGE CARACTÈRE

En haut

Le karabakh est une race de montagne qui a donné des chevaux robustes et courageux.

En bas

Ces chevaux sont généralement alezans ou isabelle, arborant parfois une raie de mulet.

Karabakh

EN BREF	
NOM	Karabakh
TAILLE	Entre 1,40 et 1,50 m
ROBE	Alezan, bai ou isabelle
ORIGINE	Azerbaïdjan

LE KARABAKH est originaire de l'Azerbaïdjan, de la zone montagneuse située entre les rivières Araks et Kura. Le karabakh est une autre race de chevaux de montagne qui s'est très

bien adaptée à la rigueur de son environnement. Il est probablement issu de croisements d'akhal-téké, de persans, de kabardin, de turkmènes et d'arabes, influences qui ont contribué à la rapidité et à l'agilité du karabakh.

À l'instar des races de montagne, le karabakh a un pied sûr, et peut se déplacer rapidement sur des terrains accidentés. Par ailleurs, il est très résistant aux maladies et dispose d'une excellente constitution. C'est un petit cheval à la conformation nerveuse, qui semble démentir sa force et sa robustesse. Toutefois, il semblerait que sa petite stature ait plutôt joué contre lui et la race affiche aujourd'hui un déclin inquiétant. De nombreux spécimens ont été abattus en 1826 par les attaques iraniennes, puis, on l'a considéré comme trop petit pour être une monture de cavalerie. Aujourd'hui, le karabakh est élevé au haras d'Akdam en Azerbaïdjan, mais la plupart des chevaux sont issus de croisements avec des chevaux arabes, et non de pure race karabakh. L'on ne pourrait que déplorer la disparition de cette

race, dont les qualités sont nombreuses et qui fut fréquemment exportée à l'étranger afin d'améliorer d'autres races. Le karabakh est un cheval de selle aux multiples aptitudes, courageux, puissant, endurant et robuste. Il bénéficie d'un caractère très agréable, calme, énergique et courageux.

D'aspect, il présente une tête finement dessinée, avec un front large qui s'affine en direction des naseaux, qui peuvent se dilater considérablement. Sa conformation est bien proportionnée, avec une longue encolure puissante et élégante, bien attachée sur des épaules plutôt droites, un poitrail profond et une croupe inclinée. Les membres sont plutôt longs et fins, mais néanmoins forts en dépit d'articulations un peu petites. Les sabots sont extrêmement durs et robustes. Le karabakh présente un corps étroit et un passage de sangle peu profond, marque de l'influence de l'akhal-téké. La robe est alezane ou isabelle d'un type métallique inhabituel, aux crins plus foncées et une raie de mulet. Il peut être aussi bai ou gris et les balzanes blanches sont autorisées. Sa taille oscille entre 1,40 et 1,50 m.

Les poulains lipizzans naissent avec une robe foncée qui s'éclaircit au fil du temps. Elle devient blanche vers 4 ans, et parfois seulement vers l'âge de 10 ans.

Karabair

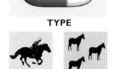

TYPE

USAGE   CARACTÈRE

<table>
<tr><td colspan="2" align="center">EN BREF</td></tr>
<tr><td>NOM</td><td>Karabaïr</td></tr>
<tr><td>TAILLE</td><td>Entre 1,42 et 1,50 m</td></tr>
<tr><td>ROBE</td><td>Souvent gris, bai ou alezan</td></tr>
<tr><td>ORIGINE</td><td>Ouzbékistan</td></tr>
</table>

LE KARABAIR est une très ancienne race de chevaux dont les origines se fondent sur une souche archaïque dont la présence a été attestée dans la région de l'Ouzbékistan avant l'ère chrétienne. Il est possible que ce cheval soit le résultat d'un mélange de sang arabe et mongol, influencé ultérieurement par les races de chevaux du désert des pays voisins tels que le turkmène, et par d'autres apports de sang arabe. L'Ouzbékistan compte encore beaucoup de peuples nomades, principaux éleveurs de karabair. Ce mode de vie nomade explique la diversité des races qui ont contribué à l'évolution du karabair. En effet, il présente des similitudes avec les chevaux arabes, notamment dans sa résistance et son endurance innées, ainsi que dans sa vitesse et son agilité, même si le karabair est moins gracieux.

Le cheval constitue un élément prépondérant de la vie en Ouzbékistan. Il est employé comme animal de selle, d'attelage et pour jouer au kokpar. Le kokpar consiste en une lutte de cavaliers pour s'approprier la carcasse d'une chèvre. Les règles sont peu nombreuses et les blessures multiples. Sa bravoure et sa rapidité font que le karabair est pratiquement le seul cheval utilisé pour ce jeu. Le karabair a évolué selon trois types différents, tous de même taille. Le premier est adapté au trait léger, au bât et à la selle et affiche une conformation un peu plus lourde. Le second est plus léger et est principalement employé comme cheval de selle. Enfin, le troisième présente une conformation mieux adaptée au trait. Bien qu'aujourd'hui la distinction s'atténue, le type le plus lourd a quasiment disparu et les deux autres ont plus ou moins fusionné.

D'aspect, le karabair se présente comme un arabe goussaut, mais moins qualiteux. Petite, sa tête n'en est pas moins séduisante avec un profil droit et une encolure musclée d'une belle longueur. Le poitrail est large, mais manque de profondeur, les épaules sont musclées et bien inclinées. La charpente du karabair est efflanquée, sèche et nerveuse, presque décharnée, avec une peau fine. Le dos est court et compact, avec une arrière-main plutôt inclinée. Souvent, l'avant-main semble plus développée que l'arrière-main. Les membres sont plutôt fins, mais forts avec des sabots d'une très grande dureté. En règle générale, le karabair affiche une robe grise, baie ou alezane, et sa taille oscille entre 1,42 et 1,50 m.

Un sprinter peut atteindre des vitesses très élevées sur une courte distance. Un cheval de fond est capable de parcourir des distances beaucoup plus longues mais à une allure moindre.

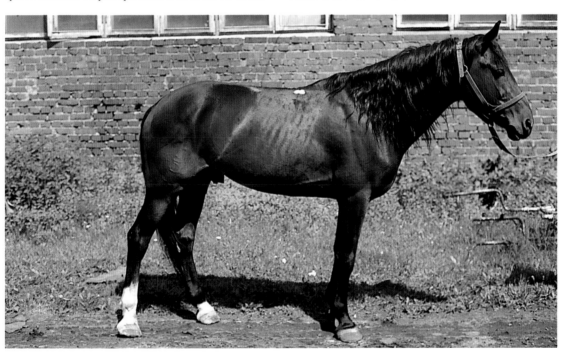

Ci-contre
Ce cheval ressemble à un arabe goussaut, mais sa conformation n'est pas aussi bonne ; son poitrail manque de profondeur et sa charpente est légère et efflanquée.

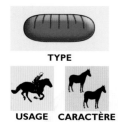

TYPE

USAGE CARACTÈRE

Kathiawari

○○○○○○○○○○○○○○○○○○○○○○○○○

EN BREF

NOM	Kathiawari
TAILLE	Jusqu'à 1,43 m
ROBE	Toutes les couleurs possible sauf noir
ORIGINE	Inde

L E KATHIAWARI est une race ancienne originaire de la péninsule du Kathiawar qui lui a donné son nom. En dépit de sa petite stature, le kathiawari présente des caractéristiques chevalines.

Ci-dessus
En dépit de sa petite taille, cette race est considérée davantage comme un petit cheval que comme un poney.

À droite
Ces chevaux arborent une tête bien spécifique avec de grandes oreilles mobiles.

Il est donc considéré davantage comme un petit cheval que comme un poney. Il semblerait que ses racines remontent au XIVᵉ siècle où des croisement entre poneys autochtones, chevaux arabes et orientaux auraient été effectués. Une légende raconte que lors d'un naufrage sur la côte occidentale de l'Inde, des pur-sang arabes auraient réussi à nager jusqu'à terre et se seraient croisés avec les poneys locaux. Cependant, une autre théorie évoque l'importation d'arabes en Inde lors du règne des empereurs mongols qui auraient volontairement croisé ceux-ci avec les races locales.

Mais quelles que soient ses origines exactes, il est flagrant que le kathiawari est une race orientale avec de nombreuses caractéristiques arabes, notamment sa résistance et son endurance. Dans la région, le kathiawari est un cheval très prisé car il est considéré comme très qualiteux et prouve le rang de son propriétaire. En effet, cette race était traditionnellement élevée par des familles prospères qui baptisaient la lignée du nom de la jument fondatrice. Aujourd'hui,

le kathiawari est principalement élevé dans un haras contrôlé par le gouvernement à Junagadh. C'est un cheval naturellement solide, aux besoins frugaux, présentant une grande résistance et un tempérament plutôt docile, même s'il peut se révéler imprévisible. À noter que nombre de kathiawari amblent naturellement, trahissant l'influence de races d'Asie centrale. Ces chevaux sont utilisés par la police montée du Gujerat et sont également très prisés pour le tent-pegging, jeu indien de gymkhana.

Le kathiawari présente une tête fine avec des oreilles très particulières, grandes, mobiles, et incurvées vers l'intérieur au point de se toucher. L'encolure est gracieuse, étroite et nerveuse. Les épaules sont raisonnablement inclinées, le poitrail étroit mais profond, le dos long et droit, la croupe inclinée. La queue est plantée haute. Les jambes ont tendance à être minces, mais néanmoins solides avec des petits sabots durs et bien formés. Par ailleurs, les jarrets sont coudés et les os fins selon les standards occidentaux. La robe varie, pouvant être baie, brune, grise, alezane, palomino et pie. Sa taille atteint approximativement 1,43 m.

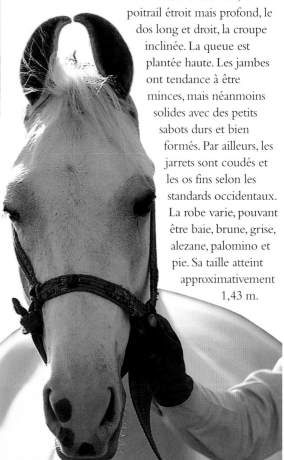

Kisber felver

TYPE

USAGE CARACTÈRE

Au centre
Cette race est relativement récente et a été développée au cours du siècle dernier.

En bas
Le kisber est un beau cheval doté d'une tête forte surmontée d'oreilles alertes.

LE KISBER FELVER est une race relativement récente, développée au cours du siècle dernier au haras de Kisber en Hongrie. Ce haras fut fondé en 1853 et se consacra dans un premier temps à l'élevage de pur-sang, activité couronnée de succès,

notamment grâce à la jument Kincsem. En effet, elle demeura invaincue pendant 54 courses, entrant ainsi dans le livre Guinnes des records.

La race du kisber felver a évolué grâce à des croisements entre pur-sang, furioso, trakhener, arabes, anglo-arabes et selles français. Il s'agit donc essentiellement d'un demi-sang. Le kisber felver fut certainement conçu, à l'origine, pour être un cheval sportif utilitaire, plus lourd que le pur-sang et également adapté à l'attelage. Une fois les caractéristiques de la race fixées, le kisber felver a été fréquemment croisé avec une souche locale afin d'améliorer la lignée.

Il s'agit d'un cheval très séduisant et qualiteux, à l'aspect pur-sang indéniable, se distinguant en compétition par ses nombreux succès. Le kisber felver est doté d'une constitution solide et saine, ainsi que d'un caractère énergique et vif. Ces qualités en font un animal adapté tant à un usage militaire que civil. De par sa nature athlétique, il est

excellent au saut d'obstacles et en concours. Malheureusement, le nombre de spécimens a dramatiquement chuté au cours de la Première et de la Seconde Guerre mondiale et en 1945, plus de la moitié de la lignée avait disparu dans la tourmente de la guerre. En 1961, les derniers représentants de la race furent emmenés au haras de Dalmand où le kisber felver est toujours élevé. Ce cheval mériterait d'être davantage connu étant donné sa valeur et ses qualités en compétition.

D'aspect, le kisber felver présente une tête séduisante et fine, surmontée d'oreilles alertes. L'encolure affiche de belles proportions et est légèrement courbée de la nuque au garrot. Les épaules sont bien conformées et inclinées, le poitrail profond et la cage thoracique bien développée. Le dos est souvent long et la croupe légèrement inclinée. Les membres sont

musclés, même si les articulations peuvent se révéler un peu petites. Le kisber felver arbore une robe généralement alezane ou baie, mais peut également revêtir n'importe quelle couleur unie. Sa taille oscille entre 1,52 m et 1,70 m.

La Grande-Bretagne a remporté trois fois, un véritable record, les championnats du monde de concours complet, en 1970, 1982 et 1986.

TYPE

USAGE   CARACTÈRE

Kladruber

EN BREF	
NOM	Kladruber
TAILLE	Entre 1,62 et 1,70 m
ROBE	Gris ou noir
ORIGINE	Ex-Tchécoslovaquie

Trigger était le célèbre cheval palomino que possédait Roy Rogers. Trigger participa à 87 westerns et fut également l'une des figures du « Roy Rogers Show » à la télévision, qui dura pendant plus de six ans. Il connaissait de nombreux tours et pouvait même jouer en intérieur ! Lorsque Trigger mourut en 1965, Roy Rogers le fit empailler et exposer au Roy Rogers-Dale Evans Museum à Victorville en Californie.

LE KLADRUBER est une race apparue au cours des XVIᵉ et XVIIᵉ siècles dans l'ex-Tchécoslovaquie. Elle est née d'un croisement entre napolitains et andalous, puis

a évolué en suivant une lignée identique à celle des lipizzans dont elle partage des caractéristiques. Le haras impérial de Kladruby, fondé en 1579 par l'empereur Rodolphe II est devenu le principal lieu d'élevage des kladruber. Ce cheval a été croisé de façon à devenir un cheval d'attelage de premier ordre pour la cour impériale.

Les premiers kladruber arboraient des robes variées. Mais aujourd'hui, l'élevage de kladruber ne donne naissance qu'à des chevaux noirs ou gris (blanc). Malheureusement, un incendie détruisit en 1757 les données consignées par le haras pendant les 200 premières années de la race. Aussi, la plupart des informations la concernant disparurent. Dès le milieu du XVIIIᵉ siècle, la race évolua à partir de trois étalons : l'étalon gris (blanc) Pepoli dont les deux fils Generale et Generalissimus exercèrent également

une grande influence sur la race, ainsi que deux étalons noirs du même nom, Sacromoso. Les klaruber gris sont toujours élevés au haras de Kladruby, malheureusement, la harde de klaruber noirs fut décimée dans les années 1930, nombre d'animaux ayant été vendus à la boucherie. Quelques juments noires furent sauvées et, depuis, d'importants efforts sont faits pour rétablir la lignée.

Le kladruber est un cheval fort, doté d'une longue espérance de vie et d'un caractère docile, à la fois calme et énergique. Il est essentiellement utilisé comme cheval d'attelage, même s'il est souvent croisé avec des races plus légères afin de produire de bons chevaux de selle. Excellent cheval d'attelage en compétition, il allie vitesse et endurance et s'est fréquemment distingué dans des compétitions de rang mondial.

Le kladruber arbore une tête longue au profil convexe, des yeux intelligents et doux. Les crins sont bien fournis. L'encolure est musclée et rouée, se déroulant de la nuque au garrot. Les épaules sont raisonnablement inclinées, le poitrail large et profond et le dos plutôt long. L'arrière-main est musclée et puissante, de même que les membres qui doivent être sains et forts avec de bonnes articulations, bien que le paturon soit parfois long. Sa taille varie entre 1,62 m et 1,70 m.

En haut
Le kladruber est un cheval fort, robuste, excellent animal de trait.

À droite
Le kladruber arbore une longue tête avec un profil convexe, et une queue et une crinière bien fournies.

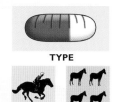

EN BREF	
NOM	Knabstrup
TAILLE	Voisine de 1,52 m
ROBE	Tacheté de marron ou de noir sur une robe blanche
ORIGINE	Danemark

Knabstrup

TYPE

USAGE **CARACTÈRE**

LES ROBES TACHETÉES étaient fréquentes chez les races primitives, et de nombreuses peintures datant de plusieurs siècles attestent leur existence. On peut citer les représentations pariétales de la grotte de Vallon-Pont-d'Arc en Ardèche, sur lesquelles figurent explicitement quelques chevaux

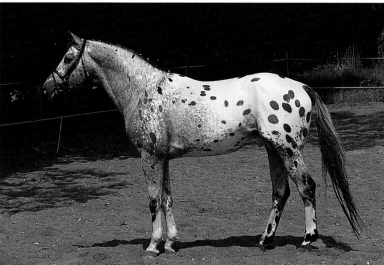

tachetés, alors qu'elles remontent à quelque 20 000 ans. Cependant, la race knabstrup a été développée au Danemark en 1820 à partir d'une jument tachetée nommée Flaebehoppen. Flaebehoppen avait des origines andalouses et les influences aujourd'hui notables chez le knabstrup.

Flaebehoppen fut achetée par le juge Lynn qui l'emmena dans sa propriété de Knabstrup où la race fut développée. En 1808, elle fut croisée à un étalon fredericksborg et fonda une lignée de chevaux tachetés, à laquelle son petit-fils Mikkel contribua largement. Aujourd'hui, Mikkel est considéré comme l'un des étalons fondateurs de la race. Au cours des années 1880, le domaine de Knabstrup fut démantelé et le nombre des spécimens ne cessa de décroître jusqu'à l'intervention d'un vétérinaire danois en 1933. Ce dernier fonda une association pour la préservation de ce cheval moucheté qui aboutit à la reprise du nombre de représentants de la race.

Cette association donna naissance à de nombreux chevaux célèbres. L'un d'entre eux, baptisé Max, s'agenouilla en 1938 devant le roi du Danemark, Christian X.

Les premiers knabstrup étaient robustes et bien faits, alors qu'aujourd'hui, le knabstrup est un cheval qualiteux dont l'aspect s'apparente à l'appaloosa. Le knabstrup, réputé pour son intelligence, est largement employé dans les cirques pour réaliser des numéros. La largeur de son dos en fait également un cheval apprécié pour les spectacles de voltige. C'est un excellent cheval de selle, résistant et à l'allure noble. Il est également adapté au harnais. Les premiers knabstrup étaient des chevaux particulièrement doués sous le harnais, à la constitution davantage adaptée au trait léger.

Le knabstrup contemporain arbore une tête jolie et petite, avec la sclérotique typique autour de l'œil et le museau moucheté. L'encolure est le plus souvent courte, épaisse et légèrement rouée, les épaules verticales, le dos parfois long et droit avec une bonne largeur. L'arrière-main est musclée et les membres courts et forts. Sa taille est d'environ 1,52 m.

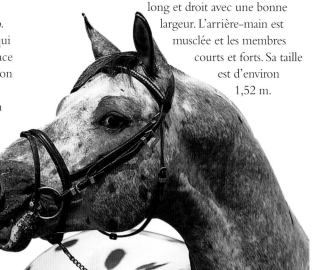

À partir du XVIe siècle, il fut de bon goût pour les rois et les nobles d'être peints à dos de cheval ; Van Dyck (1599-1641) et Velázquez (1599-1660) sont célèbres pour leurs représentations d'hommes et de chevaux.

Au centre
Les knabstrup sont toujours mouchetés et grâce à leur grande résistance, ce sont des chevaux polyvalents.

Ci-contre
La tête est petite et peu courante, et les yeux sont toujours entourés d'une sclérotique.

TYPE

USAGE   CARACTÈRE

Kustanair

<table>
<tr><td colspan="2" align="center">E N   B R E F</td></tr>
<tr><td>NOM</td><td>Kustanair</td></tr>
<tr><td>TAILLE</td><td>Entre 1,50 et 1,52 m</td></tr>
<tr><td>ROBE</td><td>Toutes les couleurs unies possible</td></tr>
<tr><td>ORIGINE</td><td>Ex-URSS</td></tr>
</table>

En bas

Le kustanair est une race robuste avec une grande endurance ; certains spécimens affichent des caractéristiques héritées de leurs ancêtres pur-sang.

LE KUSTANAIR est une race relativement récente développée dans les haras d'État dans la région du Kazakhstan dans l'ancienne URSS. Le processus d'élevage du kustanair fut tout à fait prémédité et cette race fut conçue de façon à donner naissance à deux types de chevaux distincts, chacun étant traité d'une manière différente. La lignée se développa alors principalement dans trois haras d'État à Kustanai, Turgai et Orenburg, tous trois fondés respectivement en 1888, 1887 et 1890. Toutefois, le haras de Kustanai enregistra les résultats les plus rapides et les plus probants et on lui attribua l'établissement de la race laquelle fut officiellement reconnue en 1951.

La base de la race a été établie par croisements entre des chevaux originaires des steppes avec des chevaux don, kazakhs, strelets (aujourd'hui disparus), pur-sang et demi-sang. Les

L'autre groupe est placé au pré toute l'année et s'alimente librement. De cette expérience résulte la formation d'un type de cheval de selle bien distinct, adapté pour tous les usages de selle, possédant qualité et présence. Le second groupe, quant à lui, donne naissance à des chevaux adaptés à la fois à la selle et au harnais, plus robustes, plus hardis et de qualité un peu inférieure.

La comparaison de la robustesse et de la hardiesse des deux types de kustanair est toute relative, car tous deux sont extrêmement solides à l'instar de nombreuses races de chevaux russes. Il affichent la robustesse et l'endurance typiques de ces races, associées à un tempérament calme, docile et énergique, ce qui en fait des animaux de selle ou d'attelage extrêmement polyvalents. Le kustanair est généralement un animal séduisant et qualiteux, certains spécimens arborant davantage de caractéristiques issues du pur-sang que d'autres.

Le kustanair est doté d'une tête fine et légère, attachée à une encolure longue et musclée, parfois attachée un peu bas. Le garrot est souvent saillant, les épaules

Sir Charles Bunbury était le propriétaire de Diomède, cheval qui gagna le premier derby d'Epsom en 1780. Sir Charles Bunbury tira à pile ou face avec le comte de Derby le nom qui serait donné à cette célèbre course. Le comte de Derby gagna…

premiers croisements se soldèrent par des échecs, mais l'utilisation de juments locales améliorées et d'autres apports de pur-sang permirent l'émergence des caractéristiques établies du kustanair. Jusque dans les années 1920, la race ne fit pas l'objet d'un élevage sélectif afin de créer différents types de chevaux. Puis deux groupes de kustanair furent alors élevés dans des conditions différentes. Le premier groupe est placé en écurie, nourri aux céréales et fait l'objet d'un élevage sélectif.

inclinées, le dos large et droit et la croupe inclinée. Le poitrail arbore largeur et profondeur tandis que les membres musclés sont dotés de bonnes articulations et de sabots durs. La robe est alezane, grise, baie, noire ou rouanne et sa taille varie entre 1,50 et 1,52 m.

Latvien

EN BREF	
NOM	Latvien
TAILLE	Entre 1,50 et 1,60 m
ROBE	Noir, bai, bai-brun, parfois alezan
ORIGINE	Ex-URSS

ORIGINAIRE DE LETTONIE, zone de l'ex-URSS, ce cheval de trait léger letton ou latvien, apparu au début du XXe siècle, s'organise en trois catégories distinctes. Le latvien intermédiaire d'attelage léger et le latvien léger de selle seront abordés dans ces lignes. Il existe une troisième version, plus lourde, décrite dans la section consacrée aux chevaux de trait. Le latvien d'attelage léger est vraisemblablement une race ancienne issue de la souche originelle qui a donné naissance à toutes les races de traits lourds en Europe. Au fil des années, le latvien a connu des apports de sang de döle gundbrandsal, de suédois du Nord, de zemaituka, de trait finlandais et d'oldenbourg. Ces héritages ont créé une race d'un grand raffinement et de qualité. Le latvien de selle léger a été bien davantage soumis aux influences du pur-sang, de l'arabe et de l'oldenbourg que le latvien intermédiaire. Cependant, il est probable que l'apport de sang hanovrien, oldenbourg et holstein ait eu la plus grande influence sur le développement du latvien moderne. Entre les années 1920 et 1940, l'on procéda à d'importants apports de sang oldenbourg ; en effet, 42 juments et 65 étalons oldenbourg ont été importés du haras de Groningen en Hollande. Tant le latvien de selle que le latvien intermédiaire sont d'excellents chevaux de selle et sont également capables d'assumer des travaux de trait léger, même si depuis les années 1960, les éleveurs ont privilégié le développement du latvien léger, dans la mesure où la compétition équestre devenait alors de plus en plus populaire. Le latvien moderne auquel on apporte toujours, par période, du sang oldenbourg, hanovrien et pur-sang, est un cheval d'obstacles et de dressage de première

classe. En règle générale, le latvien affiche un caractère calme et volontaire. C'est un animal puissant et endurant. Le latvien a la marque du cheval de selle semi-léger avec une tête plutôt large plantée sur une encolure musclée mais élégante. Les épaules sont agréablement inclinées et puissantes, le poitrail large et profond, le dos droit et bien proportionné, l'arrière-main puissante et les membres courts et forts avec des articulations solides et des sabots durs. Parmi les défauts de conformation, le latvien peut parfois être panard et porteur d'une tendance à la maladie naviculaire. Sa robe peut être noire, baie, bai-brun et à l'occasion alezane. Sa taille oscille entre 1,50 et 1,60 m.

En haut
Il existe trois types de latvien : le latvien standard, qui est un cheval lourd, le trait léger et le léger.

Ci-contre
La robe du latvien varie entre noir, bai, bai-brun et parfois alezan.

TYPE

USAGE   CARACTÈRE

Lipizzan

```
○○○○○○○○○○○○○○○○○○○○○○○○○○○
              EN  BREF
```
NOM	Lipizzan
TAILLE	Entre 1,51 et 1,62 m
ROBE	Souvent gris, parfois bai
ORIGINE	Slovénie

L E LIPIZZAN tire son nom du haras de Lipica en Slovénie d'où la race est originaire. Ce haras fut fondé en 1580 par Charles II, qui importa 9 étalons et 24 juments de la péninsule ibérique afin de créer un cheval d'apparat, à prédominance blanche pour les écuries ducales à Graz et les écuries de la cour à Vienne.

Fondée en 1572, la célèbre École espagnole qui doit son nom au fait qu'elle n'accueillait que des chevaux espagnols avait pour objectif de former la noblesse à l'équitation. Des apports napolitains, arabes, danois et allemands ont été effectués. Du sang pur-sang a été introduit mais ce croisement s'est soldé par un échec.

La race lipizzan s'appuie sur six fondateurs de lignées, lesquelles existent encore. Les six étalons furent : Pluto, un étalon andalou gris, né en 1765 et acheté aux haras royaux du Danemark, Conversano, un napolitain noir né en 1767, Favory, un étalon isabelle, né au haras de Kladruby en 1779, Maestoso, étalon gris né en 1819 au haras hongrois de Mezohegyes et Siglavy, un pur-sang arabe gris, né en 1810. Bien que les lipizzans soient supposés être exclusivement gris, certains arboraient, jusqu'au XVIIIᵉ siècle, des robes variées, également isabelle, tachetées et baies.

Aujourd'hui, l'élevage produit des chevaux gris. Le bai apparaît parfois, la tradition est donc née à l'École espagnole d'avoir à résidence un lipizzan bai. Depuis 1920, le lipizzan est élevé pour l'École Espagnole à Piber en Autriche, bien qu'il soit également élevé en Hongrie, en

Roumanie et dans l'ancienne Tchécoslovaquie et aussi utilisé pour des travaux agricoles et le trait léger. En règle générale, ces derniers affichent une constitution plus lourde que celle des lipizzans de l'École espagnole. C'est un cheval intelligent, doté d'une longue espérance de vie, dont la maturité se manifeste tardivement et arrive à sa plénitude à l'âge de 20 ans.

Sa belle tête témoigne d'influences arabes, mais conserve généralement ses caractéristiques andalouses. L'encolure est courte et musclée, avec un garrot plutôt plat, le poitrail profond, les épaules inclinées conformées pour la selle ou le harnais, le dos long et l'arrière-main arrondie avec une queue bien plantée. Ses membres sont courts et musclés, et l'ossature est de qualité. Sa taille varie entre 1,51 et 1,62 m.

C hez les Amérindiens, le cheval symbolise l'amour, la dévotion, la loyauté, mais aussi la résistance, la force et la puissance. Les représentations artistiques figurent souvent un chaman sur un cheval magique.

En haut et à droite

Le lipizzan est un superbe cheval qui est employé à la célèbre école espagnole d'équitation de Vienne.

En bas

Bien que la race compte aujourd'hui des spécimens essentiellement blancs, le bai est parfois représenté.

Lokaï

TYPE

USAGE CARACTÈRE

ORIGINAIRE DE LA RÉGION du Tadjikistan, en Russie, le Lokaï se trouve entre la définition du cheval et du poney. Sa taille moyenne est d'environ 1,43 m, ce qui d'un point de vue technique en fait un cheval. Toutefois, la plupart des spécimens sont presque toujours bien plus petits. Ses caractéristiques sont aussi celles d'un cheval, notamment en ce qui concerne sa tête. Le lokaï est une race de cheval montagnard issue d'Asie centrale, exceptionnellement forte et robuste. Il peut être employé pour de nombreux usages, que ce soit comme cheval de bât, de travaux agricoles ou de selle. Il est possible que cette race remonte au XVIᵉ siècle, alors développée par le peuple nomade des Ouzbeks.

Le lokaï s'appuie sur la souche des chevaux des steppes autochtones, améliorée par des apports de sang arabe, karabair et iomud, ainsi qu'akahl-téké et turkmène. Au cours de ces dernières années, du sang tersk et pur-sang a également été introduit. Ces chevaux sont souvent laissés en troupeau au pré toute l'année, ce qui a contribué à créer des petits chevaux très robustes et endurants. Il est très rapide et ses performances sont régulièrement mises à l'épreuve sur les champs de course de Dushanbe et Tachkent. Il est aussi largement mis à contribution pour le jeu du kokpar, lequel requiert rapidité et agilité, les cavaliers combattant pour s'emparer d'une carcasse de chèvre.

Certains spécimens présentent un poil frisé, héritage de l'étalon Farfor, un cheval aubère frisé, mis à contribution pour la pérennité de la race entre 1955 et 1970. À l'heure actuelle, des projets d'élevage expérimentaux tentent de percer le mystère du gène à l'origine de cette robe frisée. Le lokaï a un excellent caractère, docile et calme, associé à une résistance et une endurance exceptionnelles.

Le lokaï arbore une tête simple au profil droit, attachée à une encolure courte et musclée. Les épaules sont raisonnablement inclinées, le poitrail est large et profond, le garrot large, le dos compact et court, l'arrière-main musclée. Les membres sont forts avec des tendons bien définis, même s'ils présentent de temps à autre des défaut de conformation, le lokaï étant parfois panard, ce qui ne semble pas l'affecter. Sa robe est alezane, grise ou baie, parfois noire.

Ci-dessous
Ces chevaux sont plutôt simples et arborent souvent une robe frisée, à l'instar des anciennes races russes.

Le cheval manque souvent de sel, aussi est-il intéressant soit de lui donner du sel en complément de son alimentation, soit de placer un bloc de sel auquel il puisse facilement accéder.

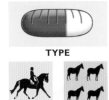

TYPE

USAGE CARACTÈRE

Lusitanien

EN BREF	
NOM	Lusitanien
TAILLE	Entre 1,50 et 1,60 m
ROBE	Gris, bai ou alezan
ORIGINE	Portugal

LE LUSITANIEN tient son nom du mot *lusitania* qui est le nom latin pour Portugal, son pays d'origine. Le lusitanien est un cheval ibérique et s'apparente à l'andalou et à d'autres races espagnoles. En fait, sa dénomination n'est en vigueur que depuis 1966. Le lusitanien et l'andalou se sont développés sur la même base génétique et présentent un large pourcentage de sang barbe et sorraia. Ces deux races affichent toutefois des différences de conformation notables, lesquelles apparaissent surtout au niveau de la tête.

Le lusitanien arbore un profil romain prononcé et un front très large, tandis que l'andalou a une tête de type plus oriental, au profil plus droit. Cette particularité est le résultat d'apport de sang arabe dans la race andalouse. Aussi, nombreux sont ceux qui considèrent le lusitanien comme une race plus pure. La croupe de ce dernier est davantage inclinée, sa queue plantée plus bas et ses épaules sont plus droites. Le lusitanien est un cheval très prisé au Portugal et constitue une monture de valeur pour le *rejoneador*, le torero. En effet, le Portugal s'enorgueillit d'une tradition très vivante de tauromachie, les taureaux n'étant pas mis à mort dans l'arène. Le lusitanien est employé en raison de son agilité, de sa vitesse et de son caractère très calme. Il doit être mené d'une main d'expert pour ne pas être blessé par le taureau et quand un *rejoneador* n'a pu éviter à son cheval d'être blessé, une telle défaillance est considérée comme une grave disgrâce.

À l'origine, le lusitanien fut développé dans une optique militaire et comme cheval d'attelage. Aujourd'hui, sa popularité ne cesse de croître dans toute l'Europe et aux États-Unis. Aussi est-il de plus en plus employé pour l'équitation de loisir et le dressage, de même que pour des travaux agricoles et de trait légers. C'est un cheval de selle polyvalent, doué d'un tempérament calme sinon flegmatique. Il a également un grand équilibre et de bons aplombs. Il est intelligent, vif, frugal et courageux.

Ci-dessus et au centre
Le lusitanien est une belle race de chevaux qui ressemble beaucoup à d'autres races espagnoles telles que l'andalou.

À droite
Cette race arbore une longue crinière fluide et une tête d'une grande beauté.

Le lusitanien a une belle tête dotée d'un profil espagnol, une encolure courte et épaisse, des épaules puissantes et assez inclinées, un poitrail large, un dos petit et compact, une cage thoracique bien développée, une arrière-main puissante et des membres forts. C'est un cheval très fort et très puissant. Sa robe peut être grise, baie ou alezane et sa taille oscille entre 1,50 m et 1,60 m.

Malapolski

EN BREF

NOM	Malapolski
TAILLE	Entre 1,52 et 1,62 m
ROBE	Bai, bai-brun, alezan, noir ou gris
ORIGINE	Pologne

LE MALAPOLSKI est une race de chevaux plutôt récente qui s'est développée en Pologne au cours du XIXᵉ siècle. Il pourrait être décrit comme un demi-sang anglo-arabe. En effet, cette race a été élaborée par une association de sang oriental, arabe, anglo-arabe, shagya et gidran, avec du sang furioso, pur-sang, demi-sang austro-hongrois et przedswit qui est une sorte de pur-sang demi-sang. Le malapolski a évolué selon deux lignées principales : tout d'abord le sadecki, essentiellement marqué par des apports de sang furioso, puis le darbowsko-tarnowski, influencé par le gidran.

Par ailleurs, le malapolski peut varier considérablement d'une région à l'autre, cette race présentant une large gamme de spécificités physiques. Le malapolski affiche des similitudes avec un autre cheval polonais, le wielkopolski, mais ce dernier arbore des caractéristiques physiques plus conformées. Le malapolski est un cheval plutôt courant en Pologne, élevé dans cinq haras d'État à Stubno, Prudnik, Urdoz, Walewice et Janow Podlaski, mais également par des propriétaires particuliers dans les régions du Centre et du Sud-Est de la Pologne.

En règle générale, le malapolski est un excellent cheval polyvalent. Il reste encore beaucoup employé en Pologne pour les travaux agricoles et le trait léger, mais fait également un bon cheval de selle. C'est un cheval athlétique et apparaît de plus en plus en compétition, grâce à la qualité naturelle de son saut et son maintien assuré. C'est un excellent cheval de steeple-chase, car rapide et agile. Le malapolski est doté d'une excellent caractère, à la fois calme

et obéissant, mais également énergique quand il le faut. Il affiche une bonne conformation de base et des allures agréablement douces, ce qui en fait un bon cheval de selle.

D'aspect, le malapolski affiche classe et qualité avec une belle tête bien proportionnée. L'encolure est musclée, bien formée et doucement courbée de la nuque au garrot. Le dos est long avec un corps agréablement arrondi, et les épaules inclinées Le poitrail est large et profond et la croupe est musclée et légèrement inclinée. Longs et puissants, les membres s'achèvent sur des sabots naturellement bien formés. Sa robe est en général baie, alezane, noire ou grise et sa taille oscille entre 1,52 et 1,62 m.

Ci-dessus
Le mapolski est un cheval polyvalent, utilisé tant pour les travaux agricoles et le trait léger que sous la selle.

Ci-contre
Le malapolski est un beau cheval avec une bonne conformation, arborant épaules inclinées et membres longs.

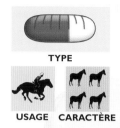

TYPE

USAGE   CARACTÈRE

Mangalarga

APPARU AU DÉBUT du XIXᵉ siècle, le mangalarga est l'une des rares races d'origine brésilienne. Fuyant l'invasion napoléonienne, le prince régent du Portugal, Don João VI s'installa au Brésil, au sud du Minas Gerais, en 1808, et fonda l'hacienda Campo Alegre. L'un de ses fils, le baron d'Alfenas se vit offrir un étalon alter-real, baptisé Sublime, par Dom Pedro I, empereur du Brésil (1798-1834), cheval qui devint l'un des étalons fondateurs de la lignée.

Sublime fut croisé avec des juments pour la plupart issues de la race du genêt d'Espagne, ainsi qu'avec quelques juments criollos et andalouses. Apparut ainsi le mangalarga, baptisé dans un premier temps « cheval sublime ». Le mangalarga est une race importante car elle arbore nombre de spécificités du genêt espagnol, aujourd'hui disparu. L'une de ces caractéristiques est la grande fluidité de son déplacement ; en effet, le mangalarga semble évoluer avec une grande légèreté et un incroyable équilibre. Il est réputé pour être l'un des chevaux les plus confortables. Il est doté d'allures

singulières appelées *marcha batida* et *marcha picada*, toutes deux à quatre temps, permettant au cheval de parcourir une très grande distance en peu de temps. À noter que le mangalarga ne trotte pas, mais passe directement de la marche rapide au petit galop.

Ces chevaux jouissent d'une grande popularité au Brésil et sont largement employés pour le travail du bétail, activité pour laquelle ils sont doués d'un véritable talent. Polyvalents, ils peuvent être montés en courses, y compris pour l'endurance et le cross-country. Le mangalarga affiche un excellent caractère, faisant montre de calme et de gentillesse, de sorte qu'il est tout indiqué pour les enfants et les débutants. Toutefois, en cas de besoin, il sait être vif et énergique.

D'aspect, le mangalarga est un beau cheval léger, aux spécificités espagnoles évidentes. Il arbore une très belle tête d'une grande finesse avec un profil rectiligne, un regard intelligent et des oreilles incurvées vers l'intérieur. L'encolure est élégante, musclée et légèrement arrondie de la nuque au garrot. Le garrot est saillant, le poitrail bien ouvert, le dos proportionné et l'arrière-main puissante. La croupe est légèrement inclinée alors que les épaules le sont de façon plus marquée. Les membres sont forts, musclés et puissants avec de bonnes articulations et des sabots durs. La robe peut être de toutes couleurs unies, et sa taille oscille entre 1,42 et 1,50 m.

Ci-dessus
Ce cheval affiche une grande élégance, avec des membres puissants et des sabots durs.

Ci-contre
Cette race est très utilisée par les cow-boys des ranchs brésiliens pour trier le bétail.

TYPE

USAGE **CARACTÈRE**

Marwari

LE MARWARI est une ancienne race de chevaux qui, en dépit de sa petite taille, n'est pas considérée comme une race de poneys. Elle est apparue dans l'État du Marwar et, vraisemblablement, dans la région Nord-Ouest de l'Inde, à la frontière avec l'Afghanistan. Ses origines exactes restent incertaines, mais la race semble s'être développée selon des lignées similaires à la race voisine du kathiawari, et présente un pourcentage important de sang arabe. Le marwari arbore également des caractéristiques communes avec l'ancienne race turkmène.

Le marwari fut le cheval de guerre des Rathores, princes régnant sur le Marwar qui pratiquaient déjà l'élevage sélectif au XIIᵉ siècle. Très prisé, il fut considéré comme le cheval le plus précieux des siècles durant. On racontait qu'au cours d'une bataille, même blessés, les marwari ne s'écroulaient pas avant d'avoir amené leur cavalier en sûreté et, si celui-ci était blessé, ils montaient la garde auprès de lui. Nombre de légendes entourent le marwari et tous démontrent une bravoure et d'une grande loyauté. Au cours du règne de l'empereur moghol Akbar (1542-1605), les fougueux guerriers rajputs constituèrent une cavalerie comprenant plus de 50 000 chevaux dont la majorité était des marwari.

Le marwari est longtemps resté populaire. Il fut même mis à contribution lors de la Première Guerre mondiale, avant que leur nombre ne commence à décliner. Vers 1930, la race avait pratiquement disparu et ne doit sa survie qu'aux efforts déployés par le maharadjah Umaid Singhji, qui fit l'acquisition de bons étalons. Il leur présenta les meilleures juments marwari qu'il put trouver. Depuis, leur nombre augmente et le gouvernement indien et la Marwari Breeders Association maintiennent leurs efforts pour sauvegarder la race.

Le marwari est qualiteux, d'apparence distinguée et noble. Il arbore une tête courte et lourde, surmontée d'oreilles incurvées vers l'intérieur, marque distinctive de la race. Il est bien constitué et fort, avec une encolure d'une bonne longueur. Son dos est compact avec un passage de sangle profond. Les épaules sont suffisamment inclinées et le poitrail bien ouvert. L'arrière-main est puissante, les membres forts et robustes, avec une ossature dense et des pieds durs. Il peut parfois avoir les jarrets incurvés. Sa robe peut être baie, bai-brun, alezane et pie et il mesure au maximum 1,43 m.

L'abréviation B. H. S. signifie British Horse Society. Il s'agit de la plus grande et de la plus influente association équestre privée au Royaume-Uni. La BHS a pour objet d'améliorer la qualité de vie des chevaux et fournit à ses membres informations et assistance. La BHS fonctionne grâce au soutien financier de ses membres et grâce aux dons.

À gauche
Le marwari est un cheval d'apparence distinguée et noble avec un pourcentage important de sang arabe.

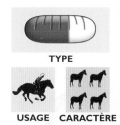

TYPE

USAGE CARACTÈRE

Maremmana

○○○○○○○○○○○○○○○○○○○○○○○○○○○

EN BREF

NOM	Maremmana
TAILLE	Entre 1,50 et 1,53 m
ROBE	Noir, parfois autres couleurs unies
ORIGINE	Italie

LES ORIGINES du maremmana sont assez vagues, mais l'on considère que cette race se fonde sur une souche venue d'Afrique du

Nord, associée à du sang espagnol, arabe, barbe et napolitain. Au cours du XIXe siècle, elle fit l'objet d'apports de sang pur-sang et probablement de norfolk trotteurs et d'étalons demi-sang. À la fin du XIXe siècle, les caractéristiques du maremmana furent fixées, bien qu'il fallût attendre 1980 pour que le stud-book soit ouvert.

Le maremmana est surtout élevé dans les régions septentrionales de la Maremma en Toscane et fut véritablement établi grâce aux efforts déployés par le haras de Grosseto, bien qu'il existe encore des troupeaux élevés à l'état semi-sauvage dans certaines zones. Il est probable que ce cheval ait été

créé à l'origine pour un usage agricole. Également utilisé comme cheval de troupe par la cavalerie, il est une monture prisée des forces de police. Le maremmana excelle dans le travail des troupeaux de bovins. Il est souvent utilisé par les gardians italiens appelés *butteri*, et fait montre d'un incroyable sens du bétail, semblable à celui du quarter horse, qui se traduit par cet instinct naturel pour suivre et rassembler les bêtes.

Le maremmana est un cheval athlétique et agile, réputé pour son incroyable aptitude au saut d'obstacles. Un maremmana du nom d'Ursus del Laseo remporta les championnats d'Italie de saut d'obstacles en 1977. Aujourd'hui, il est souvent croisé avec des pur-sang afin de produire des chevaux aptes au jumping. Le maremmana est un cheval très robuste et courageux, avec une grande résistance et une bonne endurance. Il est résistant à la fatigue et affiche une constitution très saine. Par ailleurs, le maremmana n'a que des besoins frugaux. En dépit de processus d'élevage parfois un peu hasardeux, il est polyvalent et affiche un caractère constant, ce qui compense sa conformation un peu faible.

Ci-dessus
Le maremmana est un cheval à sang mêlé, affichant des origines arabes, barbes et espagnoles.

En bas
Cette race est élevée dans la région de la Maremma, dans le Nord de la Toscane.

Le maremmana porte une tête longue et plutôt lourde, une encolure musclée, un garrot saillant, un poitrail plein avec des épaules légèrement inclinées, un dos court et rectiligne, une arrière-main inclinée et des membres solides. Sa robe peut arborer n'importe quelle couleur simple et sa taille varie entre 1,50 m et 1,53 m.

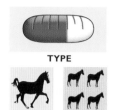

TYPE

USAGE **CARACTÈRE**

EN BREF	
NOM	Missouri fox trotter
TAILLE	Entre 1,42 et 1,62 m
ROBE	Souvent alezan avec marques blanches
ORIGINE	États-Unis

Missouri fox trotter

LE MISSOURI FOX TROTTER est originaire des monts Ozark en Arkansas et dans le Missouri. Apparue dans les années 1820, c'est l'une des plus anciennes races de chevaux des États-Unis. En 1821, lorsque le Missouri devint un État, nombre d'émigrants du Tennessee, du Kentucky et de la Virginie vinrent s'y installer, emmenant avec eux leurs chevaux de selle. Il est probable que la race soit née à partir d'une combinaison de sang espagnol, barbe, morgan, arabe et pur-sang. Une politique d'élevage fut rapidement instaurée afin d'obtenir des chevaux atteignant des vitesses de course importantes.

Nombre de ces premiers colons dans la région des Ozark contribuèrent au développement de ce cheval qui devait devenir le missouri fox trotter. Parmi eux se trouvaient les alsup, qui devinrent célèbres pour leurs chevaux apparentés à l'étalon de courses Brimmer. Ces chevaux furent réputés sous le nom de brimmer.

Un autre étalon joua un rôle essentiel dans le développement de la race : Old Skip était issu du croisement d'un morgan et d'un pur-sang. Les premières évolutions de la race sont également mises au crédit de deux selles américains, les étalons Chief et Cotham Dare.

Il est probable que l'élevage initial de missouri fox trotters s'est largement orienté vers la production de chevaux de courses, occupation fort populaire et bien que considérée comme sacrilège à l'époque. Par la suite, les efforts se concentrèrent sur la production d'un cheval adapté aux longues distances et confortable pour parcourir un environnement accidenté.

L'une des caractéristiques les plus spécifiques du fox trotter est son fox trot lui permettant de se déplacer avec une foulée particulièrement souple et confortable. Ces chevaux affichent une résistance supérieure à nombre d'autres races et une bonne endurance. Le fox trot est une allure avec laquelle le cheval marche rapidement avec ses antérieurs et trotte avec ses postérieurs. Sur de longues distances, le fox trotter peut maintenir des vitesses de l'ordre de 12 km/h, tandis que sur de courts trajets, il peut

atteindre des pointes allant jusqu'à 20 km/h. Ce mouvement amblé s'accompagne d'un balancement vertical de la tête et de la queue. Les autres allures du missouri fox trotter sont une marche à quatre temps, appelée le flat foot walk, pour laquelle les postérieurs

Ci-dessus
Ce cheval peut maintenir son allure peu commune sur de longues distances et un terrain accidenté.

Ci-contre
Le Missouri fox trotter est originaire des monts Ozark dans le Missouri et fut à l'origine vraisemblablement élevé comme cheval de courses.

Battant tous les records, Goldsmith Maid remporta 350 courses de trot attelé entre 1864 et 1877.

En haut
Le missouri fox trotter est doté de cinq allures, mais n'arbore pas les allures extrêmement relevées du tennessee walker ou du selle américain.

viennent se poser loin devant les antérieurs, et enfin un galop très doux. Les allures du Missouri fox trotter ne reprennent pas les foulées extrêmement relevées du trotteur américain ou du tennessee walker.

Le missouri fox trotter prend part à de nombreuses manifestations. Toutefois, contrairement à d'autres races ambleuses, aucune mesure artificielle n'est autorisée pour accentuer leur locomotion naturelle, telles que des fers très lourds ou des chaînes autour des boulets. De la même façon, le port de la queue est naturel et l'anglaisage est interdit. Au sein du manège de concours, le missouri fox trotter est essentiellement évalué sur la qualité de sa foulée de fox trot, des points supplémentaires étant attribués pour la marche, le galop et la conformation du cheval. Hors du manège de concours, le missouri fox trotter bénéficie d'une grande popularité aux États-Unis pour ses aptitudes au tout terrain et à l'endurance. Par ailleurs, c'est un excellent « cheval à bétail ». Alors que nombre de races ont souffert de l'avènement de la mécanisation, le Missouri fox trotter a survécu, probablement grâce au soutien et à l'élevage continus

des propriétaires de troupeaux qui reconnurent l'importance de la race.

L'un des premiers étalons qui exerça une influence importante sur la race fut Old Fox, lequel passa la majeure partie de sa vie à travailler avec le bétail dans le Sud du Missouri au début du XXe siècle. La race fut officiellement reconnue en 1948 avec l'ouverture de son stud-book, fermé en 1982. Seuls les chevaux dont les parents ont été enregistrés peuvent y être intégrés. Une telle mesure permet de maintenir la race au plus près de ses spécificités d'origine.

Doué d'un excellent caractère, calme, docile, intelligent et énergique quand il le faut, le missouri fox trotter est la monture parfaite des enfants et des débutants. Il affiche une jolie constitution, avec une bonne conformation de base. Il arbore une tête bien proportionnée au profil rectiligne et un regard vif, une encolure musclée attachée à des épaules inclinées et très puissantes. Le poitrail est profond, le dos compact, l'arrière-main et les membres très musclés et puissants. Sa robe est souvent alezane, mais peut arborer toutes les couleurs. Sa taille varie entre 1,42 m et 1,62 m.

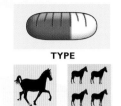

Morab

TYPE

USAGE   **CARACTÈRE**

APPARUE AU DÉBUT DU XIXE SIÈCLE, cette race est issue du croisement entre un morgan et un arabe, comme le suggère le nom de la race. Toutefois, il est probable que le quarter horse exerça une influence notable au départ.

Il fallut attendre 1992 pour que soit ouvert le stud-book de la race, le International Morab Registery (IMR). L'un des étalons fondateurs de la lignée portait le nom de Golddust, né en 1855. Golddust était le produit du croisement de l'étalon morgan Vermont et d'une jument arabe, fille de l'étalon arabe Zilcaddie. Golddust fut réputé pour son pas distinctif et son trot. Il n'a jamais été battu sur la piste et sur le champ de courses. Fait marquant, en 1861, il remporta la victoire sur Iron Duke, remportant la somme de 10 000 $. Il fut tué au cours de la Guerre civile, après avoir donné naissance à 302 poulains, dont 244 devinrent des trotteurs de renom. Aujourd'hui, plus de cent morab s'enorgueillissent d'une généalogie remontant à Golddust.

L'autre événement majeur dans l'histoire du morab se produisit dans les années 1920. Le nom de la race est attribué à William Randolph Hearst. Il possédait un troupeau réputé d'arabes, qui comptait les étalons Ghazi, Gulastra, Joon, Ksar, Sabab et Rahas. Il leur présenta de nombreuses juments morgan. Il fit également l'acquisition de l'étalon morgan Moncrest Sellman qu'il employa pour des croisements avec des juments morab et arabes. Un autre programme d'élevage réputé fut celui mené par les frères Swenson dans leur ranch du Texas entre les années 1920 et 1940. Leurs morab étaient particulièrement prisés comme chevaux de bétail, l'un des plus célèbres étant le hongre Rey Boy, né en 1943. Récemment, le morab a bénéficié d'un regain de popularité ; il fait un excellent cheval de selle. Il est doté d'un caractère facile, calme et gentil.

Le morab arbore une tête fine avec un profil rectiligne ou concave. L'encolure est musclée avec une bonne longueur, les épaules sont agréablement inclinées, le poitrail large, le dos court et compact et la croupe musclée. La queue est attachée et portée haut, et les membres sont habituellement forts, puissants et sains. La robe peut arborer n'importe quelle couleur, mais ne peut être tachetée et sa taille varie entre 1,41 et 1,52 m.

En haut
Le morab arbore une belle tête avec un profil concave, semblable à celui d'un arabe.

Ci-contre
Le morab est adapté au trait léger et au trot.

TYPE

USAGE CARACTÈRE

Morgan

○ ○

EN BREF

NOM	Morgan
TAILLE	Entre 1,42 et 1,52 m
ROBE	Toutes les couleurs unies possible
ORIGINE	États-Unis

L E MORGAN est l'une des races américaines les plus importantes, dans la mesure où elle a exercé une certaine influence sur de nombreuses autres races, notamment le tennessee walker, le selle et le trotteur américains. Les débuts du morgan sont remarquables et sa généalogie remonte à un seul étalon, hors du commun. Cet étalon s'appelait Figure. On dispose de peu d'informations sur les origines de ce cheval, toutefois, les hypothèses sont légion. L'on pense qu'il a été conçu par un étalon de type pur-sang primitif appelé True Briton, tout en combinant du sang arabe. D'autres théories supputent qu'il aurait été conçu par un étalon frison ou, comme le suppose Anthony Dent qui fait autorité dans le domaine, par un étalon welsh cob. Figure présentait des similitudes avec le welsh cob, tout en détenant vraisemblablement un certain pourcentage de sang arabe et pur-sang.

Quelles que soient ses origines, Figure transmit à sa lignée toutes ses caractéristiques et fonda par lui-même une toute nouvelle race. Il naquit vers 1793 à Springfield dans le Massachusetts et, à l'âge de deux ans, fut donné à un homme du nom de Justin Morgan. C'était un petit poulain bai de 1,41 m et Justin Morgan éprouvait un certain scepticisme à son égard, mais ce dernier fit rapidement preuve

de ses remarquables talents dans tous les domaines. Il resta invaincu dans les courses de selle et d'attelage, de même que dans les concours de trait. Il fut réputé en tant que fondateur et travailla rudement toute sa vie. Après la mort de son propriétaire, il fut rebaptisé Justin Morgan et imprima sa marque distinctive sur sa descendance qui devint la race morgan

Doué d'une force incroyable, d'une grande résistance, d'un courage et d'une intelligence remarquables, le morgan est employé comme cheval de loisirs aux États-Unis. Il arbore une tête séduisante bien attachée à une encolure musclée et arquée. Les épaules sont puissantes, le poitrail bien ouvert et le dos large et court. La croupe est souvent longue et ronde, avec une queue bien plantée. Les membres sont solides et forts, le canon court et les articulations de qualité. Le morgan adopte souvent une position caractéristique, les membres éloignés du corps : les antérieurs étendus loin devant et les postérieurs campés vers l'arrière. Toute couleur simple est permise, et sa taille varie entre 1,42 et 1,52 m.

En haut
Ce cheval remarquable est l'une des races américaines les plus importantes ; il est fort, courageux et polyvalent.

Ci-contre
Le morgan adopte une position spécifique, les postérieurs campés vers l'arrière.

Murgese

TYPE

USAGE   CARACTÈRE

Ci-contre
Les origines de la race
sont confuses, mais
elle semble s'appuyer
sur des souches arabe,
barbe et napolitaine.

En bas
Le murgese arbore
un nez au caractère
romain prononcé et
une tête forte.

LE MURGESE, aussi connu sous le nom de cheval des Pouilles, est issu de la région de Murge dans le Sud-Est de l'Italie et ses origines remontent à l'époque où les Espagnols régnaient sur la région. Le mystère entoure l'héritage du murgese. Il est probable que la race a évolué à partir de croisements entre napolitains, barbes et arabes, avec quelques apports de sang avelignese et vraisemblablement de trait italien. La race a une histoire plutôt mouvementée, jouissant d'une très grande popularité au cours des XVe et XVIe siècles, notamment dans la cavalerie, puis connaissant un déclin dramatique au point de quasiment s'éteindre. Le murgese moderne fut établi dans les années 1920 et a évolué pour devenir un cheval plus raffiné.

Avant 1926, l'absence d'un programme d'élevage spécifique conduisit à l'existence d'une grande variété de caractéristiques physiques au sein de la race. Mais 1926 marque l'avènement d'un élevage sélectif par ce qui est aujourd'hui connu comme l'Institut régional pour le développement équin. Trois étalons furent mis à contribution pour fonder les principales lignées de la race : Nerone, Granduca et Arald. Le murgese est un cheval polyvalent, adapté au trait léger et à la selle, apte à assumer le travail de la ferme. Doté d'un caractère volontaire et vif, il est à la fois robuste et courageux. Nombre de murgeses sont élevés à l'état semi-sauvage dans les forêts de la Murge, vivant en plein air toute l'année et cherchant leur propre fourrage. Ce mode de vie en fait des chevaux endurants et résistants à la plupart des maladies. Le murgese jouit d'une renommée grandissante en tant que cheval de selle. Sa nature calme et indulgente en fait un cheval parfait pour la randonnée

et les débutants. Il est souvent utilisé pour développer des souches améliorées de chevaux de selle, par le biais de croisements avec des pur-sang ou d'autres chevaux de qualité similaire.

Le murgese arbore souvent un nez romain, avec une ligne de mâchoire proéminente et de petites oreilles. L'encolure est musclée, la crinière est fournie, le poitrail large et profond, les épaules plutôt inclinées, le dos court et parfois incurvé. L'arrière main est inclinée et parfois peu développée. L'ossature des membres peut être un peu légère, les articulations étant plutôt petites, en dépit de leur robustesse. Arborant une robe habituellement noire, le murgese mesure entre 1,50 et 1,60 m.

La bride et le mors furent créés avant la selle et les étriers. Jusqu'au Moyen Âge, l'on montait principalement à cru.

TYPE

USAGE   CARACTÈRE

Sleepy Tom, un ambleur, a créé l'événement dans le monde du cheval en devenant l'un des chevaux ambleurs les plus rapides, en dépit de sa cécité et en répondant aux signaux oraux de son entraîneur.

Mustang

EN BREF	
NOM	Mustang
TAILLE	Entre 1,40 et 1,50 m
ROBE	Toutes les couleurs possible
ORIGINE	États-Unis

MUSTANG EST LE NOM donné aux chevaux sauvages américains apparus au cours du XVᵉ siècle. Ce sont les descendants des chevaux espagnols amenés en Amérique par les conquistadors. De nombreux chevaux s'échappèrent ou furent relâchés dans la nature et se rassemblèrent en hordes sauvages. Le nom mustang provient du mot *mesteth*, qui signifie « groupe » ou « horde de chevaux sauvages ».

Au fil des siècles, des spécimens issus de races diverses connurent le même destin et se rassemblèrent également en troupeaux. Il existe un type d'animal plus lourd, certainement issu de chevaux d'artillerie ou carrossiers ayant fui pendant les batailles et qui semble descendre du frison oriental, connu pour son extrême popularité dans l'armée. À une certaine époque, ces hordes étaient si nombreuses qu'elles détruisaient les pâturages destinés aux animaux domestiques. Il s'ensuivit une chasse sans merci afin d'éradiquer les mustangs, ceux-ci étant abattus pour fabriquer de la nourriture pour animaux ou pour la consommation humaine. Mené à grande échelle et aveuglément, ce massacre provoqua une réduction tragique du nombre de spécimens, et il fallut attendre 1971 pour que des réglementations viennent y mettre bon ordre. Les mustangs bénéficient désormais d'une protection fédérale et relèvent du BLM, Bureau of Land Management (Bureau de gestion des terres). En 1973 fut lancé un programme controversé, baptisé « Adoptez un cheval ». Nombreux sont ceux qui considèrent que cette initiative a largement contribué à sauver beaucoup de chevaux. Le spécimen standard du mustang s'améliore via la gestion du BLM en écartant les étalons les plus faibles et en conservant les meilleurs éléments. Son existence sauvage induit une grande diversité de caractéristiques physiques, toutefois, beaucoup arborent encore des origines espagnoles. On peut également noter que le mustang présente souvent une tête de type espagnol avec un nez romain. L'encolure est habituellement courte, les épaules quelque peu verticales, le garrot plat, le dos court et des jambes assez peu conformées mais néanmoins extrêmement robustes. À l'instar de tout animal sauvage, il démontre un tempérament rebelle et insoumis, même si avec une approche adaptée, nombre de mustangs se révèlent de bons chevaux de selle. Sa taille oscille entre 1,40 et 1,50 m. Sa robe peut être de n'importe quelle couleur.

Au centre
Son nom fait référence aux chevaux sauvages des États-Unis, bénéficiant aujourd'hui d'une protection officielle.

Ci-contre
Les caractéristiques du mustang sont fort variées, toutefois certains spécimens affichent les spécificités du pure race espagnol.

Nonius

EN BREF

NOM	Nonius
TAILLE	Entre 1,43 et 1,62 m
ROBE	Bai ou bai-brun
ORIGINE	Hongrie

LE NONIUS est une race développée en Hongrie au début du XIXe siècle. Cette race tire son nom de l'étalon fondateur, Nonius Senior, né en 1810 en Normandie et emmené comme prise de guerre par la cavalerie hongroise en 1813 au terme de la défaite de Napoléon à Leipzig. Nonius Senior fut transféré au prestigieux haras de Mezohegyes où il demeura pendant les vingt-deux années qui suivirent et au cours desquelles fut établie la race nonius. Nonius Senior avait pour père un étalon du nom d'Orion, demi-sang anglais probablement apparenté à un norfolk trotter, et sa mère était une jument de race normande. Il est dit que Nonius n'était pas un étalon affichant une conformation exceptionnelle, ni même un cheval séduisant, caractéristiques dont sa descendance n'a heureusement pas hérité. Il semble toutefois étrange qu'un cheval ayant si peu d'allure ait pu être utilisé comme souche au prestigieux haras de Mezohegyes. Nonius Senior s'accoupla avec une grande variété de juments, y compris des andalouses, des arabes, des normandes, des kladruber et des demi-sang anglaises.

Par la suite, au fil de l'évolution de la race, le pur-sang anglais fut mis à profit pour améliorer davantage la lignée, en termes d'esthétique et d'aptitudes physiques. Nonius Senior fut un étalon fort prolifique qui donna naissance à une quinzaine d'excellents étalons, notamment Nonius IX, qui, à son tour contribua à fixer les caractéristiques de la race. Le nonius évolua selon deux grandes lignes : un spécimen plus imposant, adapté tant au trait léger et aux travaux agricoles qu'à la selle, et

un type plus petit, convenant davantage à la selle pure. Récemment, des croisements de juments nonius avec des étalons pur-sang anglais ont donné des résultats très satisfaisants, produisant des chevaux de compétition et de sport de grande qualité. Le nonius est un cheval fort et robuste, avec un caractère à la fois aimable et vif. C'est un cheval de selle polyvalent et utilitaire, généralement sain et bien bâti.

D'aspect, le nonius arbore une tête longue avec un profil droit ou convexe. L'encolure est musclée, et arquée pour les étalons. Les épaules puissantes sont plus rectilignes, le garrot large et arrondi, et le dos long et large. Le poitrail est bien ouvert, les jambes sont solides et musclées. Le nonius arbore une robe souvent baie ou bai-brun et sa taille varie entre 1,43 et 1,62 m.

Ci-dessous
La lignée du nonius fut améliorée par des apports de sang pur-sang.

TYPE

USAGE **CARACTÈRE**

Novokirghiz

○ ○

EN BREF

NOM	Novokirghiz
TAILLE	Entre 1,40 et 1,50 m
ROBE	Bai, bai-brun, gris ou alezan
ORIGINE	Ex-URSS

DÉVELOPPÉ dans les années 1930 en Kirghizie, le novokirghiz ou nouveau kirghiz est une race relativement récente qui a succédé à l'ancien kirghiz dont elle est issue. L'ancien

kirghiz était une race de montagne originaire des hautes régions situées entre la Kirghizie et le Kazakhstan, et descendait d'une souche équine mongole. Le novokirghiz constitue une race plus raffinée et plus rapide, caractéristiques essentiellement liées aux apports pur-sang, don et demi-sang anglo-don, lesquels furent croisés avec l'ancien kirghiz. En 1918, quarante-huit pur-sang furent importés au haras d'Issyk-Kul et furent accouplés à des juments de la race de l'ancien kirghiz. Au cours des années 1930 et 1940, les caractéristiques de la race furent fixées par des croisements répétés entre ancien kirghiz, pur-sang et don, puis entre les produits de ces croisements. Trois types de chevaux sont ainsi apparus : le basique, le selle et le massif. Ce dernier se révéla le plus réussi et le plus polyvalent, véritablement adapté à son environnement.

Robuste, c'est un cheval utilitaire pour la selle comme pour le harnais et les travaux agricoles.

En haut
Cette race est relativement récente, des apports de sang neuf ayant été effectués dans les années 1930.

À droite
Le novokirghiz arbore une petite tête bien dessinée, avec une encolure puissante et des épaules agréablement inclinées.

Ce cheval vaillant et fort est souvent utilisé comme cheval de bât dans les régions montagneuses. Les types basique et selle manquaient de robustesse et d'endurance, et étaient moins adaptés au climat des montagnes. Aujourd'hui, ces trois lignées se sont davantage mêlées en un type unique amélioré. En règle générale, cette race affiche une extraordinaire robustesse et peut composer avec toutes sortes de terrain. Résistant et endurant, le novokirghiz possède, en outre, un caractère à la fois docile et énergique. Ce cheval est utilisé comme cheval de selle, mais aussi pour le trait léger et le bât. Les juments novokirghiz produisent un lait qui, fermenté, donne le koumiss, boisson de base de l'alimentation des peuples indigènes. À noter que les juments sont peu fécondes, défaut attribué à un trop grand apport pur-sang.

Le novokirghiz arbore une petite tête bien dessinée, une encolure puissante et harmonieuse, des épaules agréablement inclinées, un poitrail bien développé, un garrot saillant, un dos long et une arrière-main inclinée. Les membres sont courts, très puissants et musclés, même s'il arbore des jarrets coudés. Sa robe est généralement baie, bai-brun, grise ou alezane et sa taille oscille entre 1,40 et 1,50 m.

Oldenbourg

TYPE

USAGE   CARACTÈRE

EN BREF	
NOM	Oldenbourg
TAILLE	Entre 1,62 et 1,72 m
ROBE	Bai, noir, bai-brun ou gris
ORIGINE	Allemagne

DEPUIS SON APPARITION en Allemagne au cours du XVIIe siècle, l'oldenbourg a considérablement évolué. L'apparition de cette race est attribuée au comte Anton Günther, comte d'Oldenbourg (1603 à 1667). Son objectif était de créer un grand cheval carrossier également à même de travailler dans les champs. Günther créa alors des haras dans la région du Geest ainsi que les écuries royales et l'école d'équitation de Rastede. Il commença à importer des chevaux andalous et napolitains qu'il croisa avec des frisons orientaux. Kranich, étalon gris issu de lignées andalouses renommées, exerça une influence prépondérante sur la race.

Il est probable que l'oldenbourg ait tout d'abord ressemblé au kladruber, développé au XVIe siècle. Sa charpente était vraisemblablement plutôt lourde et grossière, avec un nez romain prononcé. Il fallut attendre la fin du XVIIIe siècle pour que des efforts soient entrepris en vue d'améliorer la qualité de l'oldenbourg. L'on procéda alors à des croisements avec des barbes, des demi-sang et des pur-sang, lesquels semblent avoir contenu un pourcentage important du fougueux norfolk trotter.

Au cours de la seconde moitié du XIXe siècle, l'oldenbourg acquiert une certaine popularité, tout particulièrement au sein de l'armée qui l'utilisa pour la cavalerie. Il rencontra également la faveur des services postaux.

À cette époque, l'Oldenbourg était encore un cheval plutôt lourd, avec toutefois une conformation s'apparentant grandement à celle d'un animal de trait léger. En 1897, les éleveurs introduisirent du sang pur-sang, dont celui du célèbre Éclipse. À cette même époque, on utilisa aussi des étalons bais de Cleveland.

Le bai de Cleveland était, en effet, un cheval carrossier réputé extrêmement adapté à la selle et doué pour le saut d'obstacles, qui ne peut qu'avoir amélioré la lignée de l'oldenbourg. L'on procéda également à des apports de sang hanovrien et normand, notamment par le biais de l'étalon Normann. Au cours de la Première Guerre mondiale, l'oldenbourg fut utilisé par la cavalerie et subit des pertes considérables.

Par la suite, l'oldenbourg fut à nouveau employé sous le harnais et pour les travaux agricoles et il fallut attendre la fin de la Seconde Guerre mondiale pour que soient entrepris de nouveaux efforts afin d'alléger et d'améliorer la race. Avec l'avènement de la mécanisation et l'apparition des véhicules motorisés, la race connut un nouveau déclin. C'est à ce moment

En haut

Au cours de la Première Guerre mondiale, l'oldenbourg rendit de grands services et la race connut des pertes importantes.

À gauche

Cette race peut arborer une grande variété de robes, y compris le gris.

En 1981, le célèbre jockey Bob Champion remporta le Grand National, épreuve de steeple-chase de Liverpool, à la suite d'un cancer. Il montait Aldaniti, qui s'était remis d'une grave blessure.

que fut établie la lignée du « nouvel oldenbourg » afin de prévenir l'extinction de la race. Les amoureux de l'oldenbourg réalisèrent qu'il fallait désormais se concentrer sur l'élevage d'un cheval de selle polyvalent. À cet effet, l'on procéda à de nouveaux apports pur-sang, le spécimen le plus célèbre mis à contribution étant l'étalon Lupus. Condor, un étalon normand au pourcentage élevé de sang pur-sang, contribua également à l'amélioration de la lignée. Par ailleurs, pour éviter que ne prédominent les spécificités du pur-sang, plus particulièrement son caractère nerveux, les éleveurs poursuivirent l'apport de sang hanovrien, lequel permit de préserver l'excellente nature de l'oldenbourg.

Aujourd'hui, l'oldenbourg est un cheval qualiteux et polyvalent, adapté à la compétition, plus particulièrement au dressage et aux concours d'obstacles. Il est par ailleurs très prisé pour l'attelage de compétition. À l'origine, en tant que cheval carrossier, l'oldenbourg devait afficher une locomotion très élevée en ligne. Celle-ci et la conformation de ses épaules ont connu une évolution subtile au fil des années. Toutefois, son allure reste un peu contenue, ce qui n'entrave cependant en rien son utilisation pour le dressage ou, plus encore, dans les concours

d'obstacles. L'oldenbourg ne brille pas par sa vitesse, bien que le pur-sang ait contribué à l'améliorer quelque peu. C'est un cheval impressionnant et séduisant, doté d'une longue espérance de vie, d'une maturité précoce et d'un caractère à la fois calme et énergique.

L'oldenbourg arbore une constitution puissante et une structure physique plutôt massive. Sa tête portée haut a un profil parfois convexe et de grands yeux doux. Musclée, l'encolure est de bonne longueur et attachée à des épaules extrêmement puissantes. Le poitrail est bien ouvert, le corps profond et arrondi. Souvent, le dos est plutôt long et l'arrière-main très musclée avec une queue joliment plantée. Solides et robustes avec une bonne ossature, les membres s'achèvent sur des sabots de qualité. Sa robe est généralement baie, bai-brun, noire ou grise, et sa taille varie entre 1,62 et 1,72 m.

En haut
L'oldenbourg est un cheval polyvalent, doué pour les compétitions d'obstacles et excellent cheval d'attelage.

À droite
Il arbore une belle tête forte, dotée parfois d'un profil convexe.

Trotteur d'orlov

EN BREF

NOM	Trotteur d'orlov
TAILLE	Voisine de 1,60 m
ROBE	Souvent gris, parfois bai, noir ou alezan
ORIGINE	Ex-URSS

TYPE

USAGE CARACTÈRE

Au centre
Ce beau cheval arbore une robe généralement grise. Sa crinière et sa queue sont bien fournies et flottantes.

En bas
La race ne possède pas la vitesse du trotteur américain, toutefois, elle est largement employée dans les courses de trot en Russie.

LA RACE du trotteur d'orlov a été créée par le comte Alexis Orlov dans son haras de Khrenov, fondé en 1788. L'implication du comte dans la conspiration visant à destituer Pierre III et à remettre le trône de Russie à la Grande Catherine, lui valut le titre de Commandeur de la flotte russe.

Peu après, il vainquit les Turcs au cours d'une importante bataille. Lui fut alors offert par un amiral turc un étalon arabe gris du nom de Smetanka. Smetanka fut accouplé avec diverses juments danoises. L'un de ses descendants, Polkan I, et une jument hollandaise du nom de Hartsdraver engendrèrent l'étalon Bars I, fondateur de la lignée. Né en 1784, il fut emmené au nouveau haras de Khrenov. Là, il fut croisé avec de nombreuses juments d'ascendance arabe, hollandaise, danoise, anglaise demi-sang et mecklembourg. Les meilleurs spécimens furent alors croisés entre eux jusqu'à ce que les caractéristiques de la race soient établies. L'orlov évolua jusqu'à devenir un très bon cheval d'attelage et de course de trot.

Entre 1885 et 1913, un apport important de sang de trotteur américain a contribué à améliorer la vitesse de trot de la race. Toutefois, ce croisement menaça les spécificités établies de la lignée,

et il devint alors nécessaire de restaurer la race russe. L'orlov moderne n'est pas aussi rapide que le trotteur américain, mais il est largement employé dans des courses de trot qui lui sont exclusivement réservées. Au sein de la race, il existe une grande diversité régionale, les plus beaux spécimens étant élevés au haras de Khrenov. Le trotteur d'orlov est aussi élevé à Dubrovski, Novotomnikov et à Perm. Les chevaux issus de ces haras présentent des caractéristiques différentes, mais leur apparence et leur conformation restent toutefois généralement assez grossières.

L'orlov est un cheval léger, mais néanmoins puissant avec une grande résistance et une belle endurance. Il est doué d'un caractère à la fois calme et énergique. Sa tête est fine et séduisante. L'encolure doit être joliment rouée, attachée haut à des épaules très droites. Le dos est long et rectiligne, l'arrière-main puissante, les membres longs et les sabots bien formés. Le plus fréquemment grise, sa robe peut également être bai, alezan ou noire. Sa taille est environ de 1,60 m.

LES RACES DE CHEVAUX

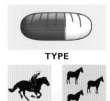

TYPE

USAGE CARACTÈRE

Palomino

EN BREF	
NOM	Palomino
TAILLE	Entre 1,40 et 1,60 m
ROBE	Palomino
ORIGINE	États-Unis

AU SENS STRICT du terme, le palomino est une couleur de robe et non une race, même si la Palomino Horse Association, aux États-Unis, et des associations en Angleterre tentent de créer la race palomino par le biais d'un élevage sélectif. Palomino est une ancienne couleur de robe, comme la robe tachetée, et était à l'origine très répandue parmi les chevaux espagnols. En réalité, l'Amérique ne constitue pas réellement le berceau de la race, car les premiers palominos apparurent après l'arrivée des conquistadors espagnols.

C'est toutefois en Amérique que fut ouvert le premier registre pour les palominos et les chevaux ayant cette robe y sont aujourd'hui largement élevés. Pour être intégré dans le registre des palominos, un cheval ou un poney doit répondre à des exigences strictes. La robe doit avoir la couleur d'une pièce d'or neuve, avec trois nuances plus ou moins foncées. Des marques blanches sont autorisées sur la tête et les membres, mais ne doivent pas être au-dessus des genoux et des jarrets. La crinière et la queue doivent être d'un blanc argenté et ne doivent pas contenir plus de 15 % de crins sombres. Les yeux doivent être foncés ou noisette, les autre couleurs sont éliminatoires. Pour être intégré dans le stud-book, l'un des deux parents du cheval doit déjà y être inscrit. L'autre doit être soit un pur-sang, soit un quarter horse, soit un arabe.

Les spécificités de la robe sont difficiles à reproduire, mais les associations les plus couramment pratiquées pour obtenir des spécimens palominos sont les suivantes : palomino avec palomino, alezan avec palomino ou alezan ou palomino avec albinos. Le croisement le plus prisé reste le palomino avec l'alezan, lequel produit une robe palomino avec des nuances très riches.

Les palominos font de bons chevaux de selle et sont employés dans nombre de domaines, du loisir au saut d'obstacles, en passant par le concours.

Au cours de ces dernières années, le palomino a bénéficié d'un regain de popularité ; il est aujourd'hui fort prisé pour la couleur de sa robe. Bien souvent, les palominos possèdent des spécificités espagnoles, rappel de leurs origines, toutefois un déficit global de conformation persiste.

En général, le palomino a une petite tête au profil rectiligne, une encolure longue et bien dessinée, un poitrail profond, des épaules plutôt inclinées, un dos droit et une arrière-main musclée. Les crins sont bien fournis et sa taille oscille entre 1,40 et 1,60 m.

Ci-dessus
Ce sont des chevaux séduisants, avec une queue et une crinière plus claires que la robe.

Au centre et en bas
Le terme de palomino désigne en fait plutôt une couleur de robe qu'une race, toutefois des associations équestres tentent de définir ces chevaux en tant que race.

Paso Fino

TYPE

USAGE CARACTÈRE

ORIGINAIRE de Porto Rico, le paso fino est apparu au cours du XVIe siècle lorsque les conquistadors espagnols s'installèrent en Amérique, avec leurs chevaux andalous. Les premiers chevaux à poser le pied sur l'île de Porto Rico furent importés en 1509 par Martin de Salazar. En 1511, davantage de chevaux espagnols atteignirent l'Amérique du Sud, dont huit étalons. De nouvelles arrivées de chevaux eurent lieu en 1512, 1517 et 1524. Au milieu des années 1550 fut initié un élevage sélectif, et aujourd'hui, l'on trouve des chevaux aux allures très relevées dans toute l'Amérique du Sud, lesquels arborent des différences minimes et qui sont dotés de leur propre nom de race. Le paso fino a évolué par le biais du croisement du genêt espagnol, race aujourd'hui disparue, et de l'andalou, avec un apport probable de sang barbe. Le genêt espagnol était un ambleur naturel et un cheval aux allures très relevées dont a hérité le paso fino.

Jadis, il fallait parcourir de longues distances et le paso fino fut développé spécifiquement pour sa foulée confortable et sa grande endurance. Il possède trois allures : le paso fino, le paso corto et le paso largo. Le paso

fino est une allure lente où les pieds se lèvent et s'abaissent très rapidement. Cette allure est aujourd'hui très fréquemment employée dans les parades. Le paso corto est l'équivalent du trot, en terme de vitesse. Il

s'agit d'une allure très confortable pour parcourir de longues distances. Le paso largo est la plus rapide, et se situe entre le petit et le grand galop. Pour le paso fino, l'activité des antérieurs est vigoureuse, appuyée par une utilisation puissante des postérieurs, tout en maintenant l'arrière-main en position basse. L'assise est donc agréable et peut durer de longues heures, les secousses étant absorbées par le dos et l'arrière-main du cheval.

Généralement docile mais néanmoins vif, le paso fino est un cheval exceptionnellement robuste et réputé pour sa personnalité marquée. Il possède une tête bien dessinée, attachée à une encolure musclée et bien formée. Les épaules sont puissantes et le poitrail bien ouvert. Le corps est profond, abritant de larges poumons. Le dos est habituellement court, la croupe arrondie et les membres très forts. La couleur de la robe est indifférente, et sa taille oscille entre 1,40 et 1,50 m.

Le centaure était une créature mythique dotée d'une tête et d'un torse d'humain et d'un corps de cheval.

En haut
Le paso fino est un descendant des chevaux espagnols qui sont arrivés en Amérique avec les conquistadors.

À gauche
Cette race présente cinq allures distinctes ; elle est souvent employée dans les parades équestres traditionnelles portoricaines.

TYPE

USAGE **CARACTÈRE**

Persan arabe

○ ○

EN BREF

NOM	Persan arabe
TAILLE	Entre 1,42 et 1,52 m
ROBE	Gris, bai ou alezan
ORIGINE	Iran

L E PERSAN ARABE est une race ancienne et semble avoir existé en Perse dès 2 000 av. J.-C., aussi précède-t-il l'arabe de près de 1 500 ans.

L'appellation persan arabe regroupe une grande variété de lignées régionales sur tout le territoire iranien, baptisées du nom des familles qui les ont élevées. Aujourd'hui, le nombre de spécimens est considérablement réduit, déficit en partie dû à la peste équine qui toucha l'Iran dans les années 1950. Bien entendu, le persan arabe fut, à l'origine, le premier moyen de transport avant l'avènement de la motorisation. Ce n'est que récemment qu'il est utilisé à des fins sportives telles que les courses de chevaux arabes.

Les régions méridionales du Khouzestan voient l'élevage de chevaux arabes en plein essor. Elles produisent quelques-unes des lignées célèbres de persans arabes. Les éleveurs ont édicté des règles très strictes quant à l'élevage, qui a contribué à maintenir la pureté de la race. En termes de conformation et de spécificité, le persan arabe est très semblable à l'arabe, même si sa structure est légèrement plus lourde. Ce sont des chevaux d'une grande beauté avec une

grande présence et un port naturellement altier. Le persan arabe est un bon cheval de selle, rapide, agile, avec une incroyable résistance et beaucoup de fougue.

D'aspect, ce cheval possède la tête typique des arabes, un front large au profil convexe et des petites oreilles dressées. Il a un corps compact et musclé, une encolure rouée, un poitrail large et profond, une arrière-main arrondie et une queue plantée et portée haut. En règle générale, sa robe est grise, baie ou alezane et sa taille varie entre 1,42 et 1,52 m.

En Iran, deux races distinctes se sont formées à partir du persan arabe : il s'agit du jaf du Kurdistan et du darashouri de la province de Fars. Chez ces deux lignées, les spécificités arabes prédominent : il s'agit de chevaux fougueux, rapides, avec une bonne résistance qui mesurent environ 1,50 m. Le jaf aurait une meilleure endurance que le darashouri ; il est plus à même de composer avec les conditions climatiques extrêmes qui règnent dans le désert. En revanche, le darashouri est un cheval plus séduisant et plus élégant que le jaf.

En haut
Le persan arabe possède la tête typique des chevaux arabes et de la même façon, porte la queue haut.

Ci-contre
La race est dotée d'un profil large et convexe, ainsi que de petites oreilles alertes.

Paso péruvien

TYPE

USAGE CARACTÈRE

ORIGINAIRE du Pérou, le paso péruvien, ou peruvian stepping horse, descend des chevaux amenés par le gouverneur Don Francisco Pizzaro en 1531. La race est issue en majorité d'un mélange de sang andalou et barbe, sa composition dénotant davantage de caractéristiques du barbe. Toutefois, le paso péruvien est un ambleur naturel, aussi est-il probable que la race ait très tôt bénéficié d'apports de genêt espagnol, race aujourd'hui disparue.

Au fil des siècles, plus particulièrement après l'indépendance du Pérou en 1823, de nombreuses races de chevaux furent importées, parmi lesquelles le pur-sang, le hackney, l'arabe et le frison. Il semble que ces spécimens n'aient eu qu'une faible influence sur le paso, néanmoins, il est probable qu'ils aient contribué au développement d'autres races sud-américaines. Le paso péruvien est doté de l'une des allures les plus confortables de tous les ambleurs ; il est également capable de maintenir une vitesse impressionnante de près de 18 km/h, même sur un terrain accidenté. Son amble est une spécificité de la race, même s'il présente quelques similitudes avec les ambles du missouri fox trotter et du tennessee walker.

Le paso se déplace avec une activité antérieure extrêmement relevée, mue par une arrière-main puissante qui reste basse. Le déplacement des membres antérieurs présente un fonctionnement très relevé des genoux avec un mouvement vers l'extérieur et l'avant exagéré, tandis que les postérieurs aident à la propulsion et rattrapent les antérieurs. Les secousses et les mouvements sont amortis par le dos du cheval et son arrière-main, aussi le cavalier a-t-il une assise très confortable et stable. Membres et paturons postérieurs affichent une belle longueur, ce qui contribue à la fluidité de l'allure.

Le paso péruvien est doté d'une grande résistance et d'une incroyable endurance, et s'adapte avec facilité à différents climats. Ce beau cheval fait montre d'une grande présence, de beaucoup de fougue et d'un excellent caractère. En général, ce cheval qualiteux arbore une belle tête, attachée à une encolure arquée et musclée. Le corps est compact, le passage de sangle profond et l'arrière-main très puissante. Membres et pieds sont remarquables de force et de robustesse. La robe du paso péruvien est le plus souvent alezane ou baie, et sa taille oscille entre 1,40 m et 1,52 m.

Au centre
Cette race est splendide, avec une queue et une crinière longues et fournies ; elle est dotée d'un caractère calme et volontaire.

En bas
Le paso péruvien dispose de cinq allures et peut parcourir de longues distances à une vitesse considérable.

En Grande-Bretagne, Henri VIII (1491-1547) chercha à augmenter la taille des chevaux britanniques. Jusqu'alors, ils atteignaient seulement la taille de poneys, ce qui limitait considérablement leur aptitude au bât et au trait.

TYPE

USAGE CARACTÈRE

Pinto

EN BREF	
NOM	Pinto
TAILLE	Entre 1,40 et 1,52 m
ROBE	Pie
ORIGINE	États-Unis

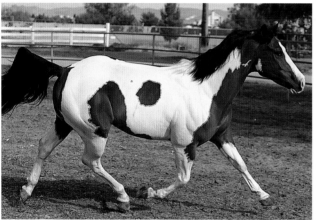

LES CHEVAUX ayant une robe de plusieurs couleurs séparées portent l'appellation de pie noir, quand la robe noire a de larges taches blanches, ou pie alezan, lorsque la robe blanche s'entremêle de grandes taches de n'importe quelle autre couleur. Sur le continent américain, ces chevaux sont appelés pintos ou paints. Leur robe est d'origine ancienne, à l'instar de la robe tachetée. De nombreuses peintures rupestres attestent de son existence à une époque lointaine. Ses origines se situent en Europe ou en Russie. Comme les chevaux pie sont bien plus nombreux sur le continent américain, celui-ci est appelé pays d'origine.

Les Amérindiens affectionnaient les pintos pour leur robe. Ce cheval présente un caractère de conformité peu élevé sur le plan physique, la seule spécificité étant tout simplement sa robe pie, même si ces dernières années, de nombreux efforts ont été faits pour créer un véritable type pinto. Toutefois, il faut bien faire la distinction entre le pinto et le paint. Aux États-Unis, deux associations ont été fondées : la Pinto Horse Association of America et l'American Paint Horse Association. N'importe quel cheval pie peut être enregistré par la première. Ils sont répartis selon des types de souche, tels que chasse, loisir, selle, etc. En revanche, la seconde n'enregistre que les chevaux pie attestant de lignées pur-sang, quarter horse ou paint. Cette association se préoccupe donc essentiellement des lignées et non des types. Tout cheval paint peut intégrer le registre des pintos, mais l'inverse n'est pas vrai.

Parmi les chevaux pie, on distingue deux motifs de couleurs : le tobiano et l'overo. Le tobiano est une robe à base blanche avec de grandes taches de couleur. Les membres sont généralement blancs et des taches blanches parcourent le dos. L'overo a une base de couleur avec des taches blanches débutant sous le ventre et s'étalant vers le haut, mais rarement le long du dos. L'overo présente souvent une tête blanche avec des yeux bleus. Nombre de chevaux espagnols primitifs arboraient des robes pie et l'on considère que ces chevaux sont les ancêtres des pie d'aujourd'hui. Ces derniers possèdent souvent des spécificités espagnoles.

Ces chevaux sont trapus, proportionnés et puissants, avec une tête qualiteuse et une arrière-main musclée. Globalement, ils possèdent une bonne conformation et font d'excellents chevaux de selle. Il mesure entre 1,40 et 1,52 m. Il existe bien sûr des poneys pie, qui toisent jusqu'à 1,40 m.

Ci-dessus et au centre
Leur robe inhabituelle font des pintos des chevaux fort prisés parmi les Amérindiens.

Ci-contre
Cette race, au caractère agréable, possède une tête fine et bien dessinée. Le pinto est un très bon cheval de selle.

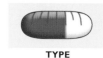

Pleven

TYPE

USAGE   CARACTÈRE

```
  ○○○○○○○○○○○○○○○○○○○○○○○○
           EN  BREF

 NOM             Pleven
 TAILLE          Entre 1,52 et 1,60 m
 ROBE            Alezan
 ORIGINE         Bulgarie
```

L'APPARITION DU PLEVEN remonte à 1898 en Bulgarie, au sein de l'ancien haras d'État connu alors sous le nom de Klementina et aujourd'hui baptisé Centre Agricole Georgi Dimitrov. Le pleven est en fait un anglo-arabe par essence, résultat de croisements entre chevaux arabes, ou juments autochtones demi-sang, et anglo-arabes russes et demi-sang. Par la suite, les éleveurs introduisirent également des étalons gidran. En 1951, la race pleven était officiellement reconnue. À peu près à cette époque, on ajouta également du sang pur-sang afin d'ajouter raffinement et qualité, mais également pour tenter d'accroître la taille moyenne du pleven.

Le pleven est une race de chevaux méconnue, en dépit de ses nombreux talents et qualités. C'est un cheval de selle et de compétition de première catégorie, doué d'un saut naturel d'excellence. Sa démarche est particulièrement séduisante et ses allures très fluides en font un cheval bien adapté au dressage. Il a un bon caractère, calme et docile, et se révèle peu gourmand en soin et nourriture. Doté d'une constitution très saine, il est robuste et endurant.

D'aspect, le pleven est un cheval d'une belle conformation, porteur d'une tête joliment proportionnée avec un profil rectiligne. L'encolure est plutôt longue, musclée et avec une belle ligne. Le poitrail est bien ouvert, les épaules sont bien formées et agréablement inclinées, ce qui participe à une locomotion de qualité. Le corps arrondi est raisonnablement profond, le garrot est saillant et le dos relativement long. L'arrière-main affiche une belle musculature et la croupe une légère courbure, avec une queue plantée et portée haut. Les membres arborent généralement une belle conformation, sont musclés et dotés d'une bonne densité osseuse,

ainsi que d'articulations larges et de qualité. Les antérieurs sont musclés et puissants avec des tendons bien dessinés et des sabots très durs.

Le pleven a de la prestance, un port naturel altier et des allures bien relevées. Toutes ces qualités semblent héritées de ses ancêtres arabes. Sa robe est toujours alezane et sa taille oscille entre 1,52 et 1,60 m. Le pleven fait toujours l'objet d'un élevage sélectif en Bulgarie et les éleveurs cherchent à augmenter sa taille moyenne. Ainsi, tout en conservant ses qualités d'exception, ce cheval se verrait offrir d'autres possibilités dans le monde équestre sportif, au plan international.

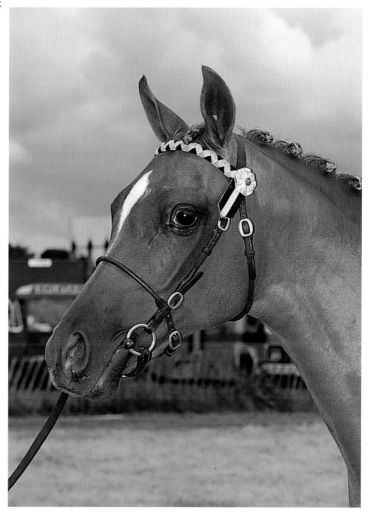

Ci-contre
Le pleven possède une tête fine avec une influence arabe évidente ; le profil est légèrement concave et les oreilles incurvées vers l'intérieur.

TYPE

USAGE   CARACTÈRE

Aux États-Unis, la Triple Crown (Triple Couronne) est constituée du derby du Kentucky, des Belmont Stakes et des Preakness Stakes. Le trophée est remis au cheval qui a remporté ces trois courses.

Quarter horse

NOM	Quarter horse
TAILLE	Entre 1,42 et 1,60 m
ROBE	Toutes les couleurs unies possible
ORIGINE	États-Unis

EN BREF

LE QUARTER HORSE compte parmi les races les plus anciennes des États-Unis, et aussi parmi les plus populaires. Cette race s'est développée au XVIIe siècle, à partir des chevaux amenés par les conquistadors espagnols sur le sol américain, principalement des andalous, des barbes et des arabes. Par la suite, cette souche de base fut croisée avec des chevaux de type pur-sang primitif importés en Amérique en 1611. Les fondements de la race du quarter horse étaient alors posés.

Les premiers chevaux anglais importés en 1611 étaient des chevaux de course, et semblent avoir été les prédécesseurs du pur-sang anglais. Ils furent emmenés en Virginie. En 1620, le gouverneur Nicholson légalisa les courses, aussi les éleveurs concertèrent leurs efforts afin de créer des chevaux destinés à la vitesse. Ces premières courses ne se déroulaient que sur de courtes distances, environ 400 m. Vers 1690, l'argent offert en récompense de la victoire atteignait des sommes considérables. C'est dans ce contexte que le quarter horse s'est développé et cette race a été poussée dans un premier temps avant que ses autres qualités soient

reconnues. Le quarter horse primitif était un petit cheval solide dont la taille ne dépassait pas 1,50 m, remarquable pour son arrière-main extrêmement puissante. Il a très vite été reconnu que, sur de courtes distances, le quarter horse se révèle largement supérieur aux chevaux de type pur-sang. C'est pour cette raison qu'il fut tout d'abord connu sous le nom de short horse (« cheval court »). Il prit ensuite le nom de quarter horse car les courses se déroulaient sur un quart (quarter) de mile. Importé en 1752, le pur-sang Janus exerça, pour la première fois, une influence importante sur le développement de la race. Janus eut un fils du même nom qui devint le fondateur de la lignée Printer, prépondérante au sein de la race. Fils de Diomed qui fut le vainqueur du premier derby d'Epsom, Sir Archy fut l'autre pur-sang qui contribua largement au développement du quarter horse. Aujourd'hui, plusieurs lignées de quarter horses de qualité remontent à Sir Archy. Toutefois, les courses d'endurance gagnèrent peu à peu en popularité et le quarter horse ne fut plus en mesure de rivaliser avec le pur-sang. Dans les années 1850, les courses d'endurance étaient des épreuves

En haut
Le quarter horse a été ainsi baptisé en raison de ses incroyables pointes de vitesse qu'il ne peut tenir que sur des quarts de miles (quarter).

Ci-contre
Ce cheval est doué d'un excellent caractère, ce qui en fait un très bon cheval de selle.

le rodéo, dans le travail avec le bétail et dans les ranches, ainsi que dans les courses. Au cours de ces dernières années, les courses de quarter horses ont gagné en popularité, même si certains considèrent que les apports de sang pur-sang sont préjudiciables aux lignées de quarter horses consacrées à la course.

Le quarter horse est doué d'un tempérament exceptionnel, calme et équilibré et d'une grande intelligence faisant de lui un cheval de selle de première classe. Sa conformation est toute en puissance. Sa tête est plutôt petite et large au niveau du front, l'encolure est musclée et bien dessinée, le poitrail large et profond, les épaules puissantes et inclinées. Le corps est compact et l'arrière-main exceptionnellement puissante. Les membres sont bien formés, le canon court et les pieds très durs. Sa robe peut être de n'importe quelle couleur unie et sa taille varie entre 1,42 et 1,60 m.

fermement ancrées dans la culture équestre et le quarter horse aurait tout simplement disparu si ses formidables qualités ne s'étaient pas, une fois encore, révélées. Il apparut rapidement que le quarter horse avait un véritable don pour le bétail. Il est plus que probable que cet instinct pour travailler avec les troupeaux lui a été transmis par ses ancêtres espagnols qui excellent dans ce domaine. Il est également fréquemment employé pour les épreuves de rodéo avec taureaux. Son agilité, sa rapidité et sa ténacité incroyables alliées à une grande intelligence en font la monture favorite des cow-boys d'aujourd'hui. Le quarter horse est véritablement le cheval aux talents universels par excellence et se révèle très performant dans tous les domaines.

Dans les années 1800, à l'époque où les gens commençaient à émigrer vers les régions occidentales du territoire américain, le quarter horse était beaucoup employé pour le transport, tant sous le harnais que sous la selle. Ces chevaux pouvaient accomplir tous les travaux nécessaire à l'implantation des premiers émigrants, tout en restant un excellent cheval de sport, convenant également aux enfants et aux débutants. Cette extraordinaire polyvalence, vraisemblablement inégalée, est probablement due à son caractère exceptionnel. La Quarter Horse Association, qui ne fut fondée qu'en 1940, possède désormais le plus grand registre du monde, recensant plus de trois millions d'entrées. Le quarter horse est un cheval qui se distingue dans tous les domaines de l'équitation de loisirs, dans les sports de compétition, notamment

The Black Box ou « boîte noire » est un traitement mis au point par Mme L. Dower. Envoyez-lui quelques crins de la crinière de votre cheval, elle les déposera dans la fameuse boîte noire et vous délivrera un diagnostic trois jours plus tard. Le traitement commence si vous continuez à compter sur ses services et ceux de sa boîte noire. Bien que cette méthode soit très controversée, elle a obtenu de nombreux succès.

En haut
Extrêmement polyvalent, le quarter horse possède un sens inné du bétail.

Ci-contre
Le quarter horse arbore une petite tête bien dessinée, avec un front large et une encolure bien faite et musclée.

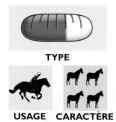

TYPE

USAGE CARACTÈRE

Rocky mountain

EN BREF

NOM	Rocky mountain
TAILLE	Entre 1,42 et 1,60 m
ROBE	Toutes les couleurs unies possible
ORIGINE	États-Unis

L E ROCKY MOUNTAIN ou cheval des Rocheuses est une race américaine apparue récemment et qui s'est développée au début du XXe siècle. Il fallut pourtant attendre 1986 pour que le stud-book soit ouvert et qu'une association se forme. Cette race a été créée par Sam Tuttle, originaire du Kentucky, qui employa Old Tobe, remarquable géniteur. Tuttle avait le droit de monter dans le parc naturel de Bridge State et il destinait ses chevaux à tous, y compris aux débutants. Old Tobe était souvent mis à contribution pour son caractère calme et gentil, caractéristique conservée par ses descendants. Old Tobe a également transmis sa belle conformation et son amble d'une grande douceur. Il a ainsi fondé une race de chevaux aux caractéristiques bien définies.

Le rocky mountain affiche également de façon évidente des spécificités espagnoles, tant dans son aspect général que dans ses allures et sa robe. Il est probablement apparenté au tennessee walker et au cheval de selle américain, tous deux étant des descendants de chevaux espagnols. Son amble est très confortable, particularité fort prisée à l'époque où l'on devait parcourir de très longues distances sur des terrains accidentés, mais également aujourd'hui en matière d'équitation de loisir. Traditionnellement, le rocky mountain était utilisé comme cheval de selle et de trait léger, très utile pour tirer buggys et attelages. Ce cheval fait preuve d'une résistance et d'une endurance considérables et il est capable de maintenir une vitesse de près de 25 km/h sur de longues distances. Ses multiples talents, son caractère et sa robe peu courante lui ont valu d'être de plus en plus recherché aux États-Unis et au Canada. Robuste, courageux, résistant au froid, il affiche une gentillesse incroyable.

En haut et ci-dessus
Cette race récente compte des spécimens d'une grande beauté ; souvent, la robe revêt une belle couleur chocolat foncé.

Ci-contre
Le rocky mountain possède une tête douce et un regard gentil et intelligent.

Le rocky mountain est d'une grande beauté. Sa tête est fine et son regard intelligent. Il possède une encolure longue et gracieuse bien attachée sur des épaules musclées, un poitrail large et profond, un garrot plutôt bas, un dos aux proportions agréables, une arrière-main bien dessinée et des membres solides et robustes. La bonne conformation des épaules contribue à la douceur et la fluidité de son déplacement. La robe idéale revêt un brun chocolat, peu courante et très belle, à crins lavés. Toutefois, toutes les couleurs unies sont possibles. Sa taille varie entre 1,42 et 1,60 m.

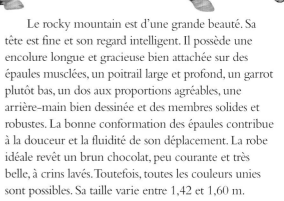

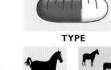
TYPE

USAGE   CARACTÈRE

Trotteur russe
Trotteur métis

LE TROTTEUR RUSSE a été développé en Russie afin de créer une race pouvant atteindre des vitesses de trot supérieures à celles de l'ancienne race de trotteur russe, à savoir le trotteur d'orlov. Entre 1890 et 1914, 156 étalons et 220 juments trotteurs américains furent importés en Russie. Le trotteur américain était le meilleur cheval et le plus rapide de sa catégorie, aussi décida-t-on de le croiser avec le trotteur d'orlov. Les premiers croisements donnèrent naissance à un cheval certes plus rapide, mais petit et moins qualiteux. D'autres élevages sélectifs produisirent un trotteur plus grand et de meilleure qualité. On croisa donc les spécimens les plus intéressants tout en procédant à d'autres apports de sang d'orlov et de trotteur américain.

Vers 1950, les caractéristiques de la race furent définitivement fixées et le trotteur russe fut officiellement reconnu. Toutefois, les éleveurs procèdent toujours à des apports de sang d'orlov et de trotteur américain, afin de maintenir les qualités de la race. En dépit de sa grande rapidité, le trotteur russe est dépourvu de la qualité et du raffinement du trotteur d'orlov et conserve quelques défauts de conformation. Les Russes ont imposé certaines normes afin d'améliorer le standard de la race. : les juments doivent afficher un minimum de 1,53 m et les étalons 1,60 m, un tour de sangle d'environ 1,85 m et environ 25 cm en dessous du genou. Le trotteur russe est doué d'un excellent tempérament, docile, énergique et facile à dresser.

Ce cheval possède une tête simple mais bien attachée, une encolure longue et musclée, un poitrail large et profond, des épaules longues, inclinées et puissantes et un long dos droit. Ses membres sont forts avec des tendons bien dessinés. Il affiche toutefois souvent des genoux de bœuf et des jarrets coudés, ce qui fait que ses pieds dévient vers l'extérieur dans un mouvement semi-

circulaire ; on dit que le cheval « billarde ». Bien qu'il s'agisse d'un défaut, il lui permet toutefois de trouver son allure plus facilement lorsqu'il allonge le pas, véritable avantage en course. Son ossature est un peu trop légère, et les paturons sont longs et très droits. Sa robe est souvent baie, mais peut être noire, grise ou alezane. Sa taille varie entre 1,53 et 1,60 m.

La frise du Parthénon d'Athènes est dotée de nombreuses sculptures en bas-relief, représentant des chevaux montés par de jeunes Grecs. L'artiste, du nom de Pridias, a réalisé cette frise vers 477 av. J.-C. pour représenter l'idéal de perfection grec.

En haut
Le trotteur russe est une race d'apparence simple mais dont la vitesse dépasse celle du trotteur d'orlov.

Ci-contre
Habituellement bai, ce cheval a une tête bien attachée, des épaules joliment inclinées et de longs membres forts.

EN BREF

NOM	Trotteur russe (trotteur métisse)
TAILLE	Entre 1,53 et 1,60 m
ROBE	Souvent bai, parfois noir, alezan ou gris
ORIGINE	Ex-URSS

TYPE

USAGE   CARACTÈRE

Salerne

○○○○○○○○○○○○○○○○○○○○○○○○○

EN BREF

NOM	Salerne
TAILLE	Entre 1,60 et 1,70
ROBE	Souvent bai, noir ou alezan
ORIGINE	Italie

A VANT 1780, il n'existait pas de programme d'élevage de salerne, jusqu'à ce que la race commence à faire l'objet d'un élevage sélectif au haras de Persano en Italie. La souche, composée de

À la bataille d'Eylau, en 1807, le capitaine Marbot montait Lisette, une jument au caractère très difficile. Missionné pour porter un message de l'Empereur à des camarades isolés, il traversa les lignes cosaques sans encombres grâce à la rapidité du cheval et eut ainsi la vie sauve.

sang napolitain, espagnol et oriental, offrait de solides bases. La race reçut un large soutien du roi Charles III, du roi de Naples puis d'Espagne, à l'origine de la fondation du haras de Persano. On y procéda au croisement d'une souche locale avec des lipizzans. Trois étalons eurent une influence considérable sur la race, Pluto, Conversano et Napoletano, considérés comme fondateurs de lignées. Dans un premier temps, ces chevaux furent connus sous l'appellation chevaux de Persano, puis évoluèrent en un cheval de selle qualiteux et utilitaire d'un certain poids, affichant des similitudes avec ses ancêtres espagnols.

L'élevage se poursuivit à Persano jusqu'à la fermeture du haras en 1864. Le nombre de spécimens commença alors à décliner. Il fallut attendre les années 1900 pour voir se profiler un regain d'intérêt. À cette époque, le cheval prit le nom de salerne. La race fut croisée au pur-sang et vraisemblablement au hackney. Le haras Morese, à proximité du haras Persano, devint alors l'un des hauts lieux de la race.

Les apports de pur-sang affinèrent et améliorèrent de façon notable le salerne, augmentant également sa taille moyenne. Le salerne devint alors un cheval de

En haut
Le salerne a des ancêtres napolitains, espagnols et orientaux.

Ci-contre
Ce cheval arbore une tête fine sur une encolure musclée, avec des longues épaules inclinées et des membres solides.

selle de première classe et une monture très prisée de la cavalerie italienne. Malheureusement, il ne reste que peu de spécimens de salernes. Cette disparition progressive ne reflète pourtant pas les nombreuses qualités de ce cheval, doué d'un excellent caractère et d'aptitudes certaines pour le concours de sauts d'obstacles. Les deux salernes les plus célèbres furent vraisemblablement Merano et Posillipo. Le premier, monté par Raimondo d'Inzeo, remporta les championnats du monde de saut d'obstacles en 1956, et le dernier gagna la médaille d'or aux Jeux olympiques de 1960 en concours individuel.

Le salerne présente une tête fine mais bien attachée sur une encolure longue et musclée. Le dos affiche de belles proportions, les épaules sont inclinées, l'arrière-main musclée et les membres minces mais forts. Aujourd'hui, la robe la plus commune est le bai, le noir ou l'alezan, et sa taille oscille entre 1,60 et 1,70 m.

San fratellano

TYPE

USAGE   CARACTÈRE

ON CONNAÎT peu de choses sur les ancêtres du san fratellano. Toutefois, on pense que cette race vient de la province de Messine en Sicile. Il est fort probable qu'il ait des liens étroits avec l'ancien cheval sicilien, race qui était fort estimée, notamment par les Grecs. De même, il dut y avoir des apports de sang anglo-arabe, salerne, anglo-arabe espagnol, nonius et pur-sang.

Le san fratellano est presque exclusivement élevé en semi-liberté dans les régions boisées de Messine et sur les pentes septentrionales des Monts Nebrodi. Ces chevaux sont exposés à des conditions climatiques difficiles, les températures étant extrêmement élevées en été et très froides en hiver. Il leur faut chercher leur nourriture, souvent rare. Un tel environnement ne pouvait que produire un cheval doté d'une constitution très saine, résistant à la plupart des maladies équines modernes, ne requérant que très peu d'entretien et formidablement robuste et endurant. La souche d'élevage fait l'objet d'un contrôle attentif afin de conserver les grandes qualités de la race et de continuer à l'améliorer. Dans les années 1930, des efforts furent entrepris afin d'améliorer certains aspects de la conformation du san fratellano, notamment sa tête plutôt lourde, et surtout pour remédier à la faiblesse de ses paturons. À cet effet, les éleveurs importèrent des chevaux anglais et orientaux dans la région. Cet apport eut des effets bénéfiques.

Le san fratellano est doué d'un excellent caractère et donc plein d'avenir en tant que cheval de sport. Il est naturellement athlétique et sain, à la fois courageux et rapide, toutes ces qualités en faisant un cheval adapté au saut d'obstacles. Il arbore une belle allure en dépit d'une tête encore un peu lourde avec un profil droit ou convexe. L'encolure est musclée et parfois un peu courte, le poitrail bien ouvert. La conformation des épaules s'est améliorée au cours des dernières années et affiche une inclinaison suffisante. Le dos est long et raisonnablement rectiligne. Ce cheval possède une arrière-main musclée et bien dessinée et une queue plantée et portée joliment. Les membres sont forts, dotés de tendons durs et de pieds sûrs. Le san fratellano est toujours bai, brun foncé ou noir et sa taille varie entre 1,50 et 1,60 m.

En centre
Cette race est probablement issue des anciens chevaux de la province de Messine en Sicile.

En bas
Le san fratellano est doué d'un bon caractère et, en dépit de son aspect un peu lourd, il fait un très bon cheval de selle.

TYPE

USAGE CARACTÈRE

Sarde

○○○○○○○○○○○○○○○○○○○○○○○○○○○○

EN BREF

NOM	Sarde
TAILLE	Voisine de 1,52 m
ROBE	Bai ou bai-brun
ORIGINE	Sardaigne

Le BETA, le British Equestrian Trade Association, a pour vocation l'instauration de normes industrielles. En achetant un produit à un détaillant avec le label BETA, vous êtes sûr de disposer d'un service performant, de conseils avisés et d'acquérir un produit de qualité.

En haut
Le sarde est probablement issu des barbes importés sur l'île par les marchands nord-africains.

En bas
Le pur-sang a récemment été introduit afin d'améliorer la race.

L E SARDE ou anglo-arabe sarde est une race ancienne qui s'est établie en Sardaigne au cours du XVe siècle. D'un point de vue géographique, la Sardaigne occupe une position stratégique dans les échanges commerciaux avec l'Afrique du Nord d'où elle a importé des barbes et des arabes qui furent croisés avec la souche locale. Ces croisements constituèrent la base de la race aux caractéristiques définies dès le XVe siècle et conduisirent à la création d'un haras, près d'Abbasanta, par Ferdinand d'Espagne. Le cheval espagnol, ancêtre de

l'andalou, joua un rôle prépondérant dans le développement du cheval sarde et d'autres haras, fondés à Padromannu, Mores et Monte Minerva, contribuèrent grandement à la promotion de l'élevage. Ce dernier fut florissant jusqu'en 1720, date à laquelle la Sardaigne devint propriété de la maison de Savoie. Il fut mis un frein important à l'élevage. Le nombre de spécimens sardes diminua jusqu'au début des années 1900. À cette époque, l'élevage reprit son essor, avec de nouveaux apports de sang arabe qui contribuèrent à améliorer la qualité des chevaux en leur apportant raffinement et résistance.

Plus récemment, les éleveurs procédèrent à des apports de sang pur-sang, amendant ainsi la qualité du sarde. Ce cheval est courageux et robuste avec une bonne résistance, et son caractère à la fois volontaire, calme et confiant en fait un excellent cheval de selle. Par ailleurs, il est naturellement doté d'un saut athlétique et les croisements récents avec des pur-sang l'ont adapté à des disciplines sportives. Son allure orientale atteste clairement de ses origines arabes. Cependant, sa conformation n'est pas toujours parfaite, résurgence des programmes d'élevages autrefois peu rigoureux. Le sarde arbore une longue tête, souvent fort simple, l'encolure est joliment rouée,

musclée et élégante, les épaules sont inclinées, le dos est plutôt long et rectiligne et l'arrière-main un peu légère. Les canons sont souvent longs et de constitution légère, mais demeurent néanmoins robustes et nerveux. Sa robe est baie ou bai-brun et il toise 1,52 m.

Selle Français

TYPE

USAGE **CARACTÈRE**

LE SELLE FRANÇAIS s'est développé au cours du XIXe siècle en France à partir d'une souche de grande qualité. Les sites d'élevage, dès l'origine, se sont trouvés en Normandie, région qui possède une longue tradition d'élevage de chevaux de première classe. Cette race a évolué par le biais de croisements entre chevaux normands autochtones et étalons pur-sang et demi-sang anglais. D'origine ancienne, les normands, prisés pour leur résistance et leur endurance, furent souvent employés comme chevaux de guerre et exercèrent une certaine influence sur certaines races originaires d'Angleterre. Les étalons demi-sang importés d'Angleterre détenaient un fort pourcentage de sang norfolk trotter dont les spécificités fort recherchées furent transmises à la race. Le croisement de juments normandes avec des étalons pur-sang et demi-sang donna naissance au cheval anglo-normand, selle de très grande classe et de très grand talent. Ainsi furent posées les fondations du selle français, dont le stud-book est en fait la continuité de l'ancien anglo-normand. Comme pour de nombreuses races de chevaux, les Première et Seconde Guerres mondiales provoquèrent un recul considérable du

nombre de représentants de cette race qui en était alors à ses débuts. Au terme de la Seconde Guerre mondiale, de nouveaux efforts furent entrepris afin de conserver le selle français. Des étalons pur-sang exercèrent une influence considérable : Lord Frey, Ivanhoe et Orange Peel, dont les lignées existent encore aujourd'hui. Plus récemment, les étalons Ultimate et Furioso furent aussi mis à contribution.

Aujourd'hui, le selle français constitue un excellent cheval de compétition, naturellement doué pour le saut athlétique. Il est donc souvent choisi par les équipes françaises de saut d'obstacles. Il possède également un caractère à la fois confiant et courageux.

Le selle français est doté d'une petite tête séduisante avec un front large, l'encolure est musclée et bien attachée, le poitrail bien ouvert, les épaules plutôt inclinées, le dos rectiligne et l'arrière-main puissante et légèrement inclinée. Il arbore des membres solides et forts avec un canon d'une longueur minimale de 20 cm. Sa robe est habituellement alezane, baie ou bai-brun, mais peut également avoir n'importe quelle couleur unie. Sa taille varie entre 1,52 et 1,62 m.

En haut
Le selle français est élevé en Normandie et dans les régions avoisinantes. Il est aujourd'hui très demandé pour son allure classique.

En bas
C'est une race naturellement athlétique ; courageux et fort, le selle français est un excellent cheval de compétition.

Fondé en 1994 aux Etats-Unis, l'IAES (Institute for Ancient Equestrian Studies) étudie les origines, l'évolution et la domestication du cheval au cours des âges.

TYPE

USAGE **CARACTÈRE**

○○○○○○○○○○○○○○○○○○○○○○○○

E N   B R E F

NOM	Arabe shagya
TAILLE	Voisine de 1,50 m
ROBE	Souvent gris
ORIGINE	Hongrie

Arabe shagya

À droite

Ces beaux chevaux sont généralement gris et leur profil concave atteste de façon flagrante de leurs origines arabes.

En bas

L'arabe shagya est légèrement plus lourd que son cousin arabe, mais il est doué du même caractère, à la fois vif et énergique.

DE 1526 À 1686, la Hongrie fut sous la domination de la Turquie et nombre de chevaux orientaux furent importés sur les terres hongroises. Cette arrivée devait par la suite avoir une influence prépondérante sur l'élevage de chevaux hongrois qui possèdent des ancêtres arabes. Cependant, la race de l'arabe shagya ne s'est pas établi avant le XIXᵉ siècle. En 1789, le gouvernement acheta le célèbre haras de Babolna, vraisemblablement pour concurrencer l'autre grand haras hongrois, celui de Mezohegyes. En 1870, Balbona élevait exclusivement des arabes. Les Hongrois tentaient d'instaurer un élevage sélectif pour créer un nouveau type de cheval arabe, plus grand que l'arabe traditionnel, mais tout en en conservant ses exceptionnelles qualités.

En 1833, l'étalon fondateur Shagya fut importé de Syrie. Il transmit toutes ses caractéristiques à ses descendants. D'autres étalons jouèrent également un rôle prépondérant dans l'évolution de la race : Siglavy, Bagdady, Gazal, Kemir, Koheilan, Youssouf, O'Bajan, Kuhaylan Zaid et Mersuch. Chacun fonda sa propre lignée qui porte toujours son nom. L'arabe shagya ne fut baptisé de la sorte qu'en 1982 ; jusqu'alors il n'était considéré que comme cheval arabe. Shagya transmit à tous ses descendants son aspect très caractéristique et sa robe, et la race fut donc baptisée à son nom en son honneur. En 1945, le nombre de spécimens shagyas avait considérablement diminué et bien que l'arabe shagya soit une race qui existe toujours aujourd'hui, il n'en reste qu'un nombre

réduit de représentants. Au cours de ces dernières années, il a bénéficié d'une grande popularité aux Etats-Unis et commence seulement à être véritablement reconnu à l'échelle internationale.

Son apparence et sa conformation sont semblables à celle d'un arabe, toutefois, le shagya est plus lourd et plus massif. À l'instar de l'arabe, il est réputé pour sa vitesse et sa résistance, et est doté d'un caractère vif et énergique. C'est un cheval très utile et polyvalent, à la fois sous la selle et sous le harnais. C'est également un excellent compétiteur. Il arbore une très belle tête dotée d'un front large et de yeux sombres et intelligents. Le corps est compact, les épaules sont puissantes et inclinées, le poitrail est large et profond et l'arrière-main musclée. Les membres affichent une bonne conformation, notamment les postérieurs. Sa robe est quasiment toujours grise et il mesure environ 1,50 m.

Les chevaux sont mesurés depuis le point le plus élevé du garrot jusqu'au sol. Ce faisant, l'on s'assure que le sol est bien plan. Pour une lecture pertinente de leur taille, ils doivent être mesurés sans fers.

USAGE CARACTÈRE

Trotteur américain

EN BREF	
NOM	Trotteur américain
TAILLE	Voisine de 1,53 m
ROBE	Bai, bai-brun ou alezan
ORIGINE	États-Unis

LES ÉTATS-UNIS s'enorgueillissent d'une longue tradition de courses de trot et le trotteur américain (ou standardbred) est sans nul doute l'un des trotteurs les plus rapides au monde. La race

obtint son nom en 1879 lorsqu'un standard fut imposé pour pouvoir être inscrit au registre des trotteurs. Répondaient à cette norme des chevaux capables de parcourir au trot un mile (1,609 km) en 2 min 30 ou à l'amble un mile en 2 min 15. Aujourd'hui, les vitesses de trot ont considérablement augmenté grâce à un élevage sélectif, et il n'est pas rare qu'un cheval couvre un mile en moins de deux minutes. À noter que les États-Unis comptent un pourcentage plus important d'ambleurs, environ 75 % tandis qu'en Europe, les trotteurs courent principalement en trot diagonal. Voilà qui semble attester de l'influence du genêt espagnol aujourd'hui disparu, ambleur naturel.

L'histoire du trotteur américain remonte au XVIIIᵉ siècle et à Messenger, un pur-sang importé aux États-Unis en 1788 après une brillante carrière en Angleterre. Ce pur-sang possédait une ascendance renommée qui remontait aux trois étalons

fondateurs pur-sang, ainsi que du sang du fougueux norfolk trotter. Messenger passa près de 20 ans en haras et produisit plus de 600 poulains. On lui présenta plusieurs juments, notamment de la race des ambleurs narragansetts et canadiens, aujourd'hui disparus, ainsi que des juments morgan. L'un de ses descendants, Hambletonian, né en 1849, devint l'étalon fondateur du trotteur américain moderne. Hambletonian donna naissance à quatre étalons dont est issue la quasi totalité des trotteurs américains modernes : George Wilken, Dictator, Happy Medium et Electioneer.

Le trotteur américain est doué d'un excellent caractère, docile et d'un esprit de compétition naturel. On l'assimile davantage aux États de la côte Est, mais il est maintenant élevé dans l'ensemble du pays. Il s'apparente au pur-sang, en étant toutefois plus robuste et vigoureux, avec des membres et des sabots incroyablement durs. Le trotteur américain affiche une constitution puissante et sa croupe a tendance à être plus élevée que son garrot, de sorte que son arrière-main induit une fonction propulsive. Le dos est long, avec une bonne profondeur de passage de sangle et une cage thoracique fortement développée. Sa robe est habituellement baie, bai-brun ou alezane et sa taille se situe autour de 1,53 m.

En haut
Le trotteur américain est l'un des trotteurs les plus rapides du monde.

Ci-contre
Ces chevaux sont dotés d'un naturel docile et d'un sens de la compétition, ce qui en fait une race parfaitement adaptée aux courses de trot.

TYPE

USAGE   CARACTÈRE

Selle suédois

○○○○○○○○○○○○○○○○○○○○○○○○○

EN BREF

NOM	Selle suédois
TAILLE	Voisine de 1,62 m
ROBE	Bai, bai-brun, alezan ou gris
ORIGINE	Suède

L E SELLE SUÉDOIS est apparu au début du XVIIe siècle dans le haras de Stromsholm, créé en 1621, et aux haras royaux de Flyinge, fondés en 1658, en Suède. Dans un premier temps, l'apparition de la race s'est établie sur la base d'un élevage diversifié qui n'aboutit à aucune caractéristique définie. Les premiers croisements firent intervenir trois étalons, espagnol, oriental et

frison, auxquels furent présentées des juments indigènes. Puis des chevaux furent importés au haras, en provenance de pays aussi variés que la Turquie, la Hongrie, l'Angleterre, la Russie, la France, l'Allemagne et l'Espagne. Bien qu'aucune race n'ait été fixée, le résultat obtenu consistait toutefois en un cheval de selle utilitaire, fort prisé pour la cavalerie.

La souche initiale était un cheval d'apparence plutôt grossière, due à l'utilisation des juments autochtones dont l'aspect était plutôt ordinaire. Par la suite, la descendance fut améliorée par l'introduction de sang pur-sang, hanovrien, arabe, et surtout trakehner. Grâce à une sélection rigoureuse des meilleurs spécimens et en les croisant entre eux, un type précis finit par émerger, le selle suédois. Des étalons renommés exercèrent une influence favorable sur l'évolution de la race : le pur-sang Hampelmann, les hanovriens Hamlet, Schwabliso et Tribun. Il convient d'évoquer surtout l'influence

Ci-dessus
Le selle suédois a été soumis à un élevage sélectif afin d'améliorer la souche originelle.

À droite
Ce cheval est doté d'une belle tête attachée à une longue encolure bien dessinée.

récente des étalons trakehner Anno, Heinfried et Heristal, ce dernier étant un descendant direct du célèbre cheval de course anglais, Hypérion.

Les grandes qualités du selle suédois se sont maintenues grâce à un processus de sélection strict auquel sont soumis juments et étalons avant de pouvoir obtenir le droit de se reproduire. Les étalons sont testés sur toutes les allures, sur leurs facultés au saut, au cross country, ainsi que sur leur caractère. Les juments doivent montrer la qualité de leurs allures. Le selle suédois moderne est un grand cheval démontrant de grandes facultés en dressage, en concours de saut d'obstacles et en compétition. Il est doté d'une bonne conformation, ainsi que d'un caractère calme et équilibré.

D'aspect, il arbore une belle tête bien attachée à une encolure longue et bien dessinée. Les épaules sont musclées et inclinées, permettant un mouvement fluide, le poitrail est bien ouvert, le corps compact, la cage thoracique bien développée et l'arrière-main puissante. Ses membres sont solides et ses pieds bien dessinés. Sa robe est souvent baie, bai-brun, alezane ou grise, mais peut également avoir n'importe quelle couleur unie. Sa taille est d'environ 1,62 m.

Einsiedler

EN BREF

NOM	Einsiedler
TAILLE	Entre 1,52 et 1,62 m
ROBE	Toutes les couleurs possible
ORIGINE	Suisse

TYPE

USAGE CARACTÈRE

Au centre
Cette race à sang chaud est constituée d'un mélange des nombreuses races importées en Suisse au cours du XVIIᵉ siècle.

En bas
L'einsiedler est devenu un cheval polyvalent et fait montre de talent en matière de dressage, cross country et saut d'obstacles.

L'EINSIEDLER ou anglo-normand suisse, s'enorgueillit d'une longue histoire qui remonte au Xᵉ siècle. Les moines de l'abbaye bénédictine d'Einsiedeln élevaient une race de cheval utilitaire aux multiples talents, adaptée à de nombreuses tâches, y compris les petits travaux agricoles, le trait léger et la selle. Il est probable que cet élevage précoce se soit appuyé sur la souche locale schwyzer. Au cours du Moyen Âge, les moines étaient parvenus à développer un cheval de grande classe, connu sous le nom de *Cavalli della Madonna*, ou chevaux de Notre-Dame. Par la suite, la race fut rebaptisée einsiedler et un stud-book fut ouvert en 1655.

La Suisse a une longue tradition d'importation de chevaux, et au cours du XVIIᵉ siècle, nombre d'étalons turcs, italiens, espagnols et frisons furent amenés dans la région et contribuèrent à développer l'einsiedler. Ces croisements n'améliorèrent pas la race, et eurent même quelques effets préjudiciables, au point que le stud-book original fut fermé en 1784 et que le père Isidor Moser en ouvrit un nouveau. Au XIXᵉ siècle, le croisement d'un étalon carrossier du Yorkshire et d'une jument anglo-normande donna de bons résultats, il fut suivi par l'introduction de sang holstein. Au XXᵉ siècle, l'introduction de gènes de pur-sang français, irlandais et anglais ainsi que de chevaux allemands et suédois aboutit également à des résultats fructueux. Il est remarquable qu'un type de cheval ait pu émerger d'une telle diversité d'influences. Et l'einsiedler est toujours une race de qualité hautement estimée.

À l'instar des chevaux à sang chaud, l'einsiedler est soumis à une sélection rigoureuse qui permet de conserver un standard de race élevé. À trois ans et demi et à cinq ans, les étalons sont jugés sur leurs performances et doivent faire la preuve de leurs aptitudes au saut d'obstacles, au dressage, au cross country et, à l'occasion, à l'attelage, leur conformation étant prise en considération.

L'einsiedler est un beau cheval aux multiples talents, adapté aux épreuves de compétition, tant sous la selle qu'en attelage. Il est doté d'une belle tête bien proportionnée, d'une encolure musclée, d'un poitrail bien ouvert, d'épaules inclinées, d'un long dos rectiligne et d'une arrière-main inclinée. Ses membres sont longs, forts et durs avec des tendons et des sabots bien dessinés. Sa robe peut avoir n'importe quelle couleur et sa taille varie entre 1,52 et 1,62 m.

La paille de blé est la plus adaptée aux litières. Les chevaux ont tendance à manger la paille d'avoine et la paille d'orge peut contenir des barbes piquantes.

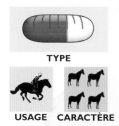

TYPE

USAGE **CARACTÈRE**

Tennessee walker

○○○○○○○○○○○○○○○○○○○○○○○○○○○○

EN BREF

NOM	Tennessee walker
TAILLE	Entre 1,50 et 1,60 m
ROBE	Souvent alezan ou noir
ORIGINE	États-Unis

L E TENNESSEE WALKER est apparu au XIXe siècle dans le Tennessee. À cette époque, beaucoup commençaient à s'installer dans la région et avaient besoin d'un cheval adapté aux travaux

agricoles, au harnais, à la selle et à toute la famille. Il était important que les chevaux aient une grande résistance et une foulée confortable en raison des longues distances à parcourir sur un sol accidenté. Les premiers éleveurs développèrent la race à partir de chevaux ambleurs espagnols, narragansetts et canadiens, puis procédèrent à des apports de sang morgan, pur-sang, trotteur et selle américain. En 1886, naquit un poulain noir du nom de Black Allan ou Allan F-1, fils de l'étalon Allandorf, issu de la lignée de trotteurs fondée par le célèbre Hambletonian, et d'une jument morgan baptisée Maggie Marshall.

Black Allan était destiné à devenir un trotteur, mais échoua en raison de son allure particulière. Il transmit celle-ci à sa descendance et fit du tennessee walker une race aujourd'hui prisée. Lorsque la Tennessee Walking Horse Breeders Association of America fut fondée en 1955, l'on considéra que Black Allan avait eu une influence prépondérante sur la race et ce dernier fut alors déclaré fondateur de la lignée.

Ci-dessus
Le tennessee walker adopte une posture peu courante, les membres antérieurs et postérieurs étant écartées au maximum du corps.

À droite
Avec sa tête large et ses yeux empreints de douceur, cette race est réputée pour sa nature gentille et calme.

Le tennessee walker possède trois allures très confortables, flottantes : le flat foot walk, le running walk et le rocking chair canter. Les deux premières sont des allures à quatre temps, le cheval rythmant sa cadence avec la tête et les postérieurs se posant loin devant les antérieurs. La troisième est une allure rapide souvent utilisée en concours. Le cheval peut atteindre en moyenne une vitesse de 13 km/h sur de longues distances et même 24 km/h sur de courts trajets ! Le cheval marque toujours la cadence de son allure par la mobilité de l'encolure et des oreilles, ainsi que par le claquement des dents. L'arrière-main demeure toujours horizontale et les foulées sont souples et douces. Le tennessee walker, à la fois calme et docile, est doué d'un excellent caractère et d'une grande sociabilité. Il est idéal pour les enfants et les débutants.

Il arbore une tête large au profil rectiligne, une encolure musclée et arquée, un garrot saillant, un poitrail large et profond, des épaules inclinées, un dos court et une croupe plate et puissante. La queue est plantée haut et l'on accentue son port élevé par anglaisage. Ce cheval peut avoir n'importe quelle couleur unie et sa taille oscille entre 1,50 et 1,60 m

Tersk

TYPE

USAGE **CARACTÈRE**

LE TERSK est une race récente qui s'est développée entre les années 1920 et 1940 aux haras de Tersk et de Stavropol dans les régions

septentrionales du Caucase, faisant anciennement partie de l'ex-URSS. Le développement de la race fit l'objet de soins particuliers, notamment de la part du maréchal Budyonny. La souche du tersk est constituée par les strelets arabes, race éteinte dans les années 1920. Deux étalons strelets, Tsenitel et Tsilindr, furent croisés avec de nombreuses juments arabes, don, strelets, kabarda et croisées. Ce qui persistait de la race strelets fut absorbé dans le développement du tersk.

Les premiers croisements furent fructueux et donnèrent naissance à un cheval de type arabe, amélioré par la suite par trois étalons arabes, Marosh,

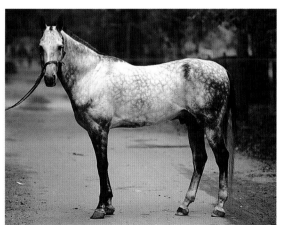

Nasim et Koheilan. Puis la race n'a cessé d'être perfectionnée par des apports de sang kabardin, arabe, don et pur-sang et fut officiellement reconnue en 1948. L'élevage du tersk fut un véritable succès et la rapidité de l'émergence des caractéristiques définitives de la race est notamment due au soin apporté à la sélection des spécimens. Les tersk sont extrêmement robustes, ce que leur beauté extraordinaire et leur fragilité apparente ne laissent pas supposer. En dépit de leur pelage très fin, ils sont parfaitement adaptés à la rudesse du climat de leur environnement.

Le tersk est très endurant. Une chevauchée de 192 miles (près de 310 km) fut autrefois organisée : tous les tersk y ayant participé ont réalisé d'excellentes performances, faisant preuve d'une parfaite condition physique. Le tersk est également un cheval de compétition de première catégorie. Il a hérité de la foulée gracieuse de ses ancêtres arabes, ce qui en fait un cheval parfait pour le dressage. Également extrêmement athlétique et courageux, il est très apprécié en concours hippique et au saut d'obstacles. Le tersk est très rapide et a souvent remporté des courses auxquelles participaient des arabes.

Très calme, il est intelligent et apprend vite.

Le tersk arbore une tête séduisante et fine aux yeux très expressifs, une encolure musclée et bien dessinée, des épaules inclinées, un poitrail large, un dos droit avec une croupe plate et des membres bien formés. Il est doté d'une constitution et d'une ossature plutôt légères. La norme requiert que le canon mesure 19 cm. Sa robe presque toujours grise, laquelle peut très exceptionnellement être alezane. Sa taille se situe autour de 1,50 m.

À gauche
Le tersk est une race de chevaux récente, dont l'élevage a fait l'objet d'une sélection soigneuse dans le Nord du Caucase entre les années 1920 et 1940.

Ci-dessous et en bas
Ces chevaux affichent une grande beauté et une tête fine. Ils sont généralement gris, rarement alezans.

Le jarret du cheval correspond à peu près au talon de l'homme.

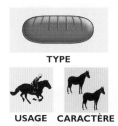

TYPE

USAGE   CARACTÈRE

Pur-sang anglais

○ ○

EN BREF

NOM	Pur-sang anglais
TAILLE	Entre 1,52 et 1,60 m
ROBE	Toutes les couleurs unies possible
ORIGINE	Grande-Bretagne

EN ANGLETERRE les courses sont une véritable tradition et bénéficient, depuis le XVIIᵉ siècle, de la protection royale. Les chevaux participant aux premières courses de vitesse ont largement influencé l'évolution des pur-sang. Les premiers chevaux de course étaient issus de croisements andalous, napolitains et barbes avec des contributions du hobby irlandais (prédécesseur du connemara) et de diverses races de poneys indigènes.

L'évolution du pur-sang est largement attribuée à trois chevaux orientaux. Le premier, Byerley Turk, capturé lors de la bataille de Buda contre les Turcs, fut le cheval d'armes du capitaine Byerley lors des guerres du roi Guillaume en Irlande. En 1690, il prit sa retraite au haras du comté de Durham. Il est probable que Byerley Turk, considéré comme un cheval arabe, ait en fait été un turkmène, vraisemblablement un akhal-téké. Son fils Jug fut le père de Herod, né en 1758, ce dernier fondant à son tour une lignée impressionnante de chevaux de courses qui remportèrent plus de 1 000 courses.

Le deuxième fondateur de lignée fut Darley Arabian, importé d'Alep en 1704, dans les premiers temps du règne de la reine Anne. À l'origine d'un nouvel élevage de chevaux dans l'East Yorkshire, il fut vraisemblablement l'étalon le plus influent parmi les fondateurs de lignée. Croisé avec la jument Betty Leedes, descendante de la lignée de Leedes Arabian, il donna naissance à Flying Childers, véritable crack de l'époque. La même jument mit au monde Barlett's Childers, père de Squirt. Ce dernier fut lui-même le géniteur de Marske, père du célèbre Eclipse. Eclipse fut vraisemblablement l'un des chevaux de courses les plus célèbres de tous les temps et resta invaincu sur les champs de courses.

En haut et ci-contre
Depuis des années, le pur-sang est la première race de chevaux de courses en Angleterre.

À droite
Ce cheval présente une excellente conformation, avec une tête fine et une encolure élégante et rouée.

Le troisième étalon fondateur de lignée fut Godolphin Arabian ou Barbe Arabian. Cheval barbe, il avait été offert par le roi du Maroc à Louis XIV. Ce dernier le vendit à un marchand pour tirer des voitures dans les rues de Paris où il fut remarqué par un Anglais de passage. Il arriva alors en Angleterre en 1728 et en 1730, il tenait le rôle ingrat de « boute-en-train » au haras de Cambridgeshire de Lord Godolphin. Un étalon appelé Hobgoblin était destiné à saillir une jument du nom de Roxana. On dit que Godolphin Arabian se battit avec l'étalon choisi par son maître et prouva alors sa flamme à la belle. De cette union naquit en 1731 Lath, moins talentueux et renommé que Flying Childers et Cade. En 1748, Cade donna à son tour le jour à l'étalon Matchem qui exerça une influence prépondérante sur l'évolution de la race.

C'est ainsi que se développèrent les trois premières grandes lignées fondatrices de pur-sang par le biais d'Eclipse, Herod et Matchem. La quatrième grande lignée est le fruit de Highflyer, qui était l'un des fils de Herod. Il y eut toutefois d'autres étalons dont l'apport fut déterminant pour l'évolution de la race. On peut citer : Unkown Arabian, Helmsley Turk, Lister Turk et Darcy's Chestnut. Après 1770, les apports de sang arabe cessèrent. En 1773, James Weatherby fut nommé responsable du livre des généalogies du Jockey Club, fondé en 1750 et véritable « gouvernement » des courses en Angleterre. En 1791 fut publié *An Introduction to a General Stud Book* par Weatherby, ouvrage de référence du Jockey Club. Le premier volume du stud-book était ouvert en 1808, toujours par Weatherby. Il continue d'être périodiquement publié. Un pur-sang anglais est depuis un cheval dont les origines sont consignées dans le stud-book.

Bien que le pur-sang soit généralement associé aux courses, c'est un cheval incroyablement polyvalent et flexible, pouvant être employé dans toutes les disciplines équestres. Cette race bénéficie d'une grande popularité dans le monde des concours équestres, tant dans le saut d'obstacles que les parades. Le pur-sang peut avoir un caractère nerveux, réagissant rapidement et parfois de façon démesurée aux stimuli extérieurs. C'est pourquoi ils conviennent davantage à des cavaliers expérimentés. Les croisements de pur-sang avec d'autres races de chevaux donnent toujours d'excellents chevaux de selle, mêlant la présence et les aptitudes du pur-sang à un caractère plus docile et gérable. L'une des combinaisons les plus prisées reste le croisement d'irlandais et de pur-sang.

Le pur-sang doit avoir une conformation excellente, une tête finement modelée attachée à une encolure élégante et rouée. Les épaules doivent être inclinées, le garrot dessiné et le dos court et puissant. L'arrière-main doit être musclée avec des membres nets et des jarrets bien descendus. Son pelage est doux et soyeux et sa robe peut avoir n'importe quelle couleur unie avec des balzanes. Sa taille varie entre 1,52 et 1,60 m.

TYPE

USAGE **CARACTÈRE**

« Avant d'affirmer qu'un cheval a la bouche sensible, il faut d'abord s'assurer de la douceur du cavalier. »
Alessandro Alvisi.

Trakehner

EN BREF

NOM	Trakehner
TAILLE	Entre 1,60 et 1,62 m
ROBE	Toutes les couleurs unies possible
ORIGINE	Allemagne

ORIGINAIRE de l'ancienne Prusse Orientale, faisant aujourd'hui partie de la Lituanie, le trakehner est une race de chevaux très ancienne. Installés très tôt dans la région, les Scythes étaient d'excellents cavaliers et élevèrent une race robuste et trapue, dans une optique de transport et guerrière. Ces chevaux primitifs étaient issus de la combinaison de schweiken, souche locale et race aujourd'hui éteinte, avec des poneys de Mongolie et vraisemblablement du sang turkmène. Bien que l'ancienne race originelle ne soit que peu comparable au trakehner moderne, ce dernier doit vraisemblablement sa robustesse, son endurance et sa résistance à ses premiers ancêtres.

Au XIIIᵉ siècle, un processus d'élevage de chevaux fut établi et les chevaux destinés à accomplir toutes sortes de tâches, y compris les travaux agricoles, le travail sous le harnais, sous la selle et comme cheval de guerre. Il fallut toutefois attendre encore cinq siècles pour que soit établie une race définie, arborant une nature nettement plus élégante et raffinée. En 1732, le roi Frédéric-Guillaume Iᵉʳ de Prusse fonda un haras royal à Trakehnen qui devint le grand centre d'élevage d'une nouvelle race. La souche locale fut croisée avec des chevaux de type arabe, turkmène et pur-sang primitif et un élevage sélectif des produits obtenus conduisit à l'émergence d'une race avec des caractéristiques fixes. L'un des principaux objectifs consistait à créer des chevaux d'attelage élégants, également adaptés à la selle pour un usage militaire au sein de la cavalerie.

En 1787, après la mort de Frédéric, le haras royal devint haras de l'État prussien, lequel procéda à de nouveaux apports de sang turc, danois, mecklembourg et pur-sang. Le stud-book fut finalement ouvert en 1888. La souche fut continuellement améliorée par les contributions d'étalons arabes et pur-sang. Le trakehner devint rapidement un cheval fort prisé et fut largement employé par la cavalerie lors de la Première Guerre mondiale. Au cours de l'entre-deux guerres, le trakehner connut un nouveau pic de popularité en remportant de nombreuses victoires aux Jeux Olympiques de 1924, 1928 et 1936, ainsi que le grand steeple-chase de Pardubice à neuf reprises. Cependant, la Seconde Guerre mondiale fut un véritable désastre pour la race. En 1944, on fit fuir quelque 800 des meilleurs spécimens vers l'Allemagne de l'Ouest

En haut
Le trakehner est une race ancienne, originaire de Prusse.

À droite
Aujourd'hui, le trakehner est un cheval admirablement polyvalent et employé dans divers types de compétitions équestres.

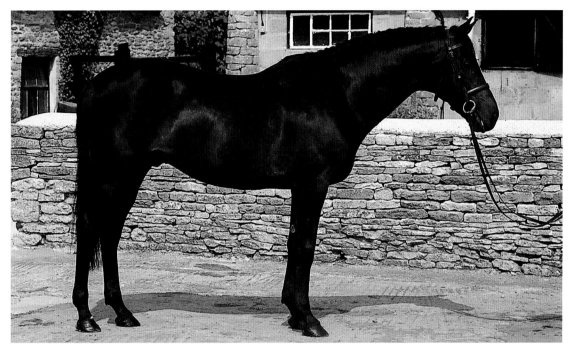

alors que l'Armée rouge avançait. Au terme de ce périple, seule une centaine de chevaux survécut. Ceux qui avaient été laissés en arrière tombèrent aux mains des Soviétiques et une race de trakehner russe est toujours élevée là-bas. En 1947, une association vit le jour en Allemagne afin de tenter de restaurer la race. Ces efforts furent couronnés de succès et aujourd'hui, le trakehner est élevé dans toute l'Allemagne.

Le développement de la race trakehner a été habilement mené, et même si les éleveurs ont eu recours à d'importants apports de pur-sang, ils se sont toujours efforcés de conserver la nature et le caractère originels du trakehner. L'un des premiers pur-sang eut une influence considérable sur la race. Il s'agit de Perfectionnist, fils de Persimmon qui devint célèbre en remportant le derby d'Epsom et le St-Leger en 1896. Perfectionnist fut le père de l'étalon Tempelhüter. La généalogie de la plupart des trakehners modernes remonte à ces deux chevaux. Les éleveurs procédèrent constamment à des apports de sang arabe de façon à contrer les défauts que le pur-sang aurait pu transmettre, et chez certains spécimens de trakehners modernes, cet héritage arabe est notable.

Le trakehner d'aujourd'hui compte parmi les chevaux de compétition les plus polyvalents et il est reconnu comme tel à l'échelle internationale. Il a participé à des compétitions du plus haut niveau dans tous les domaines équestres et a fait ses preuves comme excellent cheval de dressage et d'obstacles. Grâce à un élevage sélectif et étroitement surveillé, le trakehner est devenu un cheval d'une excellente

conformation et d'une très grande qualité. Il est doté d'une grande résistance naturelle, est courageux avec un caractère à la fois calme et énergique.

Finement modelée et extrêmement séduisante, sa tête dénote l'influence du pur-sang. Son encolure est bien dessinée et élégante, attachée à des épaules puissantes et obliques permettant au trakehner une grande fluidité de mouvements. Sa charpente est forte et musclée, dénotant vitesse et nature athlétique, avec des membres solides et forts. Le poitrail est large et profond, le corps agréablement arrondi, le dos compact et une arrière-main extrêmement puissante. La queue est attachée et portée haut, ce qui ajoute à sa présence et à son élégance naturelle. Toute couleur unie est acceptée et sa taille varie entre 1,60 et 1,62 m.

En haut et en bas
L'influence du pur-sang est perceptible dans la finesse de la tête, la puissance des épaules et la fluidité des mouvements.

TYPE

USAGE   CARACTÈRE

Turkmène

○ ○

EN BREF

NOM	Turkmène
TAILLE	Entre 1,50 et 1,60 m
ROBE	Toutes les couleurs unies possible
ORIGINE	Turkménistan, Iran

LE TURKMÈNE, anciennement turkoman est une très ancienne race née au Turkménistan. L'akhal-téké et le iomud sont les représentants de la race d'origine aujourd'hui disparue. Toutefois, les chevaux élevés dans les provinces du Turkménistan sont toujours considérés comme des turkmènes et présentent en effet des caractéristiques similaires. Le cheval turkmène a un corps tout à fait unique, aussi est-il considéré comme le lévrier du monde équin. Ses faiblesses ont souvent été critiquées mais ces reproches ne reposent sur rien de concret. Cette race ancienne et ses représentants actuels comptent parmi les chevaux les plus robustes et ont joué un rôle prépondérant dans l'évolution de nombreuses races dont le pur-sang.

Les chevaux turkmènes sont élevés selon un processus peu habituel qui a néanmoins contribué à l'émergence de ses caractéristiques si spécifiques. En effet, les juments sont gardées dans de grands troupeaux à l'état semi-sauvage et doivent lutter seules contre les contraintes climatiques et les prédateurs. Il leur faut également trouver leur nourriture. Les poulains sont capturés à l'âge d'environ six mois, âge auquel leur formation va véritablement commencer.

Aujourd'hui, les turkmènes sont essentiellement élevés pour la course, discipline pour laquelle ils ont un véritable talent. Les poulains sont attachés en permanence à des longes et le resteront à l'âge adulte. À l'âge de huit mois, ils sont mis sous la selle et montés par de jeunes cavaliers de poids léger. Et dès un an, ils se produisent sur les champs de courses. Leur régime alimentaire spécifique est à haute teneur en protéines : poulet bouilli, orge, dattes, raisins secs, alfalfa et graisse de mouton. Ils sont couverts d'épaisses couvertures de feutre qui les font transpirer les jours de grande chaleur. Ce procédé contribue à conserver leur sveltesse.

Leur entraînement et leur entretien font l'objet des plus grands soins pour qu'ils fassent preuve d'endurance et de résistance. Ils sont très rapides et leurs mouvements affichent une grande fluidité avec une disposition élégante. Le turkmène arbore une tête fière au profil rectiligne, une longue encolure musclée, des épaules obliques, un dos long, une arrière-main inclinée, un abdomen plat et de longs membres musclés. La couleur de sa robe est indifférente, dotée souvent d'un éclat métallique. Sa taille oscille entre 1,50 et 1,60 m.

En haut
Le turkmène est une race de chevaux très ancienne dotée d'un corps très svelte.

À droite
En dépit de son apparence fragile, cette race est très robuste et extrêmement rapide.

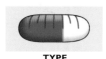

Selle ukrainien

EN BREF

NOM	Trotteur ukrainien
TAILLE	Entre 1,51 et 1,61 m
ROBE	Bai, alezan ou noir
ORIGINE	Ukraine

L E TROTTEUR UKRAINIEN est une race récente, développée en Ukraine à la fin de la Seconde Guerre mondiale afin de satisfaire des besoins grandissants en chevaux de sports polyvalents. Cette race a été élaborée au haras ukrainien de Dnepropetrovsk, et elle est aujourd'hui développée dans les trois principaux haras du pays, à Derkulsk, Yagolnitsk et Aleksandriisk. L'établissement de la race fut un véritable succès : l'élevage extrêmement sélectif a permis de fixer ses caractéristiques relativement rapidement.

Dans un premier temps, le trotteur ukrainien est issu de croisement de juments autochtones, furioso et gidran avec des étalons trakehner, hanovrien et pur-sang. Les produits de ces croisements furent évalués et les meilleurs spécimens furent croisés entre eux afin d'établir un type défini. Un usage conséquent fut fait du pur-sang et du hanovrien. En effet, les produits affichant un type trop lourd et trop peu qualiteux furent croisés avec des pur-sang ; quant à ceux qui étaient trop fins, ils furent croisés avec des hanovriens. Hanovrien et pur-sang sont les deux seules races mises à contribution pour améliorer et établir la souche, une fois les fondations assises. Au cours de cette phase, les éleveurs se sont appliqués à utiliser des souches contenant du sang de selle russe, une race de chevaux aujourd'hui disparue. Une seule lignée, la lignée Bespechny, contient du sang selle russe.

Les chevaux sont gardés dans un environnement très contrôlé avec un régime alimentaire de grande qualité. Leur formation débute juste avant qu'ils n'atteignent l'âge de deux ans et ils sont soumis à des tests de performance à deux et trois ans, sur les champs de courses, au dressage et au saut d'obstacles. Seuls les meilleurs retournent au haras.

Le trotteur ukrainien est un grand cheval, idéal pour la compétition. Il se révèle doué au dressage, au saut d'obstacles et en cross country.

Il arbore une belle tête bien proportionnée, une encolure longue et musclée, un poitrail bien ouvert, des épaules obliques, un dos long qui peut être incurvé, et une croupe longue et inclinée. Ses membres sont robustes avec de bons pieds. Généralement alezan, bai ou noir, sa taille varie entre 1,51 et 1,61 m.

En haut
Le cheval de selle ukrainien est apparu dans les années 1940, afin de répondre à une demande en chevaux de sports polyvalents en Ukraine.

Ci-contre
Ce cheval arbore une tête équilibrée et une encolure longue et musclée.

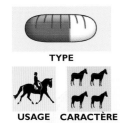

TYPE

USAGE CARACTÈRE

Wielkopolski

EN BREF	
NOM	Wielkopolski
TAILLE	Entre 1,60 et 1,62 m
ROBE	Toutes les couleurs unies possible
ORIGINE	Pologne

L E WIELKOPOLSKI est une race qui est apparue à la fin du XIXe siècle dans les régions centrales et occidentales de la Pologne. C'est donc une race relativement récente. Elle s'est développée dans un

Le wielkopolski est un cheval aux multiples talents. Bien que méconnu, il compte vraisemblablement parmi les meilleures races à sang chaud. Il est doué d'un excellent caractère, fort, courageux et apprécié pour ses allures confortables, amples et fluides. Comme son ancêtre pur-sang, il est naturellement athlétique et rapide, ce qui en fait un cheval de saut d'obstacles et de concours de première catégorie. Il a également fait ses preuves dans les sphères les plus hautes du dressage grâce à l'équilibre naturel de son déplacement. Le wielkopolski est principalement élevé selon deux lignées : l'une plus légère comme cheval de selle de compétition et l'autre un peu plus lourde qui donne d'excellents chevaux d'attelage et de bons chevaux de selle.

Le wielkopolski est un beau cheval qualiteux avec de la présence et du style. Il est doté d'une tête fine avec un profil rectiligne et des yeux vifs. Sa tête révèle parfois ses influences arabes et pur-sang, car bien attachée à une encolure longue et élégante. Les épaules sont inclinées et musclées, le poitrail large et profond. Son corps est compact avec une arrière-main très puissante. Ses membres sont souvent longs avec des articulations de qualité et des tendons bien dessinés. Sa robe peut avoir n'importe quelle couleur franche et sa taille varie entre 1,60 et 1,62 m.

premier temps par croisement entre deux races polonaises à sang chaud qui ont aujourd'hui malheureusement disparu : le poznan et le masure, le premier ayant été élevé dans les haras de Posadowo, Racot et Gogolewo, et le second au haras de Liski en Mazurie. Ces races étaient alors réputées. Issu de croisements entre arabe, pur-sang, trakehner et hanovrien, le poznan était un cheval de poids moyen et polyvalent, adapté aux travaux agricoles et à la selle. Le masure, quant à lui, était un cheval de selle d'origine essentiellement trakehner. Une fois ces races croisées, les éleveurs parvinrent à une base satisfaisante : des apports supplémentaires de sang pur-sang, arabe et anglo-arabe permirent ensuite de fixer les caractéristiques de la race.

Ci-dessus et à droite
Le wielkopolski est une race relativement récente qui a donné un cheval à sang chaud robuste et aux nombreux talents.

TYPE

USAGE CARACTÈRE

Wurtemberg

EN BREF

NOM	Wurttemberg
TAILLE	Voisine de 1,60 m
ROBE	Bai, alezan, noir
ORIGINE	Allemagne

LE WURTEMBERG est né dans le domaine du haras de Marbach en Allemagne, au XVIIᵉ siècle. Le haras de Marbach était, et est toujours, un centre réputé à l'échelle internationale pour élever des chevaux de très grande qualité. A XVIIᵉ siècle, ce haras produisait essentiellement des chevaux polyvalents, destinés à la selle et à l'attelage. Le wurtemberg originel est bien différent de son descendant actuel. Cette race fut alors obtenue en croisant des juments autochtones à sang chaud avec des étalons arabes, puis les éleveurs intégrèrent du sang trakehner, anglo-normand, frison, espagnol, barbe et suffolk punch.

L'une des premières influences déterminantes sur le wurtemberg fut celle d'un étalon anglo-normand du nom de Faust, de type cob et qui semble être à l'origine de la silhouette originelle de la race. En effet, la conformation et la stature premières du wurtemberg s'apparentaient plutôt celle d'un cob et il était adapté tant aux travaux agricoles et au trait léger qu'à la selle. Le wurtemberg fut reconnu officiellement en tant que race en 1895, date de l'ouverture du stud-book. Cependant, l'élevage du wurtemberg n'a cessé d'évoluer en direction d'un cheval sportif plus léger, tel que nous le connaissons aujourd'hui. Le facteur d'évolution le plus marquant fut l'introduction de sang trakehner, notamment par le biais d'un étalon du nom de Julmond (mort en 1965), lequel a grandement contribué à l'amélioration de la race.

Le wurtemberg est doté d'un excellent caractère et c'est un cheval très robuste et courageux. C'est également un cheval frugal. C'est un type de cheval réactif, caractéristique vraisemblablement héritée de Faust et associée à une locomotion vive et fluide, transmise par ses ancêtres arabes. Ses proportions en font un bon cheval de selle, excellant en compétition, tant au saut d'obstacles qu'au dressage.

Le wurtemberg est un beau cheval qualiteux de taille moyenne, doté d'une tête sensible avec des oreilles alertes, d'une encolure musclée et d'un garrot saillant. Le poitrail est large et profond, le dos long et rectiligne, l'arrière-main inclinée et la queue bien attachée. Les membres sont très forts avec des sabots durs et ses foulées sont de qualité et fluides.

Sa robe est habituellement baie, alezane ou noire et sa taille est d'environ 1,60 m.

En haut
L'élevage du wurtemberg s'est volontairement orienté vers un standard plus léger que par le passé afin d'obtenir une race plus rapide.

En bas
Doté d'une tête sensible et de membres très forts, le wurtemberg est une cheval de selle qualiteux.

Le premier véritable champs de courses officiel des Etats-Unis fut ouvert en 1665 sur Long Island et fut baptisé à l'origine New Market, du nom de l'hippodrome anglais.

Adresses utiles

ASSOCIATIONS ET ORGANISMES OFFICIELS

Association française d'attelage
44, rue Laborde
75008 Paris
Tél. : 33 (0)1 44 70 98 89
Fax : 33 (0)1 44 70 98 89
http://perso.wanadoo.fr/a.deli
gnieres/afa/afa0.htm

Association française des équipages de vénerie
10, rue de Lisbonne
75008 Paris
Tél. : 33 (0)1 42 93 24 31
Fax : 33 (0)1 43 87 41 40

Association vétérinaire équine
Clinique vétérinaire de Gros Bois
94470 Boissy-Saint-Léger
Tél. : 33 (0)1 45 69 65 39

Comité national de tourisme équestre
9, bd Macdonald
75019 Paris
Tél. : 33 (0)1 53 26 15 50
Fax : 33 (0)1 53 26 15 51

Conseil supérieur du cheval
Hôtel de Castries
72, rue de Varenne
75007 Paris
Tél. : 33 (0)1 42 75 80 48

École nationale d'équitation
B.P.207
49411 Saumur cedex
Tél. : 33 (0)2 41 53 50 55
http://www.cadrenoir.tm.fr/s
iteene/home.htm

Fédération équestre internationale
Avenue Mon Repos 24
PO Box 157
1000 Lausanne 5
Suisse
Tél. : 00 41 221 310 47 47
Fax : 00 41 221 310 47 60
www.fei.ch

Fédération française d'équitation (FFE)
9, bd Macdonald
75019 Paris
Tél. : 33 (0)1 58 17 58 17
Fax : 33 (0)1 53 26 15 00
http://www.ffe.com

FFE Club
Parc équestre – 41600
Lamotte-Beuvron
Tél. : 33 (0)2 54 94 46 00
Fax : 33 (0)2 54 94 46 47

France galop
46, place Abel-Gance
92655 Boulogne-Billancourt
Tél. : 33 (0)1 49 10 20 30
Fax : 33 (0)1 47 61 93 32
http://www.france-
galop.com/fr/index.asp

Groupement hippique national
Parc équestre
41600 Lamotte
Tél : 33 (0)2 54 83 02 02
Fax : 33 (0)2 54 83 02 03
http://www.eii.fr

Haras nationaux
Direction générale
BP 6
19231 Arnac-Pompadour
Tél. : 33 (0)5 55 73 83 00
Fax : 33 (0)5 55 73 83 94
Service de la Communication
28 bd de la Bastille
75012 Paris
Tél. : 33 (0)1 44 67 83 40
Fax : 33 (0)1 44 67 83 49
www.haras-nationaux.fr

Société du cheval français
7, rue d'Astorg
75008 Paris
Tél. : 33 (0)1 49 77 14 70
Fax : 33 (0)1 49 77 17 02
http://www.cheval-
francais.com/sinforme/qui/sec
f.htm

Société hippique française
19, rue de La Bourdonnais
75007 Paris
Tél. : 33 (0)1 53 59 31 31
Fax : 33 (0)1 53 59 31 30
http://www.shfonline.com

Union nationale interprofessionnelle du cheval
9, rue Rougemont
75009 Paris
Tél. : 33 (0)1 53 34 17 50
Fax :33 (0)1 48 24 42 40
www. chevalunic.fr

ASSOCIATIONS DE PROTECTION DES ÉQUIDÉS

Association éthique du cheval (AEC)
85, rue Cassel
59000 Lille
Tél. : 33 (0)3 20 57 39 56

Association Lyne Guéroult
Domaine du Coty Briard
14340 Saint-Ouen-le-Pin
Tél. : 33 (0)2 31 62 77 72

Centre d'hébergement et de protection des équidés martyrs (CHEM)
42, rue de Villiers
93100 Montreuil-sous-Bois
Tél. : 33 (0)1 42 87 99 56
Fax : 33 (0)1 48 51 77 24

Cheval bien-être
SCEA ferme du Jouy
12, rue Chemin-de-César
89150 Jouy
Tél. : 03 86 97 76 10

Cheval mon ami
106, ruelle Albert Einstein
38420 Le Versoud
Tél. : 33 (0)4 76 30 61 49

Fédération des amis du cheval (FAC)
1, rue Neuve
60400 Crisolles
Tél. : 33 (0)3 44 09 31 06

Fondation Brigitte Bardot
45, rue Vineuse
75116 Paris
Tél. : 33 (0)1 45 05 14 60

Groupement de recherche des équidés volés (GREV)
Le Gué des Sablons
61290 Malétable
Tél. : 33 (0)2 33 83 53 53

Ligue française pour la protection du cheval
Renseignements auprès de la FFE
9, bd Macdonald
75019 Paris
Tél. : 33 (0)1 53 26 15 15
Fax : 33 (0)1 53 26 15 00

Société de protection des équidés âgés et malheureux
37, rue du Bois
77515 Pommeuse
Tél. : 33 (0)1 64 04 27 16

Traits de génie
19 bis, rue Alexandre Dumas
80096 Amiens cedex 3
Tél. : 33 (0)3 22 53 69 33

Ultima Thera
21, rue de la Vénus-d'Arles
84000 Avignon
Tél. : 06 11 67 13 86
Fax : 33 (0)4 90 87 00 22
http://www.worldtrailrides.co
m/ultimathera.htm

MAGAZINES ET PUBLICATIONS

Atout cheval (mensuel)

Cheval arabe France (bimestriel)

Attelages magazine (bimestriel)

Cheval loisirs (mensuel)

Cheval magazine (mensuel)

Cheval Pratique (mensuel)

Cheval santé (bimestriel)

Cheval Star (mensuel)

Galopin (trimestriel)

La Revue de l'équitation (mensuel de la FFE)

L'Écho des poneys (mensuel)

L'Éperon (bimestriel)

Orientation bibliographique

ANGERS Stéphane, *L'Univers du cheval,* Solar, 2002

BARON Michel, *Soins aux chevaux,* Éditions Crépin-Leblond, 1996

BAYLEY Lesley, *À l'écoute du cheval,* Gründ, 2003

BAZIRET Catherine, *Le Monde du cheval,* Sélection du Reader's Digest, 2000

BOJER Matthias, *En forme à cheval,* Vigot, 1997

CHARY Jean-François, VAISSAIRE Jean-Pierre (sous la direction scientifique de), *Encyclopédie du cheval,* Aniwa Publishing, 2001

CLUTTON-BROCK Juliet, YOUNG Jerry, SHONE Karl, *Le Monde des chevaux,* Gallimard-Jeunesse, 2003

DEUTSCH Julie, *Je débute à cheval,* Proxima, 2000

FRANCHET D'ESPEREY Patrice (sous la dir.), *Apprendre le cheval autrement* , Belin, 2002

GLUNTZ Xavier (Dr), *Maladies du cheval,* Proxima, 2002

GOMBRICH Ernst, *Histoire de l'art,* Phaidon, 2001

Grand Atlas du cheval (le), Atlas, 1999

Grand Livre du cheval (le), Solar, 1996

HEMPFLING Klaus, *Danser avec les chevaux,* Vigot, 1997

KIKKULI, *L'art de soigner et d'entraîner les chevaux,* « Caracole », trad. de E. Masson, Favre, 1998

LYONS John, *Dressage des chevaux selon la méthode de John Lyons : programme basé sur le principe des réponses conditionnées,* trad. de Claire Charles, adapt. de Claude Lux, Vigot, 2002

MARIO Dominique, *Les Chevaux de selle,* De Vecchi, 2001

MERÇAY Frédy, *Longer son cheval,* Belin, 2003

OLLIVIER Dominique, *Emploi des forces du cheval,* vol. 3, Chiron, 1996

OVERNOY Sylvie, *Bienvenue au club !,* Belin, 2001

PEPLOW Elizabeth (sous la dir. de), *L'Encyclopédie du cheval,* Proxima, 2000

Petit Guide illustré du cheval (le), La Sirène, 2002

RAREY John S., *L'Art de dompter les chevaux,* Favre, 1996

RAVAZZI Gianni, *Le Cheval de selle,* De Vecchi, 1998

RIBAUD Sophie, *Randonnée à cheval,* Artémis, 2003

ROBERTS Monty, *L'Homme qui sait parler aux chevaux,* Albin Michel, 1997

SAUSSET, *Le Cheval d'obstacle,* « Equus », Éditions Crépin-Leblond, 1996

VAVRA Robert, *La Vie secrète des chevaux,* Evergreen, 1998

VAVRA Robert, *Equus : le cheval nu,* Evergreen, 1998

VAVRA Robert, *Le cheval harnaché,* Evergreen, 1988

VOGEL COLIN, *Manuel complet des soins aux chevaux,* Vigot, 19696

Glossaire

Âge : on considère qu'un cheval est âgé à partir de 15 ans, on dit alors qu'il s'agit d'un cheval d'âge.

Aides : le cavalier utilise des aides naturelles (action de jambes, poids du corps...) ou artificielles (cravache, éperons...) pour donner des ordres à son cheval, par exemple pour lui demander le galop.

Airs relevés : exercices de haute école ou d'équitation classique : selon les sauts, le cheval lève ses deux antérieurs en même temps ou à la fois antérieurs et postérieurs (ballottade).

Amble : déplacement latéral des membres au trot : antérieur droit/postérieur droit et inversement.

Amortisseur de dos : protection, souvent en peau de mouton, que l'on intercale entre le tapis de selle et la selle.

Anglaiser ou **niqueter** : pratique consistant à couper et recoudre les muscles abatteurs sous la queue de manière à obtenir un port de queue exagérément relevé.

Arqué ou **brassicourt** : cheval dont le jarret est faible et dont le canon forme un angle trop aigu en avant. C'est un défaut de conformation.

Arrière-main : partie arrière du cheval qui comprend les reins, la croupe et les membres postérieurs.

Avant-bras : partie supérieure de l'antérieur, au-dessus du genou.

Avant-main : partie avant du corps du cheval partant du garrot et comprenant les avant-bras, les épaules, l'encolure et la tête. Barre : espace sans dents entre les incisives et les molaires où se pose le mors.

Balzane : tache blanche circulaire sur la partie inférieure d'un membre.

Bât (de) : cheval ou poney utilisé pour le transport de marchandises ou matériel arrimés sur une selle spécialement conçue pour cet usage.

Battue : désigne l'instant où le pied du cheval touche le sol. Désigne également le son produit par l'impact. Bien-mis : cheval dont l'articulation entre l'encolure et la tête est bien faite.

Billarder : mauvais déplacement des antérieurs. Le membre décrit un cercle s'élargissant vers l'extérieur à partir du genou.

Boute-en-train ou **souffleur** : vieil entier (ou hongre) utilisé pour vérifier si une jument est en chaleur et sera réceptive à l'étalon reproducteur.

Bronc ou **bronco** : cheval non dompté utilisé pour les rodéos dans l'Ouest des États-Unis.

Carrière/Manège : lieux utilisés pour le travail et l'apprentissage. Le manège est couvert et peut être entièrement ou partiellement fermé tandis que la carrière, généralement entourée de lices (barrières basses amovibles), est à ciel ouvert.

Céder : se dit quand le cheval vient s'appuyer doucement sur le mors, tête baissée dans la bonne position. Il ne doit y avoir ni tension ni résistance.

Chaleur : une jument a ses chaleurs quand sa production d'œstrogène atteint un taux suffisant. C'est le moment où elle sera le plus réceptive à l'étalon.

Châtaigne : production cornée sur la face interne de l'avant-bras et du jarret.

Chaussons de feutre : protections en feutrine que l'on place sur le sabot des postérieurs d'une jument avant de la faire saillir. Elles protègent l'étalon en cas de ruade. Cheval d'aplomb : cheval bien bâti semblant former un rectangle avec ses antérieurs. Le cheval est placé.

Cob : type de cheval entre le cheval de selle et le cheval de trait : il est solide, massif et trapu, avec des membres courts et un corps arrondi.

Coffre (avoir du) : *voir* Poitrine profonde.

Condition : état général du cheval du point de vue de la santé mais aussi de la forme, quantité de travail qu'il peut fournir, ration de nourriture nécessaire. Un cheval est dit en bonne condition quand il est en bonne santé et que ses muscles sont bien développés. Il est en mauvaise condition quand il est fatigué, maigre et démusclé. On dira qu'un cheval manque de tonus quand il est en bonne

santé mais sous-entraîné et que ses muscles ne sont pas assez développés.

Conformation : ce terme décrit le physique du cheval et plus particulièrement les proportions des différentes parties du corps. On parle aussi de la conformation d'un cheval.

Couvrir *voir* Saillir

Cow-boy : c'est le gardien de vaches qui gagne sa vie en travaillant dans un ranch.

Crinière rasée : on rase souvent la crinière des chevaux ou poneys utilisés pour le polo ainsi que celle des cobs.

Crins lavés : poils décolorés.

Croupe : partie du corps allant du flanc à la naissance de la queue.

Débourrage : on débourre un cheval qui n'a jamais été monté. Il s'agit de lui faire accepter d'abord le poids de la selle puis celui du cavalier ainsi que le mors.

Demi-sang : un produit issu du croisement de deux races, par exemple un pur-sang anglais et cheval irlandais donne un demi-sang.

Dos : le corps du cheval entre le garrot et les reins.

Éduquer : monter le cheval et lui apprendre un travail précis.

Encapuchonné : le cheval ramène sa tête en arrière de la verticale : le bout du nez est trop rapproché du poitrail ; c'est une forme de résistance.

Encolure bien sortie : l'encolure est bien proportionnée par rapport au reste du corps et elle est harmonieusement reliée à des épaules bien développées.

Encolure de cygne : défaut de conformation. Les muscles de l'encolure sont trop développés dans la partie inférieure et la partie supérieure est creusée.

Engagement des jarrets : le cheval engage bien ses postérieurs maximisant l'utilisation de ses muscles. Les membres avancent bien sous le cheval, ne restant pas en arrière de la croupe.

Ensauvagé : Se dit d'un animal domestiqué qui a été remis dans la nature ou s'est échappé et a su se réadapter à la vie sauvage.

Ensellé : un cheval est dit ensellé quand son dos est exagérément creusé dans le milieu, ce qui arrive chez les vieux chevaux et poneys, ou quand ils ont été montés trop jeunes.

Ergot : petite excroissance de corne se trouvant derrière l'articulation du boulet.

Étalon : mâle entier (non castré) qui atteint sa maturité sexuelle à trois ans.

Fanons : poils plus ou moins longs et soyeux présents sur la partie inférieurs des membres, le plus souvent sur les chevaux mi-lourds ou de trait et chez certaines races de poneys.

Forger : le cheval se blesse parce que la pince du sabot postérieur atteint l'antérieur au pas ou au trot.

Fourchette : triangle formé de corne tendre sous les sabots ; contribue à amortir l'impact de la battue et à une meilleure adhérence.

Frugal : se dit d'un cheval qui survit bien avec une ration minimum.

Genoux cagneux : les genoux tournés en dedans l'un vers l'autre.

Haras : en France les Haras nationaux ont pour mission d'améliorer des races équines.

Harem : désigne le groupe de femelles sur lesquelles un étalon a établi son ascendant dans une harde vivant en liberté.

Haute école : les mouvements avancés en dressage appartiennent à la haute école également dite équitation classique.

Hongre : mâle castré.

Jarrets cambrés : quand on se place derrière l'animal, on s'aperçoit que les jarrets sont incurvés en dehors de la ligne d'aplomb. C'est un défaut dans la conformation du cheval.

Jarrets clos : quand on se place derrière l'animal, on s'aperçoit que la pointe des jarrets converge vers l'intérieur de la ligne d'aplomb. C'est un défaut de conformation.

Jarrets clos : quand on se place derrière l'animal, on s'aperçoit que la pointe des jarrets converge vers l'intérieur de la ligne d'aplomb. On dit aussi que le cheval est jarretier.

Jibbah : protubérance en forme de bouclier sur le front des chevaux arabes.

Jument : femelle adulte, c'est-à-dire âgée de plus de trois ans.

Koumiss : boisson à base de lait de jument fermenté.

Ligne supérieure de l'encolure : elle va du garrot à la nuque. Elle doit doucement s'incurver depuis le garrot jusqu'à la nuque ce qui dénote un cheval qui travaille bien dans un contexte naturel.

Main : unité employée en Angleterre pour mesurer un cheval, elle est égale à 10,16 cm. La taille du cheval se mesure du sol au

garrot et s'exprime bien sûr en mètres partout ailleurs !

Maître d'école ou **guide** : désigne un cheval expérimenté qui connaît son métier.

Maréchal-ferrant : il est qualifié pour ferrer et parer (niveler et couper) les sabots.

Membrane sclérotique ou **blanc de l'œil** : membrane blanche entourant l'œil, surtout visible chez les appaloosa.

Mettre au repos/au pré : période de repos traditionnellement octroyé à un jeune cheval venant d'être débourré. On utilise le même terme pour parler d'un cheval que l'on met au pré pendant quelque temps. Les chevaux utilisés pour la chasse sont mis au pré pendant l'été pour se reposer du travail de l'hiver.

Mitbah : angle de jonction de la tête et de l'encolure des chevaux arabes. Grâce à cette particularité, ces chevaux ont une grande liberté de mouvement à ce niveau. Montoir : on monte normalement à gauche aussi le côté gauche du cheval est-il parfois appelé côté du montoir.

Morphologie : *voir* Conformation

Mouchetée : robe grise parsemée de poils sombres évoquant des taches de rousseur.

Nez au vent : la tête du cheval est relevée de sorte que sa bouche se trouve au-dessus des mains du cavalier. Le cheval, dans cette attitude, tente de résister au cavalier.

Nuque : zone au sommet de la tête entre les oreilles.

Panser : nettoyer et panser un cheval.

Pare-botte : parois inclinées en bois qui entoure le manège.

Pie : cheval de deux couleurs. Lorsque le noir est la couleur dominante, le cheval est dit pie noir, et pie blanc lorsque le blanc est la couleur dominante.

Pied encastelé : se dit de sabots excessivement étroits et hauts évoquant la forme d'une tour, d'où son nom.

Pieds cagneux : cheval dont les sabots se retournent vers l'intérieur. C'est un défaut de conformation.

Pinto : race américaine dont la robe est de deux couleurs ; le terme désigne aussi, par extension, un cheval pie blanc ou pie noir.

Poitrine profonde : cette expression décrit une poitrine bien développée, large mais pas trop. En Angleterre on disait que si l'on pouvait

placer un chapeau melon entre les deux antérieurs, immédiatement sous le poitrail, c'est qu'il était de bonnes dimensions. On dit aussi que le cheval a du coffre.

Poitrine profonde : cette expression décrit une poitrine bien développée. Un cheval bien conformé aura un passage de sangle profond, qui fournira aux poumons la place nécessaire pour se développer.

Pommelé : cheval dont la robe comprend des poils sombres et clairs, les premiers recouvrant les seconds, généralement en formant des ronds ou des demi-cercles.

Pouliche : femelle qui n'est pas encore adulte, c'est-à-dire de moins de trois ans.

Primitifs : le cheval de prejwalski et le tarpan sont des races présentant des caractéristiques très proches des chevaux primitifs.

Qualiteux : se dit d'un cheval bien éduqué et présentant de nombreuses aptitudes. Ce terme qualifie souvent les pur-sang et les pur-sang arabes.

Queue attachée haut : Un cheval dont la queue, bien attachée dans l'arrondi de la croupe, part d'assez haut. Ils ont tendance à porter leur queue haut ce qui est du plus bel effet.

Raie de mulet : apparaît le plus souvent sur les robes louvet (brun foncé). C'est une rayure plus sombre qui part du garrot et va jusqu'au sommet de la queue. On la trouve parfois en conjonction avec des rayures allant du garrot et descendant vers les épaules.

Rassembler : état de parfait équilibre du cheval lui permettant d'aborder tout mouvement dans les meilleures conditions. L'aptitude au rassembler est une qualité très recherchée chez un cheval.

Reins : se trouvent dans le bas du dos, sous la selle et avant la croupe.

Rétif : cheval qui refuse tout travail.

Saillir : la jument est saillie par l'étalon qui la couvre.

Se toucher : on dit qu'un cheval se touche

quand il se donne des coups dans le boulet et la partie inférieure d'un membre avec le sabot du membre opposé, ce qui arrive fréquemment si le cheval est panard.

Sellerie : lieu où l'on range selles et filets ainsi que le matériel de pansage.

Sens du bétail : un cheval qui a le sens du bétail est instinctivement doué pour rassembler les troupeaux et anticiper les mouvements des bêtes.

Sire : étalon appartenant à une race de sang.

SIRE – Système d'identification répertoriant les équidés : ce système mis en place par les Haras nationaux en 1974, accessible par minitel et internet, donne l'immatriculation des chevaux et la tenue du livre généalogique par races.

Sole : surface sous le pied, qui chez certaines races comme les pur-sang est assez mince et donc plus fragile.

Stud-book ou **livre généalogique** : les sociétés qui pratiquent l'élevage tiennent un registre où sont inscrites les naissances et les origines des produits. Les premiers livres généalogiques se sont ouverts en France en 1833, mais le terme stud-book existait en Angleterre dès 1791.

Tailler la crinière : on éclaircit et on raccourcit la crinière en arrachant les crins du dessous. On peut aussi éclaircir les queues en enlevant les crins latéraux et du dessous de la partie supérieure de la queue pour l'embellir.

Tares : déformations du corps qui peuvent être douloureuses. Les tares molles sont de petites tumeurs situées au niveau des articulations dues à un effort trop soutenu de certaines parties du corps ou à des aplombs défectueux. Les tares dures, quant à elles, sont des excroissances osseuses.

Test capillaire : appuyez votre pouce sur la gencive du cheval pour réduire momentanément l'afflux de sang dans cette zone. Quand vous ôtez votre pouce, le sang doit immédiatement revenir dans les capillaires ; s'il lui

faut plus de temps que la normale, c'est une indication de mauvaise santé.

Test d'hydratation : quand on pince et relâche la peau de l'encolure d'un cheval en bonne santé, elle reprend sa place immédiatement. Quand ce n'est pas le cas, cela peut indiquer qu'il souffre de déshydratation.

Tête busquée : la tête présente un profil bombé souvent caractéristique des chevaux lourds.

Tic à l'appui : vice du cheval qui mord la porte de son écurie, les barrières ou toutes surfaces dures. Dans les cas les plus extrêmes, le tic devient aérophagique, c'est-à-dire que le cheval avale de l'air.

Tic aérophagique : c'est un vice. Le cheval prend appui sur un objet solide avec ses dents, tend les muscles de l'encolure et avale de l'air. Dans les cas les plus extrêmes, le cheval apprend à avoir ce comportement sans aucun appui ce qui, à la longue, provoque des problèmes digestifs.

Tic de l'ours : c'est un vice. Le cheval se balance de droite et de gauche sur ses antérieurs, parfois très

rapidement. Dans les cas extrêmes, il peut se produire des lésions dans l'avant-main.

Toilettage social ou **naturel** : dans la nature les chevaux passent du temps à se mordiller, ce qui est une manière d'assurer le lien au sein de la harde.

Zain : absence totale de poils blancs dans une robe.

Crédits photographiques et remerciements

L'éditeur remercie Claire Dashwood, Mark Stevens, Polly Willis et Karen Villabona pour leur collaboration éditoriale particulièrement efficace.

L'éditeur tient à signaler que les pratiques vétérinaires variant d'un pays à un autre, il est indispensable de prendre conseil auprès d'un professionnel compétent.

Dessins anatomiques de Suzie Green : 10 (b), 11 (bl), 18 (hg), 19 (h), 47 (toutes), 60 (hg).

Illustrations de Jennifer Kenna et Helen Courtney, courtesy of Foundry Arts 1999.

Toutes les photographies sont de Bob Langrish à l'exception de :

AKG, London : 135 (b), 144 (b), 145 (h), 145 (d), 145 (b), 146 (h), 146 (b), 147 (b), 148 (h), 148 (g), 148 (b), 149 (h), 149 (g), 149 (b), 150 (c), 151 (h), 151 (b), 156 (h), 156 (b), 157 (h), 157 (bg), 157 (bd), 158 (h), 158 (b), 159 (h), 160 (hd), 160 (hg), 160 (bg), 161 (h), 161 (b).

Allsport USA : 132 (h), 132 (bg), 132 (bd).

Animal Photography : R. Willbie 204 (b), 214 (b), 264 (h), 264 (b) ; Sally Anne Thompson 204 (h), 214 (h), 216 (hg), 216 (cd), 216 (bg), 237 (hd), 251 (b), 257 (h), 257 (b), 266 (h), 266 (b), 268 (b), 270 (hg), 270 (hd), 300 (b), 324 (h), 324 (b), 327, 331 (b) ; V. Nikiforov 220 (h), 220 (b), 237 (hg).

Ann Ronan at Image Select : 134 (g).

Ardea : 162 (h), 236 ; Ake Lindau 171 (h) ; Chris Knights 221 (b), 235 (hg), 235 (b), 268 (hg), 268 (hd) ; Dennis Avon 224 (b) ; Hans D. Dossenbach 196, 311 (b), 317, 331 (h) ; Jean-Paul Ferrero 204 (hg), 235 (hd) ; Joanna Van Gruisen 172 (cg) ; J.-M. Labat

et Y. Arthus-Bertrand 223, 322 (h), 322 (b) ; John Daniels 318 (h), 318 (b) ; Monica Dossenbach 348 (h), 348 (b) ; M. Watson 170 (h), 171 (b) ; P. Morris 229 (bg) ; S. Roberts 172 (h).

Bob Gibbons Natural Image : 38 (hd), 38 (g), 38 (bd), 39 (hg), 39 (hd), 39 (b).

Bridgeman Art Library : 156 (g), 158 (g) 159 (b), 160 (bd).

Bridgeman/Giraudon : 154 (h).

Christie's Images : 161 (cd).

Dorling Kindersley Picture Library : 231, 286, 293 (h), 293 (b), 370 (h), 373.

Giraudon : 150 (h), 150 (b).

Kit Houghton Photography : 18 (hd), 32 (hd), 32 (bg), 32 (bd), 33 (d), 33 (bg), 40 (h), 41 (hd), 41 (g), 43 (hd), 43 (b), 44 (h), 45 (g), 50 (b), 58 (h), 59 (hd), 62 (h), 62 (b), 64 (h), 64 (b), 65 (bd), 66 (bg), 67 (bd), 68 (hg), 68 (hd), 68 (bd), 69 (h), 71 (d), 71 (b), 72 (h), 78 (hd), 80 (bg), 80 (cd), 81 (hd), 81 (b), 98 (h), 98 (b), 99 (h), 107 (b), 136 (c), 195, 213 (h), 236 (h), 265 (cd), 275 (b), 291, 323 (h), 323 (b), 337 (b), 346 (hd), 350 (cd), 364 (b), 368 (b), 369 (h).

Topham : 134 (b), 135 (h), 136 (b), 138 (h), 138 (g), 138 (b), 139 (b), 140 (h), 140 (b), 141 (cd), 144 (h), 144 (g), 147 (h), 151 (d), 152 (b), 153 (h), 153 (d), 153 (b), 154 (g), 154 (b), 342.

L'éditeur a fait tout son possible pour retrouver les ayants droit des documents et présente ses excuses à ceux qui n'auraient pas été mentionnés.
Les personnes et les institutions qui n'auraient pu être jointes sont priés de contacter l'éditeur, qui intégrera les remerciements dans la prochaine édition de cet ouvrage.

Index